Du même auteur, chez le même éditeur :

Les Chroniques des Ravens :
1. *AubeMort* (2002)
2. *NoirZénith* (2003)

www.bragelonne.fr

James Barclay

NoirZénith

Chroniques des Ravens - livre deuxième

Traduit de l'anglais par Isabelle Troin

Bragelonne

Collection dirigée par Stéphane Marsan et Alain Névant

Titre original : *Noonshade, Chronicles of the Raven Book Two*

Originellement publié par Victor Gollancz,
une maison d'édition de Orion Books Ltd.

Illustration de couverture :
© Vincent Dutrait

ISBN : 2-914370-39-3

Bragelonne
15, rue Girard - 93100 Montreuil sous Bois

E-mail : info@bragelonne.fr
Site Internet : http://www.bragelonne.fr

Pour mes parents, Keith et Thea Barclay
Toujours présents, et toujours merveilleux...

Le soutien, l'assistance et les encouragements sont très importants. Merci à tous ceux qui m'en ont prodigué sans compter. Avec une mention spéciale pour : Tara Folk, qui m'a permis d'aller sans cesse de l'avant ; Peter Robinson, John Cross, Dave Mutton et Dick Whichelow, qui ont toujours été là ; Paul Fawcett et Lisa Edney, qui ont fait preuve d'une patience et d'une ouverture d'esprit bien au-delà de ce que leur imposait le sens du devoir ; Willam Holley, qui m'a envoyé mon premier « mail de fan » ; et Simon Spanton, dont les révisions amicales améliorent tout ce que j'écris. Tout ça serait beaucoup moins amusant sans vous tous.
Encore merci !

www.jamesbarclay.com

Distribution

LES RAVENS	Hirad Cœurfroid, guerrier barbare Le Guerrier Inconnu, guerrier Thraun, guerrier et métamorphe Will Begman, voleur Ilkar, mage julatsien Denser, mage d'AubeMort Erienne Malanvai, magicienne annalyste
XETESK **Collège de magie**	Styliann, Seigneur du Mont Dystran, maître de recherche Ile, Cil, Rya, Aeb, Protecteurs
JULATSA **Collège de Magie**	Kerela, Prime Magicienne Barras, Chef Négociateur Kard, général de la Garde Collégiale
BARONS, SEIGNEURS ET SOLDATS	Ry Darrick, général des armées Noirépine, baron du Sud Gresse, baron du Sud-Est Tessaya, seigneur des Tribus Unifiées Travers, capitaine Senedai, commandant des Armées du Nord Riasu, commandant de la garnison de la passe de Sousroc Kessarin, éclaireur
ANCIENS DES COUVÉES	Sha-Kaan, Grand Kaan Élu-Kaan, quasi-aîné Kaan Tanis-Veret, Veret aîné et Kaan Haut-Jumel Yasal-Naik, chef de la couvée Naik

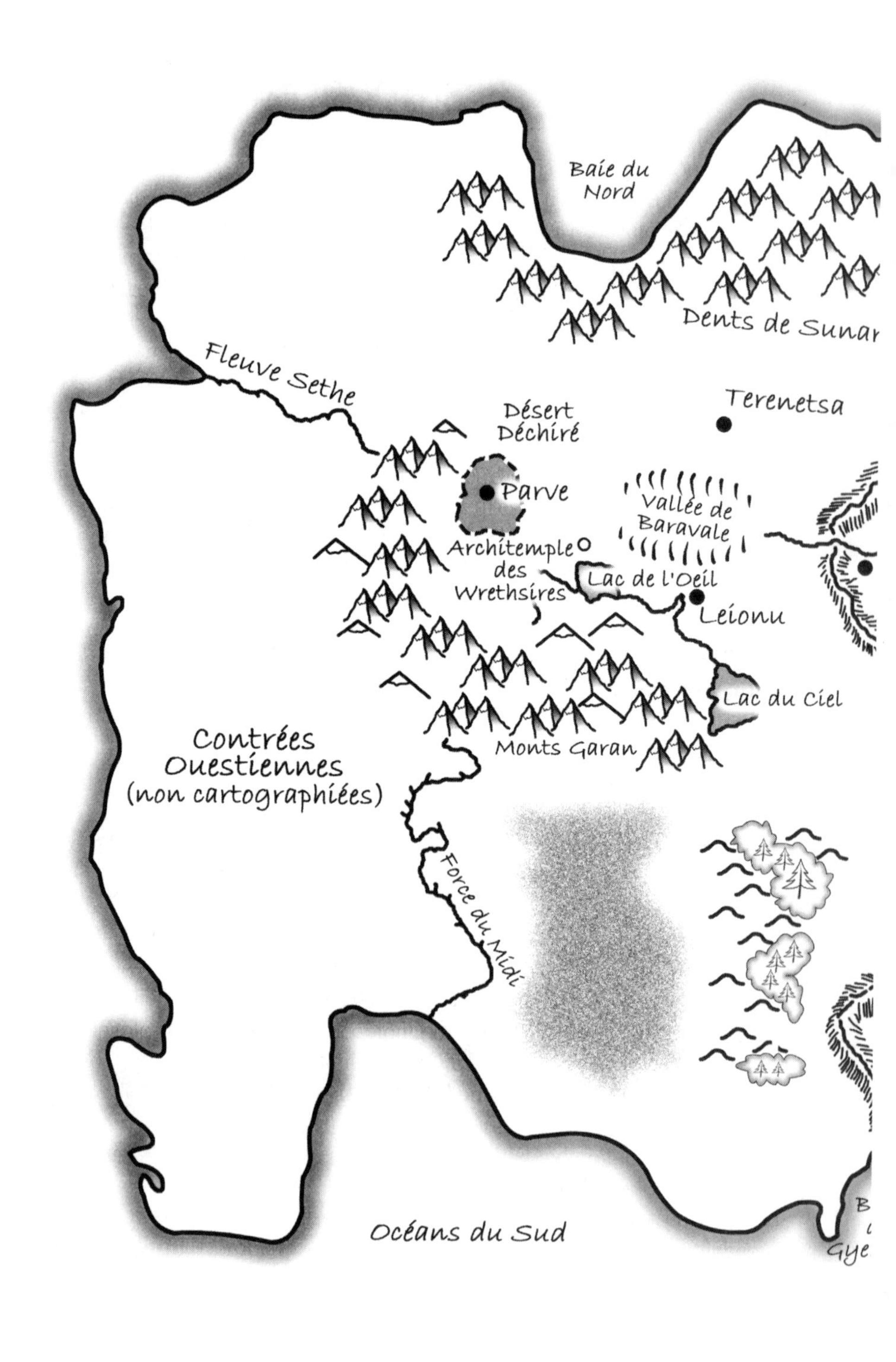

Baie du Nord
Dents de Sunar
Fleuve Sethe
Terenetsa
Désert Déchiré
Parve
Vallée de Baravale
Architemple des Wrethsires
Lac de l'Oeil
Leionu
Lac du Ciel
Monts Garan
Contrées Ouestiennes (non cartographiées)
Force du Midi
Océans du Sud

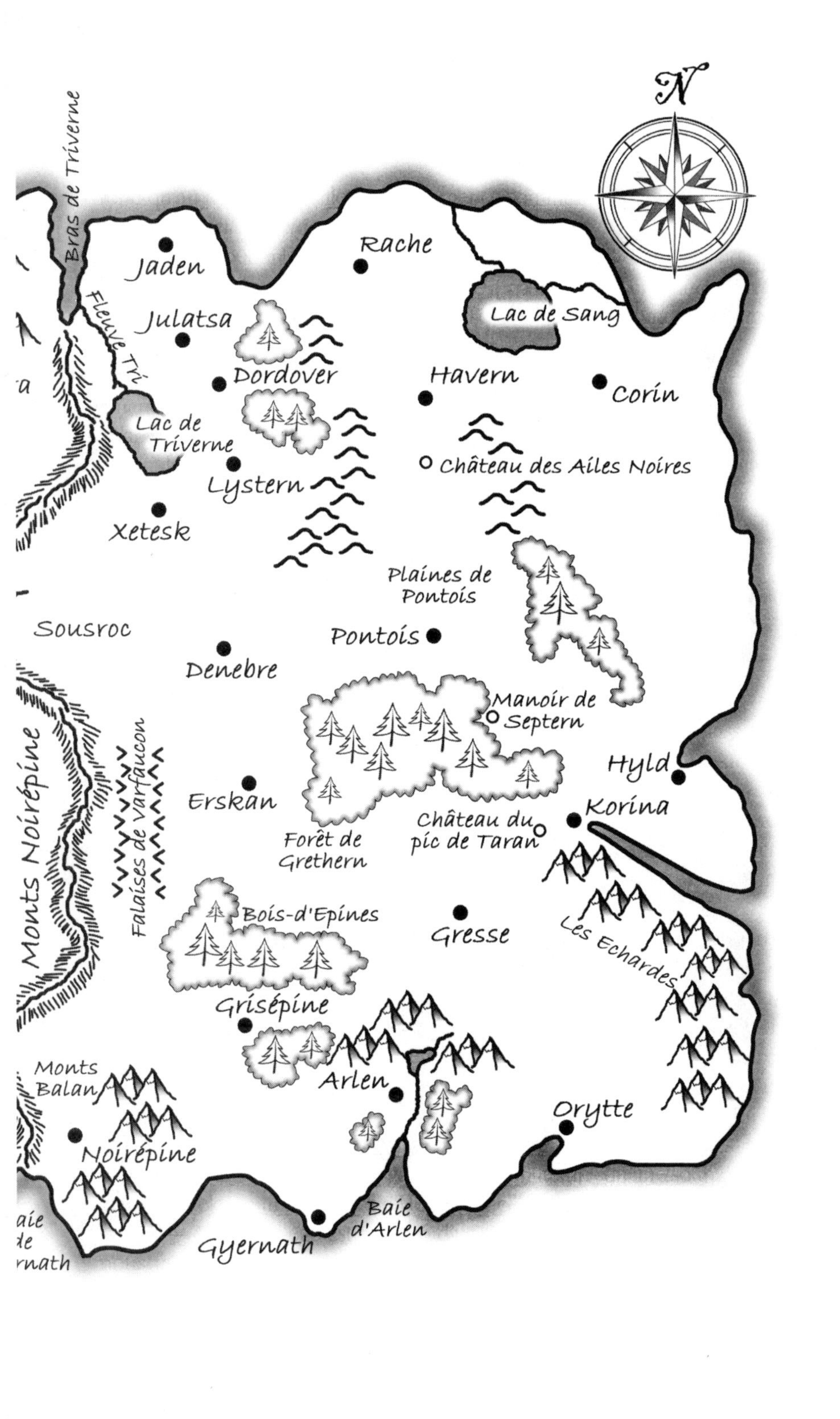

N
Bras de Triverne
Fleuve Tri
Rache
Jaden
Julatsa
Lac de Sang
Dordover
Havern
Corin
Lac de Triverne
Château des Ailes Noires
Lystern
Xetesk
Plaines de Pontois
Sousroc
Pontois
Denebre
Manoir de Septern
Monts Noirépine
Falaises de Varfaucon
Hyld
Erskan
Korina
Château du pic de Taran
Forêt de Grethern
Bois-d'Epines
Gresse
Les Echardes
Grisépine
Monts Balan
Arlen
Orytte
Noirépine
Baie d'Arlen
Gyernath

Prologue

L'intensité de la vibration augmentait dans sa tête.

Au cœur des ténèbres du Choul, très loin sous les jungles de Teras, les Dormeurs de la couvée s'agitèrent nerveusement, la plupart encore inconscients de ce qu'ils éprouvaient.

Comme une démangeaison qu'il n'aurait pas pu gratter, le bourdonnement lui agaçait l'esprit et faisait germer de l'inquiétude au plus profond de son être. Il ouvrit un énorme œil bleu dont la pupille se dilata pour laisser passer la lumière diffuse en provenance de l'entrée, très haut au-dessus de sa tête.

Dans la cavité de pierre humide envahie par les lianes et le lichen, il vit une aile tressauter, un cou s'étirer et des pattes griffues remuer alors que ses frères de couvée émergeaient prématurément de leur sommeil. Il sentit leur pouls s'accélérer, entendit leurs poumons se gonfler et leurs mâchoires craquer.

Sha-Kaan frissonna et son cœur bondit dans sa poitrine. Telle la sirène annonçant un désastre, la vibration résonnait sous son crâne. Il se redressa en étirant ses ailes majestueuses. Déjà, un cri se formait dans sa gorge. Appelant ses frères de couvée à le suivre, il prit son envol, s'arracha aux entrailles du Choul et se lança vers la lumière, attiré par le bouillonnement du ciel, où une nouvelle bataille venait de s'engager.

Chapitre premier

La victoire s'annonçait écrasante.

Debout sur une plate-forme, le seigneur Senedai des Tribus d'Heystron regardait la fumée recouvrir Julatsa alors que ses hommes incendiaient un bâtiment après l'autre. Il savoura l'odeur âcre qui lui picotait les narines. À travers l'écran de brouillard gris, il distinguait le feu blanc et noir que ses chamanes manipulaient par l'intermédiaire de leur lien avec les Seigneurs Sorcyers, pulvérisant les vestiges de la ville. Et les Julatsiens ne pouvaient rien pour les en empêcher.

Jaillissant des doigts d'une centaine de chamanes pour aller ronger la pierre et le bois de la cité collégiale autrefois si fière, le feu blanc dévorait les maisons et les barricades. Partout où les hommes et les femmes s'enfuyaient en hurlant de terreur, le feu noir calcinait la chair sur leurs os et faisait fondre leurs yeux alors qu'ils s'effondraient, livrés à une insoutenable douleur.

Senedai n'éprouvait aucune compassion pour eux. Bondissant de la plate-forme, il appela ses lieutenants. Deux éléments gênaient encore ses troupes dans leur marche vers le Collège : les mages qui protégeaient avec leurs boucliers des pans entiers de Julatsa, et les soldats ennemis qui protégeaient les mages en question des épées de leurs assaillants. Il était temps de mettre un terme à cette résistance.

Senedai s'élança vers la mêlée en distribuant des ordres. Alors que les étendards et les bannières se dispersaient au gré du mouvement de ses tribus, un mur de flammes jaillit quelque part devant lui.

Une détonation fit vibrer le sol. Les chamanes que le sort ennemi avait pris pour cibles furent engloutis par le brasier et moururent sans émettre un son.

— En avant ! En avant ! cria Senedai.

Mais à cette distance, le bruit, qui se réduisait à un rugissement étouffé une centaine de pas plus loin, était aussi assourdissant que distinct. Senedai captait chaque coup d'épée, chaque cri de panique, de peur et de douleur. Il entendait les gradés hurler des ordres sur un ton assuré ou désespéré, le choc du métal contre le cuir, le grondement de la pierre et le craquement du bois.

Autour de lui, ses gardes du corps s'étaient déployés pour former un croissant protecteur. Comme tous ses chamanes, à l'exception des plus inconscients, Senedai restait hors de portée des arcs ennemis. Les lignes julatsiennes étaient si faibles qu'ils ne tarderaient pas à les enfoncer, s'ouvrant un chemin direct vers les murs du Collège.

Des cors résonnèrent et ses guerriers chargèrent une nouvelle fois. Derrière les lignes ennemies, les mages furent consumés par le feu noir au moment où ils lançaient leurs sorts de protection. Senedai sentait presque sur sa langue le goût de l'angoisse de ses adversaires. Les haches des Ouestiens s'élevaient et retombaient, faisant jaillir le sang vers le ciel brouillé par la fumée.

— Il faut qu'on me débarrasse de ces mages, sur la droite ! lança-t-il à un lieutenant. Faites envoyer un signal !

Le sol vibrait sous l'effet de la magie julatsienne ; des rafales d'air glacial troublaient la tiédeur de la journée, et des gouttes de feu tombaient du ciel. Ses hommes payaient chèrement chaque pas qu'ils réussissaient à faire.

Un groupe de chamanes se détacha du front ouestien et s'élança vers la droite. Des flèches s'abattirent à l'endroit où ils se tenaient quelques instants plus tôt. L'un d'eux s'écroula, un projectile enfoncé dans la cuisse. Les autres l'abandonnèrent à son sort.

Senedai les suivit du regard. Il frissonna d'excitation en les voyant remuer les mains et les lèvres pour invoquer le feu qui brûlait dans l'âme noire des Seigneurs Sorcyers, et déchaîner son terrible pouvoir sur des cibles impuissantes.

Puis il perçut un changement. Le feu qui jaillissait des doigts tendus des chamanes s'affaiblit, recouvra brièvement sa force et clignota une dernière fois avant de mourir. Un frémissement collectif courut dans les rangs des tribus. Des cris montèrent de tous les coins du champ de bataille alors que les chamanes contemplaient leurs mains ou se regardaient, incrédules et apeurés.

Des vivats coururent le long des lignes ennemies. Immédiatement, le barrage de sorts s'intensifia, et les défenseurs chargèrent au milieu de la confusion qui s'était emparée des Ouestiens.

— Seigneur ? lança un capitaine.

Son visage trahissait une anxiété déplacée chez un guerrier. Senedai sentit la colère bouillonner en lui. Il balaya du regard ses tribus qui reculaient, harcelées par la magie et par les épées des défenseurs épuisés, mais pris d'un brusque regain d'énergie et de détermination. Bousculant le capitaine, il s'élança sans se soucier des risques qu'il courait.

— Par tous les Esprits, ne sommes-nous pas des guerriers ? rugit-il pour couvrir le fracas de la bataille. Que les cors sonnent la charge sur tous les fronts ! Au diable la magie : nous nous battrons avec l'acier seul. Attaquez, bande de larves, attaquez !

Il se jeta dans la mêlée, abattant sa hache sur l'épaule d'un Julatsien. L'homme s'effondra. Senedai posa un pied sur son cadavre. D'un geste puissant, il dégagea son arme et lui fit décrire un arc-de-cercle qui s'acheva dans la tête d'un autre ennemi. Autour de lui, ses hommes réagirent à ses exhortations et entonnèrent des chants de guerre en chargeant de plus belle.

Les cors sonnèrent de nouvelles instructions. Les étendards se dressèrent dans les mains de leurs porteurs et recommencèrent à progresser. Les Ouestiens se jetèrent de nouveau dans la bataille pour la conquête de Julatsa, ignorant les sorts qui les décimaient et regardant les défenseurs vaciller sous la férocité de leur assaut.

Le seigneur Senedai risqua un regard de chaque côté de ses lignes et sourit. Privés du feu des Seigneurs Sorcyers, beaucoup de ses guerriers allaient périr. Mais il était déterminé à vaincre, quel qu'en soit le prix. Repérant les groupes de mages qui lançaient des sorts offensifs, il para un coup d'épée maladroit et continua à se frayer un chemin parmi les combattants.

Sur la grand-place de Parve, les Ravens attendaient, immobiles et silencieux. La bataille était gagnée. Ils avaient lancé AubeMort, détruit les Seigneurs Sorcyers et rendu la ville à ses morts.

Au-dessus de leur tête, le contrecoup d'AubeMort était suspendu dans les airs, souillure maléfique qui planait tel un rapace dans le ciel de Balaia.

De l'autre côté de la place, Darrick et les survivants de la cavalerie des quatre Collèges avaient écrasé toute résistance. À présent, ils entassaient les cadavres pour les incinérer. D'un côté, les acolytes des Seigneurs Sorcyers, les Ouestiens et les Gardiens, qu'ils traînaient sans ménagement. De l'autre, leurs camarades tombés au combat – des corps qu'ils manipulaient avec respect.

Styliann et ses Protecteurs étaient toujours dans les décombres de la pyramide, cherchant des indices susceptibles de les éclairer sur le bref – mais cataclysmique – retour des Seigneurs Sorcyers.

Le silence qui régnait sur Parve était à couper au couteau. Les hommes de Darrick s'affairaient sans prononcer un mot. Aucun oiseau ne volait dans le ciel déchiré, et même la brise qui balayait la cité semblait se réduire à un murmure lorsqu'elle se glissait entre les bâtiments de Parve.

Pour les Ravens, la victoire était de nouveau gâchée par la perte d'un des leurs. Erienne avait passé un bras autour de la taille de Denser, qui s'appuyait de tout son poids sur Hirad. Ilkar se tenait près du barbare. Face à eux, de l'autre côté de la tombe, se dressaient Will, Thraun et l'Inconnu. Tous avaient les yeux baissés sur la dernière demeure de Jandyr. L'arc de l'elfe reposait le long de son corps, son épée entre son menton et ses genoux.

La tristesse enveloppait les Ravens comme un linceul. Jandyr avait succombé à l'instant de leur triomphe. Après tous les dangers qu'il avait bravés, ses compagnons trouvaient son sort particulièrement injuste.

Ilkar se sentait très affecté par sa mort. Les elfes n'étaient pas nombreux en Balaia. En général, ils préféraient la chaleur des territoires méridionaux. Peu d'entre eux se risquaient sur le continent septentrional, à moins d'avoir entendu l'appel de la magie. Et il se manifestait de moins en moins souvent. Les Ravens pouvaient difficilement se passer d'elfes comme Jandyr.

Mais les plus durement touchés étaient Will et Thraun. Leur vieil ami avait péri au service de Balaia et des Ravens. Ce qui avait commencé comme un banal sauvetage s'était terminé sur les marches de la tombe des Seigneurs Sorcyers, au terme d'une course désespérée pour localiser et lancer le seul sort capable de sauver Balaia d'un mal ancestral.

Pourtant, Jandyr était mort sans savoir que Denser avait réussi. La vie était parfois cruelle, et la mort plus encore, quand elle survenait au mauvais moment.

L'Inconnu récita le discours d'adieu des Ravens.

— Par le nord, par l'est, par le sud et par l'ouest. Bien que disparu, Raven toujours tu seras, et nous ne t'oublierons pas. Balaia se souviendra du sacrifice que tu as consenti. Que les dieux sourient à ton âme. Où que tu sois, quoi que tu affrontes maintenant et à jamais, puisses-tu finir par trouver le repos.

Will hocha la tête.

— Merci, dit-il. Nous apprécions l'honneur que vous venez de lui faire, et le respect que vous lui avez manifesté. À présent, Thraun et moi aimerions rester seul avec lui.

— Naturellement, fit Ilkar.

Il s'éloigna.

— Je vais rester encore un peu, dit Erienne en s'écartant de Denser. Après tout, il a été impliqué dans cette histoire parce qu'il voulait sauver ma famille.

Elle s'agenouilla près de la tombe pour joindre ses regrets et ses espoirs à ceux de Will et de Thraun.

L'Inconnu, Hirad et Denser rattrapèrent Ilkar. Ils s'installèrent à l'entrée du tunnel de la pyramide, juste sous la fissure dimensionnelle.

Plus loin, les hommes de Darrick continuaient à préparer leurs brasiers funéraires. Les pavés étaient couverts de sang séché ; çà et là, la brise agitait des lambeaux de tissu. Styliann et les Protecteurs n'étaient toujours pas reparus : sans doute parce qu'ils étaient très occupés à analyser chaque rune, chaque peinture et chaque mosaïque encore visibles dans la pyramide.

Le général Ry Darrick rejoignit les Ravens au moment où l'Inconnu finissait de distribuer le café préparé sur le poêle portable de Will. À son approche, la conversation s'interrompit.

— Je suis navré de mettre le sujet sur le tapis, s'excusa le général. Mais aussi éblouissante que soit notre victoire, nous ne sommes guère plus de trois cents, et cinquante mille Ouestiens s'interposent entre nous et notre royaume.

— C'est drôle, n'est-ce pas ? lança Ilkar. Malgré tout ce que nous avons accompli, nous avons seulement donné une chance à Balaia. Rien n'est certain, aujourd'hui pas plus qu'hier.

— Aucun risque qu'on puisse se reposer sur nos lauriers, renchérit Hirad, l'air sombre.

— Ne sous-estime pas ce que nous venons de faire, intervint Denser qui s'était allongé, les mains croisées sur la nuque. Nous avons évité le triomphe des Seigneurs Sorcyers et leur domination sur Balaia. Mieux encore, nous les avons détruits et nous avons ranimé la flamme de l'espoir. Repose-toi donc sur ça.

— Je vais essayer, promit Hirad avec l'ombre d'un sourire.

— Souviens-toi que les Ouestiens n'ont plus de magie.

— Et que nous n'avons pas d'armée, dit Ilkar.

— Je me demande s'il reste encore quelque chose valant la peine que nous rentrions chez nous..., lança l'Inconnu.

— Une Communion nous permettrait d'éclaircir la situation, dit Denser.

— Merci pour ta participation, railla Ilkar. Tu n'aurais pas sommeil, par hasard ?

— C'était juste histoire de parler.

— Je crains que nous ne soyons un peu loin de Sousroc, pas toi ?

— Selyn a réussi ! dit soudain une voix.

Les Ravens sursautèrent. Tournant la tête, ils virent le Seigneur du Mont de Xetesk émerger de l'ombre du tunnel. Ses Protecteurs n'étaient pas en vue. Il avait l'air pâle et fatigué ; le lien de cuir qui tenait sa queue-de-cheval s'était défait, ses cheveux pendouillant sur ses épaules.

— Puis-je ? demanda-t-il en désignant la casserole.

L'Inconnu haussa les épaules. Styliann se versa une chope de café et s'assit en compagnie des Ravens.

— J'ai bien réfléchi, annonça-t-il.

— Vos talents n'ont-ils donc aucune limite ? marmonna Denser.

Les yeux de Styliann lancèrent des éclairs.

— Les catalystes d'AubeMort sont peut-être détruits, mais je suis toujours votre supérieur. Vous feriez bien de vous en rappeler.

Il marqua une pause.

— Selyn était une spécialiste de la Communion. À son arrivée ici, elle m'a rapporté avoir vu une armée d'Ouestiens prendre la direction de Sousroc. Ils ne peuvent pas avoir déjà atteint la passe. Donc, nous les trouverons certainement sur notre chemin.

Styliann serra les dents comme si ses paroles suivantes allaient beaucoup lui coûter.

— Pour l'instant, nous devrions coopérer.

L'atmosphère se rafraîchit aussitôt.

— Votre dernière intervention, bien que très appréciée, n'avait pas pour but de nous aider, lui rappela l'Inconnu. Avant ça, vous aviez tenté de nous tuer. Et de retourner les Protecteurs contre moi. À présent, vous voulez que nous coopérions ?

Il sonda les profondeurs de la pyramide, l'air troublé.

— Nous sommes arrivés ici sans votre aide. Nous repartirons de même, déclara Hirad.

Styliann les dévisagea tour à tour, une ombre de sourire faisant frémir le coin de ses lèvres.

— Vous êtes doués, je vous le concède. Mais vous oubliez la gravité de notre situation. Vous n'atteindrez jamais l'est sans mon aide. La passe de Sousroc vous était ouverte à l'aller ; elle ne le sera sûrement pas au retour. J'ai la puissance de Communion et les contacts nécessaires pour organiser notre passage. Vous, non. Quant à Darrick, il répond de ses actes devant moi et les quatre Collèges.

— Puisque vous êtes si fort, pourquoi avez-vous besoin de nous ? lança Hirad.

Styliann sourit.

— On a toujours besoin d'un Raven à ses côtés...

— Vous avez un plan, je présume ? dit l'Inconnu.

— Un itinéraire. Pour ce qui est de la stratégie, je laisse ça au général.

Styliann se tourna vers Darrick. Silencieux pendant toute la conversation, il n'avait bronché – imperceptiblement – qu'au rappel de sa position dans la pyramide de commandement.

— Vous feriez mieux de nous révéler votre itinéraire, seigneur.

La tête d'Hirad lui faisait mal. Il avait besoin de boire quelque chose. De préférence de l'alcool, histoire de noyer la douleur. Il se releva et s'approcha du feu en titubant.

— Tu vas bien, Hirad ? s'inquiéta Ilkar.

— Pas trop, avoua le barbare. Ma tête me tue.

Une sensation de froid courut le long de son dos, comme si quelqu'un lui avait glissé une poignée de neige dans la chemise, et disparut aussi soudainement qu'elle s'était manifestée.

Alors, Hirad capta un changement dans l'air. Un mouvement subtil qui n'avait rien à voir avec la brise. Il leva la tête. Sous ses yeux, la fissure brune ondula, et ses bords s'écartèrent comme sous la pression d'un monstrueux projectile.

Un rugissement rauque déchira la quiétude de Parve.

Triomphant, apocalyptique, terrible !

Hirad hurla, tourna les talons et courut à l'aveuglette vers les bois qui bordaient la cité, à l'est. Toutes les craintes qui le hantaient depuis sa rencontre avec Sha-Kaan venaient de se réaliser en une seconde.

Quelques heures à peine après leur victoire, les Ravens étaient menacés par la défaite et la destruction.

Un dragon volait dans le ciel de Balaia.

C'était la voie qu'il préférait : celle de l'épée. Les Ouestiens étaient des guerriers, pas des mages. Et bien que le pouvoir des Seigneurs Sorcyers leur ait permis de remporter des victoires beaucoup plus rapidement qu'il n'aurait osé l'espérer, le seigneur Tessaya était certain que ses hommes auraient triomphé sans le feu blanc et noir.

À présent, cette magie empruntée, volée ou offerte – peu lui importait – avait disparu. Les chamanes n'avaient plus aucune emprise sur les Ouestiens, rendus à la domination de leurs chefs de tribu. Une situation à la fois terrifiante et excitante. Si leur unité se délitait, les armées des quatre Collèges les massacreraient le long des monts Noirépine. Mais s'il parvenait à la maintenir, Tessaya était persuadé que ses Ouestiens réussiraient à s'emparer de Korina, et avec elle, du cœur, de l'âme et de la richesse de l'est de Balaia.

À présent, ils n'avaient plus aucune défense contre les Collèges. Le rêve de voir brûler les Tours de Xetesk lui échappait, au moins pour le moment. Un sourire cruel s'afficha sur son visage buriné. Il existait d'autres moyens de combattre les mages. La défaite n'avait jamais été une option pour Tessaya, et surtout pas quand il se réjouissait d'une récente victoire.

Lorsque la nouvelle s'était répandue – les chamanes avaient perdu leur connexion avec les Seigneurs Sorcyers –, la panique avait menacé de submerger les milliers d'Ouestiens qui avançaient dans la passe de Sousroc. Mais comme Senedai à Julatsa, Tessaya était parvenu à apaiser les craintes de ses hommes en prenant leur tête alors qu'ils jaillissaient à la lumière du soleil de l'est.

L'armée des quatre Collèges avait eu beau se préparer à leur arrivée, la supériorité numérique des Ouestiens était trop écrasante pour qu'elle ait un espoir d'endiguer ce raz-de-marée. Vague après vague, les guerriers avaient pilonné ses lignes défensives, leurs cris de bataille étouffant les ordres ennemis, les hurlements de terreur et les gémissements des mourants.

Avec Tessaya à leur tête, les Ouestiens étaient impossibles à arrêter. Le sang de la victoire leur martelait les tempes ; leurs épées et leurs haches tranchaient la chair et brisaient les os. La première ligne de la cavalerie des quatre Collèges avait vaillamment résisté. Mais une fois le sol boueux jonché de cadavres, à l'entrée de la passe, et le soutien défensif des mages réduit à néant, la bataille était devenue un massacre organisé qui avait quelque peu déçu Tessaya.

Assis à une table, au fond de l'auberge de Sousroc, il se souvenait des erreurs stratégiques élémentaires commises par ses adversaires, et de la confusion des ordres qui étaient parvenus à ses oreilles. Mais surtout, il pensait aux soldats qui s'étaient enfuis, et à ceux qui avaient jeté leurs armes pour se rendre avant que tout espoir soit vraiment perdu. Quelle différence avec la bataille que les Ouestiens avaient livrée à l'extrémité ouest de la passe ! Là, ils avaient affronté un ennemi organisé, prêt à combattre jusqu'à la mort. Une force qui avait retenu son armée plus longtemps que prévu. Une opposition qu'il pouvait respecter.

Le plus décevant, c'était que le général chargé de la défense de la ville de Sousroc ne se soit pas montré à la hauteur de sa réputation. Vraiment dommage ! Tessaya avait cru trouver en lui un adversaire digne de ce nom. Mais Ry Darrick s'était montré aussi lâche que les autres. Désormais, les Ouestiens n'auraient plus de raison de le craindre.

La porte de l'auberge s'ouvrit, et l'aîné de ses chamanes entra. À présent qu'il ne disposait plus du pouvoir des Seigneurs Sorcyers, Tessaya n'avait plus besoin de se méfier de lui. Mais le respect qu'il lui portait n'en était pas diminué pour autant. Il versa à boire tandis que le vieil homme s'asseyait face à lui.

— Vous avez l'air fatigué, Arnoan.

— La journée a été longue, seigneur.

— Mais elle finit en beauté, à ce que j'entends.

Dehors, le brouhaha des célébrations augmentait.

— Comment vont vos blessures ? demanda Arnoan.

— Je survivrai.

Tessaya sourit, amusé par la sollicitude paternelle que lui manifestait le chamane. La brûlure de son avant-bras droit lui faisait toujours mal, mais elle avait été traitée, nettoyée et bandée. La rapidité de ses réflexes lui avait permis de plonger juste avant l'explosion de l'OrbeFlamme, lui évitant de mourir carbonisé.

Quant aux coupures qu'il portait sur le visage, la poitrine et les jambes, elles étaient le témoignage de sa fureur guerrière. Un homme de son âge, parvenu au rang de seigneur des Tribus Paléon, n'avait plus besoin de se soucier de son apparence.

De plus, les attentions féminines commençaient à le lasser. Sa lignée survivrait à la guerre. Ses plus jeunes fils étaient encore des bébés. Les plus âgés étaient déjà des guerriers musclés. À présent, leur père avait conduit les tribus unies à une victoire éclatante dans la passe de Sousroc. Où irait-il maintenant ? Cette question préoccupait visiblement Arnoan.

— Que nous apportera demain ? demanda le chamane.

— Repos et renforcement de nos positions, répondit Tessaya. (Son visage se durcit.) Je refuse de perdre de nouveau la passe de Sousroc. Le seigneur Taomi et les forces en provenance du sud devraient nous rejoindre dès demain. Alors, nous planifierons la conquête de Korina.

— Pensez-vous vraiment que nous reprendrons la capitale de l'est de Balaia ?

— Bien sûr. Les Koriniens n'ont pas d'armée, seulement une milice et des réservistes. Nous avons dix mille hommes ici, quinze mille à deux jours de marche de la passe, et vingt-cinq mille autres ont traversé le bras de Triverne pour attaquer les Collèges. Sans compter ceux de Taomi. Qui pourrait nous arrêter ?

— Seigneur, personne ne conteste que nous ayons l'avantage militaire. Mais la force magique des Collèges est considérable. Ce serait une erreur de la sous-estimer.

Arnoan se pencha en avant, ses doigts osseux croisés sur la table. Tessaya leva son bras brûlé.

— Crois-tu que je risque de le faire ? (Il plissa les yeux.) Arnoan, si je suis le plus ancien chef de tribu, et si le Conseil qui me soutient est le plus puissant de tous, c'est parce que j'ai pris l'habitude de ne jamais sous-estimer mes ennemis. Les Collèges déchaîneront toutes leurs ressources contre nous. Mais les mages se fatiguent vite, et sans protection armée, ils sont faciles à tuer. Si la perte de vos pouvoirs était un coup terrible, nous sommes nés et entraînés pour vaincre par l'épée, pas par magie.

« Les Ouestiens régneront sur Balaia, et je régnerai sur les Ouestiens.

Tessaya l'ignorait encore, mais il ne recevrait aucune aide en provenance du sud. Les Ouestiens en déroute fuyaient vers la ville de Noirépine. Le baron du même nom savourait sa victoire dans les falaises, au-dessus du champ de bataille. Il était entouré par le baron Gresse, encore un peu sonné mais ravi, et par cinq cents soldats et mages qui rêvaient tous de retourner chez eux.

Pourtant, l'euphorie de la victoire, aux falaises de Varfaucon, se dissiperait rapidement. Leur situation restait précaire. Seule une douzaine de mages avait survécu au feu blanc ; les blessés étaient plus nombreux que les hommes valides, et la défaite des Ouestiens était surtout due à la confusion qu'avait semée dans leurs rangs la disparition de la magie des Seigneurs Sorcyers. Noirépine et Gresse avaient seulement attisé les feux de leur panique. Si les Ouestiens choisissaient de revenir, ils auraient beaucoup de mal à remporter une seconde victoire.

Noirépine jugeait toutefois que c'était peu probable. Les Ouestiens n'avaient pas eu le temps d'évaluer l'importance de leurs forces dissimulées dans les falaises. À la place de leur commandant, le baron aurait battu en retraite à Noirépine pour panser ses blessures et planifier sa prochaine attaque, attendant que des renforts arrivent par la baie de Gyernath.

Il s'approcha de l'entrée de la faille où il avait établi ses quartiers. Il y avait à peine la place pour un feu de camp et pour quelques-uns de ses officiers supérieurs. Gresse était adossé à un mur. Noirépine savait par expérience que sa tête devait lui faire mal, car des vagues de nausée l'assaillaient chaque fois qu'il tentait de bouger.

Devant lui, les falaises s'étendaient du nord au sud. Après la déroute des Ouestiens, le baron avait entraîné ses hommes et ses mages vers le sud, dans le sens inverse du vent qui charriait la puanteur de tant de morts. Les corps de ses soldats avaient été brûlés sur des brasiers funéraires. Ceux des Ouestiens étaient restés sur place, abandonnés aux charognards.

La faille s'ouvrait au sommet d'une pente douce, un peu à l'écart des pans rocheux abrupts des falaises de Varfaucon. Sur les plateaux, ses hommes se reposaient sous un ciel tiède mais nuageux. Malgré la menace ouestienne, des feux brûlaient en une dizaine d'endroits, et les sentinelles avaient reçu l'ordre de ne pas poser les yeux dessus avant la fin de leur tour de garde. À des points clés, des elfes sondaient les ténèbres. Ainsi, les dormeurs pouvaient s'abandonner à un sommeil bien mérité, certains qu'on les préviendrait en cas d'attaque.

Le calme était retombé sur le campement. Les célébrations avaient cédé la place à des bavardages excités, puis au bourdonnement diffus des conversations à voix basse, avant que la fatigue n'ait enfin raison des combattants. Noirépine s'autorisa un sourire.

Sur sa droite, un homme se racla la gorge.

— Seigneur ?

Le baron se tourna vers Luke, le jeune homme nerveux qu'il avait envoyé recenser ses troupes.

— Je t'écoute, mon garçon. (Noirépine fit un effort pour adoucir son expression austère et posa une main paternelle sur l'épaule de son interlocuteur.) D'où viens-tu, Luke ?

— D'une ferme à cinq kilomètres au nord de Noirépine, seigneur, répondit l'adolescent en fixant ses pieds. Je serai l'homme de la maison, à présent. S'il en reste quelque chose...

Le baron vit que Luke, qui ne devait pas avoir plus de seize ans, luttait pour ravaler ses larmes. Il lui pressa l'épaule pour le réconforter et laissa retomber sa main.

— Nous avons tous perdu des êtres chers, Luke. Mais nous reprendrons ce qui peut encore être repris, et ceux qui se sont dressés à mes côtés pour empêcher les Ouestiens de déferler sur l'est de Balaia deviendront des héros. Les morts comme les vivants.

Le baron souleva le menton de Luke ; les yeux brillants du jeune homme croisèrent son regard.

— La vie était-elle agréable pour toi, à la ferme ? demanda-t-il. Réponds-moi franchement.

— Elle était dure, seigneur, admit Luke. La terre ne se montre pas toujours généreuse, et les dieux ne nous accordent pas souvent de veaux et d'agneaux.

Le baron hocha la tête.

— Dans ce cas, j'ai manqué à mes devoirs envers toi, et envers tous tes semblables. Et pourtant, tu étais quand même prêt à donner ta vie pour moi. Quand nous serons de nouveau les maîtres de Noirépine, nous reparlerons plus longuement. Pour l'heure, as-tu des informations à me communiquer ?

— Oui, seigneur. (Luke hésita. D'un signe de tête, le baron l'encouragea à parler.) Il reste cinq cent trente-deux personnes. Dix-huit mages, dont cinq ne sont plus en état de lancer des sorts, et cinq cent quatorze hommes d'armes dont quatre cents blessés plus ou moins graves. Une centaine ne peuvent plus se battre. Je n'ai pas compté ceux qui mourront avant le lever du soleil.

Noirépine fronça les sourcils.

— Et pourquoi es-tu si sûr qu'ils ne s'en sortiront pas ?

— Parce que j'ai souvent vu mourir des bêtes à la ferme, seigneur, répondit Luke d'une voix qui gagnait en assurance. Les gens et les animaux ne sont pas si différents. Je l'entends dans leur souffle et je le vois dans leurs yeux. Au fond, chacun de nous sait quand son heure a sonné, et ça se lit dans son regard.

— Je te crois sur parole, dit Noirépine, s'avisant soudain qu'il avait sans doute vu moins de morts pendant sa longue vie que le jeune homme qui se tenait devant lui.

Bien qu'ils en aient tous les deux vu beaucoup ces derniers jours, le baron ne s'était pas posé ce genre de questions. Mais pour Luke, la mort était un problème économique et un des risques de son métier, quand elle touchait le bétail.

— Nous en reparlerons plus tard. Pour l'instant, je te suggère de trouver un endroit où t'allonger. Des jours difficiles se préparent, et j'ai besoin que les hommes comme toi soient au meilleur de leurs capacités.

— Bonne nuit, seigneur.

— Bonne nuit, Luke.

Noirépine regarda l'adolescent s'éloigner, la tête un peu plus haute et la foulée un peu plus confiante. Il secoua la tête en souriant. La destinée était capricieuse. Luke le fils de fermier aurait pu naître au sein d'une famille noble. Le baron était sûr qu'il se serait senti aussi à l'aise dans un château que dans une étable.

Il réfléchit aux chiffres que Luke venait de lui annoncer. Moins de quatre cent cinquante hommes en état de se battre et très peu de mages valides. Les Ouestiens devaient être deux fois plus nombreux. Et le baron ignorait combien d'autres étaient encore dans sa ville, sur la plage où ils avaient débarqué, sur la route de Gyernath ou ailleurs dans la moitié est du continent. Il se mordit la lèvre et tenta de maîtriser les soudaines palpitations de son cœur. Des jours difficiles, en vérité. Et il devrait se montrer plus fort qu'il ne l'avait jamais été.

À moins qu'un semblant d'organisation n'émerge du chaos qui se développait le long des monts Noirépine, les Ouestiens, même privés de leur magie, avaient de bonnes chances d'atteindre Korina. Les Collèges devraient s'impliquer davantage dans le conflit. Voire prendre le contrôle des forces armées. Et bien que cette perspective déplût au baron, elle était préférable à toutes les alternatives.

Mais les Collèges étaient loin de sa ville et ils prêteraient une attention distraite à ses problèmes. Le baron ne comptait pas sur une aide de leur part. En revanche, il pouvait tenter de communier avec Xetesk. La communication à distance était un des rares avantages des peuples de l'est. Ils devraient l'exploiter à fond pour vaincre les Ouestiens.

Le baron bâilla. Il était temps de prendre des nouvelles de son ami Gresse et d'aller dormir un peu. Demain, il aurait beaucoup de décisions à prendre. Il devait se faire une idée d'ensemble de la situation. Où en était-on à Sousroc, à Gyernath et dans les villages de la côte ? Il devait savoir s'il pouvait attendre de l'aide pour repousser les Ouestiens dans la baie de Gyernath. Et aussi trouver un moyen de reprendre sa ville, son château et son lit !

Réprimant une brusque bouffée de colère, le baron s'engagea dans la faille.

Les Ouestiens continuaient à arriver. Des milliers marchaient vers les frontières de Julatsa, piétinant les cadavres de leurs compatriotes pour se jeter contre les défenses balbutiantes de la Garde Collégiale.

Du haut de sa Tour, Barras observait la confusion. Les sorts des mages ouvraient des brèches parmi les envahisseurs, mais à chaque fois, ils resserraient les rangs et continuaient à déferler sur Julatsa. On était en milieu d'après-midi, et jusque-là, le seul répit, pour les défenseurs, avait eu lieu quand la magie des chamanes s'était volatilisée. À cet instant, le cœur de Barras avait bondi de joie dans sa poitrine, parce qu'il avait compris que les Ravens venaient de détruire les Seigneurs Sorcyers. Il en avait pleuré de soulagement.

À présent, il aurait pu pleurer de frustration.

Loin de briser l'élan des Ouestiens, ce revers inattendu avait attisé leur colère. Ils avaient attaqué avec une fureur renouvelée, à grands renforts de haches, d'épées et de rage.

Au début, la Garde Collégiale avait réussi à tenir alors que des vagues de sorts dévastaient les lignes ennemies. Des milliers d'Ouestiens avaient succombé sous la puissance du barrage julatsien, incapables de se défendre contre les OrbesFlammes, les GlaceVents, les BriseTerres, les GrêlesMortelles, les BrûlePluies et les BriseOs.

Mais les mages devraient se reposer pour reconstituer leur mana, et les Ouestiens le savaient. Or, les Julatsiens avaient déjà presque épuisé leurs réserves en protégeant leurs hommes et les bâtiments de leur cité sur les différents fronts.

Les Ouestiens le savaient aussi.

Maintenant que le barrage était réduit à quelques explosions sporadiques, les envahisseurs se déplaçaient avec une inébranlable confiance, fonçant sur les rangs de la Garde Collégiale et des réservistes sans avoir à craindre de nouvelles frappes magiques.

À gauche de Barras, le général des forces julatsiennes se mordit la lèvre et jura.

— Combien sont-ils ? demanda-t-il à la cantonade.

Plus de dix mille, à vue de nez, pensa Barras. Mais il se contenta de répondre :

— Beaucoup trop.

— Je vois ça ! cria le général. Et si c'est un reproche…

— Calmez-vous, mon cher Kard. Ce n'est pas un reproche, mais une simple constatation. Combien de temps pourrons-nous les contenir ?

— Trois heures. Peut-être moins. Sans mur d'enceinte, je ne peux vous promettre davantage. Comment s'est passée la Communion ?

— À notre requête, Dordover nous a envoyé trois mille hommes. Ils devraient arriver à la tombée de la nuit.

— À votre place, je leur dirais de faire demi-tour. Julatsa sera tombée avant ! cracha Kard, dont le visage accusait tout à coup son âge.

— Ils ne prendront jamais le Collège.

— Ah oui ? Et qui les en empêchera ?

Barras ouvrit la bouche pour répondre, mais il se ravisa. Kard était un soldat. Il ne pouvait pas comprendre.

Il était impensable que le Collège tombe entre des mains ennemies. Dès qu'il envisageait cette haïssable éventualité, Barras sentait sa bouche se remplir de bile.

Il existait bien un moyen d'empêcher les Ouestiens de s'emparer de Julatsa. Mais alors que l'elfe se concentrait sur la bataille qui faisait rage aux portes de la cité, et qu'il voyait son peuple tomber sous les lames des envahisseurs, il pria pour ne pas être obligé d'en arriver là. Parce qu'il ne pouvait souhaiter à personne ce qu'il avait en tête. Même aux Ouestiens qui menaçaient son bien-aimé Collège.

Chapitre 2

Une stupéfaction terrifiée s'était abattue sur la grand-place de Parve. Quand le dragon avait poussé son premier cri, tous les bruits s'étaient interrompus, chaque tête d'homme et d'animal se tournant vers la fissure dimensionnelle.

Les chevaux qui n'étaient pas attachés avaient fui au galop. Les autres avaient désarçonné leur cavalier ou tiré désespérément sur leur longe, des hennissements d'angoisse s'étranglant dans leur gorge.

Chez les humains et les elfes, la panique avait cédé la place à une fascination mêlée de fatalisme à mesure que le dragon, d'abord une forme indistincte, descendait vers eux. Avec un rugissement de jubilation, il salua le soleil de Balaia, vira sur l'aile, piqua, se redressa et cabriola dans le ciel qui était son nouveau terrain de jeu. Son nouvel empire.

Alors qu'il se rapprochait du sol, sa silhouette se précisa, et tous purent prendre la mesure de sa taille monstrueuse. Ignorant les tremblements de son corps et les battements affolés de son cœur, Ilkar l'observa d'un œil objectif.

Le dragon n'était pas aussi énorme que Sha-Kaan, la bête que les Ravens avaient rencontrée après avoir franchi le portail dimensionnel du château du pic de Taran. Sha-Kaan mesurait quarante mètres de long ; ce spécimen-là en faisait à peine plus de vingt. Ses écailles couleur de rouille ne jetaient pas de reflets dorés comme celles de Sha-Kaan et son museau était plus aplati. Son long cou se tendit alors qu'il sondait le terrain, sa queue flottant derrière lui.

Le silence de mort qui avait envahi la grand-place disparut quand les spectateurs, bouche bée, s'avisèrent que le dragon fondait vers eux. Leur paralysie collective céda la place à une frénésie anarchique. Les cavaliers de Darrick – des modèles de discipline en temps normal – s'éparpillèrent dans les rues de Parve. Les hommes et les bêtes se bousculaient dans le chaos le plus total, cherchant un moyen d'échapper au danger.

D'une voix rauque d'épuisement, Darrick réclama l'ordre et le calme, deux choses qu'il n'avait plus aucune chance d'obtenir. Derrière lui, Styliann et les

Ravens bondirent sur leurs pieds, toute fatigue oubliée.

— À l'intérieur ! cria Ilkar en s'élançant vers le tunnel de la pyramide.

Il s'arrêta brusquement, et l'Inconnu, juste derrière lui, faillit le renverser.

— Où est Hirad ? demanda-t-il.

L'Inconnu fit volte-face et appela le barbare. Mais le tumulte étouffa sa voix, et Hirad, qui avait déjà avalé de la distance, ne fit pas mine de ralentir.

Sur le seuil du tunnel, Ilkar vit son ami rentrer la tête dans les épaules alors que le dragon rasait le toit des plus hauts bâtiments. Puis la bête se tordit le cou pour observer les hommes et les animaux, en bas. Ilkar entendit ses cris et sentit la douleur transpercer ses tympans sensibles, dont les membranes internes se refermèrent immédiatement.

La peur lui noua l'estomac, mais le dragon reprit un peu d'altitude, vira gracieusement sur l'aile malgré sa masse, au moins égale à celle de cinquante chevaux, et plongea de nouveau, la gueule grande ouverte, ses crocs blancs brillant dans ses mâchoires noires. Ilkar frissonna, puis pâlit. L'ombre monstrueuse de la créature s'abattit sur l'Inconnu, qui leva les yeux, modifia sa trajectoire et courut à la perpendiculaire du vol du dragon.

Dans le dos d'Ilkar, la fissure dimensionnelle scintilla et s'ouvrit de nouveau. L'elfe ne la vit pas, mais il sentit frémir l'air.

Au lieu de cracher son feu, le dragon remonta brusquement vers le ciel. Un hurlement de rage fit écho à son cri de déception.

Hirad, qui avait presque atteint la lisière de Parve, entendit le second rugissement. Il hoqueta de douleur, trébucha et se couvrit les oreilles au moment où une voix, dans sa tête, cria : « Arrête ! » avec une telle force qu'il s'étala de tout son long dans la poussière.

Alors qu'il s'élevait vers le vortex, dans le ciel, Sha-Kaan sentit augmenter sa colère.

Pour lui, un instant à peine était passé depuis qu'il avait mis Hirad Cœurfroid en garde contre les dangers de l'amulette. Et voilà de quelle façon l'humain le remerciait ! D'abord, en lui volant l'amulette et le texte gravé dessus. Ensuite, en l'utilisant pour ouvrir un couloir vers sa dimension jumelée.

La dimension jumelée de *toute* la couvée Kaan !

Derrière lui, sa couvée, mécontente d'avoir été arrachée au sommeil, s'envola du Choul. Trente Kaans s'élancèrent pour rejoindre ceux qui tournaient déjà autour du portail, dans le ciel.

Et de tous les coins, attiré par la présence de la fissure et par l'impulsion qu'elle envoyait dans les nerfs de tout dragon à sa portée, jaillit l'ennemi. S'ils n'arrivaient pas à éloigner les couvées rivales, les cieux seraient bientôt le théâtre d'une bataille comme personne n'en avait vu depuis la venue du grand humain Septern. C'était lui qui avait sauvé la couvée Kaan en lui offrant le jumelage nécessaire, alors qu'elle était menacée d'extinction.

Un avertissement résonna dans la tête de Sha-Kaan. Un dragon de la couvée Naik venait d'émerger d'un banc de nuages, derrière la fissure, et fonçait vers la masse d'air bouillonnante. Son cri de victoire cessa abruptement quand il plongea dans le portail et disparut.

Certains de ses frères de couvée firent mine de le suivre, mais Sha-Kaan les en empêcha.

— Je m'occuperai de lui, promit-il. Gardez les autres à distance. Défendez le portail à tout prix.

Il s'éleva au-dessus de la fissure et la contourna, évaluant sa taille et sa profondeur avant de replier ses ailes pour s'y laisser tomber.

Comme toujours, la transition fut un tourbillon de pression, d'aveuglement, de messages à demi captés et de quasi-connaissance de ce qui l'attendait après le couloir. Puis Sha-Kaan déboula dans le ciel de Balaia et sentit immédiatement la présence de deux créatures qu'il connaissait. Celle du Naik envahit sa conscience, et il rugit son défi, sachant que l'autre dragon ne pourrait refuser de l'affronter.

La seconde présence était moins forte, mais non moins significative. Hirad Cœurfroid. Il allait avoir deux mots à lui dire.

Alors qu'il piquait vers le Naik, Sha-Kaan ordonna à l'humain de s'arrêter.

Ilkar avait la chair de poule. Terrifié et impuissant, il s'attendait à voir d'autres dragons jaillir de la fissure dimensionnelle. Derrière lui, il savait que Styliann et le reste des Ravens fixaient le ciel. Pour la première fois de leur longue et éclatante carrière, les mercenaires étaient réduits à observer sans intervenir.

Le combat fut rapide et violent. Les deux dragons se rapprochèrent à une vitesse effarante, le rouille remontant des rues de Parve, le doré plongeant du portail.

— Sha-Kaan, souffla Ilkar, reconnaissant le monstre ailé aux mouvements de sa tête.

Sha-Kaan déchirait le ciel nuageux de Balaia en rugissant sa colère. Un instant avant de percuter son ennemi, il vira sur l'aile et passa au-dessous de lui. Puis, alors qu'il longeait son estomac vulnérable, il cracha une langue de feu.

Un cri de douleur perça les tympans des témoins tandis que la bête blessée continuait à prendre de l'altitude et se tordait le cou. Sha-Kaan referma la gueule et fit un demi-tour serré qui l'amena derrière son adversaire. Pendant que le rouille, souffrant et désorienté, le cherchait du regard, il franchit d'un puissant battement d'ailes l'espace qui les séparait, se stabilisa au-dessus de lui et referma les mâchoires sur la base de son crâne avec une force terrifiante. Un frisson courut le long du corps du rouille. Ses griffes et ses ailes s'agitèrent brièvement. Pendant qu'il tombait du ciel, son cri se transforma en gargouillis.

Retenant son souffle, Ilkar regarda Sha-Kaan se laisser tomber avec sa proie, sans la lâcher jusqu'à ce qu'ils aient atteint le niveau des toits. Alors, avec un dernier coup de dents et un grondement de triomphe, il ouvrit les mâchoires et recommença à battre des ailes pendant que le rouille s'écrasait sur la grand-place, faisant vibrer le sol sous les pieds de l'elfe. À travers un énorme nuage de poussière, Ilkar vit les cadavres empilés sur les brasiers funéraires glisser les uns sur les autres. Une macabre parodie de mouvements...

Dans le silence qui suivit le combat, les témoins n'entendirent plus que le battement des ailes de Sha-Kaan qui décrivait des cercles au-dessus de sa victime. À cette distance, le dragon semblait encore plus monstrueux. Il dissimulait le ciel, éclipsant même la fissure. Quand il fut certain que son adversaire était bien mort, il vola dans la direction qu'avait prise Hirad.

— Oh, non !

Ilkar sortit précipitamment du tunnel.

— Que pouvez-vous faire ?

Bien qu'étranglée par le choc, la voix de Styliann était toujours lourde de cynisme et de menace.

L'elfe se tourna vers lui.

— Vous ne comprenez rien, pas vrai ? Les gens comme vous ne saisiront jamais. Je n'ai aucune idée de ce que je peux faire, mais ça ne m'empêchera pas d'essayer. Bon sang, je ne peux pas le laisser affronter cette créature seul ! C'est un Raven.

Il traversa la place, courant sur les traces de l'Inconnu. Après une brève hésitation, Thraun et Will l'imitèrent. À bout de forces, Denser se laissa tomber à genoux, le regard rivé sur le corps immobile du rouille que Sha-Kaan avait tué si aisément. Erienne s'accroupit près de lui et lui posa la tête dans son giron.

— Par les dieux du ciel, souffla le Xetesk. Qu'ai-je fait ?

Hirad gisait sur le sol, les mains plaquées sur les oreilles, mais les cris des deux dragons résonnaient dans son crâne. Quand la bataille fut terminée, il se redressa à grand-peine et osa regarder vers Parve. Il remarqua vaguement l'Inconnu qui courait vers lui en braillant, mais son attention était rivée sur la silhouette de Sha-Kaan, qui décrivait des cercles au-dessus de la ville.

Soudain, le dragon se retourna et vola vers lui. Hirad s'arracha à sa transe hypnotique. La vue de Sha-Kaan survolant les rues de Parve lui inspira une peur comme il n'en avait jamais connu. Son cauchemar était sur le point de devenir réalité. Alors, il joua le rôle qui lui revenait et prit ses jambes à son cou.

Hirad sentit l'approche du dragon dans son esprit longtemps avant que son ombre ne s'abatte sur lui. Une fois encore, il se résigna à mourir.

Il s'immobilisa et leva les yeux sur la créature monstrueuse qui tournait dans les airs et tendait son cou vers lui.

Sha-Kaan resta quelques secondes en vol stationnaire. Puis il se posa, inclinant son corps doré vers l'avant afin que ses quatre pattes supportent son poids. Il replia ses ailes et, d'un coup de museau, renversa Hirad. Bien qu'étourdi, le barbare sentit la colère du monstre. Il fixa le dragon dans les yeux et fut surpris de ne pas voir sa propre mort se refléter dans ses prunelles.

Sha-Kaan était immobile ; ses écailles dorées scintillaient au soleil, oblitérant tout ce qui était derrière lui. Hirad ne prit pas la peine de se relever. Il ouvrit la bouche pour se justifier, mais les narines de Sha-Kaan frémirent, et deux bouffées d'air putride frappèrent le barbare au visage.

Le dragon le regarda un moment en se dandinant sur ses pattes. Ses griffes creusaient de profonds sillons dans la terre battue et desséchée.

— Je dirais bien « Ravi de te revoir, Hirad Cœurfroid », mais ce serait un mensonge.

— Je..., commença le barbare.

— Silence ! (La voix de Sha-Kaan retentit dans le désert Déchiré et résonna dans l'esprit d'Hirad.) Ce que tu penses importe peu. Contrairement à ce que tu as fait. (Il ferma les yeux et prit une profonde inspiration.) J'ai du mal à croire qu'une créature aussi insignifiante ait pu provoquer autant de dommages. Tu as mis ma couvée en danger.

— Je ne comprends pas.

Sha-Kaan rouvrit les paupières et transperça Hirad de son regard glacial.

— Bien sûr que non. Il n'en reste pas moins que tu m'as volé.

— Je n'ai pas...

— Silence ! répéta Sha-Kaan. Tais-toi et écoute-moi. Ne parle pas sans que je t'y aie invité.

Hirad se passa la langue sur les lèvres. Il entendit l'Inconnu ralentir en approchant d'eux, ses pieds martelant la végétation et la terre mortes, et agita les mains dans son dos pour l'inciter à rester à distance.

Quand Sha-Kaan reprit la parole, ses yeux étaient deux lacs de colère bleue. Ses narines dilatées projetaient son souffle nauséabond à moins d'un pas du visage du barbare. Jamais il ne s'était senti aussi minuscule. Et pourtant, la bête majestueuse avait choisi de lui parler plutôt que de l'incinérer.

Cela dit, il ne pouvait pas se méprendre sur l'humeur de Sha-Kaan. Ce n'était plus le dragon qui avait paru amusé par sa présence, lors de leur première rencontre au-delà du portail dimensionnel dragonen du château du pic de Taran. La rencontre qui avait conduit les Ravens à Parve et provoqué le lancement d'AubeMort. À présent, Sha-Kaan était furieux. Et inquiet. Hirad devina qu'il n'allait pas du tout aimer la suite.

Il ne se trompait pas.

— Je t'avais prévenu, grogna Sha-Kaan. Je t'avais dit que l'amulette que je préservais des humains pouvait provoquer leur destruction et celle de ma couvée. Tu as choisi de ne pas m'écouter. À présent, le résultat de tes actes souille le ciel de ma dimension et de la tienne.

« C'est là que réside le problème, Hirad Cœurfroid. Je ne m'étonne pas que vous ayez cherché à sauver vos misérables existences, fût-ce en condamnant à mort les Cieux seuls savent combien de membres de ma couvée. Mais votre salut sera temporaire. Quand les miens auront disparu, vous vous retrouverez sans défense ! Il suffira d'un seul dragon déterminé à causer votre perte. Or, des milliers d'entre eux attendaient une occasion de détruire votre dimension. Des milliers !

Incapable de formuler une pensée cohérente, Hirad plongea son regard dans celui de Sha-Kaan.

— Tu n'as aucune idée de l'ampleur de la catastrophe que tu viens de déclencher, n'est-ce pas ? (Sha-Kaan cligna des yeux, brisant la concentration du barbare.) Parle !

— En effet, admit Hirad. Tout ce que je sais, c'est que nous devions trouver et lancer AubeMort. Sinon, les Seigneurs Sorcyers et les Ouestiens nous auraient massacrés. Vous ne pouvez pas nous reprocher d'avoir tout fait pour survivre.

— Décidément, les humains ne voient pas plus loin que le bout de leur nez. Peu vous importent les conséquences de vos actes quand vous savourez un triomphe momentané.

— Nous n'avions pas d'autre choix ! Il fallait employer toutes les armes à notre disposition.

— Cette arme-là n'était pas à votre disposition, répliqua Sha-Kaan. Vous me l'avez volée, et vous vous en êtes servi à tort. De manière erronée, en plus.

— En quoi avions-nous tort de vouloir sauver Balaia ? demanda Hirad.

Le dragon ouvrit grand la gueule et éclata de rire. Le bruit semblable à un roulement de tonnerre se répandit dans le désert Déchiré, provoquant la fuite des animaux, arrêtant net l'Inconnu et projetant Hirad en arrière. Puis il s'interrompit brusquement, alors que son écho se répercutait une dernière fois contre les bâtiments de Parve.

Sha-Kaan tendit le cou. Sa gueule dégoulinante de bave s'immobilisa au-dessus du visage d'Hirad, étalé sur le dos. Le barbare se redressa sur les coudes et sonda les yeux du monstre. Il frémit à la vue des crocs longs comme son avant-bras qui auraient si facilement pu le tailler en pièces.

— Sauver Balaia, répéta Sha-Kaan d'une voix glaciale. Vous n'avez rien fait de tel. Mais vous avez ouvert entre nos deux mondes une fissure que les Kaans ne pourront pas défendre éternellement. Et quand nous capitulerons, qui vous protégera de la destruction totale ou d'un abject esclavage ?

Le dragon releva la tête. Hirad suivit son regard vers l'Inconnu, Ilkar, Will et Thraun, qui se tenaient quelques pas plus loin, effrayés mais pas soumis. Le cœur du barbare se gonfla de fierté.

— Qui sont ces gens ? demanda Sha-Kaan.

— Les Ravens. La plupart d'entre eux...

— Des amis à toi ?

— Oui.

Le dragon ramena le cou en arrière pour mieux les observer.

— Dans ce cas, écoutez-moi, Hirad Cœurfroid et les Ravens. Écoutez-moi bien, et je vous dirai ce que vous devez faire pour nous sauver tous.

Une bouteille de vin blanc à la main, le seigneur Tessaya marchait dans les rues de Sousroc souillées par les combats, le sang et la pluie.

Tout autour de lui, les échos des célébrations résonnaient sur les pentes verdoyantes qui cernaient la ville. Une dizaine de feux de camp crachaient et crépitaient, projetant leur fumée vers le ciel lourd de nuages. Les voix des conteurs et les rires de leur auditoire montaient au-dessus du brouhaha général. Mais d'autres sons manquaient à l'appel : les cris des prisonniers torturés, les sanglots des femmes violées et les supplications des agonisants.

Tessaya était satisfait. Car il n'était pas venu à Sousroc pour dévaster et pour détruire. Ce sort-là, il le réservait aux Collèges. Non, il était à Sousroc pour conquérir et pour régner. Cette bataille entrerait dans l'histoire comme le premier acte de sa domination totale sur Balaia. Une domination dont il jouirait seul, puisque les Seigneurs Sorcyers n'étaient plus.

Et il ne régnerait pas par la terreur. Il aurait été stupide de tenter une chose pareille sur un continent trop étendu pour que la main de fer de la peur l'étreigne entièrement. Son plan était simple. Dans les centres de population majeurs, il installerait des hommes de confiance pour faire respecter ses règles et sa discipline. Surveiller les gens, les empêcher de parler, leur laisser peu d'espoir mais ne pas attiser leur colère.

Tessaya se mordilla les lèvres. Traditionnellement, ce n'était pas ainsi que procédaient les Ouestiens. Mais de son point de vue, la tradition avait de tout temps semé la division au sein des tribus. Si les Ouestiens voulaient gouverner Balaia, ils devaient reconsidérer leur façon de faire.

Lorsqu'il atteignit la lisière de la ville, Tessaya s'immobilisa et but une gorgée de vin au goulot. Devant lui s'étendaient les pistes qui s'enfonçaient dans le cœur de la moitié est de Balaia : les artères qui le conduiraient vers la victoire. De chaque côté de la vallée, des pentes douces et verdoyantes montaient vers les landes qui étaient le fief du seigneur Denebre, un vieux partenaire commercial. Des terres riches et paisibles. Au moins, pour le moment.

Tessaya avait des décisions à prendre. Pour ça, il avait besoin de réponses à ses questions. Il avança vers la gauche, où se dressaient les baraquements devenus la prison des défenseurs de Sousroc. Une vingtaine de structures de toile et de bois, construites pour loger deux cents hommes. Six d'entre elles abritaient désormais trois cents prisonniers, ce qui laissait assez de place pour les Ouestiens qui souhaiteraient se reposer à l'abri. Les hommes et les femmes avaient été séparés, et les Ouestiens blessés gisaient à côté des Balaiens de l'est. C'étaient peut-être leurs ennemis, mais ils méritaient une chance de vivre après avoir choisi de se battre au lieu de se rendre comme des lâches.

Tessaya sourit de plaisir en contemplant les gardes raides comme des piquets placés à intervalles réguliers autour des baraquements transformés en prisons. Il fit un signe de tête à l'homme qui lui ouvrit la porte.

— Seigneur, dit le soldat en le saluant.

La hutte était bondée, et il y régnait une chaleur étouffante. Les vaincus s'entassaient sur les paillasses ou sur le sol. Certains jouaient aux cartes ; d'autres bavardaient à voix basse. Mais tous affichaient l'atroce visage de la défaite.

Quand Tessaya entra, le silence se fit. Tous les yeux se tournèrent vers lui, attendant qu'il prononce sa sentence. Le seigneur ouestien toisa ses ennemis avec un mépris évident.

— J'ai à vous parler, déclara-t-il dans le dialecte de l'est qu'il maîtrisait à la perfection.

Un homme émergea de la foule. Il était gras, grisonnant et trop petit pour un guerrier. Peut-être avait-il été musclé dans sa jeunesse. À présent, sa cuirasse couverte de boue séchée ne contenait rien de plus effrayant que de la cellulite.

— Je suis Kerus, commandant de la garnison de Sousroc. Vous pouvez me poser vos questions.

— Et je suis Tessaya, chef des tribus ouestiennes unifiées. Vous vous adresserez à moi en m'appelant « seigneur ».

Kerus se contenta de hocher la tête. Tessaya lisait de la peur dans ses yeux. Un exemple typique de la médiocrité des peuples de l'est : avoir confié à un bureaucrate de carrière le point stratégique le plus important de Balaia !

— Je suis étonné que vous agissiez comme porte-parole. Votre général nous craint-il au point de vous avoir demandé de le dissimuler ?

— Le général chargé de la défense de Sousroc est mort, seigneur, révéla Kerus, un peu surpris. Je suis le plus gradé des officiers survivants.

Tessaya se rembrunit. D'après ses renseignements, l'armée ennemie s'était rendue longtemps avant la prise du poste de commandement. Darrick avait pu succomber en première ligne, mais il semblait peu probable qu'il se soit placé dans une position aussi dangereuse alors que la bataille s'annonçait critique pour la moitié est du continent.

— Mort ? répéta-t-il.

— À l'extrémité ouest de la passe.

— Ah. (La perplexité de Tessaya augmenta. Quelque chose clochait.) Peu importe. (Il ne mettrait pas longtemps à découvrir la vérité. Darrick était le genre d'homme dont il ne pouvait se permettre d'ignorer le sort.) Je suis curieux de savoir si vous avez fait une incursion dans mes terres avant que nous reprenions la passe.

— Pourquoi me demandez-vous ça, seigneur ?

— Parce que le commandant de cette garnison doit être au courant. Étant mon prisonnier, vous pouvez difficilement refuser de me répondre.

— Vous savez aussi bien que moi que des hommes à nous se sont introduits dans la citadelle des Seigneurs Sorcyers. C'est pour ça que vous avez perdu votre magie !

— Mais pas cette bataille, hein ? répliqua Tessaya. C'est la deuxième fois que vous oubliez de me donner mon titre. Ne m'obligez pas à compter jusqu'à trois.

Il but une nouvelle gorgée de vin en étudiant les visages furieux qui lui faisaient face.

— C'était un acte très audacieux. Je suis impressionné. Mais j'avoue avoir eu certaines réserves au sujet des forces défensives déployées à Parve. Beaucoup de mes chamanes considéraient ça comme un gaspillage de guerriers. Combien d'hommes avez-vous envoyés ?

— Pas beaucoup…

— Combien ?

— Quatre cents cavaliers, quelques Protecteurs, une poignée de mages et les Ravens…

Tessaya savait que ça n'aurait pas été suffisant pour percer les défenses de Parve, et moins encore pour venir à bout des Seigneurs Sorcyers. Même en supposant que les mages aient été très puissants, ça ne collait pas. Une sourde inquiétude le saisit. Il avait mesuré de ses propres yeux la puissance du sort aquatique qui avait ravagé la passe de Sousroc et balayé tant de ses hommes. Ses ennemis avaient-ils utilisé quelque chose de pire encore pour détruire les Seigneurs Sorcyers ?

Tessaya frémit intérieurement. Il avait entendu parler d'une tentative de récupération d'un sort légendaire, celui que les chamanes appelaient « Tia-fere » – ou TombeNuit. Mais si ses ennemis avaient réussi, les Ouestiens n'auraient pas pu reprendre la passe de Sousroc.

— Les Ravens, murmura-t-il.

D'excellents guerriers... Visiblement, les Seigneurs Sorcyers et les chamanes les avaient sous-estimés.

— Pourquoi les Ravens sont-ils allés à Parve ?

— N'est-ce pas évident ? répliqua Kerus, l'air hautain. Ils disposaient des moyens nécessaires pour détruire vos maîtres. Et ils en ont fait usage...

Tessaya n'était pas certain de regretter la disparition des Seigneurs Sorcyers. Ayant perdu leur feu noir et blanc, les chamanes allaient retrouver la place qui était la leur, à l'ombre des chefs de tribus.

Mais il s'inquiétait que quelques centaines de guerriers et de mages aient réussi à entrer dans le sanctuaire de la foi ouestienne. Une opération qui avait dû réclamer des compétences tactiques et une bravoure sans faille.

Un frisson parcourut l'échine de Tessaya quand les pièces du puzzle s'assemblèrent dans son esprit. Les rumeurs commençaient à prendre tout leur sens : la Compagnie des Ombres qui patrouillait dans les hautes terres, la force redoutable stationnée au sud de Parve et les cavaliers dont la vigilance ne se relâchait jamais. Tout cela s'était produit après l'attaque aquatique dans la passe.

Son inquiétude grandit. Un seul homme aurait eu l'audace de croire qu'il pouvait atteindre Parve à la tête de quelques centaines de soldats.

— Quel est le nom du général mort à l'autre extrémité de la passe ? demanda Tessaya.

— Neneth, seigneur.

— Et le commandant de l'unité de cavalerie envoyée en mission sur nos terres était Darrick.

— En effet, seigneur. Et il reviendra. Vous pouvez compter là-dessus !

Les paroles de Kerus hantèrent Tessaya alors qu'il rebroussait chemin dans la rue principale de Sousroc.

Chapitre 3

Barras savourait un instant de bonheur, une oasis dans le désert de son désespoir, quand les Ouestiens ouvrirent une brèche décisive dans les défenses de Julatsa.

Rien ne lui réchauffait davantage le cœur que regarder le soleil se lever au-dessus de la Tour du Collège. Voir les ténèbres s'évaporer de tous les coins des bâtiments, la lumière scintiller sur le pinacle des toits et, à l'ouest, les reflets argentés du lac de Triverne – berceau de la magie balaienne – se détacher sur l'arrière-plan sombre des monts Noirépine...

Autrefois, Barras croyait que rien ne l'atteindrait tant qu'il pourrait contempler ce spectacle.

Mais quand les Ouestiens enfoncèrent les lignes julatsiennes, il sut qu'il risquait – à moins de déclencher l'action ultime – de ne plus jamais le contempler.

Un instant, il observa, horrifié, les Ouestiens qui se déversaient dans les rues de la cité, balayant les vestiges de la Garde Collégiale et se riant des efforts pitoyables des mages. Après la première brèche, d'autres fractures apparurent dans les rangs, jusqu'à ce que l'avance ennemie devienne un raz-de-marée destiné à déferler sur les murs d'enceinte du Collège. Barras ne pouvait pas laisser cette catastrophe se produire.

Alors qu'il se tournait vers le général Kard, il vit que des larmes coulaient sur les joues du vieux militaire.

— Général, dit-il en lui posant une main sur l'épaule, laissez-moi au moins sauver le Collège.

Kard le regarda sans comprendre. Puis la signification de ses paroles lui apparut. Il remua les lèvres, le front plissé.

— C'est impossible.

— C'est possible ! Et j'ai seulement besoin de votre accord.

— Je vous le donne.

Barras hocha la tête et fit appeler un aide de camp.

— Sonnez l'alarme ! Rappelez immédiatement la Garde dans l'enceinte du Collège, et faites quadrupler les forces à chaque porte. Je vais au Cœur de la Tour, avec mon Conseil. Nous commencerons à incanter sans délai.

L'aide de camp le dévisagea un moment. Il avait du mal à assimiler des paroles qu'il n'aurait jamais cru entendre.

— Tout de suite, maître Barras.

Par-dessus les remparts de la Tour, l'elfe jeta un dernier coup d'œil au mur d'enceinte du Collège et aux rues de Julatsa. La panique se propageait dans un vacarme assourdissant.

Les Ouestiens se réjouissaient bruyamment de leur victoire imminente. Les défenseurs braillaient de futiles cris de ralliement et les simples citoyens fuyaient à toutes jambes. Quand le son de cloche discordant de l'alarme attira leur attention, les Julatsiens changèrent de direction et coururent en masse vers les portes du Collège.

Barras adressa ses excuses muettes à tous ceux qui resteraient et mourraient dehors.

— Venez, Kard. Mieux vaut que vous n'assistiez pas à ça.

— Assister à quoi ?

— Nous allons déployer le LinceulDémoniaque.

Barras gagna la porte de la Tour. Un serviteur la lui ouvrit, et il dévala les marches deux par deux avec une agilité surprenante pour quelqu'un d'aussi âgé.

Quand il atteignit le Cœur de la Tour, le général haletant sur ses talons, le Conseil l'attendait déjà. Même pas essoufflé, Barras prit sa place dans le cercle. Encore une chose que Kard aurait eu du mal à comprendre. Un mage se devait d'être en grande forme physique, quel que soit son âge. Un système cardio-vasculaire robuste était nécessaire pour des incantations efficaces et une bonne reconstitution des réserves de mana.

— Voulez-vous garder la porte, général ? demanda Barras.

— Ce sera un honneur.

Kard s'était immobilisé sur le seuil. Bien qu'il ne pût le voir, l'intensité du mana qui emplissait le Cœur de la Tour le mettait mal à l'aise. Il s'inclina devant le Conseil et referma la porte. Sa présence dans le couloir assurait aux mages qu'ils ne seraient pas interrompus.

Situé au niveau du sol, le Cœur de la Tour de Julatsa se composait de huit segments de pierre grise et lisse. Ils se rejoignaient à une hauteur deux fois supérieure à celle d'un homme, à l'aplomb d'un motif en forme de spirale qui partait de la porte et disparaissait au centre du plancher. C'était là que brûlait la lumière de mana, une larme de la taille d'une flamme de bougie qui ne vacillait jamais et ne projetait aucune lueur en dépit de sa couleur jaune. Parce que seuls les mages pouvaient la voir !

Les sept autres membres du Conseil saluèrent Barras d'un signe de tête alors qu'il prenait place devant le dernier segment de mur libre. Quand Kard referma la porte, une obscurité totale se fit dans la pièce.

Barras sentait la nervosité de ses collègues – jeunes comme vieux. Il ne s'en étonna pas. Le LinceulDémoniaque était le sort le plus difficile, le plus dangereux et le plus puissant de Julatsa. Il avait été lancé deux fois, bien avant leur naissance, et toujours dans un moment d'extrême danger pour le Collège.

Tous avaient conscience de l'importance de ce qu'ils s'apprêtaient à faire. Ils s'étaient préparés à l'éventualité d'invoquer un LinceulDémoniaque dès l'instant où les Ouestiens avaient lancé leur attaque. Conscients que sept d'entre eux seulement sortiraient du Cœur de la Tour à la fin, aucun ne savait qui serait choisi...

— Ferons-nous de la lumière ? demanda la Prime Magicienne, conformément à la tradition.

Un par un, les membres du Conseil répondirent :

— Oui, de la lumière pour que chacun de nous puisse voir les autres et tirer sa force de leurs visages.

— Que Barras, qui nous a convoqués au Cœur de la Tour, nous apporte de la lumière, entonna la Prime Magicienne.

— Qu'il en soit ainsi, dit Barras.

Il prépara un GlobeLumière : un simple hémisphère statique qu'il tira rapidement et sans effort du mana canalisé dans la pièce. Puis il le déploya au-dessus de la chandelle de mana, afin que son doux éclat bannisse les ombres et illumine tous les membres du Conseil.

Barras tourna lentement la tête pour regarder ses collègues. Il s'inclina devant chacun, gravant leur expression dans sa mémoire, car c'était la dernière fois qu'il verrait l'un d'eux. Et il pourrait très bien être celui que les démons emporteraient.

À sa gauche se tenait Endorr, le plus jeune membre du Conseil, intronisé sept semaines auparavant. Petit et laid, c'était un mage très puissant et talentueux. Il serait vraiment dommage de le perdre.

Venait ensuite Vilif, l'ancien secrétaire du Conseil, rabougri, chauve et au crépuscule de son existence. Puis Seldane, une des deux femmes du Conseil : la cinquantaine, des cheveux gris et un caractère aigri. Kerela, la Prime Magicienne, elfe et amie très proche de Barras. Grande, brune et fière, elle dirigeait le Conseil avec une poigne d'acier et une détermination que tout le Collège respectait. Ils auraient beaucoup de mal à se passer d'elle.

Deale, encore un elfe, très âgé et prompt à s'emporter. La peur se lisait sur son visage blême, aux traits tirés. Cordolan, dans la force de l'âge, bedonnant et jovial. Son début de calvitie luisait de sueur à la lumière du globe. Il aurait eu besoin de faire plus d'exercice, comme en attestaient ses bajoues frémissantes. Et enfin, à la droite de Barras, se tenait Torvis. Vieux, impétueux, énergique, ridé et très grand. Un homme merveilleux.

— Pouvons-nous commencer ? demanda la Prime Magicienne. Je vous remercie de votre don de lumière, Barras.

Les formalités d'usage prirent fin à ce moment.

— Membres du Conseil Julatsien, reprit Kerela, nous sommes réunis aujourd'hui parce qu'un danger mortel menace notre Collège. Si nous n'agissons pas conformément à la proposition de Barras, il est certain que le Collège tombera. Parmi vous, quelqu'un conteste-t-il cette interprétation ?

Silence.

— Connaissant les risques liés au déploiement du LinceulDémoniaque, l'un de vous souhaite-t-il quitter le Cœur pendant l'incantation ?

Torvis gloussa.

Son irrévérence dissipa momentanément la tension.

— Kerela, franchement..., dit-il d'une voix aussi sèche que le crissement des feuilles mortes sous des bottes. Le temps que vous nous mettiez en garde, les chamanes seront là pour nous aider à incanter. Vous savez bien que personne ne se défilera.

Kerela fronça les sourcils, mais ses yeux pétillèrent d'amusement. Barras hocha la tête.

— Torvis est impatient de rejoindre une nouvelle dimension. Nous ne devrions pas le faire attendre.

— Je me devais de vous laisser le choix, se justifia Kerela.

— Je sais, dit Barras. Nous le savons tous. (Il lui sourit.) Allez-y, Kerela.

— Puisse celui ou celle qui sacrifiera sa vie pour sauver le Collège de Julatsa trouver très vite la paix et l'âme de ses chers disparus. (La Prime Magicienne marqua une pause.) Suivez mes instructions à la lettre. Ne vous en écartez surtout pas. Ne laissez rien d'autre que le son de ma voix troubler votre concentration. (Son ton se durcit.) À présent, placez vos paumes sur la pierre, derrière vous, et acceptez le spectre du mana dans vos yeux.

Barras posa ses mains sur le mur et se concentra sur le mana qui l'enveloppait. Une vision à la fois magnifique et effrayante.

Le Cœur de la Tour de Julatsa était un réservoir de mana. La forme et la substance de ses murs attiraient le combustible de la magie et l'y emprisonnaient. Barras suivit du regard les huit flux qui se rejoignaient au sommet de la pièce avant de plonger en une unique colonne vers le centre du Cœur, au milieu du plancher dallé.

Sous les pieds des membres du Conseil, une reproduction inversée de la salle où ils se tenaient complétait le circuit de pouvoir. En posant leurs mains sur les murs, les mages se liaient à ce circuit. Tous sursautèrent ou hoquetèrent alors que le mana se déversait en eux, augmentant leur rythme cardiaque, gonflant leurs muscles et clarifiant leur esprit.

— Inspirez le mana, ordonna Kerela. Comprenez son flux. Savourez sa puissance. Mesurez son potentiel. Quand vous serez prêt à commencer l'incantation, prononcez votre nom.

Un par un, les membres du Conseil s'exécutèrent. Barras avec assurance, Torvis avec une pointe d'impatience, Deale avec une terreur perceptible.

— Très bien, dit Kerela. Nous allons ouvrir la voie et invoquer le Maître du Linceul. Préparez-vous à son apparition. Modelez le cercle.

Huit voix entonnèrent l'incantation. Le cœur de Barras battait très vite alors que, ses mains pressées sur la pierre grise et froide, des paroles antiques et puissantes sortaient de sa bouche en un flot ininterrompu.

Le flux du mana se modifia. Des mains invisibles semblèrent tirer sur les huit lignes qui remontaient le long des murs, légèrement d'abord, puis avec de plus en plus de force. Soudain, le mana fut arraché à la pierre par la volonté des mages. Un flux résiduel continua à circuler normalement. Mais au niveau de leurs yeux se forma un cercle jaune large comme la main et absolument immobile.

— Parfait, murmura Kerela. À présent, étirez le cercle pour former une colonne qui viendra toucher le sol à nos pieds.

Les membres du Conseil écartèrent leurs mains des murs et les placèrent dans le cercle de mana, qui avait la fluidité et la délicatesse de la soie.

Alors que Barras baissait les bras et pliait les genoux, en parfaite synchronie avec les sept autres mages, formant un cylindre avec son esprit autant qu'avec son sens du toucher surdéveloppé, il se répéta un seul mot comme un mantra : « Doucement. Doucement ». La moindre anomalie compromettrait la réussite du sort et la santé de ceux qui le lançaient. À ce stade de l'incantation, toute erreur pouvait se traduire par une violente migraine, un saignement des oreilles, voire une cécité temporaire.

Mais les mages choisis pour siéger au Conseil de Julatsa étaient les plus talentueux de leur Collège. Quand tous furent accroupis sur le sol, ils avaient créé une colonne parfaite en moins d'une minute.

— Excellent, souffla Kerela. Endorr, Seldane, Deale, Torvis, vous allez ancrer la colonne. À mon signal, que les autres se retirent. Ne résistez pas à la pression supplémentaire et gardez l'esprit ouvert. (Elle marqua une pause.) Je commence le compte à rebours. Trois, deux, un… Retirez-vous.

Barras, Vilif, Cordolan et Kerela laissèrent retomber leurs mains et se relevèrent. Barras sourit en voyant Endorr encaisser l'augmentation de pression avec un simple pincement des lèvres. Il résista à l'envie de lui tapoter l'épaule. Pour un type aussi jeune, Endorr était vraiment compétent.

Les quatre mages affectés à l'ancrage du cercle se calèrent sur leurs talons. Jusqu'à la fin de l'invocation, ils devraient consacrer leur énergie à maintenir une forme parfaite. Si son intégrité était compromise, la colonne libérerait des forces qui tailleraient en pièces le Cœur de la Tour.

Kerela regarda ses collègues.

— Nous sommes un Conseil fort, déclara-t-elle. Notre inévitable affaiblissement sera une tragédie pour Julatsa. (Avec un soupir, elle joignit les mains.) Venez. Approchez pour l'invocation. Barras, vous maintiendrez le portail ouvert.

L'elfe hocha la tête, un peu déçu, mais guère surpris par le soulagement qui l'envahit. Le démon ne pouvait pas choisir le gardien du portail, de peur de se retrouver prisonnier de l'air – mortel pour lui – de Balaia.

Les quatre mages firent un pas en avant, leur visage à quelques centimètres de la surface de la colonne. Chacun regarda dans les yeux le mage d'en face pour lui apporter sa force et se nourrir de la sienne.

— Je prononcerai seule l'incantation, dit Kerela, mais nos pouvoirs à tous seront nécessaires pour créer la forme. (Elle se racla la gorge.) *Heilara diun thar.*

La température baissa sensiblement dans la pièce. Quand Kerela reprit la parole, son souffle forma un petit nuage devant sa bouche.

— *Heilera diun thar, mext heiron diun thar.*

Les quatre mages puisèrent un peu plus de mana dans l'air pour générer au-dessus de la colonne un disque jaune tourbillonnant, traversé d'éclairs bleus. Il tournait si vite que Barras ne parvenait pas à en distinguer les contours.

— Lentement, ordonna Kerela. Faites-le descendre dans le cylindre.

Les mages obéirent, et sentirent les bords du disque mettre en mouvement la forme de mana ancrée par leurs collègues.

— *Heilera, duin, scorthos erida,* entonna Kerela.

Les éclairs bleus s'intensifièrent, embrasant l'intérieur de la colonne et faisant frémir les mages chargés de son ancrage. Mais ils ne lâchèrent pas prise pour autant.

Le disque s'abaissa peu à peu. Barras et les trois autres luttaient pour le maintenir à l'horizontale et pour l'empêcher d'être aspiré par une force venue d'au-dessous, qui augmentait à chaque seconde. Les démons avaient senti leur manœuvre.

— Le disque doit rester stable, dit Kerela d'une voix voilée par la concentration. Stable. Cordolan, attention à vous !

Le disque, qui avait commencé à s'incliner imperceptiblement, reprit aussitôt sa position horizontale et continua à descendre, traversant la chandelle de mana pour venir frôler le sol de pierre.

— Barras, tenez-vous prêt. *Heilera, senduin, scorthonere an estolan.*

Un point noir apparut au centre du disque et s'élargit rapidement. Du mana bleu en jaillit. Avec un claquement sec, le disque se transforma en un cercle de mana julatsien. Une vive lumière bleue en émana et martela le sommet du Cœur, cascadant le long des segments de pierre grise. Des murmures emplirent l'air. Des provocations, des exigences, des offres tentantes mais maléfiques assaillirent les mages, s'infiltrant dans leur esprit, sapant leur courage, leur donnant la chair de poule et leur faisant tourner la tête.

La porte qui donnait sur la dimension démoniaque était ouverte.

— Barras, vous êtes prêt ? demanda Kerela.

Incapable de parler, l'elfe se contenta de hocher la tête. Tous ses muscles étaient tendus à se rompre. Il avait l'impression que son cerveau allait exploser, et pourtant, il se savait capable de maintenir la porte indéfiniment. Les forces qui tentaient de briser son contrôle et d'envahir le Cœur n'étaient pas assez puissantes pour avoir raison de lui. À cette idée, ses muscles se détendirent, et la pression se relâcha dans son crâne. Il sourit.

— Oui, Kerela, je suis prêt. Appelez le Maître du Linceul.

— D'accord… Cordolan, Vilif, écartez-vous de la colonne. Cette tâche est la mienne.

La Prime Magicienne plongea la tête dans le cylindre, enfouissant son visage dans la lumière bleue démoniaque. Barras vit ses traits se tendre, comme si sa chair séchait sur ses os et se momifiait. Il lutta pour maintenir la stabilité du portail. Pas pour Julatsa, mais pour Kerela.

Immergée dans l'ouragan, la Prime Magicienne prit la parole d'une voix aussi forte qu'au moment où elle avait commencé son incantation.

— *Heilera, duis...* Moi, Kerela, Prime Magicienne du Conseil Julatsien de Balaia, je t'appelle, Heila, Maître du Linceul. Viens à moi, entends notre requête et indique-nous ton prix.

Un moment, il ne se passa rien. Les murmures continuèrent à tourbillonner dans la pièce, ignorant l'invocation de Kerela.

— Entends-moi. Heila, entends-moi !

Soudain, les murmures se turent.

— Je t'entends.

La voix, chaude et amicale, résonna dans l'air du Cœur. Les membres du Conseil sursautèrent, mais parvinrent à maintenir leur ancrage. Et le portail.

Puis *il* apparut. Seul. Flottant au-dessus de la chandelle de mana et tournant lentement sur lui-même, assis en tailleur, les bras croisés sur la poitrine. Alors, la colonne s'évapora, et le flux de mana recommença à couler le long de ses lignes naturelles tandis qu'Endorr, Seldane, Deale et Torvis s'arrachaient à leur concentration.

Kerela resta debout à portée de main du Maître du Linceul.

— C'est avec plaisir que nous t'accueillons parmi nous.

— La réciproque n'est pas vraie, grogna Heila.

Barras recula, sans cesser de se concentrer sur le portail. Le laisser se refermer serait un désastre. Avant de mourir dans cette dimension, Heila aurait le temps de les tailler en pièces. Autour de lui, ses collègues retenaient leur souffle. À l'exception de Kerela, chacun s'était plaqué contre son segment de mur pour mettre le plus de distance possible entre le démon et lui. Comme si ça pouvait faire la moindre différence.

Heila flottait au centre du Cœur. Malgré sa nature, son apparence n'avait rien de maléfique. Il mesurait environ un mètre vingt. Son corps humanoïde nu était bleu marine. Des veines pulsaient sur son crâne chauve, et une barbe soigneusement entretenue couvrait le bas de son visage. Ses yeux, petits et enfoncés dans leurs orbites, étaient noirs. Quand sa rotation l'amena face à Barras, leurs regards se croisèrent, et le mage put voir toute la malveillance que contenait celui du démon.

Heila s'immobilisa face à Kerela et fronça les sourcils, l'air coléreux.

— Je me reposais. Dis-moi de quoi tu as besoin, et nous discuterons de mon prix.

Barras frémit intérieurement. Ce prix serait l'âme d'un des membres du Conseil, que le démon pourrait garder aussi longtemps qu'il le souhaiterait.

Kerela soutint le regard d'Heila sans ciller.

— Notre Collège est menacé d'une invasion. L'ennemi ne doit pas entrer. Il nous faut un Linceul pour l'entourer, protéger les gens qui sont dedans et tuer quiconque osera le toucher. Le Linceul devra aussi englober le flux de mana principal de Julatsa, que nous ne pouvons nous permettre de perdre.

— Et combien de temps devra-t-il être maintenu ?

— Jusqu'à la fin du siège. Plusieurs semaines. Je ne peux pas être plus précise.

Heila haussa les sourcils.

— Vraiment ?

Il recommença à tourner sur lui-même, sondant le regard des membres du Conseil.

— Il y aura un prix à payer. Le maintien d'un Linceul sape notre énergie. Nous aurons besoin de combustible pour la régénérer.

Un frisson glacial courut le long de l'échine de Barras. Une vie humaine réduite à l'état de combustible pour une invocation démoniaque. C'était barbare et obscène. Mais la seule option pour Julatsa…

Heila s'était immobilisé et fixait l'elfe, qui lutta pour maintenir sa concentration.

— Et tu es le mage bienheureux auquel je ne peux pas toucher, constata le démon. C'est bien dommage. Ton âme elfique aurait été un mets de choix.

— Aucun de nous n'est bienheureux, répliqua calmement Barras. Aujourd'hui, nous allons tous perdre des êtres que nous connaissons. Choisis et va-t'en.

Heila sourit et se tourna vers la Prime Magicienne.

— C'est toi que je choisis, Kerela. Tu alimenteras le Linceul dont ton Collège a si désespérément besoin.

Des hoquets de stupeur résonnèrent dans la pièce. Aucun démon n'aurait dû emmener la Prime Magicienne. C'était comme abattre un arbre avant qu'il ait porté ses fruits. Mais Kerela se contenta de sourire.

— Qu'il en soit…, commença-t-elle.

— Non ! s'exclama Deale, livide et tremblant. Si elle disparaît, sauver le Collège n'aura servi à rien. Tu veux un elfe, Heila ? Prends-moi. Quand je suis entré dans cette salle, je savais que mon heure était venue. Et lorsque nous t'avons invoqué, tu le savais aussi. Emmène ta victime légitime. Emmène-moi !

Heila se tourna face à l'elfe.

— Remarquable, lâcha-t-il. Mais je crains que tu ne sois pas en position de négocier.

— Nous pouvons toujours te renvoyer d'où tu viens, les mains vides, dit Deale, le visage luisant de sueur.

— Dans ce cas, vous n'aurez pas votre Linceul.

— Et tu n'auras pas l'âme d'un membre du Conseil Julatsien, moins encore celle de sa Prime Magicienne.

— Deale, je…, dit Kerela.

— Non, Kerela. Je refuse qu'il vous prenne.

Heila fixa froidement Deale.

— Je n'ai pas l'habitude qu'on me défie.

L'elfe haussa les épaules.

— Très bien. (Heila recommença à tourner sur lui-même.) Conseil de Julatsa, voici le marché que je vous propose. L'âme de Deale n'est pas aussi précieuse que celle de Kerela la Prime Magicienne ou de Barras le Chef Négociateur. Mais j'accepte de l'emporter à une condition. Si, au bout de cinquante jours de votre temps, vous avez toujours besoin du Linceul pour tenir vos ennemis à distance, Kerela ou Barras devront y entrer pour lui fournir un nouvel apport de combustible. Je vous laisse décider lequel se sacrifiera. Si aucun des deux n'approche du Linceul, il se dissipera, et nous vous abandonnerons à votre sort. Entendu ?

— Le prix d'un LinceulDémoniaque a toujours été une seule âme ! cria Kerela. Si la mienne vaut tant que ça à vos yeux, prenez-la tout de suite.

— Kerela, le Collège ne peut pas se permettre de vous perdre ! lança Deale. Pas en ce moment. Nous avons besoin d'un chef, et ce chef, c'est vous. Vous devez rester.

Il regarda ses collègues. Barras vit que tous baissaient la tête.

— N'êtes-vous pas d'accord ? C'est moi qui dois partir, et Kerela qui doit rester. Non ?

Un par un, les mages approuvèrent à contrecœur. Même s'ils savaient que leur propre vie serait épargnée, ils répugnaient à condamner Deale.

— Voilà, dit Deale d'une voix assurée, bien qu'il tremblât de tous ses membres. Nous sommes tous d'accord.

Il fit face à Heila qui l'observait, une main caressant sa barbe, sa bouche entrouverte révélant de petites dents pointues.

— Heila, Maître du Linceul, notre marché est conclu.

Le démon hocha la tête.

— Je n'avais jamais entendu un humain ou un elfe plaider si passionnément pour sa propre mort.

— Quand le Linceul sera-t-il lancé ? demanda Kerela, les yeux pleins de larmes.

— À l'instant où je disparaîtrai et où le portail se refermera derrière moi. Il se dressera hors de vos murs et, comme vous l'avez réclamé, englobera le flux principal de votre mana.

— Assure-toi de tenir parole, Heila. Notre ami se sacrifie pour ce Linceul. Deale, la bénédiction du Collège vous accompagne. Je... Votre courage est tel que... (Kerela s'interrompit, la gorge serrée, et fit à l'elfe le sourire le plus triste que Barras ait jamais vu.) Puissiez-vous très vite trouver la paix.

— Le temps presse, rappela Heila. Vous avez cinquante de vos jours. Comptez-les, parce que je n'oublierai pas. (Son regard se posa sur Deale.) Quant à toi, mon ami, ces jours et tous ceux qui suivront, jusqu'à ce que je me lasse de ton âme, te paraîtront une éternité. Viens.

Sa main se tendit au-delà des confins du portail, traversa la poitrine de Deale et fit briller son corps d'une lumière bleue. Le visage de l'elfe ne trahissait plus aucune peur. Il sursauta quand son âme lui fut arrachée, et son corps s'effondra sans porter aucune marque de violence.

Tournant sur lui-même à toute vitesse, Heila tomba dans le portail, que Barras referma derrière lui. Quelques murmures retentirent, puis le silence revint.

— C'est fait, dit Kerela d'une voix brisée.

Les joues inondées de larmes, elle tenait à peine debout. Seldane avança vers le cadavre de Deale et lui ferma les yeux.

— Nous devons...

La porte s'ouvrit à la volée. Kard entra en titubant, les mains plaquées sur les oreilles, le visage livide et les yeux écarquillés. La pression du mana était telle qu'il n'aurait pas dû pouvoir pénétrer dans le Cœur. Mais elle n'était rien comparée à la clameur qui s'engouffra dans la pièce avec lui.

Les hurlements des Ouestiens et des Julatsiens étouffaient tous les bruits de bataille – une cacophonie qui jamais n'aurait dû être entendue dans la dimension balaienne. Leurs cris perçants, montant des profondeurs du corps mortel auquel leur âme était arrachée brutalement, se répercutaient dans le crâne des mages, leur faisaient grincer des dents et paralysaient leurs muscles.

Kerela leva la tête. Dans son regard se reflétait toute l'horreur que lui inspiraient les actes du Conseil.

Le LinceulDémoniaque s'était abattu sur Julatsa.

Chapitre 4

Comme toujours, la curiosité avait fini par l'emporter sur la peur. Sha-Kaan avait regagné sa dimension, emmenant avec lui toute menace de mort immédiate. Quand les Ravens atteignirent la grand-place de Parve, une foule de soldats s'était déjà rassemblée autour de la carcasse du dragon couleur de rouille.

— Je reviens très vite, dit l'Inconnu.

Hirad le regarda avancer à petites foulées vers la cavalerie de Darrick. Les Protecteurs qui lui tournaient le dos s'écartèrent instinctivement pour le laisser passer. En bon tacticien, il ne souhaitait pas seulement contempler le cadavre du monstre et secouer la tête avec stupéfaction : il voulait l'examiner pour trouver ses points les plus vulnérables. Cela pourrait leur être utile plus tard.

Mais Hirad n'était pas convaincu qu'il en existe. En ce qui le concernait, il avait vu suffisamment de dragons pour une journée. Ou même pour toute une vie. Il revint vers l'entrée du tunnel où le poêle de Will crépitait toujours. Ayant besoin de quelque chose pour se calmer les nerfs, il espérait qu'il restait un peu de café dans la casserole en équilibre précaire sur les braises mourantes.

Alors qu'ils approchaient du tunnel, Hirad sentit Ilkar se tendre près de lui. L'elfe n'avait pas dit un mot depuis le départ de Sha-Kaan. Mais il venait de voir Styliann toiser Denser, toujours prostré sur le sol, et Erienne, agenouillée près du mage xetesk.

— Ce salaud ne pourrait pas foutre le camp ? grogna Ilkar. Sa présence m'offense.

— Je doute qu'il traîne longtemps dans les parages après avoir entendu ce que nous avons à dire, marmonna Hirad.

Ilkar ricana.

— Je sais qu'il va rentrer à Xetesk en courant. Malheureusement, nous allons tous dans la même direction.

Hirad ne répondit pas tout de suite.

— Tu sais, j'espérais bien participer à la guerre contre les Ouestiens. Ç'aurait été comme un retour vers une époque plus simple. Mais ça...

— Je comprends ce que tu veux dire, fit l'elfe. Viens, assieds-toi. Je vais voir s'il reste du café.

Denser se redressa avec difficulté et s'appuya contre Erienne, son visage exprimant de la curiosité et de l'anxiété.

— Vous devriez venir écouter, lança Hirad. Styliann, ça vous concerne aussi. Les choses ne se présentent pas très bien.

— Définissez « pas très bien », dit Styliann.

Émergeant de l'ombre, il ajusta d'un geste distrait le col de sa chemise.

— Je préfère attendre que tout le monde soit là, fit Ilkar en tendant à Hirad une chope à moitié pleine de café.

Il se laissa tomber près du barbare et fit un signe de tête en direction de la carcasse du dragon. Will et Thraun approchaient, mais l'Inconnu n'avait pas fini ses investigations.

— Je ne voudrais pas omettre un seul détail…

Personne n'avait osé tendre la main pour toucher le corps du dragon, jusqu'à ce que l'Inconnu s'accroupisse près de sa tête et soulève une de ses paupières. La créature venait peut-être d'une autre dimension, mais l'Inconnu était capable de reconnaître un animal mort quand il en voyait un, et c'était bel et bien le cas.

Il laissa la paupière se refermer sur le globe oculaire d'un blanc laiteux qui avait roulé dans son orbite et, en appui sur les talons, regarda le gigantesque dragon. Il gisait sur le flanc. De près, il s'aperçut que sa teinte rouille était due à l'alternance de deux couleurs d'écailles : rouge foncé et brun terne. Sa tête en forme triangulaire mesurait environ un mètre des narines jusqu'à la base du cou. Un croc était visible entre les replis de peau dure qui lui servaient de lèvres. Un autre, brisé, gisait quelques pas plus loin. L'Inconnu le ramassa, l'examina brièvement et le fourra dans sa poche.

Les plaques osseuses du crâne du dragon saillaient sur sa nuque pour la protéger. De manière plutôt inefficace, pensa l'Inconnu, vu la facilité avec laquelle Sha-Kaan l'avait broyée. Il se pencha en avant et, faisant jouer ses biceps puissants, tenta d'ouvrir la gueule de la créature. Ses mâchoires s'écartèrent un peu, mais se refermèrent aussitôt alors qu'il tentait de regarder dans sa bouche. Levant la tête, il croisa le regard de deux des hommes qui s'étaient rassemblés autour de la carcasse.

— Vous me donnez un coup de main ?

Les cavaliers faillirent se piétiner dans leur hâte d'aider le célèbre Guerrier Inconnu des Ravens. Ensemble, les trois hommes firent basculer la tête plate du dragon sur le côté. Puis, pendant que les soldats de Darrick lui tenaient la mâchoire supérieure, l'Inconnu tira sur sa mâchoire inférieure.

Une odeur nauséabonde l'assaillit quand il tendit le cou pour mieux voir dans la gueule du rouille. Ses crocs n'avaient rien d'inhabituel. Quatre canines (deux en haut, deux en bas) indiquaient qu'il s'agissait d'un prédateur, comme les incisives coniques qu'elles encadraient. Vers le fond, l'Inconnu distingua des molaires plates faites pour broyer la chair. Mais ce qui l'intéressa le plus, ce fut les gencives de l'animal. Il compta une demi-douzaine de replis de peau obliques, chacun masquant un trou.

Quand il en souleva un, une goutte de liquide clair tomba sur sa paume et s'évapora aussitôt. Alors, il comprit d'où venait le feu du dragon.

L'Inconnu remercia les deux cavaliers et se releva.

Puis il longea lentement le cadavre de la créature. Le cou mesurait environ deux mètres cinquante. Le corps était plus mince que celui de Sha-Kaan et davantage taillé pour la vitesse. Mais sa masse inférieure, et le manque d'expérience dont il avait fait preuve pendant leur combat, trahissaient son jeune âge. Ses pattes antérieures s'achevaient sur de petites griffes, suggérant un certain besoin de délicatesse. Chacune était crochue, acérée et faite d'os, pas de corne durcie.

Les ailes du dragon prenaient naissance juste au-dessus de ses pattes antérieures. L'Inconnu n'eut pas besoin de s'approcher pour voir les muscles puissants qui permettaient à l'animal de se propulser dans le ciel. À sa requête, dix cavaliers unirent leurs forces pour déployer l'aile qui n'était pas coincée sous le corps du dragon. Son arc extérieur devait mesurer dans les dix mètres : un os flexible aussi épais que la cuisse de l'Inconnu. Une dizaine d'autres os partaient d'une articulation complexe, et une membrane huileuse s'étendait entre eux.

— Tenez-la bien, recommanda l'Inconnu.

Dégainant sa dague, il tenta de lacérer la membrane et parvint seulement à l'égratigner. Un peu de fluide sombre suinta de la plaie. De l'huile, pas du sang. Il y trempa son doigt et la frotta entre le pouce et l'index. Sa texture était lisse.

— Intéressant, commenta-t-il.

Bien qu'épaisse d'un centimètre à peine, la membrane refusa de se déchirer.

— Merci, messires.

Les cavaliers lâchèrent l'aile, qui se replia aussitôt contre le corps du dragon en soulevant un nuage de poussière. Ce mécanisme protecteur, capable de transcender la mort, soulignait la puissance incroyable de la créature.

Le cou représentait environ un sixième de sa longueur totale. Même allongé sur le flanc, le ventre culminait plus haut que la tête de l'Inconnu, qui laissa courir les doigts le long des écailles plus douces et plus pâles de l'estomac. Il tenta de les transpercer avec sa dague, de nouveau sans résultat.

Les sourcils froncés, il se concentra sur la brûlure longue de six ou sept mètres qui zébrait le flanc du dragon. À cet endroit, la peau était boursouflée et noircie. Une humeur noire et visqueuse emplissait les cloques et une demi-douzaine de plaies profondes. Mais le coup n'avait pas été fatal. Même la puissance du souffle de Sha-Kaan ne pouvait venir à bout d'un de ses congénères en une seule fois.

— Par les dieux, vous êtes des enflures coriaces, murmura l'Inconnu.

Il continua à chercher un point vulnérable.

— Il fiche quoi ? s'impatienta Denser, la tête tournée vers la place.

L'Inconnu était occupé à examiner la queue du dragon. Il essaya de la piquer avec son épée, puis de la trancher en abattant sa lame dessus de toutes ses forces. En vain. Après chaque tentative, il secouait la tête, l'air de plus en plus découragé.

— Il cherche un moyen de tuer ces bestioles, je suppose, avança Ilkar.

— Bonne chance, grogna Hirad.

— Il voit bien que ça ne donne rien. Pourquoi s'entête-t-il ? demanda Denser en se rallongeant.

— Parce que c'est l'Inconnu, répondit Hirad. Il aime prendre la mesure de ses adversaires. Selon lui, savoir ce qu'on ne peut pas faire est plus important que savoir ce qu'on peut faire.

— Pas idiot, concéda Thraun.

— Bien sûr que non : c'est absolument fascinant, railla Styliann. Mais sommes-nous vraiment obligés de l'attendre ?

— Oui, affirma Hirad. C'est un Raven.

L'Inconnu revint enfin. Il saisit le fourreau fixé dans son dos, y rangea son épée et laissa tomber le tout à ses pieds. Puis il s'assit, l'air contrarié.

— Alors ?

— Sha-Kaan avait raison. En supposant que nous puissions nous approcher d'un dragon, le seul endroit mou est dans la gueule, et je vois mal une de ces créatures ouvrir obligeamment les mâchoires pour nous laisser lui planter une épée dans le palais. Notre seule chance serait d'assécher ses ailes. Elles sécrètent une huile sans laquelle, à mon avis, elles pourraient se fendiller si on les soumettait à une chaleur intense. L'ennui, étant donné leur masse, c'est qu'il faudrait un autre dragon pour produire une flamme suffisante.

— Les yeux ? demanda Hirad.

— Une cible un peu petite. Impossible à toucher tant qu'il bouge la tête. Soyons lucides : si un dragon s'introduit dans notre dimension, il pourra tuer n'importe quoi, et en n'importe quelle quantité.

— Vous oubliez le pouvoir de la magie, pontifia Styliann.

L'Inconnu l'ignora.

— Sa peau est incroyablement résistante, y compris sur le ventre et les ailes. L'acide réussirait peut-être à en venir à bout. Ou un sort à base de feu ou de froid. Mais dans tous les cas, le problème sera de s'approcher suffisamment. (Il soupira.) Voilà la vérité : quand un dragon attaque et qu'on a nulle part où se cacher, c'est la mort assurée.

— Ce n'est pas la réponse que nous cherchions, dit Ilkar.

— Donc, aller là-bas sera un suicide, conclut Hirad.

— Rester ici aussi, apparemment, fit Will.

Denser leva une main.

— Attendez un peu. De quoi parlez-vous ?

Ilkar flanqua un coup de coude à Hirad.

— Vas-y, explique-lui. Après tout, Sha-Kaan est ton ami.

— Ben voyons, ricana le barbare. J'ai remarqué tout le mal qu'il se donnait pour ne pas m'incinérer ou me couper en deux d'un coup de dents. Si ce n'est pas de l'amitié…

— Tu vois ? Vous êtes presque des frères, gloussa Ilkar.

— Ce n'est pas parce que…

— C'est fini, oui ? s'impatienta Denser. Je voudrais savoir ce qui se passe.

— Tu as tort, répliqua Hirad. Mais je vais quand même t'expliquer. (Il prit une profonde inspiration et tendit un doigt vers le ciel.) Cette fissure est un couloir qui mène directement à la dimension draconique. Apparemment, il y en a une identique de l'autre côté. Et la famille de Sha-Kaan – qu'il appelle la couvée Kaan – doit la défendre pour empêcher les autres couvées de venir ici et de nous détruire. (De la tête, il désigna la carcasse du rouille.) Parce qu'ils n'ont aucun moyen de la refermer. D'après Sha-Kaan, c'est à nous de le faire.

— Pas de problème ! railla Denser. Laisse-moi juste le temps de claquer des doigts. Sérieusement, comment sommes-nous censés faire ça ?

— C'est ce que nous avons demandé, dit Ilkar. Sha-Kaan a répliqué que c'était à nous de le découvrir, et que nous ferions mieux de nous dépêcher.

— Sinon ? lança Erienne.

— Sinon, une autre couvée finira par débarquer ici, et personne ne pourra l'empêcher de faire ce que bon lui semblera. Ceux d'entre nous qui ont traversé la fissure de Septern ont une assez bonne idée de ce que ça pourrait donner.

Le souvenir de la désolation, du climat chaotique et de l'atmosphère chargée de mort était encore vivace dans l'esprit d'Ilkar.

Un mouvement attira l'attention d'Hirad. Darrick venait de regagner la grand-place pour reprendre le commandement de la cavalerie. Il commença par marcher vers le dragon, mais changea d'avis quand le barbare lui fit signe de les rejoindre.

— Je crois qu'il faut le mettre au courant.

Hirad répéta son histoire. Quand il eut terminé, Darrick affichait une expression aussi lugubre que celle des Ravens.

— Hum… (Styliann, qui avait gardé le silence jusque-là, se racla la gorge.) Et cette fissure est une menace. Je veux bien admettre aussi que les dragons sont des créatures puissantes et que nous devons trouver un moyen de les neutraliser à distance. Ce que je ne comprends pas, c'est pourquoi les autres couvées voudraient venir ici pour tout détruire, et en quoi, par tout le mana du Mont, cela importe-t-il à Sha-Kaan ?

— Ça, c'est une excellente question, convint Darrick.

— Ilkar ? lança Hirad. C'est là que j'ai commencé à perdre un peu le fil de l'histoire.

— Inconnu, n'hésite pas à me couper si je deviens trop vague. (L'elfe se massa le menton en réfléchissant.) Récapitulons… Il existe un lien entre notre dimension et celle de la couvée Kaan. La présence de certains éléments ici permet à la famille de Sha-Kaan de vivre et de se reproduire là-bas. Ces éléments nourrissent la psyché des dragons, ce qui est aussi important pour eux que de remplir leur estomac. Leur existence est liée à l'intégrité de la trame de notre dimension. Si nous disparaissons, ils disparaîtront avec nous. C'est pour ça qu'ils s'intéressent à notre sort.

— Pourquoi ne se contentent-ils pas de poster suffisamment de dragons autour de la fissure pour la protéger ? demanda Styliann.

— Parce que, curieusement, ils ont mieux à faire que de mourir en nous défendant jusqu'à la fin des temps ! cria Hirad. Ils ne sont pas nos serviteurs.

Ilkar posa une main apaisante sur le bras du barbare.

— En vérité, seigneur, ils sont déjà forcés de le faire. Mais Sha-Kaan a insisté sur deux points : *Primo*, ils ne pourront pas garder la fissure jusqu'à la fin des temps. *Secundo*, c'est nous qui avons provoqué le problème. Donc, même s'ils sont prêts à nous aider, c'est à nous de trouver une solution.

— De combien de temps disposons-nous ? demanda Darrick.

— Nous l'ignorons, répondit Hirad. Sha-Kaan lui-même n'en sait rien. Il a juste dit cela : quand le NoirZénith couvrira la cité, il sera trop tard.

— Qu'est-ce que ça signifie ? demanda Erienne. Comment les dragons mesurent-ils le passage du temps ?

— Je ne sais pas trop, avoua Ilkar.

— Il suffit pourtant d'ouvrir les yeux, souffla Styliann.

— Vous..., grogna Hirad, menaçant.

— Calmez-vous, Hirad Cœurfroid ! Je sais que vous êtes à cran, mais le moment est venu de réfléchir. Normalement, il n'y a pas d'ombre à midi, parce que le soleil est à son point le plus haut dans le ciel. Cette fissure, elle, en projettera quand même une. Elle n'est pas encore assez importante pour recouvrir Parve, mais...

— Oh, dieux, souffla Denser, livide. Il essaie de nous dire qu'elle n'est pas statique. Elle va continuer à grandir !

— Donc, nous disposons d'un temps limité, mais que nous ne pouvons pas évaluer, résuma Will.

— C'est faux, dit l'Inconnu. Il suffit de mesurer le rythme de croissance de la fissure pour nous faire une idée approximative.

— Exact, fit amèrement Denser. Mais nous avons bien d'autres problèmes sur les bras.

— Par exemple, trouver un moyen de la refermer, rappela Erienne.

— Et savoir ce qui se passe à l'est des monts Noirépine, ajouta l'Inconnu.

— Pour n'en citer que deux, dit Denser.

— Je n'essaie pas d'être drôle, mais je pense que le point de départ, c'est l'incantation d'AubeMort. Sha-Kaan a dit qu'elle était « erronée », rapporta Hirad avec un léger sourire.

Le Mage vira à l'écarlate.

— Parce qu'évidemment, ce lézard obèse s'y connaît en magie ! Pour son information, en lançant AubeMort, j'ai sauvé la dimension qui alimente la psyché de sa couvée du plus grand danger qui l'ait jamais menacée. Je me suis préparé toute ma vie à ce moment. Erronée ! fulmina-t-il. Salaud !

— Denser, tu n'as pas besoin de nous convaincre. Nous savons ce que tu as fait, et pourquoi tu l'as fait. Mais Sha-Kaan ne le voit pas de la même façon. Il se fiche de savoir qui gouverne Balaia, du moment que sa trame est intacte et qu'il reste assez de Dragonens pour servir sa couvée.

— Mais il ne pouvait pas nous demander de nous laisser massacrer sans réagir !

— Laisse tomber : j'ai déjà essayé cet argument. Sha-Kaan nous accuse de ne pas comprendre le pouvoir d'AubeMort. Et de ne pas mesurer les conséquences qu'aura son lancement, pour nous et pour sa couvée.

— Bref, intervint Will, qu'allons-nous faire ?

Sha-Kaan émergea du portail au milieu d'un blizzard d'écailles, de griffes et de feu. Les hurlements d'exultation et de douleur se mêlaient aux battements d'ailes, aux claquements de mâchoires et au sifflement des queues qui fendaient l'air.

Le chaos s'étendait dans toutes les directions aussi loin que portât son regard. Il était impossible d'estimer le nombre de dragons qui se pressaient dans le voisinage de la fissure, ou le nombre de couvées impliquées dans la bataille. La seule certitude ? À l'exception de quelques individus restés en arrière pour protéger leur territoire et ses occupants, toute la couvée Kaan luttait pour sa survie. Plus de quatre cents de ses membres s'étaient déployés dans le ciel... Et ils étaient en infériorité numérique face à leurs ennemis.

Sha-Kaan rugit pour rallier sa couvée. Des aboiements et des cris lui répondirent aussitôt. Il prit de l'altitude pour mieux évaluer la situation. Dans son dos, une phalange de gardes se lança à sa suite pour protéger ses arrières.

Une cinquantaine de Kaans formaient un réseau défensif autour du portail, refusant aux attaquants la plus petite chance de passer. Ce n'était pas la première fois, pendant sa longue et fertile existence, que Sha-Kaan se réjouissait de la nature intensément familiale des couvées draconiques. Ensemble, les autres auraient pu venir à bout des Kaans en l'espace de quelques jours. Mais ils n'arriveraient jamais à maintenir la paix entre eux assez longtemps pour lancer un assaut concerté. Alors qu'il survolait la bataille, Sha-Kaan vit seulement de petits groupes désorganisés, aucun n'ayant la puissance ou la ruse nécessaire pour percer les défenses de sa couvée. Les Kaans avaient toujours été les plus forts, parce qu'ils étaient les plus disciplinés.

Mais si la bataille se prolongeait, ils finiraient par s'affaiblir. Sha-Kaan espéra s'être bien fait comprendre des humains, et pria les Cieux qu'ils trouvent un moyen de fermer le portail. Sinon, les Kaans périraient immanquablement jusqu'au dernier.

Pour l'instant, Sha-Kaan avait des soucis plus pressants. En bas, sur sa gauche, trois Naiks avaient isolé un jeune Kaan de sa phalange. Le dragon inexpérimenté utilisa toutes les manœuvres d'évasion qu'on lui avait enseignées, mais sans réussir à éviter les langues de feu.

Finalement, une de ses ailes s'embrasa. L'huile qui la lubrifiait s'était évaporée depuis longtemps sous l'effet de la chaleur. Avec un cri de douleur, de défi et de terreur mêlés, le jeune Kaan partit en vrille vers le sol, son aile ravagée laissant derrière elle une traînée de fumée. L'autre, encore valide, tentait désespérément de redresser son vol. Sa tête se tordait au bout de son cou, en quête d'assistance. Mais ses congénères étaient trop occupés pour voler à son secours.

Sha-Kaan détourna le regard.

— Avec moi, ordonna-t-il mentalement à ses gardes.

Il piqua en silence, les ailes repliées, et atteignit bientôt une vitesse à laquelle il tuerait ou serait tué. Les trois Naiks n'eurent pas le temps de voir ce qui leur tombait dessus. Les mâchoires de Sha-Kaan se refermèrent sur l'aile droite de l'un d'eux, le déséquilibrèrent et l'entraînèrent vers le sol. Son adversaire, d'une taille inférieure à la sienne, se débattit en aboyant sa colère et sa peur.

L'élan de Sha-Kaan les emporta et les fit culbuter l'un par-dessus l'autre, jusqu'à ce qu'il ouvre les mâchoires pour relâcher sa victime, dont le soulagement fut de courte durée. Le Grand Kaan souffla un torrent de feu qui atteignit le Naik à la tête, au cou et à l'aile gauche. À demi aveuglé, il cracha une langue de flammes qui manqua sa cible.

Sha-Kaan souffla de nouveau. Cette fois, le feu parcourut toute la longueur du Naik, du sommet de son crâne jusqu'au bout de sa queue, détruisant les muscles de ses ailes. Incapable de voler plus longtemps, le dragon alla s'écraser sur le sol.

Sha-Kaan redressa son vol avec un rugissement de triomphe. Le cou tordu pour voir où en était la bataille, il choisit une autre cible et fonça vers elle.

— Toute la question est de savoir si la formation de cette fissure était un effet secondaire inévitable du lancement d'AubeMort, dit Styliann.

Il cherchait moins à critiquer qu'à comprendre, et l'expression de Denser se radoucit légèrement.

Les quatre mages étaient toujours assis autour du feu. La pipe de Denser fumait au coin de sa bouche, même s'il avait du mal à tirer suffisamment dessus pour la maintenir allumée. Sa tête reposait sur le giron d'Erienne, qui lui caressait distraitement la tête. Près d'eux, Ilkar ravivait les braises avec un bâton de bois vert. Styliann, qui avait rattaché ses cheveux et repris son habituelle apparence austère, leur faisait face de l'autre côté du feu.

Un peu plus loin sur la place, les guerriers Ravens débattaient avec Darrick du meilleur moyen de mesurer le NoirZénith. Ils n'avaient pas beaucoup de temps pour trouver une solution, car le soleil approchait de son zénith.

Les membres de la cavalerie et les Protecteurs qui n'étaient pas de garde avaient reçu des missions beaucoup moins ragoûtantes. Mais il fallait que quelqu'un nettoie la ville, brûle les cadavres et fouille les bâtiments en quête d'ennemis dissimulés. Parve devait être rendue à la mort. Il ne devait pas y rester âme qui vive, à l'exception des volontaires qui se dévoueraient pour mesurer l'ombre jour après jour et communiquer le résultat de leurs investigations à Darrick.

De leur côté, les quatre mages s'interrogeaient. Comment refermer la fissure dimensionnelle avant que les Kaans succombent et que Balaia soit engloutie par un déluge de feu ?

— Pour répondre à votre question, seigneur, nous devrons exhumer tous les textes de Septern en possession des Collèges, dit Erienne. Il semble désormais évident que la base du pouvoir d'AubeMort est la création d'une fissure dans un vortex de l'espace interdimensionnel. Je présume que l'incantation originelle ouvre une brèche assez grande pour aspirer tout notre monde, d'où l'expression « voleur de lumière ».

— Et mon apprentissage a été concentré sur le contrôle des paramètres d'incantation, pas sur celui du résultat final, ajouta Denser en haussant les épaules.

Ilkar sursauta.

— Donc, il aurait pu y avoir un moyen de refermer le vortex au moment où tu dissolvais la forme de mana ?

— Possible, mais ça n'était pas mentionné dans les textes. On pourrait peut-être trouver ça quelque part dans les Annales. Septern avait une compréhension très approfondie de la magie dimensionnelle.

— Ça ne pouvait pas figurer dans le texte de l'incantation, intervint Erienne. En y réfléchissant bien, refermer le vortex aux deux extrémités – puisque c'est de ça que vous parlez – nécessiterait un deuxième sort.

— Là, tu supposes qu'il n'existe rien dans le texte ou la formation du mana d'AubeMort qui produise le même effet, souligna Ilkar.

— Je ne suppose pas : je le sais.

— Comment êtes-vous si sûre de vous, Dordovane ? demanda Styliann en toisant Erienne.

— Pitié, Styliann, nous pouvons nous passer de votre condescendance à la noix ! cria Ilkar. (Le ton qu'il osait employer en s'adressant au Seigneur du Mont le surprit lui-même.) Tout ça va bien au-delà de nos ridicules disputes collégiales. Contentez-vous d'écouter Erienne.

Styliann se rembrunit.

— Seigneur, Ilkar a raison, affirma Denser. Erienne est une archi-annalyste.

— Vous avez étudié les travaux de Septern ? demanda Styliann.

La jeune femme haussa les épaules.

— Évidemment, puisque c'était un Dordovan.

— Par la naissance seulement, dit Styliann.

— Peu importe. Vous n'avez pas besoin de le connaître à fond pour comprendre ce que je vais vous dire. Un minimum de bon sens suffira. Écoutez-moi, et ne m'interrompez pas. Je ne cherche à critiquer personne. (Erienne prit une profonde inspiration.) Sha-Kaan avait raison en affirmant que l'incantation d'AubeMort effectuée par Denser était erronée.

Le mage xetesk se tendit. Elle lui posa une main apaisante sur le bras.

— Mais nous ne devons pas oublier la vision originelle de Septern, même si nous avons du mal à comprendre ses raisons de créer un sort tel qu'AubeMort.

— C'était un chercheur, fit Ilkar. Il voulait juste voir jusqu'où il pouvait aller.

— Probablement, dit Erienne. Lancé convenablement – et par là, j'entends « avec une durée et une puissance maximales » – AubeMort ouvrirait un vortex capable d'aspirer la totalité de notre monde, continent sud inclus. À la place de Septern, auriez-vous intégré à votre sort une méthode pour refermer le vortex, sachant que vous ne seriez plus là pour l'utiliser ?

— Qu'as-tu fait exactement, Denser ? demanda Ilkar.

— J'ai démantelé la forme de mana. Avec une certaine précipitation, je le reconnais, mais mes réserves touchaient à leur fin. J'ai pensé que ça serait plus sûr que de me retirer brutalement et de la laisser se dissiper toute seule. Si je n'avais pas réagi aussi vite, la forme de mana aurait pu croître au point d'échapper à mon contrôle, et je ne voulais pas prendre ce risque. Pas avec AubeMort.

— Es-tu certain qu'il n'existait pas d'autre option pour terminer le sort ?

— Tu as uniquement étudié AubeMort sous l'angle de la théorie du mana, n'est-ce pas ? Si tu avais examiné l'incantation, tu te serais aperçu qu'elle ne ressemble à aucune autre. Tous les sorts que tu connais ont des paramètres de positionnement, d'intensité et de durée. Quand tu relâches leur forme de mana, elle reste stable, parce qu'elle a été conçue pour l'être.

« Avec AubeMort, c'est différent. Parce qu'il est censé être lancé à sa puissance maximale, la limiter – comme je me suis efforcé de le faire – rend la forme de mana intrinsèquement instable. Je ne pouvais pas me contenter de la relâcher, sinon, elle se serait effondrée sur elle-même. Vu la façon dont j'ai été forcé d'incanter, je ne pouvais pas finir autrement que par un démantèlement grossier. Je défie quiconque de trouver une meilleure solution.

— C'est une question purement académique, déclara Styliann, puisque AubeMort ne pourra plus jamais être lancé. De toute façon, aucun de nous ne connaît le sort mieux que vous. Donc, malheureusement, nous ne pouvons pas l'utiliser comme base de notre réflexion.

— Par conséquent, dit Ilkar, nous devons mettre en commun tous les écrits des Collèges concernant Septern et la magie dimensionnelle – ce qui est plus ou moins la même chose. Je suggère également que nous retournions à son atelier.

— Tu veux que chacun de nous aille dans son Collège piller la bibliothèque ? reformula Erienne, sceptique. Il m'étonnerait que je sois encore la bienvenue à Dordover.

— Ce ne sera pas nécessaire, promit Styliann. Dès que nous serons en vue des monts Noirépine, je communierai avec Xetesk et j'enverrai des instructions à tous les Collèges pour qu'ils préparent les documents en leur possession et qu'ils nous les apportent au lac de Triverne, où nous les examinerons ensemble.

— Vous semblez oublier quelque chose d'important, seigneur, dit Ilkar. Plus de cinquante mille Ouestiens doivent traîner dans le coin. Je crains que le lac de Triverne ne soit plus une option.

— Exact. Ma mémoire n'est plus ce qu'elle était.

— Nous devrons donc aller en personne dans chaque Collège.

— À supposer que nous puissions les atteindre, soupira Denser. Ils doivent déjà être assiégés. Vous connaissez tous l'objectif ultime des Ouestiens.

— Certes, mais ils n'ont plus de magie, fit Erienne.

— Ça ne les empêchera pas d'encercler les cités collégiales, répliqua Denser, l'air sombre.

— C'est aussi l'avis de l'Inconnu, renchérit Ilkar. Il te l'expliquerait sans doute mieux que moi, mais en gros, selon lui, quand nous les regagnerons, il ne restera plus grand-chose de nos foyers respectifs.

— Aucun Collège ne tombera devant une armée ne disposant pas de magie, affirma Styliann.

— Les Ouestiens ne réussiront peut-être pas à franchir leurs défenses, dit Ilkar, mais ils peuvent se contenter d'affamer leurs occupants pour les obliger à se rendre. De toute façon, aucun Collège ne dispose de mages offensifs en nombre suffisant pour arrêter une armée dont les commandants ne se soucient pas de limiter leurs pertes. C'est ce qui inquiète le plus l'Inconnu.

« Pour nous, la marche à suivre est très claire. Nous devons informer les Collèges de nos besoins. Ensuite, nous – et par « nous », j'entends : les Ravens, précisa-t-il en fixant Styliann – retournerons à l'atelier de Septern, voire dans la dimension avienne, si cela s'avère nécessaire. Tout dépendra de ce que les bibliothèques nous fourniront.

— Problème résolu, conclut Denser avec un léger sourire. Maintenant, vous pourriez me laisser dormir ?

Chapitre 5

Les cavaliers de Darrick tombés au combat brûlaient sur des brasiers funéraires. Quant aux acolytes des Seigneurs Sorcyers, aux Gardiens et aux Ouestiens, on les avait incinérés sans cérémonie dans un coin de la grand-place. L'air charriait l'odeur âcre de fumée qui suit généralement la fin d'une bataille.

Près de la pyramide qui, selon les mages de Darrick, se dressait au centre exact de Parve, le général et les guerriers des Ravens avaient attendu midi. Les conversations s'étaient tues peu à peu pour laisser place à un silence dubitatif.

À présent, le sang n'était plus la seule chose qui assombrissait le sol de Parve. L'ombre de la fissure couvrait une zone d'environ cinq cents mètres de long sur trois cents de large, pour autant qu'une forme aussi irrégulière puisse avoir une longueur et une largeur. Selon les estimations des observateurs, elle faisait dix fois la taille de la fissure elle-même. L'Inconnu en marqua les contours et se redressa.

— Voilà. Évidemment, sa taille actuelle ne nous est pas d'une grande utilité, sinon comme point de référence. Pour avoir une idée de son rythme de croissance, il faudra l'observer pendant une semaine environ. Et prendre des mesures chaque jour au moment où l'ombre de la face est de la pyramide disparaîtra. Sommes-nous tous d'accord sur le mode de calcul ?

Les mages et Darrick hochèrent la tête. Au bout d'un moment, Will fit de même. Thraun se contenta de hausser les épaules.

— Hirad ? lança l'Inconnu.

— Tu te crois drôle ? cria le barbare, plus irrité qu'il ne l'aurait voulu.

L'Inconnu s'approcha de lui.

— Désolé. On dirait que quelque chose ne va pas…

— Qu'est-ce qui te fait croire ça ? Nous venons de vaincre ce que nous prenions pour le plus grand danger qu'ait jamais connu Balaia… et de nous apercevoir qu'un sort plus terrible encore nous guettait. Je ne vois vraiment pas pourquoi ça n'irait pas.

L'Inconnu posa une main sur l'épaule de son ami et le fit pivoter pour qu'il tourne le dos aux autres.

— C'est une façon de présenter les choses, dit-il. Mais je suis sûr qu'il n'y a pas que ça. (Hirad le fixa en silence.) Allons, je te connais depuis plus de dix ans. Ne fais pas semblant. Ça ne prend pas.

— C'est juste que… Il va falloir aller dans la dimension draconique, soupira le barbare. Sha-Kaan a dit que la fissure devait être refermée en partant de l'autre extrémité. Je ne sais pas si je pourrai faire ça.

— Je serai avec toi, promit l'Inconnu. Et les autres aussi. Nous sommes les Ravens.

— Au moins, je mourrai en bonne compagnie.

— Personne ne va mourir, et surtout pas toi, affirma l'Inconnu. Tu as plus de vies qu'un chat.

— Je suppose que c'est ma destinée, grogna Hirad en haussant les épaules.

— Ne me parle pas de destinée, lâcha froidement l'Inconnu.

Hirad se mordit la lèvre. Une fois encore, il avait gaffé. Ce mot avait une signification particulièrement douloureuse pour son vieil ami.

— Comment te sens-tu ?

— Vide et seul. Comme si j'avais perdu quelque chose de précieux. (Le regard de l'Inconnu se posa sur un groupe de Protecteurs occupés à examiner la carcasse du dragon.) Tu ne peux pas comprendre ce que j'éprouve. Je les sens, pourtant je n'arrive plus à être proche d'eux. Ils me perçoivent comme un des leurs, mais nous n'avons plus de connexion. C'est comme si je n'étais plus ni un Protecteur, ni un homme libre. (Il enleva un de ses gants et se gratta le front avec un pouce.) J'ignorais ce qu'était réellement mon âme jusqu'à ce que je la perde.

— Mais tu ne regrettes pas de ne plus être l'un d'eux, n'est-ce pas ? s'inquiéta Hirad.

Les Protecteurs étaient des guerriers xetesks enrôlés de force au service du Collège. Après leur mort, leur corps restait en vie mais leur âme rejoignait le Réservoir situé au fond des catacombes de Xetesk, où les démons pouvaient les atteindre et les punir s'ils manquaient à leurs devoirs.

Selon l'Inconnu, c'était toute la tragédie et toute la beauté de l'existence d'un Protecteur. Jamais il ne s'était senti aussi proche d'autres hommes. Leurs âmes se mêlaient dans le Réservoir, permettant à leurs corps de coopérer comme s'ils ne faisaient plus qu'un. La compréhension de l'humanité à son niveau le plus primal leur conférait un pouvoir à nulle autre pareil.

Mais la ChaîneDémoniaque qui reliait leur corps à l'essence de leur âme était une source de douleur éternelle. Bien qu'il se souvienne de chaque détail de son ancienne existence, aucun Protecteur ne pouvait la reprendre là où elle avait été interrompue. Le masque d'ébène qu'ils portaient était à la fois un rappel de cette condition et une mise en garde. Les Protecteurs appartenaient à Xetesk. Ils n'avaient pas d'identité, comme le voulait le pacte que le Collège avait passé avec les démons.

Hirad frissonna. L'Inconnu avait été un de ces malheureux jusqu'à ce que Laryon, le maître Xetesk qui trouvait son esclavage injuste, se sacrifie pour le libérer.

Mais l'Inconnu resterait marqué à vie. Le temps qu'il avait passé dans le

Réservoir d'Âmes l'avait lié pour toujours aux autres Protecteurs, soit cinq cents hommes environ. Bien que son âme ait regagné son corps – et même s'il pouvait vivre de nouveau à visage découvert, sans crainte d'être puni par les démons –, il ne serait jamais vraiment libre. Hirad le voyait dans ses yeux. S'il riait avec ses compagnons et se comportait tout à fait normalement, une part de lui avait disparu. Il était amputé de la fraternité des autres Protecteurs. Une blessure qui ne se refermerait sans doute pas. Un chagrin qui n'aurait pas de fin.

— Pardon ? dit l'Inconnu, qui n'avait pas entendu la question.

— Je te demandais si tu regrettais de ne plus être l'un d'eux, répéta Hirad.

— Il est impossible de décrire ce que j'ai perdu quand mon âme a regagné mon corps. Mais ce que j'ai gagné, c'est mon ancienne vie, celle que j'avais choisie et que j'aimais. Non, je ne voudrais pas redevenir un Protecteur. Mais je ne me battrai pas non plus pour que Xetesk libère les autres. Le choc en tuerait certains. Ils ont passé tellement de temps dans le Réservoir que leur passé n'a plus de signification pour eux.

Hirad acquiesça, car il croyait comprendre. Il leva les yeux vers la fissure qui bouillonnait dans le ciel, sa surface tachetée de brun pareille à l'œil d'un dieu malveillant occupé à surveiller Balaia.

— Je suppose que ce problème devra attendre. Viens, allons voir ce que les mages ont encore inventé.

Tessaya aurait dû dormir d'un sommeil profond et paisible, enveloppé dans le cocon réconfortant de la victoire et la promesse de ses conquêtes futures. Mais les paroles du gros soldat troublèrent ses songes et l'empêchèrent de prendre un repos véritable.

Darrick. L'épine qui s'était plantée dans le flanc des Ouestiens, neuf ans plus tôt, quand la prise de la passe de Sousroc n'était encore qu'un rêve. Un rêve devenu un désir, puis la clé de tout.

Et pourtant, Darrick chevauchait toujours. Il avait joué un rôle majeur dans la bataille qui avait entraîné la mort de tant d'Ouestiens, quelques jours auparavant.

Darrick ! Il avait franchi la passe et s'était enfoncé dans leur territoire jusqu'à Parve, où les Seigneurs Sorcyers étaient les plus puissants et où ils avaient néanmoins été battus. Tessaya se réjouissait de leur disparition. Bien que leur influence ait galvanisé et uni les tribus, elle avait instauré une alliance inégale qui exigeait la soumission des seigneurs ouestiens. À présent qu'ils n'étaient plus, les chamanes de nouveau réduits au rang de devins, de guides spirituels et de médecins, les seigneurs ouestiens pouvaient reprendre la position qui leur revenait de droit.

Pourtant, toute personne capable d'orchestrer la chute des Seigneurs Sorcyers représentait un danger que seul un inconscient aurait ignoré. Tessaya se demanda s'il n'avait pas échangé des maîtres tyranniques contre une menace encore plus redoutable pour sa vie et son commandement. Mais aux petites heures du jour, alors que le silence de Sousroc résonnait dans ses oreilles et qu'il sirotait un verre d'eau pour soulager sa migraine, le seigneur des Tribus Paléon ne pouvait pas s'empêcher d'éprouver du respect pour ses adversaires.

Pour Darrick et pour sa cavalerie, mais aussi pour les Ravens. Ces hommes, qui ne devaient pas être beaucoup plus jeunes que lui, avaient défié la mort armés de leurs seules compétences et de leur courage. Tessaya sourit. Le genre d'ennemi qu'il pouvait comprendre, donc vaincre. Une carte maîtresse qu'il devrait jouer au moment opportun.

Parve était à plus de dix jours de cheval de Sousroc. Sans compter que regagner l'est serait très difficile pour ses ennemis, voire impossible. À cette idée, Tessaya se détendit enfin. Darrick était un homme à surveiller. Mais pendant un temps, il pourrait se permettre de l'observer à distance.

À présent qu'il avait recouvré son calme, Tessaya lutta pour ne pas se rendormir. L'aube approchait et il avait beaucoup à faire. Pour s'emparer de Balaia, il devait établir des lignes de communication entre ses différentes armées. Les Seigneurs Sorcyers ayant disparu, il ne pouvait plus compter sur les chamanes pour relayer des informations. Comme toujours, il faudrait s'en remettre aux bonnes vieilles méthodes : signaux de fumée, drapeaux et pigeons voyageurs. Cela n'avait rien pour lui déplaire.

Malgré tous les efforts des chamanes pour l'en dissuader, Tessaya avait pris la précaution d'emmener ses pigeons, et il avait insisté pour que ses généraux fassent de même. Ils bénéficieraient donc de communications rapides et efficaces, à condition que des messagers puissent emmener les oiseaux dans toutes les forteresses ouestiennes situées dans l'est de Balaia. Mais si Tessaya avait raison, et si les défenses ennemies étaient déjà enfoncées le long des monts Noirépine, cela ne devrait pas être trop difficile.

Il ordonna à un garde de convoquer ses messagers, s'habilla rapidement et les retrouva devant l'auberge de Sousroc. La matinée était claire et ensoleillée. Une brise fraîche descendait des montagnes noires et abruptes qui se découpaient au loin. Le seigneur des Tribus Paléon les avait toujours détestées. Sans cette cordillère infranchissable qui coupait Balaia en deux, les Ouestiens se seraient emparés des royaumes de l'est depuis longtemps, et la magie n'aurait jamais vu le jour. Les monts Noirépine étaient un défi permanent à l'inextinguible soif de conquête de son peuple.

Entendant un bruit de sabots derrière lui, Tessaya détourna son visage buriné des pics de roche noire qui s'étendaient à perte de vue, vers le nord comme vers le sud. Ses messagers approchaient, accompagnés par Arnoan. Tessaya se rembrunit. Bien qu'il respectât le vieux chamane, il ne voulait pas qu'il participe à la prise de décision. La conquête était l'affaire des guerriers, pas des rebouteux.

— Seigneur, le salua Arnoan en inclinant sa tête chenue.

Tessaya ne lui prêta aucune attention. Il était occupé à étudier ses messagers : six hommes minces et musclés, excellents cavaliers issus d'un peuple où seuls les nobles avaient le droit de pratiquer l'équitation.

— Trois vers le nord pour rejoindre le seigneur Senedai à Julatsa ; trois vers le sud pour rejoindre le seigneur Taomi aux portes de Noirépine, ordonna-t-il sans préambule. Vous vous répartirez les oiseaux. Je peux vous accorder quatre jours pour accomplir votre mission. Vous ne devez pas échouer. L'issue des batailles à venir dépend de vous.

— Seigneur, nous ne vous décevrons pas, affirma un des hommes.

— Préparez-vous. Je ferai rédiger les messages que vous devrez porter. Soyez de retour ici dans une demi-heure.

— Seigneur !

Les cavaliers s'éloignèrent au trot vers les écuries de la ville.

— Arnoan, j'ai à vous parler.

— Certainement, seigneur.

Tessaya fit signe au vieux chamane de le précéder dans l'auberge. Ils s'assirent à la table qu'ils avaient déjà partagée la veille.

— Des messages, seigneur ?

— Oui. Mais je me sens capable de les formuler seul.

Arnoan réagit comme si Tessaya l'avait frappé. Il se rembrunit, ses cheveux gris voletant dans la brise qui s'infiltrait par la porte ouverte.

— Selon la tradition ouestienne, lui rappela-t-il, les chamanes conseillent les Seigneurs Guerriers pour tout ce qui touche à la vie de la tribu.

— Absolument. Mais il ne s'agit pas d'affaires internes. C'est une guerre, et les Seigneurs Guerriers doivent avoir un contrôle total des décisions stratégiques. Cela concerne aussi le choix de leurs conseillers et le moment où ils désirent s'en remettre à eux.

— Depuis le retour des Seigneurs Sorcyers, les chamanes ont obtenu le respect de toutes les tribus, souligna Arnoan.

— Les Seigneurs Sorcyers ne sont plus, et ce respect avait pour source la crainte de vos maîtres. Vous ne disposez plus de leur magie, vous êtes incapables de manier l'épée, et vous n'avez aucune notion de stratégie.

— Me donnez-vous congé, seigneur ?

L'expression de Tessaya se radoucit.

— Non, Arnoan. Vous êtes un de mes plus vieux amis, et j'ai confiance en vous. Par conséquent, je vous propose d'occuper la place qui vous revient, loin du regard désapprobateur des tribus. Je vous demanderai votre avis quand j'en aurai besoin. Jusque-là, je vous saurai gré de ne pas me dispenser de conseils, mais d'écouter les miens. La domination des chamanes sur les tribus s'est éteinte en même temps que les Seigneurs Sorcyers. Présumer le contraire serait une erreur coûteuse, pour ne pas dire dangereuse.

— Vous semblez certain que les Seigneurs Sorcyers sont morts. Moi pas !

— Tout le monde en a vu la preuve, insista Tessaya. Et la peur dans vos yeux, quand vous avez été privés de votre magie. N'essayez pas de nier.

Arnoan repoussa sa chaise, les yeux flamboyants.

— Nous vous avons aidés. Sans les chamanes, vous seriez toujours à l'ouest de la passe de Sousroc, à rêver de conquête et de gloire. À présent, vous nous rejetez. Cela aussi pourrait être une erreur coûteuse.

— Me menaceriez-vous, Arnoan ? demanda Tessaya.

— Non, seigneur. Mais les hommes et les femmes ordinaires nous respectent. Ils croient en nous. Mettez-nous à l'écart, et vous risquez de perdre leur soutien.

— Personne ne met les chamanes à l'écart, et je crois en vous autant que n'importe qui. Mais vous avez la mémoire courte. Pas moi. Je vous remercie, vos collègues et vous, du travail que vous avez effectué. À présent qu'il est terminé, reprenez la position qui vous revient : celle de guides spirituels des Ouestiens. Le pouvoir n'est pas l'apanage des chamanes, mais des seigneurs nés pour l'exercer.

— Priez pour que l'Esprit continue à vous soutenir, seigneur Tessaya.

— Je n'ai nul besoin d'esprit : seulement de talent, de stratégie et de courage, toutes choses que je possède déjà. Allez vous occuper de ceux à qui vous pouvez être utile, Arnoan. Je vous appellerai quand ce sera mon cas. En attendant, vous pouvez vous retirer.

— Il est des moments où nous avons tous besoin de l'Esprit, seigneur. En lui tournant le dos, vous vous exposez à perdre ses faveurs.

— Vous pouvez vous retirer, répéta froidement Tessaya.

Il regarda Arnoan sortir de l'auberge en secouant la tête, l'air incrédule. Un instant, il regretta de lui avoir parlé si durement. Il se demanda s'il s'en était fait un ennemi et si cela avait la moindre importance. Puis il décida que ça n'en avait pas.

Peu après, il retrouva ses messagers pour leur donner ses dernières instructions.

— Il est capital que je reçoive toutes les informations sur nos forces et celles de l'ennemi, leur position sur le terrain, leurs capacités de déplacement, de ravitaillement et de résistance magique. Je vous recommande d'apprendre par cœur les indications écrites qui vous ont été fournies, au cas où vous viendriez à les perdre. Encore une chose. Insistez sur le fait que toute nouvelle sur les Ravens et le général Darrick doit m'être communiquée immédiatement.

« Je veux que vous reveniez ici séparément, porteurs des messages que j'ai envoyés avec mes premiers pigeons. Vous ramènerez également les pigeons des seigneurs Senedai et Taomi. Je ne peux risquer aucune rétention d'information. Comprenez-vous ce que je viens de dire ?

— Oui, seigneur.

— Parfait.

Tessaya fit un signe de tête à chacun des six hommes. C'était une marque de respect pour leur courage, et ils en auraient certainement besoin. Il avait envisagé de leur faire traverser la passe dans l'autre sens, et longer les monts Noirépine pour rejoindre ensuite la baie de Gyernath, au sud, et le bras de Triverne, au nord, par la voie maritime. Mais cela les aurait retardés de deux jours, et le temps pressait.

— Chevauchez avec vaillance, chevauchez avec passion, chevauchez pour les tribus ouestiennes ! Puisse l'Esprit vous aider.

Cette dernière phrase sonna faux dans sa bouche, et il imagina la tête qu'aurait fait Arnoan s'il l'avait entendue.

— Seigneur !

Les messagers firent demi-tour et éperonnèrent leurs montures. Arrivés sur la route nord-sud, ils se séparèrent : trois d'entre eux prirent le chemin des cités collégiales, les trois autres, celui de Noirépine.

Alors, Tessaya put se consacrer à l'organisation de la fortification de Sousroc.

— J'ai une idée ! annonça le baron Noirépine.

L'aube éclairait le flanc de la colline où ses hommes avaient dormi et s'infiltrait dans la faille qui lui servait de poste de commandement. Au contact de la lumière, la pierre froide se réchauffa peu à peu et une odeur fraîche dissipa celle de l'humidité. Le ciel était dégagé. Il ne pleuvrait pas aujourd'hui, une perspective dont Noirépine se réjouissait d'avance.

Gresse se tourna vers lui. Ses ecchymoses lui couvraient le front, les tempes et un œil, lui donnant l'air de porter un demi-masque. Le reste de son visage était pâle, ses traits tirés et ses yeux injectés de sang.

— Une idée qui guérira ma migraine ? demanda-t-il d'une voix pâteuse.

Noirépine sourit.

— Je crains que non. Mais ça pourrait nous ramener dans ma ville un peu plus tôt.

— Je ne cracherais pas sur un vrai lit, soupira Gresse. Je me fais trop vieux pour dormir à même la pierre.

Noirépine gratta son épaisse barbe noire en dévisageant l'homme qu'il avait très vite considéré comme un ami. De tous les membres de l'Alliance marchande de Korina, une organisation absurde qui ne servait à rien, sinon à alimenter les disputes entre barons qu'elle était censée résoudre, Gresse avait été le seul à comprendre le danger représenté par les Ouestiens, et à prendre le sentier de la guerre pour défendre Balaia.

Il s'était battu comme un lion au côté de Noirépine et de ses hommes, conscient que des imbéciles cupides – tel le baron Pontois – profiteraient de son absence pour piller ses terres. Il était passé à deux doigts de la fin quand le feu noir des chamanes avait rongé la chair des soldats et de leurs montures. Son cheval était mort sous lui et l'avait projeté tête la première sur un rocher. Mais il était toujours vivant, et par les dieux, Noirépine veillerait à ce qu'il le reste. Et à ce qu'il récupère ses terres une fois la guerre terminée.

Mais chaque chose en son temps…

— Je suppose que nous allons à Gyernath ? lança Gresse.

— Oui. Les Ouestiens atteindront Noirépine avant nous. Or, nous ne sommes pas assez nombreux pour les assiéger. À Gyernath, nous informerons le commandement de ce qui s'est passé, et nous reviendrons avec assez de renforts pour couper leurs lignes de ravitaillement. Si d'autres détachements de fantassins et de cavaliers nous rejoignent, nous devrions reprendre Noirépine une semaine après être passés à Gyernath.

— En supposant que l'armée stationnée là-bas consente à nous soutenir, rappela Gresse.

Noirépine sursauta.

— Mon cher, je n'ai pas annexé cette ville pour rien. Son armée fera ce que je lui ordonnerai.

— J'aimerais pouvoir dire que je suis surpris de l'apprendre. Gyernath a toujours eu l'apparence d'une cité libre.

— Oh, elle l'est. Je n'ai aucune autorité dans son enceinte.

— Alors..., commença Gresse avec l'ébauche d'un sourire.

— Mais les voyages ne sont pas toujours sûrs, et... Par les dieux, ne m'obligez pas à énoncer une évidence ! s'exclama Noirépine.

— Et il faut bien conclure des accords ? dit Gresse.

— Voilà, fit Noirépine. Comme je viens de vous le dire, je ne dirige pas le conseil, mais j'ai une influence considérable sur la communauté marchande.

— Je m'en doutais, avoua Gresse sur un ton où se mêlaient le respect et l'irritation. L'AMK a toujours refusé de s'opposer à vos actions auprès du seigneur Arlen. Tout devient clair, à présent.

— Mes coffres sont pleins à craquer, si c'est ce que vous insinuez. Ou plutôt, ils l'étaient. Tout dépendra de ce que les Ouestiens ont découvert.

— Je pense être le dernier baron honnête en vie, dit Gresse.

Noirépine gloussa et lui tapota la cuisse.

— Cette race de baron s'est éteinte depuis longtemps ! Vous aurez beau protester, jamais vous ne me convaincrez que vous êtes son dernier représentant. Mes émissaires ont souvent goûté à votre prétendue honnêteté, à la passe du pic de Taran.

— Un endroit dangereux, affirma Gresse, dont le sourire s'élargit.

— Osez prétendre que vous n'en faites pas payer le passage aux voyageurs qui rejoignent Korina.

— Pas à tous : seulement aux marchands. Et encore, le montant dépend de leur allégeance et de la nature de leur cargaison. N'oubliez pas que je leur fournis une protection sur toute la longueur de la passe.

— Et comme par hasard, c'est le baron Pontois qui vous verse le plus gros de ces droits de péage ? devina Noirépine.

— Il n'a pas fait une très bonne affaire lors de nos négociations, admit Gresse. Mais si nous nous tirons de ce guêpier, je vous jure que sa traîtrise lui coûtera beaucoup plus que quelques pièces d'or.

Un soldat apparut dans l'ouverture de la faille.

— Seigneur ?

— Oui ?

— Nous sommes prêts. Nous attendons vos ordres pour nous mettre en route.

— Parfait. Gresse, êtes-vous en état de monter à cheval ?

— Je m'assieds sur mon cul, pas sur ma tête.

Noirépine secoua la tête.

— Je considère ça comme un oui. En route pour Gyernath, donc. (Il se tourna vers le soldat.) Envoyez des éclaireurs surveiller les Ouestiens qui retournent vers notre ville. Nous prendrons la piste sud-est à la pointe de Varfaucon. Départ dans une heure.

— Oui, seigneur.

Noirépine gagna l'entrée de la faille. Dehors, le flanc de la colline grouillait d'activité. Il vit le soldat marcher à grands pas vers ses supérieurs pour leur transmettre ses ordres. Des voix puissantes résonnèrent. Les hommes bondirent sur leurs pieds et chargèrent leur paquetage sur leur dos. Les chevaux furent amenés à l'endroit où on les sellerait et les mages se rassemblèrent. Les quelques tentes dont disposait la petite armée furent démontées et repliées. Sur la droite, un soldat luttait pour calmer un cheval nerveux. Çà et là, d'autres ravivaient les feux pour rendre aussi agréable que possible la dernière heure des agonisants. Ceux qui n'étaient pas en état de voyager ne seraient pas abandonnés vivants et les brasiers funéraires avaient été érigés la veille.

Satisfait, Noirépine sourit. Des fermiers, des adolescents et des soldats de métier unis par la poursuite d'un objectif commun, se préparaient dans le calme et avec une discipline impressionnante. Il avait besoin d'eux. Les semaines à venir décideraient du destin de sa baronnie. S'ils parvenaient à alerter Gyernath, à défendre les plages et à reprendre la ville, les défenseurs disposeraient dans le sud d'une solide assise qui leur permettrait de lutter efficacement contre les Ouestiens.

Le sourire de Noirépine disparut. Malgré tous ses espoirs et ses discours martiaux, Balaia était en péril. La passe de Sousroc restait certainement entre les mains des envahisseurs. Les Collèges risquaient encore de tomber malgré la disparition de la magie chamanique, et lui-même, le plus puissant propriétaire terrien de l'est du continent, chassé de chez lui, était obligé de se réfugier dans les collines avec une bande de civils, de fermiers et de soldats à bout de forces.

Il y avait pire encore. Les Ravens étaient coincés en territoire ouestien. Les forces militaires de l'est, éparpillées, défendaient des baronnies dont les dirigeants se souciaient davantage de maintenir des frontières obsolètes que de sauver leur pays. Pour couronner le tout, Korina, qui s'était toujours méfiée des mages et de leur pouvoir de Communion, n'était peut-être pas au courant de l'invasion qui la menaçait. La garnison de Sousroc avait dû envoyer des messagers sur la côte est, mais ils n'arriveraient sans doute pas avant une bonne semaine… S'ils arrivaient jamais. Les hordes d'Ouestiens risquaient de déferler jusqu'à l'océan oriental. Pour l'heure, personne ne pouvait les en empêcher.

— Par les dieux, nous sommes dans le pétrin.

— Bien vu ! lança Gresse.

— Je ne parle pas seulement de nous, mais de tout Balaia. Qu'allons-nous faire ? soupira Noirépine.

L'énormité du problème le frappa et sa belle assurance s'envola à tire-d'aile.

— Tout ce que nous pourrons, mon ami. Une seule chose à la fois. Aidez-moi à me relever, voulez-vous ? Nous ne devrions pas retarder notre voyage à Gyernath plus longtemps que nécessaire.

Chapitre 6

Les Ravens ne se mirent pas en route avant le lendemain après-midi. Denser n'était pas totalement rétabli, mais le temps pressait. La journée serait tiède, et l'étendue nue du désert Déchiré attirait la chaleur. Faute de nuages pour voiler le soleil, la chevauchée s'annonçait pénible.

Comme l'Inconnu s'y attendait, la deuxième mesure du NoirZénith ne leur avait rien apporté de plus. En tenant compte d'une marge d'erreur, il n'était même pas évident que la fissure ait vraiment grandi. Il faudrait une bonne semaine d'observation pour établir une première estimation de son rythme de croissance.

Darrick avait divisé sa cavalerie. Trois mages, spécialistes de la Communion, resteraient dissimulés dans les ruines de Parve avec quinze soldats. Entre autres tâches, ils avaient reçu l'ordre d'examiner et de mesurer la carcasse du dragon. Ce petit groupe fournirait l'information dont les Ravens avaient besoin : le temps dont ils disposaient avant que la fissure devienne trop large pour que la couvée Kaan puisse la défendre.

Ça laissait à Darrick deux cents cavaliers et onze mages d'attaque, de défense ou de Communion. Les quatre-vingt-dix Protecteurs de Styliann faisaient une force puissante, sans compter la magie dont disposait leur maître. Et les Ravens se composaient désormais de quatre guerriers et de trois mages. Pourtant, Hirad savait que ça n'était pas assez. Même si les cinquante mille Ouestiens se concentreraient probablement dans des zones stratégiques, de part et d'autre des monts Noirépine, ils auraient du mal à les éviter, et ils n'avaient aucun espoir de les vaincre ou de semer une armée ennemie.

Le plus gros et le plus immédiat de leurs problèmes. La cordillère était trop abrupte et trop dangereuse pour qu'ils la franchissent à la surface. Ils pouvaient tenter d'emprunter la passe de Sousroc – un suicide ! –, ou gagner la mer. Qu'ils optent pour le bras de Triverne, au nord, ou pour la baie de Gyernath, au sud, ils seraient forcés, une fois sur place, de voler une embarcation pour rejoindre leur propre royaume.

Pour l'instant, ils n'avaient pas encore décidé de la direction à prendre. Mais cela pouvait attendre. D'abord, ils allaient chevaucher pendant deux jours le long de la piste qui passait tout près de l'architemple des Wrethsires et conduisait directement à la passe de Sousroc. Hirad réprima un frisson. L'architemple des Wrethsires, où les Protecteurs et les Ravens avaient versé leur sang pour se procurer le dernier catalyseur d'AubeMort, n'était pas un endroit qu'il avait hâte de revoir.

Alors que la colonne déjà écrasée par la chaleur sortait de Parve, Darrick et sa cavalerie en tête, les Ravens derrière et Styliann fermant la marche avec ses Protecteurs, le barbare secoua la tête.

— Nous nous leurrons, lâcha-t-il.

— Je te demande pardon ? dit Ilkar, qui chevauchait près de lui en compagnie de l'Inconnu.

— Nous devons arrêter un plan d'action au plus vite. Pour l'instant, nous sommes dans le vague, et ça risque de nous coûter très cher.

— Je ne te suis pas.

— Par exemple, devons-nous – et par « nous », j'entends « les Ravens » – nous rendre aux Collèges ? Les érudits ne peuvent-ils pas faire le travail à notre place ?

— Hirad, aucun d'entre nous ne sait vraiment ce que nous cherchons.

— Bien sûr que si ! Il faut prendre connaissance de tout ce qui concerne Septern. Au moins, les mages doivent s'en charger, puisque je ne peux pas lire leur langage. Ensuite, il faudra rapprocher ces informations de ce que sait Xetesk au sujet des portails dimensionnels et dragonens. Et enfin, jeter un sort pour refermer la fissure.

Ilkar dévisagea le barbare, bouche bée.

— Ce n'est pas aussi simple que la recette de la tarte aux pommes, tu sais ! Si nous devons créer un nouveau sort, nous sommes perdus.

— Pourquoi ?

— Parce qu'il faudrait entre trois et cinq ans pour rédiger et mettre au point une incantation aussi complexe. À supposer que nous disposions des Annales et des compétences nécessaires. Par conséquent, ce que nous devons chercher, c'est un écrit de Septern qui expose un sort conçu pour refermer une fissure, ou qui nous indique où nous en procurer un. Dans le meilleur des cas, la ConnexionDimensionnelle de Xetesk fournira une base pour comprendre ce sort plus rapidement.

— Là, je suis largué, avoua Hirad. Une fissure, c'est une fissure, non ? Si tu sais comment l'ouvrir, tu sais comment la refermer.

— Non, dit Erienne dans son dos. (La jeune femme pressa son cheval pour venir se placer entre le barbare et Ilkar, visiblement soulagé.) À notre connaissance, il en existe au moins quatre sortes. D'abord, les fissures stables de Septern, que certains d'entre vous ont déjà empruntées. Ensuite, la ConnexionDimensionnelle de Xetesk, qui est un portail embryonnaire et instable. Plus les portails dragonens qui doivent être sous le contrôle des dragons, et la fissure évolutive qu'a créée AubeMort. Leurs architectures respectives sont très différentes. Dire que tu peux en refermer une parce que tu sais refermer les autres, revient à affirmer que tu peux fabriquer des fers à cheval parce que tu sais faire des chaussures. Après tout, c'est toujours une histoire de pieds !

« Notre seule certitude est la suivante : à un niveau annalytique fondamental, il y a un lien entre les fissures de Septern et celle qui s'est ouverte dans le ciel de Balaia. Par conséquent, vu le temps limité dont nous disposons, seuls les travaux de Septern peuvent nous être utiles. Nous n'avons pas le temps de suivre une formation de maréchal-ferrant !

— Tu ne sembles pas croire que nous trouverons une réponse toute prête à notre problème, constata l'Inconnu.

— En effet ! lança Erienne.

— Ça ne va pas du tout, dit Hirad. Que ferons-nous si nous ne trouvons rien dans les écrits de Septern ?

— Nous mourrons, répondit simplement l'Inconnu.

— Toujours le mot pour remonter le moral des copains, pas vrai ? grogna le barbare.

— C'est la vérité. Inutile de prétendre le contraire.

— Mais ça ne change rien à ce que j'essayais de dire : à savoir qu'une force de trois cents personnes n'arrivera pas à traverser la baie de Gyernath ou le bras de Triverne sans être repérée par les Ouestiens. Donc, si nous voulons éviter ça – ce qui me paraîtrait plutôt judicieux – nous devons prendre nos dispositions dès maintenant.

L'Inconnu fixa le dos des cavaliers qui les précédaient, puis tourna la tête vers les Protecteurs.

— Ce n'est pas le moment d'en discuter. Les autres nous entendraient, et je ne tiens pas à ce que Styliann soit au courant de nos plans. Hirad a raison. Dans notre hâte de quitter Parve, nous avons oublié une chose cruciale. Nous sommes les Ravens. Nous prenons nos propres décisions. En privé.

Il adressa un signe de tête au Protecteur le plus proche, qui acquiesça imperceptiblement. Son masque d'ébène ne trahissait aucune émotion ; pourtant, Hirad crut sentir quelque chose passer entre eux. Quoi que ce pût être, l'Inconnu ne le mentionna pas.

La colonne traversa le désert Déchiré sous un soleil de plomb. Des vestiges de campements ouestiens jonchaient les broussailles et la terre battue : cercles de pierres noircies, cendres, morceaux de toile déchirés et piquets de tente tordus. Et çà et là gisait le cadavre d'un Ouestien qui avait cherché querelle à un compatriote plus fort que lui.

Une dizaine de kilomètres séparaient Parve des premiers arbres, dont les branches formaient une voûte végétale accueillante au-dessus de la piste. Quand ils les atteignirent, la fissure flottait dans le ciel derrière eux, projetant son ombre sur la cité des Seigneurs Sorcyers. Une ombre qui grandirait jusqu'à les envelopper tous, à moins que les Ravens trouvent un moyen de la dissiper.

La colonne chevaucha pendant deux heures, laissant Parve loin derrière elle. Hirad sentit sa tension se relâcher alors que les bâtiments disparaissaient à l'horizon. Mais cela ne suffit pas à lui faire oublier les désagréments du voyage. Les chevaux transpiraient dans la chaleur, attirant des nuages de mouches bourdonnantes qui harcelaient les cavaliers autant que leurs montures. Condamné à agiter perpétuellement une main devant sa figure, Hirad sentait de la sueur dégouliner le long de son dos.

En fin d'après-midi, la température se rafraîchit miséricordieusement alors que des nuages moutonnaient dans le ciel et que le terrain changeait autour d'eux. Longeant une région semée de vallées, de collines verdoyantes et de forêts touffues, ils s'engagèrent sur un terrain plus accidenté. Le sol s'éleva devant eux pour former une série de pics jonchés de gros rochers et de cailloux. Darrick ordonna à ses hommes de mettre pied à terre pour épargner leurs montures. Soulagés, les mages et les soldats en profitèrent pour se dégourdir les jambes pendant qu'ils guidaient leurs chevaux entre les obstacles.

De part et d'autre de la piste qu'ils suivaient se dressaient des falaises battues par les vents. Malgré l'absence d'habitation ou de signe de vie, l'Inconnu était nerveux.

— Nous sommes exposés…

— Seulement aux éléments, répliqua Ilkar en resserrant les plis de sa cape autour de lui.

Le vent fouettait l'herbe et les vêtements et la température continuait à baisser.

— Si quelqu'un nous repère, nous n'avons aucun endroit où nous mettre à couvert, insista l'Inconnu. Thraun, qu'en penses-tu ?

Un peu plus tôt, le métamorphe avait passé du temps en tête de la colonne pour conseiller les éclaireurs de Darrick.

— Ce n'est pas aussi terrible que ça en a l'air, même s'il serait préférable de remonter de cinq cents mètres vers le nord, répondit-il. D'après les éclaireurs, la région est pratiquement déserte. Seules les chèvres arrivent à y survivre. Nous ne risquons pas de tomber sur des indigènes, mais je ne peux rien te garantir concernant d'éventuelles patrouilles ouestiennes. Hélas, il n'y a pas beaucoup de chemins praticables pour les chevaux, et crois-le ou non, celui-là est un des meilleurs. Je doute que les Ouestiens nous causent de problèmes avant demain ou après-demain. J'ai conseillé à trois éclaireurs de pousser jusqu'à la fourche, au-dessus de Terenetsa. C'est à deux jours de cheval d'ici. À leur retour, nous aurons une meilleure idée de ce qui nous attend. D'ici là, vous devrez vous fier à moi.

Peu après le crépuscule, Darrick ordonna une halte au pied d'une pente abrupte. Le vent avait dispersé les nuages, et même s'il était retombé, le ciel restait dégagé. Les elfes déterminèrent les limites au-delà desquelles aucun feu ne devait être allumé. Le périmètre du camp ainsi établi, les officiers de Darrick organisèrent les tours de gardes et donnèrent l'ordre de préparer le repas.

Les Ravens s'installèrent dans le coin opposé à celui de Styliann et des Protecteurs. Alors qu'ils s'asseyaient autour du poêle de Will, attendant que l'eau bouille, Hirad gloussa.

— À sa place, je le prendrais mal. Je parle de Styliann. Je sais qu'il n'a pas beaucoup d'amis, mais il doit y avoir trente bons mètres entre les cavaliers les plus proches et lui, et les hommes ont l'air nerveux.

— À mon avis, il s'en moque, dit Denser. Le Seigneur du Mont est habitué à la solitude.

Le mage était allongé sur le dos, la tête posée sur les genoux d'Erienne qui lui caressait les cheveux : une scène devenue familière depuis le lancement d'AubeMort.

Hirad et l'Inconnu se regardèrent. C'était les premières paroles de Denser. Toute la journée, il avait chevauché dans un silence détaché, à l'écart des Ravens, répondant aux regards interrogateurs d'Erienne par des haussements d'épaules ou des signes de dénégation. À présent, à la lumière vacillante des flammes, l'inquiétude et la confusion de la jeune femme étaient évidentes.

Leur conversation décousue continua jusqu'à ce que le café soit prêt. Thraun et Will étaient assis à gauche de Denser et d'Erienne ; Hirad et Ilkar avaient pris place à la droite de l'Inconnu, qui réclama leur attention.

— Hirad, Ilkar, vous sentez-vous mal à l'aise ?

Ses deux amis hochèrent la tête, l'air sombre.

— Pourquoi ne le demandes-tu qu'à eux ? lança Will.

— Parce que nous sommes les seuls à avoir l'expérience des batailles rangées, et que ça ne me dit rien qui vaille.

— Je ne vois pas pourquoi, déclara Erienne. Il suffit de rallier les Collèges le plus vite possible.

— Ce n'est pas si simple. Nous devons nous déplacer discrètement. Dès que nous arriverons en vue des monts Noirépine, ce sera impossible au milieu d'une force d'une telle ampleur.

— Que suggères-tu ? demanda Thraun.

— De partir de notre côté. Nous nous retrouverons dans une situation très délicate en atteignant le bras de Triverne, qui serait la plus logique de nos deux destinations. Les Ouestiens doivent acheminer leurs troupes vers l'est de Balaia par la voie maritime. Nous pouvons donc supposer qu'il y aura une présence militaire ennemie très importante. Si nous nous pointons là-bas en compagnie de Darrick et de Styliann, il y aura forcément une bataille. Alors que si nous y allons seuls, nous aurons une chance de voler un bateau et de passer en douce.

— Et que deviendra Darrick ?

— Nous devons le persuader d'aller vers la baie de Gyernath, au sud, et si possible de créer une diversion en chemin. D'une manière ou d'une autre, nous sommes obligés de faire cavaliers seuls.

— Et puis, ajouta Hirad, tant que nous resterons avec lui, nous ne serons pas autonomes. Et ce n'est pas ainsi que fonctionnent les Ravens.

— Ah oui ? lança Denser. Et comment fonctionnons-nous, au juste ?

— Tu devrais le savoir, répliqua Hirad en fronçant les sourcils. Face à un problème, nous évaluons ses paramètres, nous prenons nos décisions et nous ne laissons personne nous donner d'ordres.

— Tu ne trouves pas ça un peu présomptueux ? avança Will.

Hirad haussa les épaules.

— Demande-toi pourquoi nous sommes toujours vivants au bout de dix ans passés à jouer les mercenaires. Et surtout, pourquoi nous sommes encore là alors que les Seigneurs Sorcyers sont morts. Je ne suis pas présomptueux, mais réaliste.

Ilkar sourit.

— Il n'y a que toi pour faire preuve d'autant d'assurance alors que cinquante mille Ouestiens s'interposent entre nous et notre prochain objectif.

— Ce n'est pas ça, mais...

— Je sais. Si nous faisons les choses comme nous pensons qu'elles doivent être faites, nous nous en sortirons toujours.

L'elfe mima un bâillement. Will et Thraun éclatèrent de rire, et Hirad se rembrunit.

L'Inconnu se racla la gorge.

— Je suis ravi que nous ayons éclairci ce point. À présent, écoutez-moi. Nous arriverons sûrement à faire entendre raison à Darrick, mais je crains que Styliann nous donne plus de fil à retordre.

— Pourquoi ? demanda Will.

— Parce qu'à part la passe de Sousroc, le bras de Triverne est la route la plus directe vers Xetesk. S'il insiste pour nous accompagner, nous devrons lui fausser compagnie pendant la nuit. J'espère ne pas devoir en arriver là. Styliann pourrait être un puissant allié, et son soutien nous permettrait d'accéder sans problème aux bibliothèques collégiales.

— Je ne lui fais pas confiance, marmonna Ilkar.

— Quelle surprise ! railla Denser.

— Ce n'est pas seulement une question de rivalité. Il a tenté de nous tuer au temple des Wrethsires. N'oublie pas qu'il voulait s'emparer d'AubeMort pour régner sur les quatre Collèges... et sur Balaia. Il m'étonnerait beaucoup que ses ambitions se soient évaporées du jour au lendemain. Dieu seul sait ce que nos recherches révéleront, mais je ne crois pas que Styliann devrait en être informé.

— Tu veux laisser Xetesk de côté ?

Ilkar soupira.

— Tu es là, non ?

— Denser, tu as déjà fait ton choix, lui rappela Hirad. Tu es avant tout un Raven.

— Il y a autre chose, intervint Erienne. Septern n'a pas réparti par hasard ses travaux entre les Collèges. Il s'est donné beaucoup de mal pour s'assurer qu'aucun des quatre ne disposerait d'assez de connaissances pour dominer les trois autres.

— Était-il clairvoyant à ce point ? s'étonna Will.

— Il avait conscience du potentiel de sa magie et du danger qu'elle pouvait représenter si elle était mal utilisée. Et il avait raison, comme l'a prouvé Xetesk avec sa ConnexionDimensionnelle. Songez à ce qui se passerait si ces gens parvenaient à stabiliser leur portail.

— Vous supposez que l'influence de Styliann lui ouvrira les portes des bibliothèques collégiales, lança Thraun. Mais si vous étiez un mage senior d'une autre obédience, et que le Seigneur du Mont vous demande de lui laisser examiner tous les travaux de Septern, obtempéreriez-vous ?

— Sûrement pas, dit Ilkar. Et Styliann doit le savoir.

— Il a le bras long, dit Denser. Il tirera des ficelles au lieu d'opter pour une approche directe, au moins avec Julatsa et Lystern. En revanche, il se peut que les Dordovans répondent favorablement à une requête personnelle.

— Mais s'il prévoit de communier avec les mages seniors des autres Collèges, nous devons l'empêcher de prendre un raccourci menant à Xetesk *et* de contacter quiconque pour accélérer le processus de recherche, dit Hirad. Or, je ne vois pas comment réussir un tel exploit.

— Imaginons que Styliann s'entête à passer par le bras de Triverne et qu'il se mette les autres Collèges à dos en leur présentant sa demande de la mauvaise façon. Que ferions-nous alors ?

L'Inconnu regarda ses compagnons. Aucun d'eux ne répondit.

— Très bien, dit-il avec un petit sourire. Voilà le bon plan, à mon avis. D'abord, nous parlerons avec Darrick. Il nous faut son appui. Il pourra peut-être inventer une raison tactique de passer par la baie de Gyernath que Styliann gobera. Dans le cas contraire, lorsque nous approcherons de Leionu – dans deux jours, d'après mes calculs – nous camperons le plus loin possible de Styliann, comme ce soir. Et nous nous esquiverons quatre heures avant l'aube. Darrick nous aidera en faisant diversion, peut-être en simulant l'attaque d'une patrouille ouestienne.

« Jusque-là, chaque fois que nous parlerons à Styliann, nous tenterons de le persuader de passer par le sud des montagnes. Mais il est impératif qu'il ne soupçonne pas notre véritable motif de l'envoyer à Gyernath. Si nous nous montrons respectueux de son autorité, il ne devrait pas se méfier, n'est-ce pas, Denser ?

Le mage se redressa pour boire son café.

— Je ne sais pas si une diversion pourrait marcher, mais flatter l'ego de Styliann est toujours une bonne idée. Ce qui m'inquiète, ce sont ses Protecteurs.

— Laisse-moi me charger d'eux, dit l'Inconnu. Il existe des moyens de faire obstruction sans désobéir.

— Que veux-tu dire ? demanda Hirad en se frottant le menton.

— Tu ne comprendrais pas, répliqua l'Inconnu.

Le barbare le connaissait assez pour savoir qu'il serait inutile d'insister.

— Quand irons-nous parler à Darrick ? demanda Will.

— Pourquoi pas tout de suite ? proposa l'Inconnu.

— Ses mages sont en pleine Communion, objecta Ilkar. Il vaudrait mieux attendre.

— Combien de temps ?

— Environ une heure. Tout dépend de la facilité avec laquelle ils établiront un contact.

— Très bien. Nous attendrons.

Plus tard, Erienne entraîna Denser à l'écart du feu. Le mage la suivit à contrecœur.

— Vas-tu enfin me dire ce qui te préoccupe ?

— Rien du tout. Je suis fatigué, et je n'arrive pas à croire que le lancement d'AubeMort nous ait placés dans une telle situation.

— Personne ne te blâme, Denser, affirma Erienne.

— Je me moque de ce que pensent les autres. Mais ce que je ressens, moi... C'est comme si... (Il fit un geste d'impuissance.) Je ne peux pas te l'expliquer.

— Je pourrais t'aider, si tu ne te repliais pas sur toi-même.

— Je ne me replie pas sur moi-même.

— Vraiment ? Tu n'as pas prononcé un mot de la journée.

— Je n'ai pas envie de parler, c'est tout.

— Et c'est ça que tu appelles ne pas te replier sur toi-même ? (Le cœur d'Erienne se serra.) J'ai besoin de toi, Denser. Ne me laisse pas seule.

— Je suis là, non ?

— Ne fais pas l'enfant ! Ce n'est pas ce que je voulais dire, et tu le sais très bien.

— Que voulais-tu dire, dans ce cas ? demanda le mage, l'air maussade.

— Ton corps est là, soupira Erienne, mais où est ton cœur ?

— Ici, comme d'habitude, répondit Denser en se frappant la poitrine.

La jeune femme soupira, exaspérée.

— Pourquoi te comportes-tu ainsi ?

— Et toi ? répliqua Denser.

— Parce que je m'inquiète pour toi ! s'exclama Erienne, le rouge lui montant aux joues. Je m'inquiète pour nous.

— Je vais très bien ! cria Denser. Fiche-moi la paix !

— Comme tu voudras...

La jeune femme tourna les talons et revint vers le feu en se mordant les lèvres pour ne pas dire quelque chose qu'elle risquerait de regretter. Denser ne la rappela pas.

Les mages dordovans de Darrick n'étaient pas les seuls à communier. Entouré d'un cordon serré de Protecteurs, Styliann projeta son esprit et sonda les monts Noirépine en quête d'un des rares agents à qui il faisait encore confiance. Leur communication fut brève et lui coupa le souffle. Quand il rouvrit les yeux, le Seigneur du Mont tremblait de tous ses membres.

Le silence était retombé sur Julatsa. Toute la nuit et la matinée, les Ouestiens avaient essayé de franchir le LinceulDémoniaque. Ces malheureux, une fois dans la zone d'effet du sort, avaient seulement nourri de leur âme l'appétit insatiable des démons qui le contrôlaient.

Leurs efforts avaient été aussi pitoyables que douloureux. De ses appartements, Barras avait écouté les Ouestiens qui tentaient de traverser les douves à pied. Ils avaient jeté des planches en travers pour les enjamber, puis voulu passer par-dessus en utilisant des cordes et des grappins pendus aux bâtiments les plus proches du Collège.

À présent, le soleil était haut dans le ciel, et les Ouestiens s'affairaient à construire quelque chose. Poussé par la curiosité, Barras sortit sur les remparts de la Tour et regarda l'abomination créée par le Conseil.

Le LinceulDémoniaque enveloppait le Collège comme un nuage gris. Épais de trois mètres, il montait vers le ciel jusqu'à perte de vue, et s'enfonçait profondément dans le sol. Une invocation monstrueuse et oppressante. Majestueuse à sa façon, elle témoignait du pouvoir que les démons pouvaient avoir sur Balaia avec l'aide des mages. Il en émanait une aura de peur et d'anxiété si forte qu'elle faisait grincer des dents toute personne qui approchait, l'obligeant à produire un effort conscient pour ne pas battre en retraite.

Les semaines à venir, Barras le savait, les Ouestiens creuseraient des tunnels pour essayer de passer sous le Linceul. Il priait pour que les envahisseurs réalisent leur folie avant que trop d'âmes aient été emportées. Mais alors qu'il contemplait le nuage traversé d'éclairs jaunes et bleus, il doutait que ce soit le cas. Jusque-là, les actions des Ouestiens avaient mis en évidence leur incompréhension fondamentale de la réalité du mana et de la connectique dimensionnelle. Barras eut un sourire triste. Évidemment qu'ils ne pouvaient pas comprendre. Il n'y avait pas de mages parmi eux. Leur innocence et leur malédiction !

Barras fit le tour des remparts, observant la totalité du Linceul dont l'opacité conférait un aspect délavé à tout ce qui s'étendait au-delà, atténuant les couleurs et brouillant les mouvements. Utilisé pour la première fois plus de sept siècles auparavant, afin de rendre le Collège de Julatsa imprenable, il avait le même objectif que les douves, mais s'était révélé infiniment plus efficace.

Il n'existait aucun moyen de traverser le LinceulDémoniaque avant que le sort prenne fin. Quiconque essaierait – ami ou ennemi – serait emporté par les démons, qui aspiraient sans discrimination l'âme des hommes comme celle des bêtes. Ce sort était le mal incarné, mais il sauverait Julatsa des Ouestiens. Malgré l'horreur qu'elle impliquait, cette idée réconforta un peu Barras.

Dans l'enceinte du Collège, chacun se tenait à une distance respectueuse du Linceul : personne n'osait s'en approcher à moins d'une demi-douzaine de pas. Les réfugiés déambulaient ou restaient assis par petits groupes. Tous étaient hébétés, attristés et oppressés par le silence qui planait sur la cité. Les bruits des envahisseurs leur parvenaient étouffés, comme s'ils étaient très lointains.

Depuis longtemps, les Ouestiens avaient cessé d'envoyer des flèches par-dessus le mur d'enceinte : cela revenait à gaspiller leurs munitions et à augmenter les réserves des défenseurs. Mais le vacarme qu'ils produisaient toujours en se déplaçant, en parlant, en cuisinant ou en construisant leur bizarre invention était à peine audible dans le Collège, un élément qui ajoutait au malaise de ses occupants.

Barras se cura les oreilles. Un instant, il avait craint de devenir sourd. Mais il fut rassuré quand la voix tonitruante de Kard résonna sur sa gauche.

— Bonjour à vous, Barras !

Le mage sursauta et se retourna vers lui.

— Kard. Ravi de voir que vous allez bien.

— Tout est relatif.

— Évidemment. Qu'est-ce qui vous amène ici ?

— La même chose que vous. (Kard rejoignit Barras au bord des remparts.) Je veux voir ce que mijotent les Ouestiens, dit-il en désignant la structure encore inachevée qui se dressait devant la porte Sud de Julatsa.

Vue de loin, elle ressemblait à une tour branlante et pas très solide, mais Barras ne s'y laissa pas prendre. Il savait que leurs ennemis étaient d'habiles charpentiers. Un entrelacs de poutres soutenait quatre troncs d'arbre équipés, à la base, de pieux pointus qui devaient servir d'essieux. Protégées par les poutres, des échelles d'une dizaine de mètres montaient jusqu'à une plate-forme grouillante d'Ouestiens qui s'acharnaient à ériger le niveau suivant, leurs coups de marteau assourdis comme si leurs instruments étaient enveloppés de tissu.

À gauche de la structure principale, une autre équipe de charpentiers fabriquait des roues. À droite, des forgerons en tablier de cuir s'affairaient autour de plusieurs feux qui crachaient une épaisse fumée.

— Que fabriquent-ils ? demanda Barras. D'autres armes ?

— Non. Je penche plutôt pour une gaine protectrice destinée à leur tour.

— Ils pensent que nous allons essayer de la brûler ?

— Sans doute, et ils doivent espérer que le métal neutralisera le pouvoir du Linceul.

— Misère, soupira Barras en secouant la tête. Nous devrions aller leur parler.

Kard le dévisagea, incrédule.

— Il n'y a aucune raison de les empêcher de se suicider.

— Je comprends que vous détestiez nos envahisseurs, mais ils ne se sacrifient pas en nombre suffisant pour que cela compromette leur supériorité numérique. Et surtout, vous ne savez pas ce que c'est de mourir dans un LinceulDémoniaque. Je ne souhaite à personne de subir une éternité de tourment. Même à un Xetesk ou à un Ouestien.

Kard haussa les épaules.

— Parlez-leur si ça vous chante ! Je ne vous en empêcherai pas, mais je ne vous accompagnerai pas non plus.

— Vous avez le cœur dur.

— Les Ouestiens ont massacré le plus gros de mon armée, de la population de Julatsa et de vos mages. Penser à l'indicible agonie qui attend leur âme dans le Linceul apaise quelque peu la mienne. Juste un peu, mais c'est toujours ça de pris.

— Œil pour œil, dent pour dent, c'est ça ?

— Vous êtes injuste. Il est humain de vouloir venger ses morts, et nous n'avons pas provoqué les Ouestiens. Ils ont bien cherché ce qui leur arrive. En ce qui me concerne, s'ils veulent répéter leurs erreurs, c'est leur problème. Je n'ai aucune intention de les en dissuader.

« J'admire la pureté de votre conscience et votre capacité de pardonner vos ennemis, mais ce sont eux qui ont commencé. À l'évidence, ils pensaient, avec le soutien des Seigneurs Sorcyers, parvenir à détruire les Collèges, comme ils ont tenté de le faire il y a trois cents ans. Même privés du pouvoir que les Seigneurs Sorcyers leur conféraient, ils croient nous avoir suffisamment affaiblis pour remporter la victoire. Et ils ont peut-être raison.

« Parlez-leur si vous y tenez vraiment, mais réfléchissez d'abord. Tant qu'ils s'acharneront en vain sur le Linceul, ils resteront bloqués ici, et nous aurons une chance de recevoir des secours de Dordover. De plus, ils ne penseront pas à recourir à une tactique simple qui leur a échappé jusque-là.

— De quoi voulez-vous parler ? demanda Barras.

Kard n'eut pas le temps de répondre. Un cri monta, venant de la porte Nord. Les deux hommes coururent de l'autre côté de la Tour. De là, ils virent une douzaine d'Ouestiens avancer vers le Linceul en agitant un drapeau de trêve rouge et blanc.

D'autres cris résonnèrent dans la Tour, et la porte qui conduisait aux remparts s'ouvrit. Un aide de camp courut vers les deux hommes.

— Kerela réclame votre présence, messires, annonça-t-il.

— À la porte Nord ? devina Barras.

— Oui.

— Dites-lui que nous arrivons !

L'aide de camp hocha la tête et fit demi-tour.

Barras prit une profonde inspiration et se tourna vers le général Kard, dont l'expression s'était assombrie.

— Je crains que la simplicité de cette tactique se soit finalement imposée à eux.

— Quelle tactique ? s'impatienta le mage.

— Ils vous le diront eux-mêmes, si ça leur chante. (Kard marcha vers la porte de la Tour.) J'espère encore me tromper.

Chapitre 7

Le silence enveloppait peu à peu le campement plongé dans l'obscurité. Le vent frais mordait les chairs et ralentissait les conversations lorsque Darrick, sur l'invitation d'Hirad et de l'Inconnu, prit enfin le temps de rejoindre les Ravens auprès de leur feu. Alignées sur le flanc de la colline et le long du plateau, les tentes ondulaient doucement, et les lanternes qui brûlaient encore dans quelques-unes projetaient des ombres déformées sur leurs parois de toile.

Ses cheveux bouclés plaqués sur le crâne, sa cuirasse usée cachée sous une lourde cape, le général s'assit entre Hirad et Denser. Quand Will lui tendit une chope de café, il le remercia d'un signe de tête.

— Je m'excuse du temps qu'il m'a fallu pour répondre à votre invitation, dit-il, ses yeux brillant dans son visage perpétuellement enthousiaste. Je parlais avec les mages et les éclaireurs, et vous serez sans doute très intéressés par leurs révélations. Mais d'abord, je crois que vous aviez quelque chose à me dire.

Hirad sourit. À présent qu'il traversait des terres ennemies à la tête de sa cavalerie, Darrick avait repris le ton et l'attitude d'un commandant, bien qu'il n'ait aucune autorité sur les gens à qui il s'adressait. Il était facile de comprendre pourquoi les civils et les militaires le tenaient en si grande estime : cet homme débordait d'une assurance inébranlable.

— En effet, répondit l'Inconnu. Bien que nous puissions être influencés par ce que vos mages ont découvert au sujet de la situation dans l'est.

Darrick se gratta le nez.

— Exposez-moi vos idées, et je vous dirai si elles collent avec ce que je sais.

Pendant que l'Inconnu lui dévoilait le raisonnement des Ravens et le plan qu'ils avaient conçu, Hirad dévisagea Darrick, guettant ses réactions. Il aurait pu s'épargner cette peine : le général, impassible, se contenta de hocher la tête de temps à autre avec détachement. Lorsque l'Inconnu se tut enfin, il finit son café, secoua sa chope pour en déloger le marc et la tendit à Will, qui la remplit de nouveau.

— Merci. Tout d'abord, sachez que j'avais déjà pensé à ce que vous venez de dire. Je suis heureux que nous soyons arrivés aux mêmes conclusions. J'avais prévu que nous nous séparerions au-dessus de Terenetsa, et que vous continueriez vers le nord pendant que j'emmènerais mes hommes vers la baie de Gyernath. Les rapports des mages qui viennent de communier m'ont renforcé dans ma résolution.

Il but une gorgée de café et continua :

— La situation est grave aux Collèges et à la passe de Sousroc. N'ayant pu établir de contact avec aucun des mages de la garnison de Sousroc, nous sommes forcés de supposer que la ville est tombée entre les mains de l'ennemi. Quinze mille Ouestiens ont traversé le bras de Triverne et marché sur Julatsa. Bien que votre intervention à Parve les ait privés de la magie des Seigneurs Sorcyers, les envahisseurs continuent d'avancer.

Ilkar sursauta à la mention de son Collège. Hirad vit de la sueur perler sur son front en dépit de la fraîcheur nocturne.

— Le Collège, chuchota-t-il d'une voix rauque. Est-il tombé ?

— Ilkar, ces rapports nous ont été transmis par Dordover. Ils peuvent être incomplets ou inexacts.

— Le Collège est-il tombé ? répéta l'elfe.

— Nous ne le pensons pas.

— Penser ne suffit pas. Je dois en être sûr.

— Du calme, Ilkar, dit Hirad en lui posant une main sur le bras.

L'elfe secoua la tête, mais ce fut Erienne qui prit la parole.

— Hirad, seul un mage peut comprendre ce que ça signifie pour Ilkar. Général, je vous en prie, dites-nous tout ce que vous savez.

— Il semble que la cité de Julatsa soit tombée, mais que le Collège tienne bon. Hélas, je n'ai pas de confirmation formelle. Ilkar, une force dordovane s'est mise en route pour porter secours à vos collègues. Et elle ne pourra pas nous faire de rapport avant demain soir dans le meilleur des cas.

L'elfe contemplait les flammes, les yeux plissés, les joues creusées et les oreilles frémissantes. Hirad le vit déglutir pour se redonner une contenance.

— Savez-vous combien de temps ils pourront résister ? demanda-t-il d'une voix calme, mais que le barbare sentit trembler. Aucun Dordovan n'a-t-il pu communier avec un Julatsien ?

— Il n'y a pas eu de contact direct entre les deux Collèges depuis que Julatsa a réclamé l'assistance de Dordover, il y a deux jours, dit Darrick. La nouvelle de la chute de la cité a été transmise hier par un mage resté hors du collège. La Communion a été interrompue avant la fin, et le Dordovan qui la recevait a subi un terrible choc en retour. Ses idées ne sont pas très claires. Il a du mal à se rappeler toute la communication. Quand j'en saurai plus, vous serez le premier informé.

Ilkar hocha la tête et se leva.

— Merci, Darrick. (Même à la lueur des flammes, son visage était livide, et il avait les larmes aux yeux.) Excusez-moi. J'ai besoin d'être seul.

— Attends ! dit Hirad en faisant mine de se lever.

— S'il te plaît. Pas maintenant.

L'elfe s'éloigna entre les rangées de tentes et la nuit l'engloutit. Hirad secoua la tête.

— Mais si le Collège n'est pas tombé..., commença-t-il.

— Il n'était pas tombé hier, dit Denser. Ça a peut-être changé. L'unique rapport que nous avons remonte à plus d'une journée. Si les Ouestiens ont pu s'emparer aussi vite de la cité de Julatsa, rien ne les aura empêchés d'en faire autant avec le Collège. C'est ce que doit penser Ilkar. Crois-moi, la mort exceptée, la destruction de son Collège est la pire chose qui peut lui arriver. À lui comme à n'importe quel mage. Elle marquerait la disparition de tout un type d'Annales. Pendant des siècles, cet événement a été impensable. Fiche-lui la paix !

Hirad pinça les lèvres.

— Mais c'est un Raven. Nous pouvons l'aider.

— Pas en ce moment, dit Erienne. Pour l'instant, Ilkar est un Julatsien confronté à la perte possible de tout ce qu'il connaît. Nous l'aiderons quand il reviendra.

— Si le Collège tombe, perdra-t-il ses pouvoirs ? demanda Will.

— Non, répondit Erienne. Il sera toujours capable de modeler le mana pour lancer des sorts. Mais la totalité des Annales Julatsiennes, elles, seront perdues. Et la destruction de la Tour entraînera celle de son centre de magie. Il ne suffira pas d'en rebâtir une autre pour réparer les dégâts. Le mana qu'elle contient s'y est accumulé au fil des siècles. Il faudrait le même laps de temps aux Julatsiens pour le reconstituer... S'ils y parviennent jamais.

— Combien d'écrits de Septern étaient conservés dans la bibliothèque de Julatsa ?

La voix basse de Thraun fit sursauter tout le monde autour du feu de camp.

— C'est toute la question, dit Darrick. Voilà pourquoi vous devez rejoindre le bras de Triverne seuls, et le plus vite possible. Vous devez entrer dans le Collège et en ressortir avant sa chute, si elle n'a pas déjà eu lieu. Plus tôt vous quitterez la colonne pour prendre la direction du nord-est, mieux ça vaudra.

— Nous resterons avec vous demain, dit l'Inconnu. Ilkar ne partira pas avant de connaître la situation exacte, et pour ça, il faudra attendre l'arrivée des renforts dordovans à Julatsa.

— Je pourrais communier avec eux, proposa Denser.

— Pour l'instant, tu n'es même pas capable d'allumer ta pipe, lui rappela sèchement Erienne. Et je ne suis pas assez douée pour communier à une aussi grande distance. Je suis d'accord avec l'Inconnu.

— Très bien, capitula Darrick. Encore un jour et une nuit.

— Et vous, général ? demanda Hirad.

— Nous partirons vers le sud, où la situation semble un peu moins catastrophique. Apparemment, le baron Noirépine a empêché des renforts ouestiens de rejoindre Sousroc par la baie de Gyernath. Mais sa ville est tombée et, d'après ce que nous avons compris, il gagne Gyernath pour y récupérer des forces armées. Il serait logique que je le rejoigne pour l'aider à reprendre sa ville. Et surtout, pour perturber les lignes de ravitaillement des Ouestiens. Si nous arrivons à établir une base solide dans le sud, nous aurons une chance de repousser l'envahisseur.

— Ce bon vieux Noirépine ! lança l'Inconnu. Dites-lui bonjour de notre part quand vous le verrez.

— Je n'y manquerai pas.

— Et Styliann ? lança Denser.

Darrick gonfla les joues.

— Il a aussi demandé à me voir. Je vais lui recommander de nous accompagner dans le sud. Mais c'est mon supérieur, et il peut faire ce qui lui chante. J'espère le persuader que sa meilleure option, pour faire un retour triomphal à Xetesk, est d'éviter Sousroc et d'attaquer du sud avec nous.

— Aucune chance, fit Denser en secouant la tête, l'air méprisant. Il veut participer aux recherches sur les travaux de Septern. Donc, il ne nous lâchera pas.

Darrick finit son café et se releva.

— Qui vivra verra.

— Bonne chance, dit Denser. Vous en aurez besoin.

Le général sourit.

— Je ne compte jamais sur la chance. Vous devriez dormir, maintenant. Nous partirons à l'aube.

— Si vous voyez Ilkar..., commença Hirad.

— Je ferai un grand détour pour l'éviter, coupa Darrick. Bonne nuit.

Ilkar déambulait entre les tentes. Le regard braqué devant lui, il ignorait les saluts des soldats qu'il croisait, se fichant des rires et des bavardages qui troublaient le silence autour de lui. Ses yeux étaient pleins de larmes, et ses dents mordaient sa lèvre inférieure pour l'empêcher de trembler.

Lorsqu'il atteignit l'espace libre qui s'étendait entre la cavalerie et le campement de Styliann, il ralentit et s'assit sur un rocher couvert de lichen. Luttant pour mettre un semblant d'ordre dans ses pensées, il tenta d'évaluer les conséquences de ce qu'il venait d'entendre. La destruction potentielle du siège de pouvoir de Julatsa ; le massacre de la plupart de ses frères et sœurs ; l'isolement des survivants, privés de focus pour leurs études et le lancement de leurs sorts... Et tout ça s'était peut-être déjà produit. Plus près de Julatsa, Ilkar aurait pu sentir la chute de la Tour à travers les lignes de mana, mais à cette distance... Et à sa connaissance, aucun de ses collègues n'avait lancé de ManaPulsion destinée à l'avertir de sa mort.

Si la Tour tombait, qui rebâtirait le Collège ? Des mages comme lui, supposa Ilkar. Mais où trouveraient-ils les ressources et la force nécessaires pour accomplir cette tâche titanesque ? Et comment pourraient-ils attirer de nouveaux adeptes après avoir succombé face à une armée dépourvue de magie ? Perdre le Collège dans ces circonstances entraînerait la lente mais inéluctable agonie de l'Art julatsien. Quand les pratiquants qui auraient survécu à la guerre disparaîtraient, il n'y aurait personne pour prendre le relais.

Ilkar se demanda si les Ravens atteindraient Julatsa à temps, ou s'ils trouveraient seulement des ruines et des cadavres. Même s'ils arrivaient avant la chute du Collège, à quoi cela servirait-il ? Ils ne disposeraient pas de la puissance de frappe nécessaire pour empêcher les Ouestiens de ravager Julatsa. Tout bien pesé, Ilkar préférait ne pas être là quand ça se produirait.

L'elfe se prit la tête à deux mains et, les coudes posés sur les genoux, laissa ses larmes couler librement. Il ne restait aucun espoir pour Julatsa, pensa-t-il. Si les Ouestiens s'étaient emparés de la cité, le Collège, dont les murs n'étaient pas conçus pour repousser une armée, ne tarderait pas à suivre. Alors, il serait vraiment seul, avec les autres Ravens pour unique soutien. Il se demanda si cela suffirait.

— Tout n'est pas nécessairement perdu, Ilkar ! lança une voix dans l'obscurité.

L'elfe s'essuya les yeux. Il prit conscience du froid, et s'aperçut qu'il avait perdu toute notion de temps. Ses fesses étaient engourdies. Frissonnant, il tenta d'identifier la silhouette qui approchait, ses contours brouillés par la chiche lueur des feux mourants.

— Fichez-moi la paix, Styliann ! Vous ne pouvez pas savoir ce que je ressens.

— Bien au contraire, Ilkar, et je vous pardonne votre mauvaise humeur.

Styliann continua d'avancer vers lui, entouré par six Protecteurs.

— Merci infiniment, marmonna l'elfe en détournant le regard. Que voulez-vous ?

— Je suis venu vous offrir toute ma sympathie, mon aide, si je puis vous en apporter, et un peu d'espoir.

Le Seigneur du Mont s'immobilisa à quelques pas d'Ilkar. Il ne fit pas mine de s'asseoir, comme s'il respectait son désir de maintenir une certaine distance entre eux.

— Une grande première ! railla l'elfe.

Styliann soupira.

— Je comprends combien cette situation est difficile à gérer pour vous. Et croyez-moi, je sais ce que c'est que d'être isolé. Je ne vous demande pas de me répondre : seulement de m'écouter quelques instants.

Il marqua une pause.

Ilkar haussa les épaules.

— Je n'ai aucun désir de voir l'équilibre de la magie compromis, continua Styliann. Ce serait dangereux en temps normal, mais en ce moment, nous avons besoin de chaque mage pour repousser la menace ouestienne. Ma Communion de ce soir ne m'a rien appris de définitif au sujet de Julatsa. Je sais uniquement ce que Darrick vient de me raconter. Mais je m'efforcerai d'éclaircir la situation demain. J'ai cru comprendre que vous resteriez avec la colonne pendant une journée de plus. Si je peux vous fournir des nouvelles, je le ferai.

« Pour ce qui est de l'espoir… (Styliann fit un pas en avant et baissa la voix.) Vous et moi connaissons la capacité d'autodéfense des Collèges mieux que quiconque dans ce camp. De mon point de vue, si la cité de Julatsa est tombée mais que le Collège résiste encore, cela signifie que vos supérieurs ont trouvé un moyen de maintenir les Ouestiens à distance. Toute la question est de savoir combien de temps ils pourront tenir, d'où la nécessité pour vous d'agir vite.

Ilkar se mordilla la lèvre et hocha la tête.

— Peut-être. Peut-être…, convint-il. Et quels sont vos plans ?

Styliann plissa les yeux.

— Je continuerai vers le sud, mais sans le reste de la colonne. Néanmoins, je donnerai les instructions nécessaires pour que les travaux de Septern vous soient remis. Je crains de ne pas pouvoir les examiner avec vous. Mon avenir m'attend ailleurs.

Surpris, Ilkar releva la tête. Quand son regard croisa celui de Styliann, il perçut la force de sa colère.

— Pourquoi ?

— Un petit problème local à résoudre... Au moins temporairement, il semble que je ne suis plus le Seigneur du Mont de Xetesk.

— Combien de temps avant que tu puisses incanter, Denser ?

L'Inconnu posa sa question juste après le départ de Darrick pour son entretien avec Styliann. Le Mage Noir, qui avait suffisamment récupéré pour passer plus de temps assis qu'allongé, haussa les épaules et tapota le culot de sa pipe sur une bûche qui dépassait du feu. Des braises s'en détachèrent et scintillèrent un court moment dans le noir.

— Difficile de te répondre..., dit-il en glissant deux doigts dans sa blague à tabac pour remplir sa pipe. Et merde ! Elle est presque vide.

« La situation est la suivante. Le lancement d'AubeMort m'a beaucoup affecté, moins physiquement qu'au niveau de mes réserves de mana. J'ai du mal à les reconstituer. Et je me sens incroyablement déprimé, même si je suis sûr que ça passera. Contrairement à ce que pensent certains... (Il regarda Erienne.)... Je suis encore capable d'allumer ma propre pipe !

Il fit claquer son pouce droit contre son index ; une flamme bleue apparut au bout de son doigt.

— Très bien, dit Erienne en levant un sourcil. Maintenant, lance un FeuInfernal.

— Vous voyez ? Elles sont impossibles à satisfaire, dit Denser avec un sourire crispé. Offrez un royaume à une femme, et elle vous réclame aussitôt le monde.

— Pas du tout ! lança Erienne. Je veux une preuve de ton endurance.

— Un FeuInfernal, c'est plus qu'une preuve.

— C'était une... métaphore, fit la jeune femme en lui enfonçant un doigt entre les côtes.

— Lâche-moi, tu veux ? cria Denser en repoussant sa main.

Erienne sursauta et recula, les yeux embués. Denser détourna la tête.

— Du calme ! lança Hirad, surpris par cette flambée de colère. Elle te taquinait. Et si tu te contentais de répondre à la question ? Que peux-tu faire d'autre, à part allumer ta pipe ?

— Rien, admit Denser.

Il se mordilla la lèvre et tendit une main vers Erienne, mais elle se déroba. Avec un soupir, il reprit :

— Je suis vidé. Sachant que nous passons la journée à cheval au lieu de nous reposer, il me faudra deux jours pour être capable de lancer une Communion, autant pour des OmbresAiles et deux fois plus pour un FeuInfernal. Navré si je vous déçois.

Hirad le regarda sans ciller.

— Nous trouverons dans notre cœur la force de te pardonner.

— Bien aimable à vous..., dit Denser avec une courbette moqueuse.

— Mais détends-toi un peu, veux-tu ? ajouta Hirad.

Il désigna Erienne. Denser hocha sèchement la tête. Un court silence suivit, vite rompu par l'Inconnu.

— Thraun ?

Il n'avait jamais vu le guerrier se transformer, mais pendant qu'il était un Protecteur, il avait senti à quel point la métamorphose sapait ses forces.

— Je vais bien, mais je ne...

— Je sais. Je voulais évaluer ton état. Nous ne te demanderions jamais une chose pareille. C'est à toi et à toi seul de décider si et quand tu veux te transformer.

Thraun hocha lentement la tête.

— Et Ilkar ? lança Erienne. Ce qu'il a entendu ce soir risque de compromettre sa concentration.

— En plus de tout le reste, Ilkar est le meilleur mage défensif de Balaia, souligna Hirad. Sa capacité de concentration, même au milieu d'une bataille, explique pourquoi les Ravens ont survécu si longtemps. Si les circonstances l'exigent, il incantera aussi bien que toi.

— J'espère que tu as raison. Mais si tu veux mon avis, il vaudrait mieux le garder à l'œil, les jours à venir.

— Évidemment. Les Ravens veillent toujours sur les leurs.

L'Inconnu se racla la gorge pour réclamer leur attention.

— Je suis content que tout le monde se sente confiant, parce que la suite s'annonce assez ardue. Elle ne ressemblera à rien de ce que nous avons déjà vécu. Nous ne serons pas au premier rang d'une armée, mais seuls au cœur d'un territoire grouillant d'Ouestiens. La moindre erreur sera exclue, et nous ne pourrons pas non plus protéger les poids morts. Si l'un d'entre vous a des doutes sur ses aptitudes, il devrait rester avec la cavalerie.

— Le danger ne sera pas plus grand que celui que nous venons d'affronter, dit Hirad. La seule différence, c'est que nous voyagerons dans la direction opposée. Et tu nous demandes si nous nous sentons d'attaque ?

Une ébauche de sourire flotta sur les lèvres de l'Inconnu.

— Il fallait bien que je pose la question.

— Je crois que tu as besoin de te reposer, dit Hirad en lui tapotant l'épaule. Ce genre de discours, c'était bon il y a dix ans. Je vais prendre le premier tour de garde et attendre le retour d'Ilkar.

Barras et Kard rejoignirent Kerela à la porte Nord du Collège. Épaule contre épaule, les trois Julatsiens regardèrent les battants s'ouvrir. De chaque côté, des hommes brandissaient des drapeaux de trêve. Des archers et des mages défensifs avaient formé un demi-cercle autour de la porte, prêts à réagir en cas d'attaque.

Mais Kard ne pensait pas qu'il y ait du danger. Il avait donc refusé l'offre des mages, qui proposaient de lancer un BouclierDéfensif, leur enjoignant de conserver leurs réserves de mana.

Les battants s'écartèrent et révélèrent le LinceulDémoniaque gris dont la base était zébrée d'éclairs bleus et jaunes. Au-delà se tenait un trio d'Ouestiens. Il n'y avait pas d'archers parmi eux, même si les guerriers de droite et de gauche étaient visiblement des gardes du corps. L'homme qu'ils encadraient devait friser la quarantaine. De taille moyenne mais de constitution robuste, il portait une cape de fourrure fermée par une boucle de métal poli, un plastron et des jambières de cuir sonore craquelé, des gants bordés de fourrure et de lourdes bottes qui lui montaient jusqu'à la mi-mollet. Ses longs cheveux noirs en bataille encadraient un visage buriné, dont le menton avait dû sentir la morsure de l'acier dans un passé encore récent.

— Je suis Senedai, seigneur et général des Tribus Heystron, se présenta-t-il d'une voix grave, que le Linceul étouffa partiellement. Et je réclame votre reddition immédiate.

Kerela se tourna vers Barras.

— Étant le Chef Négociateur, vous souhaitez peut-être préciser notre position ? demanda-t-elle.

— Vous m'offrez un calice empoisonné, dit Barras.

— Très probablement, mon vieil ami. Mais déléguer le sale boulot est une des rares joies qui me restent.

Barras se redonna une contenance et fit trois pas vers la porte ouverte. La proximité du Linceul lui donna la chair de poule. Il eut toutes les peines du monde à se tenir bien droit et à s'exprimer d'une voix ferme.

— Je suis Barras, membre du Conseil et Chef Négociateur du Collège de Julatsa. Vous comprendrez que nous répugnions à vous céder les bâtiments que vous n'avez pas déjà pris par la force. Quelles conditions nous proposez-vous ?

— Des conditions ? Je ne vous promets rien d'autre que vos vies. Et c'est déjà très généreux, après vous avoir vu tuer des milliers de mes semblables.

— Vous ne pouvez pas nous reprocher d'avoir défendu notre cité.

— Nous vous reprochons de ne pas vous être battus comme des guerriers, avec des lames plutôt que des sorts.

Barras ne put s'empêcher de rire.

— Une suggestion bien saugrenue, venant d'un adversaire qui n'a pas hésité à utiliser la magie des Seigneurs Sorcyers contre nous.

— Les Seigneurs Tribaux étaient contre l'emploi de cette magie, déclara Senedai.

— Et c'est ainsi que vous réécrirez l'histoire, je suppose ! cracha Barras. Vous raconterez que les Seigneurs Ouestiens renoncèrent à la magie des Seigneurs Sorcyers pour se battre par le fer contre les forces de Julatsa, qui les récompensèrent en leur opposant lâchement un barrage de sorts.

— ... Mais ne purent les empêcher de triompher pour autant. Car nous triompherons, affirma Senedai.

— Julatsa est une cité pétrie de magie, rappela Barras. Même dans vos rêves les plus fous, vous ne pensiez pas que nous nous abstiendrions de riposter à votre agression par tous les moyens disponibles ? Et je me permets de vous rappeler que ces moyens ne sont pas épuisés.

— La magie est une force maléfique. Chaque Ouestien a prêté le serment d'incendier les Collèges et de démanteler vos Tours pierre par pierre.

— Vous en serez pour vos frais !

— Vraiment ? Vos murs n'abritent plus qu'une poignée de mages, des hommes d'armes encore moins nombreux et quelques civils terrifiés. Il vous reste cette maudite barrière, et je sais que vous ne pourrez pas la maintenir éternellement. Nous ne gaspillerons pas nos flèches sur vous, ce serait inutile.

— Sage décision. Nos toits sont d'ardoise et nos murs de pierre. Contrairement à vous, cela fait des générations que nous n'utilisons plus la boue et l'herbe comme matériaux de construction.

— Vos insultes sont aussi pitoyables que vous ! Et votre ironie ne vous servira à rien. Écoutez-moi attentivement, membre du Conseil Julatsien. Je vous ai offert d'épargner tous les occupants de votre Collège si vous vous rendiez dès maintenant. Mais cette promesse deviendra caduque si une seule goutte de sang ouestien est encore versée pour vous déloger.

— Quelle garantie ai-je que vous tiendrez parole ? demanda Barras de son ton le plus hautain.

— Je suis le seigneur des Tribus Heystron.

— Ça ne m'impressionne pas. Et qu'adviendra-t-il de nous si nous nous rendons ?

— Vous serez placés en captivité, jusqu'à ce que nous vous affections à la construction du nouvel empire ouestien, chacun en fonction de ses capacités. La seule autre possibilité est la mort.

— Vous ne nous offrez pas grand-chose.

— Vous n'êtes pas en position d'en exiger davantage.

— N'oubliez pas que vous ne pouvez pas entrer de force dans le Collège. La barrière maudite, comme vous l'appelez, est infranchissable.

— C'est possible, bien que nous n'ayons pas encore épuisé toutes les solutions. Il en reste au moins une, qui me donne beaucoup d'espoir, même si je souhaite ne pas être forcé de l'utiliser. Je ne suis pas un barbare ! Mais nous ne pouvons pas attendre que vous mouriez de faim et de soif, ou que la barrière se dissipe quand vous serez trop affaiblis. D'une façon ou d'une autre, nous nous emparerons de votre Collège.

— Je mourrai plutôt que de vous laisser poser le pied sur ce sol sacré, répliqua Barras.

Senedai leva les bras au ciel.

— Comme vous voudrez ! Chacun est libre de choisir sa fin. Mais les gens qui vous entourent ne sont peut-être pas si pressés de vous suivre. Ils préfèrent sans doute être prisonniers des Ouestiens que mourir embrochés, ou agoniser lentement de faim et de soif. Je vous donne jusqu'à l'aube pour prendre une décision. Si vous ne vous êtes pas rendus demain, je serai forcé d'employer d'autres méthodes.

Senedai fit demi-tour et repartit vers le cœur dévasté de la cité de Julatsa. Barras fit signe aux sentinelles de refermer la porte et revint vers Kerela et Kard.

— C'est ce que vous appelez négocier ? le taquina Kerela en lui passant un bras autour des épaules.

Ils reprirent le chemin de la Tour.

— Non. C'est ce que j'appelle asticoter un seigneur ouestien qui n'avait aucune intention de négocier.

— J'en déduis que la reddition n'est pas une option ? avança Kard.

— Non, répondirent les deux mages en chœur.

— Pourquoi posez-vous la question ? demanda Barras.

— À quelle méthode barbare Senedai faisait-il allusion ? enchaîna Kerela.

— Je le sais ! C'est pour ça que je posais la question, soupira Kard, l'air si triste que Barras sentit sa gorge se nouer.

— De quoi s'agit-il ?

— Nous ferions mieux de rentrer. Il reste beaucoup de décisions à prendre avant l'aube, conclut Kard.

Chapitre 8

Sha-Kaan choisit d'abandonner la fraternité et le calme du Choul pour voler jusqu'à sa propre tanière située à la surface, le grand Tiredaile que ses Vestares avaient créé sous sa supervision.

Bien que la bataille ait été longue et rude, l'organisation supérieure de la couvée Kaan avait limité les dégâts et les pertes, lui laissant assez de forces pour maintenir une protection suffisante autour du portail. Mais l'ennemi reviendrait. Et il continuerait à les assaillir jusqu'à ce que les Kaans soient vaincus ou le portail refermé. Déjà, Sha-Kaan le sentait s'élargir, rognant les bords déchiquetés du ciel.

Les membres de sa couvée les plus gravement blessés avaient été envoyés au Klene, un sanctuaire situé dans l'espace interdimensionnel relié à Balaia. Là, les mages dragonens les serviraient et les soigneraient en prévision de la prochaine bataille.

Mais Sha-Kaan n'avait plus de Dragonen. Depuis le vol de l'amulette de Septern et la mort de Seran, lors de sa première rencontre avec Hirad Cœurfroid et les Ravens, il n'avait pas eu le temps d'en choisir un nouveau.

Après la bataille, la couvée avait parcouru en sens inverse la courte distance qui séparait le portail du Choul. Tous les Kaans avaient plongé vers ses profondeurs fraîches et obscures pour se reposer, préférant la camaraderie des corps pressés les uns contre les autres à la solitude, même dans la chaleur, comme l'exigeait la coutume après une victoire.

Sha-Kaan ne les avait pas accompagnés, car il avait encore beaucoup de travail.

Alors qu'il rejoignait Tiredaile, il regarda le territoire des Kaans. Il s'étendait de la lisière du royaume ravagé de Keol aux forêts brûlantes de Teras, en passant par le désert de Beshara, puis par les collines et les plaines de Dormar. Son immensité attestait de la puissance de la couvée Kaan. Mais elle devrait renoncer à sa domination si les Ravens ne trouvaient pas un moyen de refermer le portail vers Balaia.

Aujourd'hui, les Kaans pouvaient tenir la majeure partie de leur territoire. Aucune autre couvée ne le leur disputait. Il n'en avait pas toujours été ainsi. Trois générations plus tôt, quand Sha-Kaan était un jeune adulte, il avait dû combattre les

Skars pour le contrôle des terres de Keol, alors fertiles.

Il se souvenait des falaises abruptes protégeant de magnifiques clairières nourries par des chutes d'eau spectaculaires. De l'herbe haute qui ondulait dans les marécages, au sommet des anciens volcans et des plateaux découpés par la glace. Des forêts bourgeonnantes où poussait l'Herbeflamme, que les Vestares récoltaient pour nourrir le feu des Kaans et dont les couleurs bleu et rouge intenses étaient un signal pour ceux qui en avaient besoin.

Ou pour ceux qui, comme les Skars, voulaient s'en emparer pour leur propre compte.

Les Kaans s'étaient affaiblis pendant la bataille, leur nombre diminuant faute du soutien psychique que leur aurait apporté une dimension jumelée. Ils avaient lutté contre les Skars dans les cieux, sur le sol, dans les lacs et les rivières, bannissant toute vie de l'air, de la terre et de l'eau. Les gens qui n'avaient pas fui vers le désert et au-delà s'étaient fait massacrer. Le tracé des cours d'eau avait été à jamais modifié par des éboulis, des glissements de terre calcinée ou l'effondrement des tunnels souterrains alors que les dragons découvraient et détruisaient Choul après Choul.

À la surface, la végétation avait été consumée jusqu'aux racines, la terre brûlée et noircie par les flammes sortant de la gueule de ceux dont la survie en dépendait. La nature était morte. Les Kaans auraient suivi le même chemin sans l'apparition du grand humain Septern à la lisière du territoire craquelé et dévasté qui avait autrefois été Keol, le plus convoité de tous les domaines.

C'était Sha-Kaan qui avait découvert l'homme. Si ça avait été un Skar, l'histoire en aurait été radicalement changée. Septern errait au hasard, le nez levé vers le ciel noir de dragons occupés à s'entre-tuer. Quand Sha-Kaan, qui effectuait une reconnaissance à basse altitude, lui avait piqué dessus, l'humain n'avait pas manifesté de peur : seulement une résignation tranquille, un peu comme Hirad Cœurfroid au château du pic de Taran. Une acceptation fataliste de son destin. C'était pour ça que Sha-Kaan ne l'avait pas tué. Son intérêt avait été éveillé parce que Septern n'appartenait pas aux Vestares, les fidèles serviteurs des Kaans, ni à une autre race associée aux dragons, comme en témoignait l'expression ébahie de son visage.

Malgré la bataille qui faisait rage au-dessus de lui, Sha-Kaan s'était posé, la curiosité l'emportant sur la crainte. Car si les dragons étaient maîtres des cieux, sur le sol, ils se déplaçaient avec une lenteur et une maladresse dangereuses. De cette décision découlait la série d'événements qui avait sauvé la couvée Kaan, lui permettant de remporter la guerre contre les Skars et lui fournissant la dimension parallèle dont elle avait besoin pour atteindre un plan de conscience supérieur.

Au moment où il atterrissait près de Septern, Sha-Kaan avait compris la raison de sa brusque apparition. Derrière l'humain, partiellement dissimulé par les rares buissons qui survivaient toujours sur Keol, il avait aperçu un rectangle brun piqueté de taches blanches tourbillonnantes, presque invisible tant qu'on ne l'observait pas de près. Devinant de quoi il s'agissait, le dragon avait entraîné Septern à l'écart, et l'aboiement qu'il avait poussé pour alerter sa couvée avait inversé le cours de la bataille pour Keol.

Immédiatement, des Kaans s'étaient engouffrés dans le portail, provoquant une réaction désespérée de leurs adversaires. La couvée entière avait rompu le combat pour piquer vers le passage qui l'attirait comme un signal, et plus d'une dizaine de Skars étaient parvenus de l'autre côté avant que les Kaans se déploient pour repousser les autres. Une leçon qu'ils ne devaient jamais oublier. Pas plus que l'esprit ancien, mais encore vif, de Sha-Kaan n'avait oublié son premier et bref dialogue avec Septern.

— Que se passe-t-il ? avait demandé l'humain à la cantonade.

Visiblement, il n'attendait pas de réponse du dragon qui avait surgi à l'improviste devant lui.

— Les Kaans sont partis détruire la dimension jumelée des Skars. Après, nous remporterons la bataille pour Keol.

Comme celles d'Hirad Cœurfroid, les jambes de Septern s'étaient dérobées, tant il avait été surpris par la source de cette réponse. Mais lui aussi s'était très vite ressaisi.

— Je ne comprends pas.

— Le portail par où tu viens d'arriver conduit à la dimension qui nourrit la couvée Skar. Nous percevons sa signature. Nous détruirons sa trame pour couper le soutien qu'elle leur fournit. Alors, nous les vaincrons facilement.

Septern s'était empourpré de fureur.

— Mais ce sont des aviens inoffensifs. Vous n'avez pas le droit de... Assassins !

Et il avait tourné le dos à Sha-Kaan, abasourdi, pour battre en retraite vers le portail.

— Tu ne peux pas nous arrêter ! avait lancé le dragon.

Septern ne l'avait pas écouté. Il n'avait pas non plus arrêté sa couvée. Quand il était revenu, Sha-Kaan l'attendait.

Sha-Kaan s'arracha à ses souvenirs. Il monta très haut dans le ciel pour attirer l'attention des sentinelles, décrivit une boucle en émettant le grondement sourd signalant qu'il comptait rejoindre Tiredaile, puis piqua vers une zone particulièrement dense des frondaisons de la forêt tropicale.

Après toutes ces rotations – presque quatre siècles en années balaiennes –, il savourait toujours autant le plongeon vers le Foyer Couvelien des Kaans. Il n'avait pas besoin de se laisser tomber aussi vite, mais il trouvait ça plus excitant.

Sha-Kaan se laissa partir en vrille pour le plaisir. Il rectifia sa position avant de déployer ses ailes pour faciliter son passage, et creva la voûte végétale à l'endroit précis qu'il visait.

La vallée s'ouvrit devant lui. Envahi d'une brume où se reflétaient faiblement les lances de lumière verdâtre qui transperçaient les frondaisons, le Foyer Couvelien s'étendait aussi loin que l'œil des Vestares portait dans toutes les directions. Outre la protection qu'ils fournissaient, les arbres touffus ajoutaient à l'atmosphère une tiédeur merveilleuse qui apaisait les écailles et filtrait les bruits extérieurs, contribuant à la sérénité du foyer des Kaans.

Sha-Kaan émit un doux son : quatre ou cinq Parturientes dissimulées par la brume lui répondirent.

La paix. Le murmure des cascades, les branches qui s'agitaient doucement et l'écho de l'Appel Couvelien calmaient son esprit. Il étendit ses ailes pour freiner. Les arbres qui hérissaient les parois abruptes de la vallée et s'inclinaient pour former un bouclier au-dessus de sa tête étaient enveloppés d'ombre. Dessous, la brume pâle dansait entre les colonnes de lumière.

Sha-Kaan roula sur lui-même, laissant la tiède humidité caresser son corps fatigué avant de reprendre sa descente. Le battement régulier de ses ailes gigantesques créait des vortex dans les volutes blanches. Au bout son cou tendu, son museau était pointé sur sa destination. Bientôt, la brume se dissipa. La vue qui s'offrit à lui en contrebas réjouit son cœur et ramena la tranquillité dans son esprit surmené.

Le Foyer Couvelien de Sha-Kaan était dominé par le fleuve Tere, qui formait une chute d'eau à l'extrémité nord de la vallée, puis s'élargissait à mesure qu'il la traversait, d'autres cascades venant le nourrir, jusqu'à plonger dans le sol à l'entrée de la faille sud.

Sur les flancs de la vallée nichaient les oiseaux qui assuraient, en se nourrissant, la reproduction des nombreux champs d'Herbeflamme. Aux endroits où le sol était moins fertile, les Vestares avaient construit leurs maisons de bois et de chaume.

Sha-Kaan traversa la vallée dans sa longueur pendant que les Parturientes continuaient à saluer son arrivée. Elles ne s'aventuraient jamais hors de leurs Chouls de Misebas : des structures plates et basses, conçues pour entretenir le climat propice à la naissance et au développement des jeunes Kaans. Dans toutes, des feux brûlaient sous de monstrueuses cuves d'eau fumante. La condensation ainsi produite ruisselait le long des parois et assurait l'humidité du sol où étaient creusés les nids.

Sha-Kaan vira gracieusement et inclina ses ailes pour ralentir. Lorsqu'il toucha terre, la roche vibra sous l'impact, et ses serviteurs coururent vers lui.

— Je ne suis pas blessé. Laissez-moi, que je puisse examiner votre travail.

Voyant que tout était exactement comme il le désirait, il soupira de bonheur. Il était chez lui.

Tiredaile était une structure magnifique. Son arche de pierre blanche polie dominait la vallée. Partant de ses entrées, des couloirs conduisaient au dôme principal où Sha-Kaan se reposait et tenait audience. Le dôme lui-même était un hémisphère parfait que ses serviteurs avaient dû reconstruire quatre fois avant qu'il soit satisfait. Les murs qui le soutenaient formaient un octogone. Sur chaque surface était sculptée une effigie du dragon. Ces images surveillaient toutes les directions et gardaient le mal à distance du Foyer Couvelien.

Le dôme était encadré par huit tours étincelantes dont les balcons étaient disposés à trois hauteurs différentes. Au pied de chacune, des feux brûlaient sous des cuves d'eau. Comme les Parturientes, Sha-Kaan avait besoin d'une chaleur humide quand il séjournait loin du Choul et de ses semblables. Elle apaisait ses écailles, ses ailes et ses yeux.

Tiredaile devait son nom à la sculpture gigantesque qui coiffait le dôme, s'étirant jusqu'à toucher la brume cent mètres plus haut. Reproduites jusqu'au plus petit détail – avec tous leurs os, leurs veines et leurs cicatrices –, les ailes de Sha-Kaan se dressaient à la verticale, leurs pointes se rejoignant à la limite de la vision du dragon. Un monument dont la grandeur était digne du règne de sa couvée.

Le Grand Kaan avança lentement, le cou plié en S comme le voulait l'étiquette, ses ailes stabilisant son grand corps doré.

— Excellent, dit-il. Excellent.

Il ferma les yeux, s'aligna soigneusement et bascula dans le dôme. Ce bref déplacement dimensionnel, qui nécessitait une parfaite immobilité, s'imposait dans un bâtiment dont les portes n'étaient pas conçues pour laisser passer un dragon, mais seulement ses serviteurs.

La chaleur moite l'enveloppa aussitôt. Sha-Kaan s'allongea sur le sol humide et, tendant le cou, mâchonna distraitement les balles d'Herbeflamme disposées autour de la pièce, avant de croquer une chèvre attachée à un anneau. Il s'accorda un moment pour contempler les peintures murales qui représentaient un monde disparu depuis longtemps. Leur univers tel qu'il était avant que les dragons se disputent sa domination ! À présent, il ne restait pas grand-chose de sa beauté originelle. Keol était un de ses derniers vestiges.

Sha-Kaan pensa que les fresques avaient besoin d'être rafraîchies. Puis son esprit dériva de nouveau vers sa rencontre avec Septern. Cette rencontre marquée par le sceau du destin, si lointaine et pourtant inexorablement liée au sort actuel de Balaia et du portail qui s'était ouvert dans le ciel au-dessus de Teras.

— Nos options sont sérieusement limitées, dit Kard. Pardonnez-moi d'enfoncer le clou, mais vous devez savoir de quoi il retourne.

Kerela avait convoqué tous les membres du Conseil Julatsien pour écouter le rapport du général. Ils étaient assis autour de la Grande Table dans les Chambres du Conseil de la Tour, une suite de pièces qui entourait le Cœur. Kard avait pris place entre Kerela et Barras. Venaient ensuite, en continuant vers la gauche, Endorr, Vilif, Seldane, Cordolan et Torvis. Sur le mur extérieur, trois fenêtres laissaient entrer la lumière de l'après-midi et une légère brise. Des braseros brûlaient contre le mur d'en face. Deux tapisseries représentant les membres des anciens Conseils conféraient à la grande salle la majesté de l'histoire.

— Et si vous commenciez par recenser nos forces militaires et magiques, général ? proposa Kerela.

Kard déroula un parchemin.

— J'ai chargé un peloton de ce travail. À mon grand regret, cela n'a pas demandé autant de temps que je l'espérais. (Il prit une profonde inspiration.) Dans ces murs, nous disposons de cent quatre-vingt-sept mages, vous compris. Hier, nous en avions plus de cinq cents. Nos forces militaires ne sont pas beaucoup plus conséquentes. Je commande désormais sept cent dix-sept soldats valides, trente blessés plus ou moins graves et une douzaine de malheureux qui ne passeront pas la nuit.

« Dans l'enceinte du Collège, se sont réfugiés quatre cent huit enfants de moins de treize ans, six cent quatre-vingt-sept femmes et trois cent quatorze hommes de compétences et d'âges divers. Soit en tout deux mille trois cent cinquante-cinq personnes, un total qui explique que nous soyons un peu à l'étroit. Par bonheur, les puits sont profonds, et vous avez eu le bon sens d'écouter mes avertissements au sujet du stockage des provisions. Nous pouvons tenir quatre semaines. Mais après…

Dans le silence qui suivit la déclaration de Kard, Barras entendit le bruit de son propre sang qui lui martelait les tempes. Toutes les têtes étaient baissées et tous les yeux contemplaient la marqueterie élaborée de la grande table, comme si la réponse à leur dilemme était écrite quelque part sur sa surface. Les mages n'osaient même pas se regarder.

— Par les dieux du sol, souffla Torvis. Combien de gens y a-t-il donc à Julatsa ?

Tous les regards se tournèrent vers Kard. Mal à l'aise, il s'agita sur son siège.

— Avant l'attaque des Ouestiens, en tenant compte des visiteurs et de l'absence des mages et des soldats envoyés en renfort à Sousroc, Julatsa abritait environ cinquante mille habitants. Moins d'un sur vingt a pu se réfugier dans le Collège…

Barras croisa les mains sur sa nuque et s'appuya au dossier de sa chaise. Kerela se prit le visage entre les mains en secouant la tête. Seldane porta une main tremblante à sa bouche, tandis que des larmes coulaient sur les joues de Cordolan et de Torvis. Trop choqués pour réagir, Vilif et Endorr restèrent immobiles.

— Je comprends votre chagrin, votre hébétude et votre impuissance, compatit Kard. Mais souvenez-vous que bien des gens ont pu s'échapper dans la campagne environnante, et qu'ils réussiront sans doute à gagner les autres Collèges. Cela dit, nous avons perdu beaucoup de défenseurs, et il doit y avoir un nombre important de prisonniers. D'où notre problème le plus immédiat…

— Que pouvons-nous faire ? demanda Endorr, ignorant la dernière remarque de Kard.

— Le choix est simple. Nous rendre, dissiper le Linceul et ouvrir les portes aux Ouestiens, ou attendre d'éventuels renforts de Dordover.

— La reddition est impensable, affirma Kerela. Ouvrir les portes de Julatsa entraînerait la fin du Collège, et probablement la nôtre. Je vous le demande : combien d'entre vous ont foi en la parole du seigneur Senedai ?

— Ce serait courir à la mort, dit Seldane. Vous savez ce que les Ouestiens pensent de la magie et de ceux qui la pratiquent.

Un murmure approbateur fit le tour de la table.

— Et si aucune aide n'arrive d'ici quatre semaines ? demanda Torvis.

— Je travaillerai sur un plan d'évasion avec mes officiers. Mais toute tentative de fuite fera nécessairement couler le sang.

— Ce ne sera pas une fuite, mais une sortie, corrigea Torvis.

— Exact, admit Kard. Il faudra concentrer nos efforts sur ce que nous évaluerons comme leur point le plus faible. C'est pour ça que nous devons détruire la tour qu'ils sont occupés à ériger. Ainsi, nos mouvements resteront secrets jusqu'à l'ouverture des portes. Je vous laisse vous charger de ça. Mais nous avons sur les bras un problème plus urgent, qui peut avoir beaucoup d'influence sur le moral des malheureux réfugiés dans l'enceinte du Collège.

— Ils peuvent déjà se réjouir d'être en vie, souligna Seldane.

— Certes. Mais la plupart ont des amis ou des parents dehors : morts, en fuite ou prisonniers des Ouestiens. Tout à l'heure, Senedai a parlé d'employer une méthode barbare. Il a déjà perdu assez d'hommes pour comprendre que le LinceulDémoniaque est impénétrable. Laissez-moi poser une question : si vous étiez à sa place, avec des milliers de prisonniers, que feriez-vous pour nous forcer à nous rendre ?

Septern était revenu en proie à une rage dont l'incongruité déclenchait encore l'hilarité de Sha-Kaan chaque fois qu'il y repensait.

Le mage n'était pas particulièrement grand pour un humain, pas plus d'un mètre soixante-cinq en termes balaiens. À l'époque, malgré sa jeunesse, Sha-Kaan mesurait déjà trente mètres de la pointe du museau au bout de la queue. Maintenant, il avait atteint quarante mètres de long, ce qui faisait de lui un des plus grands dragons capables de voler. Et surtout, il n'avait rien perdu de sa rapidité.

À son retour, Septern avait trébuché hors du portail, aperçu Sha-Kaan et commencé aussitôt à agonir d'injures le dragon et ses semblables. Un Vestare agissant ainsi eût été immédiatement tué, ou au moins chassé pour insubordination.

— Pourquoi n'allez-vous pas de l'autre côté voir ce que votre chère – comment l'appelez-vous, déjà ? – « couvée » vient de faire ? avait craché l'humain en pointant un index accusateur derrière lui. Avec votre maudit feu, vous avez détruit une civilisation splendide et pacifique. Comment osez-vous vous arroger le droit de vie et de mort sur les habitants d'une autre dimension ? Heureusement, j'ai veillé à ce que vous ne puissiez pas répéter la même ignominie dans mon monde. Et aucun de vos assassins ne reverra jamais la dimension avienne par ma faute. J'espère qu'assez de gens auront survécu pour reconstruire ce que vous avez démoli !

« Vous n'êtes pas les seigneurs de l'univers, seulement de votre dimension... Même si je ne vois pas pourquoi détruire tout ce que vous croisez vous rendrait supérieurs à des animaux privés de raison. En quoi massacrer des innocents vous aide-t-il ? Vous ne répondez pas ? Vous avez avalé votre langue, peut-être ?

En parlant, Septern s'était rapproché de Sha-Kaan jusqu'à être nez à museau avec lui. Allongé sur le sol, la tête calée dans l'herbe, les ailes repliées, la queue enroulée autour du corps, le dragon avait refoulé son désir de punir l'impudence du mage, conscient qu'il pouvait être la clé de la survie et du développement de sa couvée.

Derrière Septern, quatre Kaans – les seuls survivants de la bataille contre les Skars dans la dimension avienne – avaient émergé des profondeurs tourbillonnantes du portail, leurs cris de victoire se répercutant sur la surface ravagée du royaume de Keol.

Sha-Kaan se souvenait de la conversation qui avait suivi comme si elle s'était déroulée la veille. Il avait attendu que ses frères de couvée s'éloignent. Puis, après avoir sondé le ciel et reniflé l'air pour s'assurer qu'il ne restait aucun Skar dans les parages, il avait envoyé à ses Vestares les plus proches une impulsion mentale leur enjoignant de le rejoindre sur-le-champ. Enfin, il s'était concentré sur Septern.

— J'ai trois choses à te répondre. Je suis Sha-Kaan de la couvée Kaan, ton monde n'a rien à craindre de notre part, et tu dois apprendre à tenir ta langue parce que tous mes semblables ne sont pas aussi magnanimes que moi.

— Magnanimes ? Ne me faites pas rire ! C'est comme ça que vous qualifiez le massacre que vous venez de faire ?

— Non. Je l'appelle seulement un impératif de survie.

— La survie de qui ? Vous avez détruit les maisons des aviens, brûlé leurs ailes et leur corps, brisé leurs corniches et obscurci leur ciel sans nuages. Apprendre que vous avez fait tout ça pour survivre ne les consolera pas. Hier encore, ils n'avaient jamais entendu parler de la couvée Kaan !

— Mais ils avaient entendu parler de la couvée Skar, puisqu'ils la servaient. Nous sommes en guerre. Les alliés de nos ennemis sont nos ennemis. Ils ont choisi leur camp, et ça n'était pas le nôtre.

Si Sha-Kaan avait été capable de hausser les épaules comme les humains, il l'aurait fait. Il vit Septern hésiter et sentit une partie de sa tension retomber.

— Les aviens le savaient-ils ? demanda l'humain.

— Normalement, les Skars auraient dû tout leur raconter au sujet des dragons et préciser pourquoi ils les avaient choisis comme serviteurs.

— Je ne comprends pas en quoi les aviens peuvent être utiles à des dragons. Ça n'a pas de sens.

Sha-Kaan se redressa.

— C'est assez difficile à expliquer, et je préférerais le faire dans un endroit plus sûr. Mes domestiques te donneront de la nourriture et te fourniront une escorte. J'attendrai ton arrivée dans le Foyer Couvelien des Kaans.

— Qui a dit que j'avais l'intention d'aller quelque part, sinon de l'autre côté de ce portail ? répliqua Septern.

Les yeux du dragon s'embrasèrent. Il renversa Septern en lui soufflant dessus.

— Moi ! tonna-t-il. (Septern frémit et plaqua les mains sur ses oreilles. Pour la première fois, il semblait réellement effrayé.) Ta dimension et toi, vous pouvez être d'une grande utilité aux Kaans. En retour, nous sommes prêts à vous protéger des couvées moins tolérantes que nous. Et crois-moi, fragile humain, un jour ou l'autre, l'une d'entre elles vous aurait trouvé, si tu n'avais pas eu la chance de me rencontrer.

« Je t'attendrai au Foyer Couvelien, où tu t'entretiendras avec les Anciens. Les Vestares t'aideront, mais ils ne parlent pas ton langage, et tu ne seras peut-être pas capable de capter leurs pensées. Jusqu'à ce que nous nous revoyions, garde l'esprit calme et ouvert, parce que ce monde est bien plus vaste que tu ne peux le concevoir.

Sur ces mots, Sha-Kaan déploya ses ailes et s'envola. Sentant les yeux de son interlocuteur rivés sur son dos, il se retint de sonder son esprit. Septern était un grand humain, cela ne faisait pas le moindre doute. Il comprenait la magie du voyage dimensionnel et il savait la contrôler, ce qui faisait de lui une prise de choix pour les Kaans.

Une seule fois, Sha-Kaan se tordit le cou pour regarder derrière lui. Les Vestares étaient là. Ils veilleraient à la sécurité de Septern.

Rugissant de plaisir, le dragon fila vers son Foyer Couvelien.

Chapitre 9

Dans la brume de l'aube, Kard, Kerela et Barras se tenaient en silence derrière le LinceulDémoniaque. Dedans, des spectres bleu pâle sans visage se tordaient de douleur. Au repos pendant la nuit, la journée, ces silhouettes ajoutaient au malaise et à la terreur provoqués par le Linceul.

Les sentinelles de la porte Nord avaient rapporté que Senedai marchait seul vers les murs du Collège, le long des rues où les Julatsiens vaquaient encore à leurs affaires quelques jours plus tôt. À présent, elles appartenaient aux Ouestiens, et leur seigneur s'apprêtait à rendre son jugement sur la décision du Conseil Julatsien.

Obéissant au signal de Kerela, les sentinelles ouvrirent la porte. Les mages seniors et le général de Julatsa découvrirent Senedai, de l'autre côté du LinceulDémoniaque. Cette fois, il n'y avait ni drapeaux, ni archers ni gardes du corps.

La rencontre s'annonçait brève.

— Je constate que vos amis ont choisi de vous tenir compagnie en cette plaisante matinée, fit Senedai en grimaçant sous sa moustache, le Linceul étouffant le son de sa voix.

— Je ne vois rien de plaisant dans notre situation, répliqua sèchement Barras. Le général Kard et la Prime Magicienne Kerela sont venus entendre votre réponse.

— Très bien. Communiquez-moi d'abord le résultat de vos délibérations.

— Nous ne nous rendrons jamais, dit simplement Kerela.

— Je n'en attendais pas moins de vous... Bien entendu, je respecte votre choix, mais il m'oblige à tenter de vous déloger par des moyens plus radicaux que la négociation.

— Vous faites allusion à l'ultimatum que vous nous avez lancé hier, n'est-ce pas ? grogna Barras.

— Comme vous pouvez le voir, je suis venu seul et sans armes, parce que je veux que vous me croyiez. Quand j'aurai parlé, si vous décidez de m'abattre avec un de vos sorts, qu'il en soit ainsi. Mais cela précipitera la suite.

— Nous y voilà, grogna Kard.

— Parlez-nous des prisonniers que vous détenez, exigea Barras.

— Ils sont en vie. Mais ils ne jouissent d'aucun statut particulier. Il n'y a pas de mages parmi eux. Enfin, il n'y en a plus. Je ne pouvais pas leur faire confiance : ils risquaient d'incanter dès que j'aurais eu le dos tourné.

— Il bluffe, dit Kard à voix basse, détournant le visage pour que Senedai ne puisse pas lire sur ses lèvres. Il n'a aucun moyen de distinguer les mages des autres prisonniers, à moins de les avoir vus jeter un sort.

Senedai frappa dans ses mains, produisant un bruit étouffé dont l'écho se répercuta dans la petite cour pavée, devant la porte Nord.

— Assez bavardé ! Voilà ce qui se passera, à moins que vous n'acceptiez de vous rendre. Chaque jour à l'aube, à midi et au crépuscule, cinquante prisonniers seront amenés devant ces murs et forcés d'entrer dans votre barrière magique. Toute tentative de nous arrêter se soldera par l'exécution de trois cents prisonniers supplémentaires, dont nous vous apporterons les cadavres pour que vous les enterriez. Hélas, comme nous ne pourrons pas vous les remettre, ils pourriront et se décomposeront au pied de vos remparts, au vu et au su de tous les occupants du Collège.

« En outre, chaque jour, le nombre de prisonniers exécutés augmentera de cinquante unités. Vous pourrez mettre un terme à ce... rapatriement... en hissant un drapeau de trêve ou en dissipant la barrière magique avant de vous rendre. Les cinquante premiers prisonniers seront amenés demain à l'aube. Je vous donne un jour de plus pour faire le bon choix. Ne m'obligez pas à prouver ma détermination.

Il fit demi-tour et s'éloigna.

Barras et Kerela se tournèrent vers Kard.

— Il le fera, dit le général. Aucun doute n'est permis. En réalité, je suis surpris qu'il nous ait accordé vingt-quatre heures de sursis.

— Maudit soit-il ! cracha Barras.

— Admettez que c'est bien joué de sa part, intervint Kerela. Comment réagiront nos concitoyens en voyant leurs parents et amis se faire tuer par un de nos sorts ?

— À cause de lui ! rappela Barras. Dans cette histoire, nous sommes les innocents.

— C'est vrai. Mais puisque nous aurons le moyen de mettre un terme au massacre, si nous refusons de l'employer, il faut prévoir que nos concitoyens se retournent contre nous. Et nous y préparer.

— Suggérez-vous de nous rendre ?

— Non. Mais souvenez-vous : les mages sont en minorité dans le Collège. Ses autres occupants ne sont pas animés par le désir de protéger notre centre de pouvoir, parce qu'ils ne mesurent pas les conséquences potentielles de sa destruction. (Kerela se mordit la lèvre.) Nous devons décider ce que nous leur raconterons...

Dans la sérénité de Tiredaile, Sha-Kaan fit craquer ses mâchoires alors qu'une infime vibration du sol et des murs lui apprenait l'arrivée de son serviteur. Il avait beaucoup de choses à lui raconter, et un voyage à entreprendre.

Une grande partie de ce qui attendait Keol, puis Teras, lui rappelait l'arrivée de Septern, bien des cycles auparavant. Mais il existait néanmoins une différence essentielle. Grâce à sa profonde compréhension de la théorie dimensionnelle, Septern avait pu apporter à la couvée Kaan l'aide dont elle avait besoin. Sha-Kaan ne se fiait pas autant aux capacités d'Hirad Cœurfroid et des autres Ravens.

Il se demanda s'ils n'étaient pas tout simplement confrontés à un destin inéluctable. Les Cieux savaient que ça en avait tout l'air. Cela dit, personne n'aurait pu prévoir la série d'événements déclenchée par l'arrivée de Septern au Foyer Couvelien.

Sha-Kaan ferma de nouveau les yeux, humant l'humidité du sol sous son corps massif et se souvenant de la rencontre des Anciens avec Septern. Il était arrivé très irrité, mais en un seul morceau. Sha-Kaan se rappelait très bien la stupéfaction affichée sur son visage quand il avait découvert le Foyer Couvelien. À l'époque, Tiredaile n'avait pas encore été construit, mais les tanières des Anciens jaillissaient du sol, attestant de leur domination sur le reste de la couvée.

Ils avaient choisi de rencontrer Septern sur la rive du fleuve Tere, permettant ainsi à ceux qui en auraient besoin de s'immerger dans les flots apaisants. Outre Sha-Kaan, invité d'office parce qu'il avait découvert l'humain, trois Anciens assistaient à la réunion : Ara-Kaan, Dun-Kaan et Los-Kaan. Tous étaient au crépuscule de leur longue vie, comme en témoignaient leurs écailles ternies, plus brunes que dorées, et leurs ailes desséchées qui les empêcheraient bientôt de voler.

Septern s'était avancé parmi eux en se tordant le cou pour voir leur tête, son regard glissant le long de leur corps jusqu'à leur queue qui s'agitait impatiemment. Ara-Kaan avait ouvert la bouche pour parler, mais Septern l'avait pris de vitesse. Sha-Kaan frémissait encore en y pensant. Ara était réputé pour son mauvais caractère.

— Je ne suis pas content du tout ! avait lancé Septern. Je me suis donné beaucoup de mal pour gagner la confiance des aviens et obtenir la permission de construire un portail chez eux. Et vos suppôts récompensent leur bonne volonté par la destruction aveugle de tout ce qu'ils ont créé ! À cause de ma connaissance imparfaite du fonctionnement de la magie dimensionnelle dans leur monde, le portail s'est révélé beaucoup plus large que je ne l'escomptais. Et comme si ça ne suffisait pas...

— Silence ! rugit Ara-Kaan. Les cieux nous tombent sur la tête, mais les humains ne savent toujours pas tenir leur langue !

L'écho de sa voix résonna dans la vallée, renversant de nouveau Septern. Sans se démonter, il défia Ara-Kaan du regard.

— Je ne sais peut-être pas tenir ma langue, mais je dois être important pour vous. Sinon, vous m'auriez déjà tué.

— Faux ! (Ara-Kaan étendit son long cou, et sa tête chenue, dont les yeux bleus voilés avaient perdu leur éclat, s'immobilisa au niveau de Septern.) Nous avons déjà un moyen de gagner ta dimension. Un moyen que tu nous as toi-même fourni ! Il doit bien exister d'autres humains à qui nous adresser.

— Dans ce cas, mettez-moi le feu, et vous ne tarderez pas à découvrir à quel point vous vous trompez ! répliqua Septern en se relevant.

Ara-Kaan inclina la tête sur le côté.

— Non ! s'exclama Sha-Kaan. Grand Kaan, ne faites pas ça. (Ara se figea ; un de ses yeux pivota pour se river sur Sha-Kaan.) Écoutez-le. Il maîtrise la connectique dimensionnelle. Donc, il mérite un certain respect.

— Il est humain, laissa tomber Ara-Kaan.

— Et il est ici, où il ne devrait pas être, intervint Dun-Kaan. Écoute-le.

Ara-Kaan se détendit un peu.

— Parle, humain ! ordonna-t-il.

— Merci beaucoup ! cracha Septern. Permettez-moi de me présenter. Je suis Septern, officiellement mage de la cité collégiale de Dordover, en Balaia. En réalité, ayant le don de comprendre de multiples disciplines, je ne suis lié à aucun Collège spécifique.

— Tant mieux, dit Los-Kaan, assis dans le fleuve, sa queue arrosant distraitement son dos. Doit-on comprendre que ces disciplines traitent de la magie dimensionnelle, ainsi que tu la nommes ?

Septern dévisagea Los-Kaan. Visiblement, il s'interrogeait sur les implications de cette question.

— En théorie, les quatre Collèges savent développer la magie dimensionnelle, répondit-il en haussant les épaules. Un sujet qui dépasse de loin les frontières éthiques. Mais chaque mage choisit son domaine d'étude à titre individuel. Pour l'instant, la magie dimensionnelle est un territoire quasiment vierge. Peu de mes confrères veulent prendre la responsabilité de l'explorer.

— Mais tu es différent, grogna Ara-Kaan.

— Évidemment. C'est moi qui suis à l'origine de sa découverte !

— Vraiment ? (Ara-Kaan ouvrit les mâchoires, révélant deux rangées de crocs jaunis.) Explique-moi pourquoi nous nous trompons au sujet de tes portails.

— C'est simple : quand je suis reparti dans la dimension avienne pour assister à un génocide, j'ai apporté quelques modifications à la magie des portails. À présent, votre point de départ est une donnée cruciale. Puisque les fissures qui conduisent à Balaia et à la dimension avienne sont liées, vous devrez partir de Balaia pour y retourner. Par conséquent, le portail qui est ici ne vous est plus d'aucune utilité !

— Par les Cieux, si je n'étais pas certain que tu dis la vérité, je calcinerais la chair sur tes os maigrelets ! cracha Ara-Kaan.

— Vous réagissez toujours ainsi ? Brûler ceux qui vous ont offensé avec l'espoir que ça leur serve de leçon. Pas étonnant que vous n'hésitiez pas à détruire votre propre royaume en vous battant contre les Skars.

— Où veux-tu en venir ? demanda Dun-Kaan.

Sa langue se darda entre ses lèvres pâlies par l'âge pour venir humecter ses paupières.

— Vous avez déjà essayé de vous servir de ça ? demanda Septern en désignant sa bouche. Vous avez l'air intelligent : pourquoi n'essayez-vous pas de négocier ?

— Tu parles comme une créature qui ignore tout de notre histoire, répliqua Los-Kaan. Le temps de la négociation est passé. À présent, la conquête est le seul moyen de ramener la paix.

— On croirait entendre un Ouestien, marmonna Septern.

— Un quoi ?

— Le peuple balaien qui menace mon royaume et ses habitants. Mais peu importe ! Qu'attendez-vous de moi ? Et pourquoi me donnez-vous l'impression d'avoir déjà rencontré des humains comme moi ?

— Pas tout à fait comme toi, le détrompa Sha-Kaan.

Les Anciens hochèrent la tête ; l'équivalent mental d'un gloussement résonna dans son esprit.

— Pourquoi ne réponds-tu pas à l'humain, Sha ? demanda Dun-Kaan. Ce serait une bonne façon de tester tes connaissances.

— J'en serai très honoré.

Sha-Kaan baissa la tête et tendit le cou avant de lui redonner la forme en S requise par l'étiquette.

— Nous nous flattons d'être des créatures complexes, prisonnières d'un corps encombrant sur terre et majestueux dans les airs, expliqua-t-il en toisant l'humain. Beaucoup d'entre nous aspirent à avoir des mains capables de sculpter et de bâtir, plus une taille et une souplesse qui leur permettraient de voyager n'importe où.

— Mais votre pouvoir diminuerait en même temps que votre masse, devina Septern.

— Et nous ne serions plus des dragons, dit Sha-Kaan. Alors nous éprouvons de véritables regrets seulement quand nous regardons les Vestares ériger les structures que nous aimerions tant construire nous-mêmes. Mais la taille, la puissance et le langage ne sont pas les seules choses qui nous définissent. Nous percevons la pression des dimensions. Nous pouvons nous déplacer entre elles sans l'aide d'une magie comme la tienne, et nous avons besoin de l'énergie qu'elles nous fournissent pour survivre et nous développer.

— Donc, je ne vous sers à rien.

— Ah, mais si ! (Sha-Kaan approcha de Septern et se pencha vers lui.) Parce que quitter notre dimension sans savoir où nous déboucherons est un risque que seul un imbécile ou un désespéré accepterait de courir.

— Vous avez déjà vu d'autres humains. Donc, vous devez connaître Balaia, dit Septern.

— Nous avons eu des visions, comme tous les dragons. J'ai contemplé d'innombrables dimensions, dont la tienne, quand l'alignement se réalisait et qu'elles traversaient la sphère de ma psyché. Mais nous ne pouvons pas aller dans les endroits que nos visions nous révèlent pour établir un lien, à moins qu'on nous montre le chemin ou que nous y arrivions par hasard après un vol en aveugle.

Sha-Kaan s'allongea sur le ventre, les pattes antérieures croisées.

— Nous voulons que tu nous montres le chemin de ta dimension.

— Je n'en doute pas ! Mais si ça ne vous dérange pas, je me passerai du genre d'aide que vous avez apportée aux aviens. J'aime Balaia… et une bonne partie des gens qui y vivent.

— Quelle créature bornée ! siffla Ara-Kaan.

— Plaît-il ? lança Septern. Donnez-moi une seule bonne raison de vous inviter dans ma dimension, vous et votre feu maudit.

Sha-Kaan ferma les yeux et prit une profonde inspiration, stupéfait que les Anciens autorisent cet humain à leur parler ainsi. Même si, de son point de vue, quelques-uns de ses arguments se tenaient.

— Parce qu'une autre couvée finira par trouver le chemin, et il y a de grandes chances qu'elle préfère vous détruire plutôt que de vous protéger.

— Pourquoi ?

— Une couvée peut se jumeler avec une seule dimension, expliqua Dun-Kaan, comme s'il s'adressait à un enfant attardé. Toute couvée qui découvre une seconde dimension inconnue – et crois-moi, nous cherchons tous – détruit sa trame pour l'empêcher de tomber entre des pattes ennemies. Mais si nous jumelons la tienne avec celle des Kaans, nous vous protégerons en la dissimulant à toutes les autres couvées.

— Et je devrais gober que vous n'avez pas encore de dimension jumelée ? lança Septern.

— Je ne te suis pas.

— Comment être certain que vous ne comptez pas détruire Balaia ?

Les dragons ne pouvaient pas sourire comme les humains, mais l'espace qui séparait Sha-Kaan et les trois Anciens vibra d'une hilarité si forte que Septern le capta.

— Quoi ? J'ai dit quelque chose de drôle ?

— Septern de Balaia, si tu avais été le représentant d'une dimension jumelée ennemie, ton esprit nous aurait été fermé, trahissant ta nature, répondit Ara-Kaan. Tes cendres se mêleraient déjà à la poussière de Keol et nous serions occupés à piller ta dimension en utilisant tes portails.

— Supposons que j'accepte vos explications, dit Septern, imperturbable. Comment comptez-vous nous protéger, et plus important, que réclamerez-vous en échange ?

— Une question intelligente... La réponse fascinera un étudiant de la théorie dimensionnelle, affirma Sha-Kaan. Chaque dimension, et chaque créature qui en est originaire, a une signature distinctive. Nous pouvons « lire » cette signature en fusionnant mentalement avec toi. Quand le flux d'énergie en provenance de ta dimension aura augmenté nos forces, nous nous en servirons pour empêcher les autres couvées de recevoir des visions de Balaia.

— Vous vous nourririez de l'énergie de ma dimension ?

Malgré ses soupçons, Sha-Kaan vit qu'il avait réussi à éveiller l'intérêt de Septern.

— Oui. L'espace interdimensionnel est bourré d'énergie aléatoire et chaotique. Comme tous les dragons, nous la percevons, mais elle peut seulement nourrir notre esprit. À l'opposé, une dimension vivante structure l'énergie en une forme cohérente. Trouver une dimension jumelable est le rêve de toutes les couvées, parce qu'elle nous rend plus forts, plus robustes et plus nombreux. Elle développe notre esprit et augmente notre espérance de vie. La tienne, qui regorge de magie et a une connaissance – rudimentaire, certes – de la théorie dimensionnelle, serait une prise de choix.

Le front plissé, Septern réfléchit en se tordant les mains. Sha-Kaan trouva cette vision captivante. Bien qu'ils soient de précieux serviteurs, les Vestares n'avaient pas les aptitudes mentales des humains. Ce mage était fascinant : en effleurant la périphérie de son esprit actif, Sha-Kaan sentait pulser son pouvoir.

— Cette signature, demanda enfin Septern en levant les yeux vers lui, c'est tout ce qu'il vous faut pour réaliser un jumelage ?

— Un ingrédient nécessaire, mais pas suffisant... En gros, il nous fournira la lumière qui nous guidera entre ta dimension et la nôtre, en supposant que l'alignement reste constant. Ta dimension t'envoie aussi des signaux, même si tu es incapable de les percevoir.

— Ça paraît logique... Mais je dispose d'autres moyens pour déterminer la localisation des dimensions, sinon, je ne serais pas ici.

— Intéressant, dit Ara-Kaan. Nous serions curieux de découvrir lesquels.

— Une autre fois..., souffla Septern. Alors, dites-moi : comment puis-je vous aider à accomplir le jumelage ?

— Il n'y a rien de plus simple, répondit Sha-Kaan. Sache que je suis sur le point de pénétrer dans les recoins les plus profonds de ton esprit, et ne lutte pas contre moi. Tu en souffrirais, et ton esprit est bien trop précieux pour être endommagé.

— Je ferai de mon mieux. (Septern s'assit sur un rocher moussu.) Attendez un peu. (Il ferma les yeux.) Mon esprit est ouvert. Comme avant de lancer un sort.

— Parfait, dit Sha-Kaan. Je ne te ferai pas de mal tant que tu ne résisteras pas.

— C'est quand vous voulez...

De nouveau, il eut ce sentiment d'allégresse.

— C'est fait, dit Sha-Kaan. Ton esprit est remarquable. Nous avons beaucoup à apprendre les uns des autres.

— Et maintenant ? demanda Septern, dubitatif.

— Maintenant, nous pouvons rejoindre ta dimension. Et faire de toi ce que bon nous semblera.

Ara-Kaan avait parlé si froidement que Sha-Kaan eut un instant de panique, avant de comprendre que c'était sa façon de plaisanter. Septern était livide, mais les paroles suivantes du Grand Kaan lui rendirent un peu de couleur.

— Par chance pour toi, Sha-Kaan a dit la vérité. Ce qu'il nous faut, ce sont d'autres humains dotés d'un esprit aussi ouvert que le tien. Sha-Kaan te montrera un autre moyen de rentrer chez toi, et il t'expliquera en détail ce que nous attendons de toi.

Ainsi se termina la rencontre. Les Anciens s'éloignèrent sans rien ajouter, et Sha-Kaan resta seul avec Septern, le premier Dragonen de Balaia.

— Laisse-moi te montrer comment nos dimensions se jumelleront...

Le serviteur de Sha-Kaan entra en courant sous le dôme de Tiredaile, arrachant le dragon à ses souvenirs.

— Grand Kaan, je suis à vos ordres.

Sha-Kaan souleva légèrement sa tête du sol humide. Le Vestare qui se tenait devant lui était grand pour un représentant de son espèce – peut-être un mètre cinquante en termes balaiens. Bien que d'âge mûr, il avait conservé la robustesse qui caractérisait ses semblables. Ses cheveux couleur d'Herbeflamme séchée, pâles et tachetés de jaune, étaient coupés court au-dessus de ses grandes oreilles, de sa nuque et de ses sourcils. Ses yeux immenses, ronds et bleu marine, y voyaient parfaitement, même dans la pénombre du dôme. Une barbe tressée, symbole de son rang de serviteur personnel du Grand Kaan, pendait sur sa poitrine.

En connectant leurs esprits, son maître et lui n'avaient pas besoin de parler pour se comprendre.

— Vous sembliez pressé de me voir, Grand Kaan.

— Des humains vont venir ici en passant par le portail de Septern. Nous ne devons pas les perdre, Jatha. Leur signature est celle de notre dimension jumelée. Nous avons besoin de leur aide.

Le Vestare déglutit. La sueur qui perlait sur son front n'était pas uniquement due à la chaleur.

— Quand arriveront-ils ?

— Bientôt. Je ne peux pas être plus précis. Ils ont un chemin difficile à parcourir pour atteindre leur côté du portail. Mais tu dois mobiliser tes semblables pour qu'ils aillent à leur rencontre avec toi. Nous ne pouvons pas courir le risque que les Balaiens atteignent le portail avant vous. Emportez de quoi vous défendre à terre. La couvée ne pourra pas vous protéger, car ça attirerait l'attention de nos ennemis. Mettez-vous en route dans trois levers d'orbe.

— Vos désirs sont des ordres, Grand Kaan. (Jatha inclina la tête.) Puis-je demander pourquoi ces gens viennent ici ?

— Ils sont chargés de réparer les dégâts qu'ils ont faits dans notre ciel, et de lever la menace qui pèse sur la couvée.

— Une tâche ardue, Grand Kaan.

— En effet, fit le dragon. En effet...

— Je vous sens troublé. Ont-ils une chance de réussir ?

Sha-Kaan fixa Jatha et cligna des yeux en se léchant les paupières.

— Je ne sais pas. Ce sont des humains. Ils se croient forts en dépit de leur fragilité. À leur décharge, je dois reconnaître qu'ils sont opiniâtres et inventifs. En outre, ils maîtrisent une magie qui peut nous être utile. (Sha-Kaan reposa sa tête sur le sol.) J'ai besoin de me reposer. Va t'occuper des préparatifs de l'expédition. Je mangerai à la tombée de la nuit.

De nouveau, le dragon laissa dériver son esprit. Le règne de Septern – le premier Dragonen – n'avait pas duré longtemps. Il y avait toujours eu chez cet humain quelque chose de dangereux et d'incontrôlable. Et cela avait empêché Sha-Kaan d'apprendre ses secrets de localisation dimensionnelle.

Un Vestare avait conduit Septern jusqu'au Hall de Jumelage, une grande structure souterraine seulement située pour moitié dans la dimension des Kaans.

Sha-Kaan avait basculé dedans.

— Des portes assez larges et hautes pour laisser passer un dragon seraient peu pratiques, avait-il répondu à la question de Septern. Je doute qu'il soit nécessaire de te décrire les efforts requis pour les fabriquer et pour les manœuvrer.

Le Hall avait été bâti en l'attente de la découverte d'une dimension jumelable avec celle des Kaans. Quand la nouvelle de l'événement tant espéré s'était répandue, des centaines de Vestares avaient gagné le Hall pour préparer la cérémonie. Malgré leur nombre et leurs cris qui résonnaient contre les murs, ils semblaient minuscules, comme perdus dans l'immensité de la pièce, qui pouvait accueillir jusqu'à deux cents dragons. Ils avaient poli les mosaïques et le marbre, épousseté les statues et amené quantité de balles d'Herbeflamme pour leurs maîtres.

Sha-Kaan se souvenait d'avoir effleuré l'esprit de Septern pour sonder ses réactions. Malgré son comportement amical, le mage balaien restait soupçonneux. Sa bravache masquait une profonde anxiété. Il se demandait où il avait mis les pieds, et quel prix Balaia aurait à payer pour l'accord passé avec la couvée Kaan.

Le hall où il se tenait était le bâtiment le plus énorme qu'il ait vu : long de plusieurs centaines de mètres, avec un toit si haut qu'il était plongé dans l'obscurité malgré les braseros alignés le long des murs. Septern arrivait à peine à distinguer l'arche opposée à celle qui le surplombait. Alors que ses yeux s'accoutumaient à la pénombre et à la distance, il comprit que la série de dix-huit arches, assez larges pour laisser passer les Kaans les plus massifs, ouvrait sur un autre espace impossible à voir de là où il était.

Septern fit quelques pas dans le Hall de Jumelage. Longeant ses murs, il admira les statues de dragons et les mosaïques consacrées à d'antiques batailles qui décoraient les monstrueuses ouvertures de pierre. Les arches elles-mêmes mesuraient plus de douze mètres de large sur sept de haut. Leurs contours étaient sculptés de plantes grimpantes dont les tiges feuillues s'enchevêtraient, la floraison explosant au sommet de chacune. Septern avança vers la plus proche. Alors qu'il sondait ses profondeurs, une étrange impression de plénitude *et* de vide envahit son esprit. Il avait déjà éprouvé cette sensation qui lui faisait battre le cœur à tout rompre.

— Tu es intrigué, constata Sha-Kaan.

— Quel est cet endroit ? Son pouvoir est palpable.

— C'est notre version de ton portail. En ce moment, tu observes un couloir de jumelage. Entre, et je te suivrai.

— Si ça ne vous fait rien, j'aimerais mieux que vous passiez devant. Mettez ça sur le compte de la peur de l'inconnu…

— Ou de ta méfiance envers les Kaans. Très bien.

Sha-Kaan avança, ailes étendues pour assurer son équilibre, ses pattes laissant de profondes empreintes dans le sol mou qui vibrait sous ses pas. Septern le suivit, mais le dragon, qui se déplaçait à une vitesse surprenante malgré son allure balourde, disparut dans un couloir sur sa gauche en criant :

— Dépêche-toi, humain ! La prochaine phase des Kaans arrive.

Sur la droite du Hall de Jumelage apparut un autre dragon, qui se redressa de toute sa hauteur avant de s'allonger sur le sol. L'air déplacé souleva quelques brins d'Herbeflamme épars et agita les cheveux de Septern. Un troisième dragon bascula dans le hall juste derrière l'humain, faisant onduler les plis de sa cape.

Craignant de se faire aplatir comme une crêpe, Septern s'élança vers l'arche choisie par Sha-Kaan.

Alors qu'il en approchait, il entendit d'autres créatures arriver dans le hall, leurs appels se combinant pour emplir l'espace d'une douce musique animale, à la fois accueillante et effrayante. Un coup d'œil par-dessus son épaule lui révéla une masse de puissance à l'état pur, de cous sinueux et d'impatience. Les dragons apparaissaient l'un après l'autre. Leur majesté reptilienne coupa le souffle de Septern.

Il plongea dans la fissure, sur les traces de Sha-Kaan.

Sa variante du voyage dimensionnel s'accompagnait toujours d'une atroce douleur et d'un irrépressible mouvement vers l'avant. Par comparaison, la traversée du couloir lui parut très brève, semblable à la plongée dans une nappe de brouillard.

Derrière lui, le Hall, ses bruits et sa lumière avaient disparu. Autour de lui, demeurait seulement ce qui devait être l'espace interdimensionnel. Il tendit les mains, mais ne sentit rien. Sous ses pieds, il devina le tracé d'un chemin dans la clarté surnaturelle. Puis une douce pression enveloppa son corps et lui comprima la poitrine. Mais il n'y eut pas de douleur.

Avant d'avoir eu le temps d'évaluer sa vitesse de déplacement, Septern déboucha dans un autre hall en forme de dôme où se dressait une énorme double porte bardée de fer. Sha-Kaan lui faisait face, debout devant une des innombrables tapisseries accrochées aux murs. Des torches, des lanternes, des cierges et des braseros remplissaient la pièce d'ombres mouvantes. Un peu partout sur la circonférence du hall, des feux brûlaient dans des âtres, produisant une chaleur étouffante. Au-delà des portes, Septern entendit un piétinement et des bruits de pas.

Une sensation de calme et de gaieté s'infiltra dans son esprit. Il leva les yeux vers Sha-Kaan.

— Vous allez sans doute me dire que nous sommes en Balaia ?

— Non. Ce construct est situé dans l'espace interdimensionnel. Un jour, je t'expliquerai comment c'est possible. Pour l'instant, je me contenterai de le comparer à un quai qui s'avance dans la mer, mais qui est fermement ancré sur la terre.

Septern regarda derrière lui. Le mur nu ne portait aucune trace de l'endroit par où ils étaient arrivés.

— Tu ne pourras pas repartir par là, déclara Sha-Kaan. Tu as besoin de la signature des Kaans pour atteindre le Hall de Jumelage.

— Je vois, dit Septern. Et toutes les arches que j'ai vues là-bas conduisaient à des endroits comme celui-ci ?

— Oui. Dix-huit arches, c'est le nombre maximum que nous pourrons protéger de nos ennemis quand toutes seront liées à notre dimension jumelée.

— Admettons. À quelle distance sommes-nous de Balaia ? Si le concept de distance a encore un sens ici…

— Il n'en a pas, et cette remarque est très significative de ton degré de compréhension du voyage dimensionnel. Pour répondre à ta question, sache qu'il est inutile de passer par un couloir comme celui que nous venons de traverser. Pour regagner ta dimension, il suffira que tu identifies ton point d'accès préféré.

Au-delà de cette porte, en utilisant ta signature, nous déterminerons un point d'entrée dans les chambres extérieures du construct.

— Et c'est tout ?

— Oui.

Septern trouvait tout ça très logique et plausible. Mais il devait y avoir un hic, quelque chose que Sha-Kaan lui cachait. Comme le coût véritable d'un pacte avec un démon, toujours dissimulé aux mages qui voulaient en conclure un...

— C'est tout ce qu'il vous faut ? insista-t-il.

— En aucun cas ! Il y a un prix à payer pour notre protection, mais il n'est pas très élevé.

— Je vous écoute.

— Tout ce que nous demanderons, c'est que toi et les autres mages dragonens soyez disponibles pour nous. Que vous répondiez chaque fois que nous vous appellerons ! Les Kaans blessés ou affaiblis viendront ici pour recouvrer leurs forces, mais le couloir devra rester ouvert, ce qui signifie qu'un Dragonen devra le surveiller.

— Je serais prisonnier de ma propre demeure ! lança Septern. Condamné à attendre votre appel. C'est inacceptable. Je refuse.

Sha-Kaan recula vivement la tête.

— Tu ne comprends pas bien. À présent que j'ai ta signature, si tu acceptes de devenir mon Dragonen, je pourrai toucher ton esprit où que tu sois, et en cas de besoin, ouvrir un portail n'importe où en Balaia. C'est toi la clé, mais le couloir le plus fiable sera celui qui partira de ta base de pouvoir. Ta maison, je suppose.

Septern réfléchit aux paroles de Sha-Kaan. Il n'avait plus vraiment le choix, puisqu'il avait déjà donné au dragon sa signature personnelle en plus de celle de Balaia.

— En quoi être ici vous aide-t-il à récupérer ? demanda-t-il. Pourquoi est-ce un meilleur endroit que le Foyer Couvelien ?

— Comment t'expliquer ? À chaque extrémité de ces chambres se trouve une dimension où une énergie très concentrée se déplace de manière aléatoire. Mais le couloir ouvert la force à prendre une direction unique. C'est dans son flux que nous nous baignons pour accélérer notre processus de guérison. Nous l'appelons Klene.

Septern retint son souffle. Le dragon parlait de canaliser le flux dimensionnel : une technique qu'il avait à peine osé rêver de comprendre un jour.

— Ce flux est sûrement visible pour n'importe quel dragon qui vole dans l'espace interdimensionnel, objecta-t-il. Qui l'empêche de le suivre jusqu'à votre Hall de Jumelage, ou jusqu'à Balaia ?

— La probabilité de cet événement est si faible que je ne peux même pas la calculer, répondit Sha-Kaan. *Primo,* nous masquons les couloirs comme nous masquerons ta dimension. *Secundo,* voler dans l'espace interdimensionnel est à un dragon ce que marcher dans un brouillard impénétrable est à un humain. Tu pourrais passer à deux doigts de l'endroit que tu cherches sans t'en apercevoir.

— À moins de tomber pile dessus. (Septern se gratta le crâne.) Vous voyez ce que je veux dire ?

— Oui. Mais la différence, c'est qu'une signature masquée est indétectable. Un dragon qui ne la connaît pas pourrait traverser l'endroit qu'il cherche dans l'espace interdimensionnel sans s'apercevoir de sa présence. (Sha-Kaan baissa la tête jusqu'à ce que ses yeux soient au même niveau que ceux de l'humain.) Alors, acceptes-tu d'être mon Dragonen ?

— Ce sera un honneur ! Encore une question. Vous avez parlé de l'importance de protéger la trame des dimensions jumelées. Qu'est-ce que ça signifie ?

Le souffle de Sha-Kaan balaya le visage de l'humain. Un sentiment de chaleur et de joie se communiqua à son esprit.

— Le mage et le Kaan grandiront ensemble, dit-il doucement. Quant à ta question... Balaia n'est qu'un continent de ton monde, mais la concentration de magie lui donne une importance structurelle capitale. Notre jumelage, basé sur les liens que les Kaans établiront avec les Dragonens que tu nous désigneras par mon intermédiaire, s'appuiera sur l'intégrité d'un certain nombre d'endroits. Le lac qui est le centre de votre magie, notamment. Les tours de vos cités collégiales. L'amas rocheux proche de votre capitale, celui que vous appelez les Échardes. Et aussi ta maison. D'autres couvées pourraient chercher à les détruire. Donc, nous devrons les défendre contre elles. Et contre les puissances originaires de ta propre dimension qui sont capables d'abattre des montagnes.

Sha-Kaan inclina la tête sur le côté, l'air interrogateur, comme le font parfois les chiens. L'absurdité de cette comparaison faillit faire éclater Septern de rire.

— Tu es anxieux, constata le dragon.

Ça doit se lire sur mon visage, pensa Septern. Mais la solution à son problème était en face de lui. Il aurait été curieux de rencontrer un homme capable de prendre l'amulette à Sha-Kaan.

— C'est aussi pour ça que j'étais chez les aviens, expliqua-t-il. J'ai créé une chose que je ne peux pas détruire, mais que je ne veux pas voir tomber entre de mauvaises mains. J'espérais la cacher de l'autre côté d'une porte dimensionnelle. Puis ma curiosité a pris le dessus, et c'est comme ça que je vous ai rencontré. Les aviens détiennent une partie de mon secret. Peut-être devrais-je vous confier l'autre.

— De quoi s'agit-il ?

— De quelque chose qui pourrait anéantir la trame dont vous parlez. Cet objet... (Septern saisit l'amulette pendue à son cou)... est la première pièce du puzzle qui permet d'y accéder. Il s'agit d'un sort. Un sort très puissant. Je l'appelle AubeMort.

Chapitre 10

La nuit suivante, la compagnie de Parve se sépara en trois groupes.

Après le dîner et la Communion promise, Styliann et Ilkar s'entretinrent brièvement avant que l'ancien Seigneur du Mont ne rassemble ses Protecteurs pour se mettre en route. La nouvelle de son renversement avait ébranlé sa belle assurance.

Ilkar l'avait observé pendant toute la journée, alors qu'ils chevauchaient dans les montagnes ou traversaient les vallées et les rivières. La raideur du dos de Styliann et l'éclat de son regard avaient été remplacés par quelque chose de plus sinistre : une fureur à peine contenue qui assombrissait ses traits et faisait saillir les muscles de son cou.

Il n'avait pas voulu révéler sa destination, se contentant de dire qu'il devait trouver un contact amical le plus tôt possible. Que sa route, comme celle de Darrick, l'emmène vers la baie de Gyernath ne lui importait pas le moins du monde. Selon lui, ses Protecteurs n'avaient pas besoin de repos, et la cavalerie les retarderait.

Alors qu'il s'éloignait au centre de ses Protecteurs, des murmures mécontents montèrent derrière lui. Les Ravens, qui comptaient partir aux premières heures du jour pour atteindre la piste, au nord de Terenetsa, avant le lever du soleil et réduire leurs chances d'être repérés, étaient en plein conciliabule avec Darrick, qui ne se réjouissait pas à l'idée de marcher sur les pas de Styliann.

— S'il a un problème, ce sera dix fois pire pour nous, mais nous ne le saurons pas avant d'y être confrontés.

Denser haussa les épaules.

— Prenez un autre chemin.

— Bien sûr : il doit y avoir des centaines d'autres possibilités ! lança Thraun.

— Évidemment, dit Darrick. C'est une pure coïncidence que nous ayons choisi la même.

Des ricanements montèrent autour du feu.

— Je suggérais simplement la solution la plus évidente, marmonna le Mage Noir.

— Tu devrais te contenter de t'occuper de magie, lui conseilla sagement Thraun.

— Pour le bien que ça nous a fait… Il suffit de voir le résultat d'AubeMort ! cracha Denser.

Darrick préféra l'ignorer.

— De nombreuses routes conduisent à la baie de Gyernath, mais toutes, sauf une, impliquent de multiples dangers pour des cavaliers et leurs montures. (Il se frotta les mains et les tendit vers le feu pour les réchauffer, bien qu'il ne fît pas particulièrement froid.) Et le problème de la route la plus sûre, c'est qu'elle passe par une demi-douzaine de villages que nous devrons éviter. Si Styliann choisit de les attaquer plutôt que de les contourner, je pourrais avoir beaucoup de mal à rejoindre la baie dans son sillage.

— Venez avec nous, proposa Hirad.

Darrick secoua la tête.

— Non, je refuse de compromettre la réussite de votre mission. Mes amis, je me débrouillerai. Je me débrouille toujours !

— On croirait entendre Hirad, souffla Ilkar.

L'humeur de l'elfe s'était un peu améliorée depuis que Styliann lui avait confirmé que le Collège de Julatsa n'était pas encore tombé. Même s'il se demandait par quel miracle.

— Combien de temps d'ici jusqu'à la baie ? demanda Hirad.

— La route devient un peu plus praticable au sud de Terenetsa, en tout cas pendant deux ou trois jours. Si nous ne rencontrons aucun obstacle, nous devrions rejoindre les Ouestiens dans une dizaine de jours.

Darrick repoussa les mèches de cheveux que le vent faisait danser sur son visage.

— En principe, nous serons déjà arrivés à Julatsa, dit l'Inconnu.

— Ou ce qu'il en reste, murmura Ilkar.

— Ne pouvez-vous pas communier avec vos confrères ? demanda Darrick.

— Non. Je crains de n'avoir jamais étudié ce sort. Il n'est pas très utile à un mage mercenaire. Et même si je le connaissais, Styliann, qui est bien meilleur que moi, n'a pas réussi à trouver de contact dans le Collège. Ses informations lui viennent d'un mage caché hors de la ville.

— Comment pouvons-nous être sûrs que le Collège tient toujours ? demanda Will.

— Parce que la Tour est encore debout, et que l'informateur de Styliann n'a entendu aucun bruit de bataille.

Darrick se rembrunit, son front se plissant sous ses boucles châtain.

— J'ai du mal à croire que les Ouestiens se sont arrêtés devant les murs du Collège, avoua-t-il.

— Ils ont peur de la magie, rappela Ilkar. Et ils ne bénéficient plus du soutien des Seigneurs Sorcyers. Sans eux, ils n'ont aucun moyen d'évaluer le pouvoir du Collège. En outre, je soupçonne le Conseil d'avoir bluffé pour gagner du temps. La question, c'est : « combien ? ».

— L'informateur de Styliann…, dit l'Inconnu. Connaissons-nous sa position ? Il pourrait nous être utile.

— *Elle*, rectifia Ilkar. Elle n'a pas pu fournir de données géographiques précises, mais Denser connaît la forme de mana nécessaire pour la contacter.

— Tant mieux. Nous aurons besoin de gens comme elle une fois que nous aurons traversé le bras de Triverne.

— Je vois ça d'ici : les Ravens prenant la tête d'une bande de Julatsiens rebelles pour lancer une audacieuse attaque contre les Ouestiens, sous le commandement du Guerrier Inconnu. (Ilkar tendit la main pour tapoter le bras de son ami.) Je crois que les Ravens auraient eux-mêmes du mal à réussir cet exploit, mais merci d'y avoir pensé.

L'Inconnu bâilla et s'étira.

— Ce n'est pas une idée si saugrenue, se défendit-il. Si assez de mages ont réussi à s'échapper, et si les rumeurs concernant l'arrivée prochaine de renforts dordovans sont fondées, nous pourrions libérer ton Collège nous-mêmes.

— Tu rêves !

— Vous devriez tous être en train de rêver, intervint Darrick. Couchez-vous. Je vous réveillerai dans quatre heures.

Le repli des Ouestiens vers sa ville donnait un avantage majeur au baron Noirépine et à ses guerriers : les routes conduisant à Gyernath étaient désertes. Il avait déjà envoyé une dizaine de messagers vers le port méridional pour prévenir le Conseil de son arrivée. Prudent, il préférait garder ses mages de Communion frais et dispos, dans l'éventualité d'une attaque ennemie.

Dans sa lettre, il avait également évoqué ses besoins en équipement, en chevaux et en hommes, sans en préciser la raison.

Pour l'heure, à l'intérieur d'un camp dressé à six jours de cheval de Gyernath, il était assis avec le baron Gresse, qui se remettait lentement de sa commotion. Le moral de ses troupes remontait parce qu'elles ne se contentaient plus de limiter les dégâts, mais agissaient selon un plan précis. Elles allaient se battre pour reconquérir leur foyer.

— Quand nous aurons repris ma ville, nous passerons au pic de Taran, déclara Noirépine.

De l'autre côté du feu, Gresse lui sourit.

— Je pense qu'il est capital de rester dans les environs de la baie de Gyernath. Le pic de Taran attendra. Après tout, Pontois ne risque pas de le détruire. Je trouve quand même dommage qu'il n'ait pas engagé ses forces dans la bataille pour son propre pays.

— Qu'il soit maudit ! grogna Noirépine.

Le baron Pontois avait toujours été un homme arrogant. Il l'imaginait assis à la table de Gresse, riant de la facilité avec laquelle il s'était emparé du château du pic de Taran, déserté par ses défenseurs.

Cela ne durerait pas. Que ce soit devant les Ouestiens ou le légitime propriétaire des lieux, Noirépine attendait avec impatience le jour où Pontois ramperait en tremblant de terreur. Il ne se considérait pas comme quelqu'un de violent. Mais devant la tristesse et l'amertume que dissimulait le sourire de Gresse, il sut qu'il serait capable d'arracher le cœur de Pontois et de le servir à son vieil ami sur un lit composé des propres entrailles du félon.

— Nous devons envoyer des messagers à tous les barons et à tous les seigneurs, pas seulement ceux de l'Alliance marchande de Korina, déclara Gresse.

— Tous, sauf Pontois. Je préférerais mourir que de combattre à ses côtés, grogna Noirépine.

— C'est exactement ce que je pensais.

— Je m'en occuperai dès que nous atteindrons Gyernath. D'ici là, nous devrions avoir une meilleure idée du nombre d'hommes qui nous seront nécessaires.

Les narines de Noirépine frémirent et il se mordilla la lèvre supérieure.

— Qu'y a-t-il ? demanda Gresse.

— Il nous faudra encore dix ou douze jours pour atteindre ma ville. Ce qui laisse tout le temps aux Ouestiens de la raser ou de renforcer leurs défenses. Une chose est certaine : ils n'attendront pas les bras croisés. Nous devons trouver un moyen de raccourcir notre voyage de deux jours. Sinon, nous arriverons trop tard. Je ne veux pas m'être imposé la traversée des monts Balan pour voir brûler Noirépine.

Cette nuit-là, les bougies restèrent allumées très tard dans la Tour de Julatsa. Depuis trois heures, le Conseil débattait de ses options de plus en plus limitées face à la menace de Senedai, et au spectre d'une révolte parmi les occupants du Collège. Au mépris de la tradition, le général Kard avait été invité à participer à la réunion : il eût été impensable pour les mages de se priver de ses compétences stratégiques.

Kerela écouta les pieux arguments de ses collègues sur la nécessité de préserver la magie julatsienne, source d'équilibre pour Balaia, sur la gratitude que le peuple de Julatsa devait à ses mages et sur l'intérêt à long terme de tous les Balaiens – qui devait l'emporter sur les besoins immédiats des prisonniers destinés au sacrifice.

Puis elle prit la parole.

— Tout ça se résume à quelques questions... Les Ouestiens mettront-ils leurs menaces à exécution ? Pouvons-nous empêcher les occupants du Collège d'assister à la mort de leurs proches ? Dans le cas contraire, comment justifier notre refus de capituler pour sauver des vies ? Devrions-nous effectivement capituler ? Et surtout, notre reddition coûterait-elle la vie à davantage de personnes qu'elle n'en sauverait ?

— C'est un bon résumé, dit Barras. Je pense que Kard pourrait répondre aux deux premières questions. Général ?

L'officier hocha la tête.

— D'abord, je vais répéter à vos collègues ce que je vous ai dit tout à l'heure, quand nous revenions de la porte Nord. Senedai tiendra parole. Que vous en soyez convaincus ou non n'a pas tellement d'importance puisque, sauf erreur de ma part, vous êtes tous prêts à le vérifier dans les faits. Et je n'en attends pas moins de vous. Céder immédiatement serait indigne du Conseil de Julatsa.

Barras, assis à la gauche du général, tenta d'évaluer la réaction de ses collègues. Leurs visages se durcirent, laissant transparaître une détermination plus forte que jamais. Il en fut un peu surpris : en temps normal, les membres du Conseil compatissaient facilement aux malheurs d'autrui. Mais les temps n'avaient plus rien de normal.

— Deuxièmement, continua Kard, il est possible d'empêcher les occupants du Collège d'assister au sacrifice des prisonniers. Nous avons déjà limité l'accès au mur d'enceinte pour des raisons de sécurité, et il n'existe aucun bâtiment d'où on puisse observer la base du Linceul. Si nous interdisons totalement l'accès au mur d'enceinte, nous pourrons nier qu'il s'y passe quelque chose.

— Inacceptable ! cria Vilif.

— Je n'ai pas dit que c'était acceptable, simplement que c'était faisable, répliqua Kard.

— Vous pourrez bloquer la vue, mais pas le son, intervint Seldane. Si Senedai sacrifie des dizaines de gens trois fois par jour, leurs cris résonneront dans tout le Collège. Pensez aux représailles quand nos concitoyens découvriront la vérité.

— De toute façon, il serait surprenant qu'une rumeur ne circule pas déjà, ajouta Cordolan. Sans vouloir nier le professionnalisme de vos soldats, général, une dizaine d'entre eux ont entendu la menace de Senedai. Ils parleront.

— Je vous assure que je ne nourris aucune illusion à ce sujet, dit Kard.

— Très bien, soupira Kerela. Donc, nous ne pourrions pas passer le sacrifice des prisonniers sous silence, même si nous le voulions, et tenter de le faire aliénerait nos concitoyens. Nous en revenons à ma question de tout à l'heure : comment justifier le refus de nous rendre ?

Les membres du Conseil s'agitèrent sur leur siège et évitèrent soigneusement de se regarder. Ce fut Kard qui brisa le silence.

— Ce refus équivaut à dire que la magie est plus importante à nos yeux que la vie humaine ou elfique. Ce qui me paraît très difficile à justifier. N'étant pas un mage, j'imagine quel mal auront nos concitoyens à accepter cette vision des choses. Cela dit, nous n'avons pas encore débattu des conséquences des autres possibilités. Livrer le Collège aux Ouestiens est aussi impensable d'un point de vue humain et elfique que d'un point de vue magique. Notre reddition entraînerait deux choses : d'abord, la mort de tous les mages julatsiens présents dans ces murs, et l'esclavage de nos concitoyens survivants. Pour ma part, je préférerais mourir que d'être forcé à servir les Ouestiens.

Autour de la table, tous partageaient ce sentiment, bien que pour des raisons différentes. Kard voulait préserver son mode de vie. Les membres du Conseil entendaient sauver la magie julatsienne, et ils étaient prêts à tout pour y arriver.

— Il y a autre chose, ajouta Torvis avec une gravité inhabituelle chez lui. Les réfugiés ne peuvent pas nous forcer à lever le LinceulDémoniaque. Même s'ils nous tuaient, il resterait en place. À moins que nous acceptions de le dissiper, il sera actif pendant cinquante jours, jusqu'à ce que Heila vienne demander si nous souhaitons le maintenir plus longtemps.

Kard secoua la tête.

— Vous avez quelque chose à dire ? grogna Torvis. Je me suis borné à exposer les faits.

— Oui, j'ai quelque chose à dire. (Le général repoussa sa chaise et fit lentement le tour de la table, tous les regards braqués sur lui.) Cette attitude conduira au conflit. Dire : « Nous n'en démordrons pas, et vous ne pourrez pas nous y forcer, même en nous tuant », voilà exactement le genre de choses qui me pousserait à vous tuer, si je faisais partie de ceux qui vont entendre mourir leurs proches. À leur place, je vous massacrerais pour être sûr que vous ne surviviez pas aux prisonniers condamnés par votre faute.

« Si vous voulez que nos concitoyens vous soutiennent le plus longtemps possible, faites-leur comprendre que les conséquences d'une reddition seraient pires. Décrivez-leur la vie qu'ils mèneraient comme esclaves des Ouestiens. Rappelez-leur que les Dordovans arrivent à la rescousse, et n'utilisez pas la préservation de la magie julatsienne comme argument. Faites appel à leur bon sens plutôt que de leur imposer votre décision.

— Pourquoi ne le faites-vous pas vous-même, puisque vous les connaissez si bien ? lança Vilif.

Kard s'immobilisa au bout de la table, face à Barras.

— Très bien. Je m'en charge.

Pendant que les prisonniers érigeaient de nouvelles fortifications autour de Sousroc, Tessaya attendait.

Le temps pressait. Darrick et les Ravens étaient en route vers les monts Noirépine. Il devait les empêcher de rejoindre les armées ennemies du sud, les Collèges et surtout Korina. Quatre jours, ce n'était pas beaucoup, mais il avait pensé que Taomi serait tout près de Sousroc, puisqu'il avait rencontré une résistance symbolique dans la baie de Gyernath et sur la route peu fréquentée qui remontait vers le nord. Senedai, chargé d'attaquer les Collèges, se frottait à bien plus forte partie.

Depuis le matin du troisième jour, Tessaya avait passé son temps à sonder le ciel vers le sud, guettant les points noirs qui annonceraient le retour de ses oiseaux. Cet après-midi-là, il fut enfin récompensé. Un pigeon solitaire piquait vers Sousroc. Tessaya attacha ses cheveux dans sa nuque et, debout au sommet de la tour sud fraîchement achevée, suivit l'approche du volatile de son regard perçant. Sans aucun doute, il s'agissait d'un des oiseaux dressés. Il le reconnaissait à sa façon de battre très vite des ailes ou de se laisser planer pour s'économiser quand les courants aériens pouvaient le porter.

Tessaya noua autour de son poignet un ruban vert et rouge, qu'il agita lentement au-dessus de sa tête. Le pigeon gris et blanc vint se percher devant lui, sur la rambarde de la tour. Il le saisit d'une main, le pressa contre sa poitrine et le cala sous son menton en défaisant de sa main libre les messages attachés à sa patte. Puis il le laissa s'envoler de nouveau. L'oiseau prit le chemin du pigeonnier, au-dessus de l'auberge, où il pourrait manger et se reposer.

— C'est plus fiable que les signaux de fumée, pas vrai ? lança Tessaya à la sentinelle en déroulant un premier message codé.

— Oui, seigneur.

Le sourire de l'homme mourut sur ses lèvres quand il vit l'expression de Tessaya.

— Seigneur ? hasarda-t-il.

— Maudits soient-ils ! cracha Tessaya. Maudits soient-ils !

Ignorant le garde, il gagna l'échelle qu'il dévala au mépris de sa sécurité. Ses cavaliers n'avaient pas trouvé le seigneur Taomi. En revanche, ils avaient découvert les cadavres de ses hommes et de ses chamanes, plus des brasiers funéraires comme ceux que dressaient les gens de l'est, et les traces d'une retraite précipitée vers le sud. Ils allaient continuer leur chemin, mais plus lentement. Percuter l'arrière-garde de l'armée qui poursuivait Taomi ne leur aurait pas servi à grand-chose.

Qui avait pu faire ça ? Taomi et ses hommes étaient censés avancer trop vite pour qu'une armée en provenance de Gyernath parvienne à les rattraper. Un seul suspect possible : le riche baron Noirépine, dont le vin prenait soudain un goût amer dans la mémoire de Tessaya. Pourtant, il avait du mal à croire que Noirépine ait pu rassembler une force suffisante pour mettre des bâtons dans les roues de Taomi. Quelqu'un avait dû l'aider.

Tessaya relut les messages une dernière fois avant de rejoindre les baraquements des prisonniers. Le gros Kerus lui fournirait des réponses, à moins d'accepter que les bourreaux ouestiens exécutent une partie de ses hommes. Le temps de la raison était passé. Tessaya devait connaître l'ampleur des forces ennemies et il était prêt à recourir à n'importe quelle méthode pour obtenir ce renseignement.

L'aube se levait. Debout sur le plus haut rempart de la Tour, une brise fraîche lui soufflant au visage, Barras observait la cité endormie, en contrebas.

À un moment comme celui-là, il aurait facilement pu imaginer que rien n'avait changé. Aucune armée ouestienne n'occupait Julatsa au-delà des murs du Collège, et les premiers rayons du soleil n'allaient pas éclairer le massacre de cinquante innocents dont l'âme nourrirait l'insatiable appétit des démons, et pèserait à jamais sur la conscience de Barras.

Mais deux choses dissipaient l'illusion qui aurait pu lui apporter la paix de l'esprit : la grisaille oppressante du LinceulDémoniaque qui les enveloppait, et la tour presque achevée qui le surplombait.

Le Conseil s'était mépris à son sujet. Les Ouestiens n'avaient aucune intention de tenter de franchir le Linceul en utilisant cette structure de plus de vingt-cinq mètres de haut. S'ils l'avaient munie de roues, c'était pour qu'elle puisse contourner le Collège. Et ils l'avaient revêtue d'acier pour la protéger du feu et des sorts. Ils voulaient voir ce qui se passait dans la place-forte ennemie. Barras devait concéder qu'ils avaient trouvé un moyen ingénieux de parvenir à leurs fins.

Dans les ténèbres qui précèdent l'aube, le vieil elfe sonda le périmètre de la cité. La lumière naissante révélait peu à peu le voile gris du LinceulDémoniaque, hideux rappel de l'horreur qu'ils côtoyaient depuis des jours. Les Ouestiens – ou plutôt, leurs prisonniers – n'étaient pas restés inactifs, et les preuves de leur intention d'occuper le terrain à long terme ne cessaient de se multiplier. Des tours de garde fixes étaient en construction en une demi-douzaine d'endroits, et des fortifications prenaient naissance entre elles. Elles monteraient lentement : il n'y avait pas beaucoup de bois de construction dans les parages et Julatsa était une cité étendue. Mais dans trois semaines, une barricade de bois l'encerclerait.

Barras se concentra sur l'enceinte du Collège, dont la Tour et ses dépendances occupaient le centre. Face à lui, les trois salles d'essai où les mages testaient leurs sorts s'étendaient de l'autre côté de la cour pavée qui encerclait la Tour. Chacune était un bâtiment rectangulaire de plus de soixante-dix mètres de long, au plafond bas et aux murs renforcés. Au fil des siècles, elles avaient abrité les succès les plus retentissants de Julatsa et ses tragédies les plus atroces. À présent, elles étaient transformées en quartiers d'habitation pour les réfugiés. Tout comme les salles de lecture, l'ancienne salle de réunion, l'auditoire principal et la Cuve à Mana où les apprentis apprenaient à accepter et à contrôler l'énergie magique. Seuls la bibliothèque et les magasins de nourriture restaient hors limites.

Malgré l'heure, une centaine de personnes se pressaient déjà dans la cour. Grâce à Kard, beaucoup avaient désormais conscience du sort qui attendait les malheureux tombés entre les mains des Ouestiens. Le général n'avait pas dormi. Un membre du Conseil et lui s'étaient relayés pour visiter chaque poche de population dans l'enceinte du Collège, et pour expliquer la situation du mieux possible. Jusque-là, leurs paroles avaient été accueillies avec tristesse et anxiété, mais sans colère. Barras devait assister à la dernière réunion.

D'abord, il voulait essayer de gagner un peu de temps pour tous les Julatsiens.

Il descendit de la Tour et gagna rapidement la porte Nord. Là, il monta jusqu'au poste de garde.

— Je dois parler à Senedai, dit-il à la sentinelle. Excusez-moi.

Il sortit sur les remparts qui surplombaient la porte Nord. En tendant le bras, il aurait presque pu toucher le LinceulDémoniaque. De l'autre côté, trois gardes ouestiens étaient assis autour d'un petit feu de camp, au centre d'une zone découverte coincée entre le Collège et les premiers bâtiments de la cité.

— Je désire parler à votre seigneur ! cria Barras.

Les Ouestiens levèrent les yeux vers lui. L'un d'eux se redressa et s'approcha, une main en cornet derrière son oreille.

— Je dois parler à votre seigneur, dit Barras.

Pour toute réponse, il reçut un torrent d'imprécations en ouestien tribal et un haussement d'épaules.

— Imbécile, marmonna-t-il. (Puis, plus haut :) Senedai. Allez chercher Senedai !

Il y eut une pause qui sembla durer une éternité. Puis le garde s'éloigna, tandis que ses camarades éclataient de rire en désignant Barras.

— Riez pendant que vous le pouvez encore, murmura l'elfe.

Il sourit et agita la main dans leur direction.

Il n'eut pas à attendre longtemps. Senedai émergea de la pénombre et avança dans la lueur des flammes.

— Vous avez vraiment attendu le dernier moment, dit-il en s'immobilisant à une distance prudente du Linceul. Je suppose que vous allez me signifier votre reddition.

— En effet, seigneur Senedai, mais pas tout de suite. Nous ne sommes pas prêts.

— Dans ce cas, cinquante prisonniers vont mourir.

Il fit mine de repartir.

— Non, attendez ! cria Barras.

Senedai se tourna de nouveau vers lui.

— Je vous écoute, mais ça ne fera aucune différence.

— Vous ne comprenez pas dans quelle situation nous sommes.

— Oh que si ! Vous êtes désespérés. Sans moyen de vous en sortir, vous essayez de gagner du temps. Ai-je raison ?

— Non, affirma Barras, conscient que sa tentative était vouée à l'échec. Mettez-vous à notre place. L'anxiété est très forte ici. Notre peuple a peur. Nous avons besoin de temps pour le calmer et pour l'assurer de vos intentions honorables. Mais surtout, pour mettre nos affaires en ordre.

— Pourquoi ? s'étonna Senedai. Vous ne pouvez rien emporter, et ce que vous laisserez nous reviendra. Votre peuple a raison de craindre notre force et notre férocité. La seule façon de lui prouver que nous ne sommes pas des sauvages impitoyables, c'est de le remettre entre nos mains.

— Je fais appel à votre humanité, mais aussi à votre bon sens et à votre raison, insista Barras. Nous pouvons calmer notre peuple, ce qui vous aidera autant que nous. Mais il faudra du temps. De toute manière, il est dans votre intérêt que le Collège soit un endroit sûr quand vous franchirez enfin ses portes en vainqueurs. Le mana est une force dangereuse pour ceux qui ne la maîtrisent pas. Si vous entrez maintenant, je ne peux garantir votre survie.

— Oseriez-vous me menacer ? demanda Senedai d'une voix dure.

— Non. Je vous dis seulement la vérité, répliqua calmement Barras.

— Et pourtant, vous attendez l'aube pour me la révéler.

— Je suis navré, mais nous n'avons jamais été dans cette situation, et nous n'avons aucune idée du laps de temps nécessaire pour obstruer la source de notre magie. Néanmoins, nous devons le faire. Sinon, toute la cité sera perdue, et vos hommes avec.

Senedai ouvrit la bouche pour parler, mais il se ravisa, perplexe. Barras saisit sa chance.

— Vous pouvez commencer à massacrer des innocents si ça vous chante, mais nous n'ouvrirons pas les portes, et nous ne lèverons pas non plus notre protection. Pas parce que le sort de vos prisonniers nous indiffère, mais parce que nous devons assurer la sécurité de ce Collège quand il ne restera plus de mages dans son enceinte. Nous avons une responsabilité envers tout Julatsa, pas seulement vis-à-vis de la partie de sa population que vous pourriez exécuter. Seigneur Senedai, je vous implore de me croire.

Senedai fixa longuement Barras. Il hésitait, car il n'avait pas les connaissances nécessaires pour confirmer ou infirmer les propos de l'elfe.

— Je dois réfléchir, déclara-t-il enfin. Combien de temps vous faudra-t-il pour obstruer votre source de mana ?

Barras haussa les épaules.

— Six jours, peut-être davantage.

— Vous me prenez pour un idiot ? s'exclama Senedai. Six jours ! Et je n'ai pas de preuve que vous dites la vérité !

— Je ne peux pas vous en donner, admit Barras. Donc je me contenterai de souligner que vous mentir ne nous servirait à rien. Personne ne viendra à notre secours, et nous n'avons pas la possibilité d'appeler des renforts. Je comprends que vous soyez impatient de repartir, mais vous devez d'abord assurer votre position ici. Jusqu'à ce que nous soyons prêts, vous ne pourrez pas le faire. Ce que nous projetons est dans votre intérêt autant que dans le nôtre.

— Si vous mentez, je vous couperai la tête moi-même.

— J'accepte ce marché.

— Six jours, marmonna Senedai. Je vous en accorderai peut-être deux ou trois. Ou aucun. Les cris des mourants vous indiqueront le moment où ma patience sera épuisée. (De nouveau, il fit mine de s'éloigner, mais s'arrêta et se tourna vers Barras.) Vous jouez sur mon ignorance de tout ce qui concerne la magie. Peut-être interrogerai-je un des mages que nous avons capturés, afin de m'assurer que vous n'avez pas menti.

— Je croyais qu'ils étaient tous morts, dit l'elfe.

— Comme moi, vous n'êtes pas en position de croire tout ce qu'on vous raconte.

Senedai appela un garde pour l'escorter et fit demi-tour.

— Ça, c'est la touche spéciale du négociateur ! lança Kerela.

Kard et elle étaient avec Barras dans la salle d'essai la plus au sud. Devant eux, la foule soumise se rassemblait pour entendre le discours du général.

— Que devez-vous faire pour neutraliser la source de la magie julatsienne ? demanda-t-il.

— Je n'en ai pas la moindre idée. Rien du tout, à mon avis, avoua Barras. J'ai été surpris que Senedai sache aussi peu de choses sur la nature aléatoire du mana, et sur son innocuité à l'état naturel.

— Tant mieux pour nous. (Kard flanqua une claque dans le dos de Barras. Puis son expression redevint inquiète.) Mais il ne nous laissera pas six jours. Il n'est pas stupide à ce point.

— Un seul sauvera cent cinquante vies, lui rappela Kerela.

Barras secoua la tête.

— Ne sous-estimez pas les préjugés des Ouestiens. La magie les terrifie à un niveau primaire. Senedai sait qu'il a gagné. Quelques jours de plus ou de moins ne feront pas une grande différence.

— Il est peut-être terrifié, mais ça ne l'a pas empêché de piller la cité. (Kard tira sur l'ourlet de sa veste d'uniforme pour la rajuster.) Je comprends votre point de vue, mais son impatience aura bientôt raison de lui. Les prisonniers n'ont aucune valeur à ses yeux, surtout ceux qui ne peuvent pas faire de travaux pénibles. Les enfants, les femmes et les vieillards seront envoyés les premiers dans le Linceul. Et dans trois jours tout au plus !

— Je suis d'accord, dit tristement Kerela. S'il ne peut pas vérifier ce que vous lui avez raconté, il partira du principe que vous lui avez menti et il commencera les sacrifices pour nous inciter à nous dépêcher.

Barras hocha la tête. Il comprit qu'il serait de nouveau obligé de négocier avec Senedai, et toute la satisfaction apportée par une victoire mineure disparut.

Kard se tourna vers les trois cents personnes rassemblées dans la salle d'essai.

— Merci d'être venus et de vous être montrés aussi patients. Je suppose que beaucoup d'entre vous ont déjà entendu parler de ce qui se passe hors de nos murs. Pour les autres, je vais faire un bref résumé de la situation. Et je vous demanderai de garder vos questions pour plus tard.

Barras laissa dériver son esprit. Trois jours. Les Ouestiens étaient huit fois plus nombreux, et il n'y avait que des guerriers parmi eux. Au moins les mages avaient eu le temps de se reposer. De l'aide arrivait de Dordover, mais le LinceulDémoniaque empêchait la Communion, et il interdirait à tout autre sort de franchir son périmètre. En attendant d'éventuels renforts, le Conseil devait tirer ses propres plans. Il n'était pas question que Julatsa capitule sans se battre.

À présent que les réfugiés étaient au courant de la situation, ils pouvaient penser à une stratégie. Si le Collège devait tomber, se promit Barras, ce serait au terme d'une bataille légendaire.

Chapitre 11

Les Ravens – enfin, Ilkar et Thraun – entendirent un petit bruit en provenance du campement ouestien, bien avant de capter le clapotis de l'eau sur la rive ouest du bras de Triverne.

C'était la nuit, six jours après qu'ils se furent séparés de Styliann et de Darrick. Se fiant aux perceptions aiguisées de Thraun et à l'expérience de l'Inconnu, ils avaient cheminé rapidement jusqu'au pied des Dents de Sunara, la principale chaîne de montagnes du nord de Balaia. Au fil des heures, le terrain était devenu de plus en plus accidenté. Forcés d'emprunter des pistes secondaires pour contourner les villages et les postes de garde ouestiens, ils avaient gravi des falaises abruptes et des pentes couvertes d'ardoise glissante, puis traversé des vallées boisées et des plateaux au sol gelé.

Pendant ces six jours, Hirad avait senti grandir son inquiétude en voyant Denser se retirer de plus en plus en lui-même. L'euphorie initiale de sa réussite avait cédé la place à un abattement maussade, puis à un refus total de communiquer. Même Erienne subissait sa mauvaise humeur. Chaque fois qu'elle osait un geste tendre, le Xetesk la rabrouait durement.

— Il a l'impression d'avoir fait tout ce qu'il était né pour faire, avait-elle expliqué le soir du quatrième jour, après que Denser se fut retiré pour dormir, dès la dernière bouchée de son repas engloutie. Je suis sûre qu'il se soucie de moi et de notre enfant à naître. Mais il le cache bien. Il a passé tellement de temps à courir après AubeMort et la perfection que le sort représentait, qu'il doit se sentir complètement perdu.

— Même une invasion draconique imminente ne suffit pas à rallumer son feu sacré, dit Ilkar. Si tu me pardonnes le mauvais jeu de mots.

— Depuis le lancement du sort, le sentiment d'urgence qui l'habitait a disparu… Je concède que c'est un peu étrange, avec ce que nous avons appris la nuit dernière.

Erienne faisait allusion à la Communion qui lui avait révélé les premiers résultats significatifs de la mesure du NoirZénith. À moins que les Ravens découvrent un moyen de refermer la fissure, Parve serait complètement recouverte dans un peu plus de trente jours. Trente jours avant que les dragons règnent sur Balaia.

Pour Hirad, cet événement appartenait à un avenir lointain. Dans l'immédiat, ils devaient franchir la barrière des Ouestiens pour gagner Julatsa. Ils avaient fait halte dans une dépression, à l'abri du vent cinglant qui soufflait sur le bras de Triverne. Au-dessus d'eux, les arbres se balançaient et bruissaient, l'herbe s'aplatissait sur le sol et les buissons d'épineux frémissaient. Les Ravens avaient glissé vers le pied d'une longue pente boueuse entre deux parois rocheuses abruptes, produit d'un ancien glissement de terrain, pour s'immobiliser au fond de la dépression. La pente d'en face était couverte de bruyères aux fleurs pourpres, et jonchée de cailloux que seule la succion de la terre humide maintenait en place. Çà et là, des arbres rabougris poussaient à l'abri du vent. Thraun et Ilkar avaient escaladé la rive pour observer ce qui se passait au bord du bras de Triverne.

Hirad frotta l'une contre l'autre ses mains gantées et accepta une chope de café tiède en se réjouissant que les Ravens aient décidé de conserver le poêle de Will. Plus tôt dans la journée, comme leurs chevaux les ralentissaient davantage qu'ils ne les aidaient, ils les avaient libérés dans une vallée boisée, détruisant leur selle, leur harnais, leurs étriers et tout ce qu'ils ne pouvaient pas emporter. Au terme d'un bref débat, Thraun avait chargé sur ses épaules le poêle de Will – un poids qui ne le ralentirait pas. À présent, tous se réjouissaient de la chaleur qu'il leur dispensait. Posé sur une pierre plate, il émettait une fine colonne de fumée invisible dans le ciel plombé, et une lumière insuffisante pour éclairer leurs visages – donc trop chiche pour trahir leur position.

Il restait cinq heures avant l'aube.

— À quelle distance sommes-nous de l'ennemi ? demanda Hirad.

— Peut-être une demi-heure, au pas de course, répondit Thraun. Mais si nous ne voulons pas être repérés, nous devrons arriver par le nord, ce qui nous prendra à peu près le double.

— À quoi avons-nous affaire ? demanda l'Inconnu.

— Tu pourras le voir par toi-même : le reflet du clair de lune sur l'eau produit une lumière suffisante, affirma Ilkar. Mais d'après nos estimations, il s'agit d'un campement de trois cents personnes dont les tentes sont disposées en demi-cercles autour des étendards et des feux, selon la coutume tribale. Il y a trois tours de garde orientées vers l'intérieur des terres, et au centre, un groupe de pavillons qui doit contenir l'équipement nécessaire à la traversée du bras. La route principale vient du sud. Nous devrons contourner le camp pour arriver par le nord, au-delà de la dernière tour de garde. Mais même comme ça, ça risque d'être difficile.

Hirad hocha la tête.

— Des bateaux ?

— Une multitude ! Du petit voilier jusqu'au galion capable de naviguer sur les océans. Les dieux seuls savent où les Ouestiens se les sont procurés. Nous ne devrions pas avoir de mal à trouver une embarcation qui corresponde à nos besoins.

— Qu'y a-t-il sur la rive opposée ? demanda Will.

— Un camp plus lourdement fortifié, je présume, dit Thraun. Mais nous n'avons pas pu voir. De toute manière, pour l'éviter, nous naviguerons en direction de l'embouchure des chutes de Goran.

— Ce qui réduira un peu la durée de notre voyage, dit l'Inconnu.

— Et pour les chevaux ? demanda Will.

— Une fois de l'autre côté, répondit Ilkar, nous aurons deux options : voler des montures aux Ouestiens, ou espérer que la Garde du lac de Triverne ait survécu. Ce n'est pas si improbable, étant donné que nos envahisseurs ne semblent pas s'être aventurés au-delà de Julatsa pour le moment.

— Assez de théorie, dit Hirad. Passons maintenant à la pratique. Comment nous emparer d'un bateau sans réveiller tout le camp ?

— Finis ton café et viens voir, fit Ilkar. Thraun et moi avons une idée.

Peu après, les Ravens se postèrent – à plat ventre – au sommet d'une pente couverte de fougères qui descendait vers les prairies et la plage bordant le bras de Triverne. Au sud, elle s'achevait par un escarpement abrupt, au pied des monts Noirépine. Au nord, les montagnes et les collines s'aplatissaient en approchant de la côte, à une journée de cheval de là.

Face à eux se dressait l'avant-poste ennemi, plongé dans le silence malgré les Ouestiens assis autour du grand feu qui brûlait au centre d'un hexagone de pavillons. Le long du rivage, d'autres feux plus petits illuminaient les rangées de bateaux tirés sur le sable. Partout ailleurs, seul le reflet de la lune à la surface de l'eau éclairait le campement.

La lumière naturelle colorait de bleu la vision d'Hirad, ce qui ne l'empêcha pas de distinguer les trois tours de garde abritant chacune deux hommes et une cloche, selon le rapport d'Ilkar et de Thraun. La tour sud dominait la piste principale, qui s'éloignait en serpentant vers le sud-ouest, et surplombait un corral rempli de chevaux et de bétail. Non loin de là, le barbare aperçut des poulaillers et des enclos à cochons, leurs occupants ne faisant pas le moindre bruit. Un rapide examen du camp ne lui révéla aucun Destrana, mais il ne doutait pas que les chiens de guerre soient quelque part, probablement de garde dans les pavillons pour dissuader les soldats de venir voler un supplément de nourriture.

Les deux autres tours, disposées à égale distance sur le périmètre du camp, dissimulaient partiellement des groupes de tentes dressées autour de feux éteints ou des étendards claquant au vent. Thraun avait raison : ils devaient les contourner pour approcher du rivage par le nord, où ils seraient repérables d'une seule tour.

— D'ici, vous pouvez voir notre point d'accès, dit le métamorphe à voix basse. Il nous faudra traverser la pointe supérieure du camp, en évitant le feu principal pour descendre sur la plage. Nous serons obligés de neutraliser les gardes de la tour pour qu'ils ne donnent pas l'alarme. Ilkar propose que deux d'entre nous les surprennent sous MarcheVoilée et les saignent le plus discrètement possible. Ça fera déjà un premier obstacle éliminé.

— Deux mages, donc, grogna Denser. Auxquels pense-t-il ?

— Tu peux t'adresser directement à moi, tu sais, dit sèchement Ilkar. J'arrive encore à te comprendre.

Hirad soupira.

— Nous devons travailler ensemble, ou nous nous ferons tous tuer, dit-il avec un regard sévère pour Denser. Je sais que c'est difficile pour toi en ce moment, mais nous avons encore du pain sur la planche, et nous avons besoin de ton aide pour en venir à bout. Il y a trois cents Ouestiens en bas. Combien de temps crois-tu qu'il nous restera à vivre s'ils s'aperçoivent que nous volons leurs bateaux ?

— Je suis parfaitement conscient de notre position. Je voulais juste savoir qui Ilkar comptait désigner pour sa mission suicide.

— Toi et moi, répondit l'elfe. Avec un peu de chance, ça détournera ton attention de tes souffrances intérieures.

— Tu n'as aucune idée de ce que je ressens ! cria Denser.

Pourtant, l'elfe ne cherchait pas à se moquer de lui.

— Je sais... Mais tout ce que je vois, c'est que tu fais de ton mieux pour que nous en bavions autant que toi. Essaie de participer un peu. On ne sait jamais, peut-être que ça te plaira. Et ça facilitera la vie des autres membres du groupe.

— Essaie d'achever l'œuvre de ta vie et de la voir se retourner contre toi. On ne sait jamais, peut-être que ça te plaira, riposta Denser.

— Assez ! intervint l'Inconnu. Nous n'avons pas beaucoup de temps. Thraun, tu disais ?

— Tout repose sur la tour de garde. Comme vous le voyez, il est impossible de l'éviter en passant plus au nord, parce que la falaise est trop abrupte pour que nous la descendions, et qu'on nous verrait fatalement. Nous devrons traverser le camp en douce et filer vers la plage en restant dans l'ombre de la paroi.

Thraun désigna les zones dont il parlait, mais Hirad ne put les distinguer clairement.

— Ton plan se borne à ça ? demanda Will.

Le métamorphe secoua la tête.

— Pas tout à fait. D'abord, nous avons pensé à une solution de rechange au cas où les Ouestiens nous repéreraient. Ensuite, nous nous demandions s'il ne serait pas judicieux d'en profiter pour faire un petit sabotage...

— Par les dieux, marmonna Denser.

Hirad sourit.

— Il serait malpoli de notre part de laisser passer une telle occasion, dit-il.

Styliann ne marcha pas vers la baie de Gyernath. Et il n'avait jamais eu l'intention de le faire. Avant de quitter la pitoyable cavalerie de Darrick, il avait été contacté par les Xetesks qui en faisaient partie. Mais ils n'avaient rien à lui offrir, et il n'était pas d'humeur à s'encombrer de mages qui le ralentiraient.

Il approcha donc des fortifications de l'extrémité est de la passe de Sousroc avec ses quatre-vingt-dix Protecteurs pour seule compagnie. La garnison comptait quelque mille cinq cents guerriers ouestiens. Pourtant, Styliann ne s'inquiétait pas. En cas de combat, il était persuadé de pouvoir forcer ses adversaires à se rendre ou à fuir. Mais il n'était pas venu pour se battre : seulement pour organiser un passage le plus rapide possible vers l'ouest, et pour promettre une chose qu'il n'avait aucune intention d'accorder. Son aide.

Son arrivée sema la consternation sur la plate-forme qui longeait la face intérieure des fortifications inachevées. Des cris résonnèrent dans l'air, des archers bandèrent leurs arcs et des chiens aboyèrent. Styliann reçut l'ordre de s'arrêter. Il obtempéra, la lumière mourante de cette fin d'après-midi faisant scintiller le masque de ses Protecteurs dont le calme et l'immobilité inquiétaient visiblement les Ouestiens.

Assis sur le dos de son cheval, au centre de sa garde rapprochée, les mains sur le pommeau de sa selle, Styliann regarda les Ouestiens établir un semblant d'ordre dans leurs rangs. Leur pulsion d'attaque initiale fut étouffée dans l'œuf. De leurs rangs émergea un homme flanqué de quatre autres. Il traversa d'un pas décidé l'espace qui les séparait pour s'immobiliser à quelques mètres des premiers Protecteurs. Une vingtaine de têtes masquées pivotèrent imperceptiblement vers lui. Autant de corps se tendirent, prêts à bondir.

L'Ouestien s'exprima en dialecte tribal, avec un accent à couper au couteau, d'une voix rapide mais confiante.

— Vous êtes sur les terres des tribus unifiées. Veuillez décliner la raison de votre présence.

— Navré de vous avoir surpris, répondit Styliann dans un ouestien rouillé, mais suffisant tant qu'il n'essayait pas de faire dans la nuance. Avant de vous répondre, j'aimerais savoir à qui je m'adresse.

Son interlocuteur inclina légèrement la tête.

— Votre maîtrise de notre langue mérite que nous vous témoignions un certain respect. Je m'appelle Riasu. Et vous, qui êtes-vous ?

— Styliann, Seigneur de Xetesk. Êtes-vous le commandant de cette garnison ?

Riasu hocha la tête.

— Je dispose d'une force de deux mille guerriers qui ont fermé la passe à nos ennemis. Auxquels, soit dit en passant, vous ressemblez fort.

Styliann était certain que l'Ouestien ne s'exprimait pas dans un langage aussi châtié. Mais c'était la meilleure traduction qu'il pouvait faire.

— Les compétences des guerriers ouestiens sont très réputées, déclara-t-il en cherchant ses mots. Mais vous n'avez pas de magie. Je peux vous en procurer.

Riasu éclata de rire.

— Nous n'avons pas besoin de votre magie. Elle est maléfique et doit disparaître. Comme vous !

Malgré la menace explicite, Styliann resta impassible.

— Je connais votre peur…

— Nous n'avons peur de rien ! coupa Riasu.

Styliann leva les mains.

— Disons, vos… euh… croyances. Mais en vérité, vos flèches ne sauraient m'atteindre, pas plus qu'elles n'atteindraient mes hommes. Essayez, si vous voulez.

Il lui fallut quelques secondes pour lever un BouclierDéfensif. Mais Riasu secoua la tête.

— Je connais votre magie. Qu'avez-vous à dire pour me dissuader de vous couper la tête ?

— Qui est le chef de votre armée dans l'est ?

— Le seigneur Tessaya.

— Je veux lui parler.

— Vous pourrez le faire si je vous laisse passer. Or, je n'en ai pas l'intention. Je répète ma question : que désirez-vous ?

Styliann n'était pas prêt à faire la démonstration de son pouvoir. Que Riasu n'ait pas encore ordonné à ses hommes de l'attaquer témoignait de la prudence des Ouestiens, de leur crainte de la magie et du respect inspiré par les Protecteurs. Néanmoins, il craignait que ce seigneur de guerre mineur ne se méprenne sur ses intentions, et il ne voulait pas gaspiller un seul Protecteur de ce côté de la passe.

— Pourquoi ne pas nous asseoir autour d'un feu pour manger et pour parler ? proposa-t-il. Ici, en territoire neutre.

— Très bien.

Riasu cria ses ordres aux soldats postés devant les fortifications, qui apportèrent du bois, une marmite et de la nourriture. Renonçant à toute politesse hypocrite, Styliann et Riasu s'assirent de part et d'autre du feu, une dizaine de gardes derrière chacun d'eux. Les autres Protecteurs battirent en retraite à une distance égale à celle qui séparait les Ouestiens de leur commandant.

Styliann réprima un sourire. Visiblement, Riasu ignorait la nature du lien qui unissait les Protecteurs. Si un problème surgissait, le commandant de la garnison mourrait, ses hommes seraient balayés et Styliann recevrait tous les renforts dont il aurait besoin bien avant que les autres Ouestiens les aient rejoints. Mais cet arrangement rassurait Riasu, et c'était tout ce qu'il lui fallait.

Une coupe de vin et un morceau de viande à la main, Riasu prit la parole.

— Je n'irai pas jusqu'à dire que c'est un plaisir. Mais je ne sacrifierai pas mes hommes dans un combat inutile. Une des choses que Tessaya nous a enseignées...

— Ce qui n'a pas empêché beaucoup de vos compatriotes de périr à Julatsa, répliqua Styliann.

Souhaitant conserver l'esprit clair, il s'était contenté d'un thé dont un sort de divination lui avait révélé l'innocuité. Le breuvage était amer et un peu trop fort. Au moins, il ne lui ferait aucun mal.

— Je ne suis pas au courant.

— Moi, si.

Styliann observa la réaction de son interlocuteur, sa vision magique lui permettant, malgré l'obscurité, de voir l'ombre d'un doute passer sur le visage de Riasu.

— Vos préjugés contre la magie vous desservent, continua-t-il. Vous la haïssez parce que vous ne la comprenez pas. Si vous la compreniez, vous vous apercevriez qu'elle pourrait vous être d'un grand secours.

— Ça m'étonnerait ! ricana Riasu. Nous sommes une race de guerriers. Vos tours de passe-passe vous permettent de tuer, de blesser et de voir à distance, mais ils ne nous empêcheront pas de triompher.

Styliann soupira. La conversation tournait en rond.

— Pourtant, vous avez dit refuser de gaspiller la vie de vos hommes. Si vous ne m'écoutez pas, c'est exactement ce que vous ferez.

Styliann maudit son manque de vocabulaire en ouestien tribal. Ses arguments manquaient de la force nécessaire pour ouvrir les yeux de Riasu et lui donner accès à la passe.

— Que me proposez-vous ? demanda l'Ouestien, sans montrer le plus petit signe qu'il avait entendu – et encore moins compris – tout ce que Styliann lui avait dit jusque-là.

— C'est très simple. Je veux regagner mon Collège au plus vite. Vous souhaitez détruire toute magie. Aidez-moi à atteindre mon objectif et je vous aiderai à atteindre le vôtre, à condition que vous épargniez la magie xetesk.

— Nous avons juré de détruire toutes les formes de magie. Pourquoi traiterais-je avec vous ?

— Vous ne pourrez jamais détruire *toutes* les formes de magie ! L'Art survivra aussi longtemps que le dernier de ses pratiquants. Et il aura le temps de l'enseigner à d'autres avant sa mort. En outre, vous ne réussirez pas à prendre Xetesk.

— Vous semblez si sûr de vous... Mais que se passerait-il si vous mouriez ici ?

Styliann se massa les tempes avec le pouce et le majeur de la main droite. Il avait prévu que Riasu se montrerait aveugle et entêté, mais ça ne diminuait pas sa frustration.

— Vous ne pouvez pas me tuer. Vous n'êtes pas assez forts, dit-il en regardant l'Ouestien dans les yeux.

— Vous osez me menacer sur mes propres terres ?

— Non. (Styliann s'autorisa à se détendre et à sourire.) J'énonce une vérité.

— Deux mille hommes, dit Riasu en désignant les fortifications derrière lui.

— Je sais. Mais vos croyances... (Si seulement il avait connu le mot pour « ignorance » !)... à propos de la magie vous empêchent de voir la vérité. J'ai moins d'une centaine d'hommes, mais si je devais vous combattre, je ne craindrais pas l'issue de notre affrontement. Ils sont nés de la magie. Si vous les voyiez en action, vous comprendriez.

— Nous vous massacrerions !

— Vous êtes de bons guerriers, mais vous ne maîtrisez pas la magie. Je n'ai pas envie de me battre contre vous. Laissez-moi parler à Tessaya.

Riasu leva un index.

— Très bien. Je vous propose un test. Un de vos guerriers masqués contre deux de mes hommes.

— Ce serait un combat déloyal. Je détesterais verser le sang de vos braves.

— Dites-moi ce qui vous paraîtrait plus juste.

— Un de mes Protecteurs contre quatre de vos hommes, armés ou non. Mais encore une fois, ce n'est pas ce que je désire.

Riasu fronça les sourcils.

— Quatre ? Il faut vraiment que je voie ça. Et je préférerais armés. Sinon, ce ne serait pas un véritable combat.

Se penchant sur la gauche, il dit quelques mots à l'un de ses gardes du corps, qui retourna en courant vers les fortifications.

— Choisissez votre champion.

— Vous êtes sûr ? Ce sera un massacre inutile, dit Styliann en faisant la moue.

— Pour vous, peut-être, répliqua Riasu.

— Comme vous voudrez.

Styliann se leva, abandonnant son repas. L'issue semblait désormais inévitable. Mais Riasu la prendrait-il comme une insulte ou le respecterait-il davantage ? De l'index droit, il fit signe au Protecteur le plus proche.

— Choisis un de tes semblables prêt à se battre. Il ne s'agit pas de me protéger, mais de prouver quelque chose à cet homme. Je veux que le combat soit expédié le plus vite possible, et qu'il fasse couler un maximum de sang. C'est compris ?

— C'est compris.

— Parfait. Alors, qui se dévoue ?

Le Protecteur garda quelques instants le silence pendant qu'il communiait avec ses frères.

— Cil.

— Donnez-lui votre force et votre vision pour qu'il ne commette pas d'erreur, ordonna Styliann.

— Ce sera fait.

Le Protecteur se détourna. Cil se détacha du groupe qui se tenait à l'écart du feu. Il s'avança dans la lumière, son masque d'ébène poli reflétant les flammes jaunes. De son regard impassible, il fixa les quatre Ouestiens qui s'étaient rassemblés sur la gauche et s'appuyaient sur leurs armes.

Styliann fit face à Riasu. Le seigneur tribal semblait nerveux et hésitant, contrairement aux guerriers qu'il avait choisis pour le représenter : quatre colosses vêtus de fourrure et coiffés de métal. Deux d'entre eux portaient une épée longue, les autres une hache à double tranchant. Ils se déployèrent en demi-cercle alors que Cil approchait, une hache dans la main droite et une épée longue dans la gauche. Sanglé dans sa cuirasse, il mesurait près d'un mètre quatre-vingt-dix, une taille qui lui permettait de toiser le plus grand de ses adversaires. Les armes baissées le long des flancs, il attendit sereinement.

— Vous pouvez encore sauver vos hommes, dit Styliann.

Riasu secoua la tête avec un demi-sourire.

— Ils se sauveront eux-mêmes. Allez-y !

Les Ouestiens avancèrent pour encercler Cil. Le Protecteur resta immobile, sans prêter – apparemment – une once d'attention aux deux hommes qui le menaçaient par-derrière. Le menton levé, le dos à peine voûté et les genoux fléchis, il observait le guerrier debout face à lui, qui fit un signe à ses camarades. Un des soldats placés derrière Cil bondit en visant son dos. Le Protecteur fit décrire un demi-cercle à sa hache et para le coup sans se retourner ni bouger les pieds.

Les quatre Ouestiens tournèrent autour de Cil, cherchant une ouverture.

Styliann croisa les bras. Il restait seulement à attendre que les guerriers ennemis courent vers leur mort. Soudain, il oublia son désir de ne pas verser de sang. Les Ouestiens avaient peut-être besoin de cette démonstration. Histoire de leur rappeler que la prise de Sousroc et de sa passe ne signifiait pas grand-chose pour les mages de Xetesk.

Cil n'avait toujours pas bougé. Styliann savait qu'il écoutait ses frères, qu'il sentait le sol sous ses pieds et goûtait l'air autour de lui. Décidant que seul le nombre leur permettrait de remporter la victoire, les quatre Ouestiens attaquèrent ensemble. Comme s'il s'était dédoublé, Cil dévia la première arme ennemie avec son épée longue en faisant décrire un arc-de-cercle à sa hache qui acheva sa course dans la tempe d'un des hommes placés derrière lui. L'Ouestien s'effondra, du sang et de la cervelle suintant de son crâne fendu.

Cil ramena sa hache devant lui pour dévier celle d'un autre guerrier. Forçant pour le désarmer, il plaça son épée longue parallèlement à son dos pour contenir le quatrième homme. Puis il tira d'un coup sec sur le manche de sa hache, déséquilibrant l'Ouestien qui croisait le fer avec lui. Enfin, il bougea les pieds pour la première fois, tournant d'un quart de tour sur la gauche pour projeter l'homme titubant dans les pattes d'un de ses camarades. Tous les deux s'écroulèrent sur le sol.

Cil se retourna de nouveau, pour parer un coup qui visait son flanc. Sa hache perça la garde de son adversaire à hauteur de la taille, mordit dans son ventre et ressortit un peu plus haut par sa cage thoracique, éparpillant son sang et ses entrailles tandis qu'il faisait face aux deux derniers hommes, qui se relevèrent précipitamment. Mais Cil fut plus rapide. Il en écarta un d'un revers de hache et plongea son épée dans le cœur de l'autre. Puis, avant que Styliann puisse lui ordonner de s'arrêter, il décapita le survivant.

Le combat terminé, il reprit sa position initiale, du sang dégoulinant le long de ses armes.

Styliann se tourna vers Riasu, qui observait bouche bée les cadavres de ses hommes.

— Maintenant, imaginez que tous mes Protecteurs se lancent à l'attaque, et que je les soutienne avec ma magie. C'est vous qui avez voulu cela, pas moi.

Riasu se retourna, fou de rage et d'humiliation.

— Vous me le paierez de votre vie !

Il fit un geste du tranchant de la main. Des flèches tombèrent des fortifications, filant vers les Protecteurs qui se tenaient en rangs serrés, leur attention rivée sur Cil. Les pointes métalliques scintillèrent brièvement à la lueur du couchant avant de rebondir sur le BouclierDéfensif de Styliann.

— Vous me mettez à l'épreuve. Je n'en attendais pas moins de vous. Mais à présent, j'exige de parler au seigneur Tessaya.

— N'essayez pas de me donner des ordres ! lança Riasu.

— Choisissez vos prochaines paroles avec soin, l'avertit Styliann. Vous êtes très loin de vos deux mille hommes.

Le regard de Riasu trahit son anxiété. Clignant des yeux, il évalua sa situation. Il était trop près d'une dizaine de Protecteurs à son goût.

— Je ferai envoyer un message au seigneur Tessaya, pour l'informer que vous désirez lui parler, lâcha-t-il enfin.

— Parfait. Je ne veux pas faire couler davantage de sang, dit Styliann.

Riasu se retourna et fit mine de s'éloigner. La phrase suivante de Styliann l'arrêta net.

— Je vous donne jusqu'à demain, même heure, pour m'apporter une réponse. Sinon, je traverserai quand même la passe, avec ou sans votre accord.

— Je n'oublierai pas ce que vous venez de faire, Styliann, Seigneur de Xetesk. Un jour viendra où vous serez seul. Redoutez-le !

Il retourna vers les fortifications à grandes enjambées furieuses, ses gardes du corps s'attardant devant les corps de leurs camarades vaincus.

— Vous pouvez les emmener, dit Styliann. Il ne vous fera pas de mal.

Cil nettoya et rengaina ses armes, puis regagna le groupe de Protecteurs. Suivant Riasu du regard, Styliann se rassit près du feu. Pauvre imbécile ! Il découvrirait, probablement à ses dépens, qu'aucun mage Xetesk – et surtout pas un mage de son rang – n'était jamais seul.

Chapitre 12

Les Ravens marchaient vers le nord en longeant le ravin où ils avaient dressé leur campement temporaire. Le poêle de Will refroidi en jetant de la terre dessus et de nouveau dans sa bâche de cuir, avait repris sa place sur le dos de Thraun. Le métamorphe s'était placé en tête du groupe, flanqué par l'Inconnu. Hirad fermait la marche ; Denser, Ilkar, Erienne et Will avançaient entre les guerriers.

Ils avaient passé en revue diverses options pour s'emparer d'un bateau. La plus simple – envoyer les mages sous MarcheVoilée en dérober un et lui faire remonter le courant jusqu'à l'endroit où les autres Ravens attendraient, un peu en amont – avait été rejetée parce qu'aucun des mages n'était capable de distinguer une proue d'une poupe. Ilkar avait déclenché l'hilarité générale en avouant qu'il ne savait pas nager et qu'il avait une peur bleue de l'eau. De plus, les Ravens ne voulaient pas laisser passer cette occasion de saboter la flotte ennemie.

Finalement, Denser avait souscrit à contrecœur au plan original de l'elfe, mais Hirad s'inquiétait. Le Xetesk n'était pas dans son état normal. Ça risquait de mettre Ilkar en danger quand ils escaladeraient la tour de garde.

Avant de s'attaquer à leur entreprise de sabotage, ils devraient s'assurer la possession d'un bateau adapté à leurs besoins. Les feux d'artifice qu'Ilkar prévoyait de lancer feraient sauter leur couverture et les obligeraient à battre rapidement en retraite. Néanmoins, le vote avait été unanime. Tous mesuraient l'importance de leur mission. Et Ilkar tenait beaucoup à mettre des bâtons dans les roues des Ouestiens qui visaient les Collèges.

La pente qui descendait du sommet de l'extrémité nord du ravin était rocailleuse mais stable. Elle conduisait vers le bord de la falaise. En bas, des brisants émergeaient de l'eau. Les Ravens longèrent la paroi abrupte dont l'ombre les dissimulait jusqu'à ce que Thraun ordonne une halte à la limite du champ de vision des Ouestiens, soit à une centaine de mètres des tentes les plus proches.

À cet endroit, la nuit était obscure, et on ne pouvait pas les apercevoir de la tour de garde. Mais un peu plus loin, l'inclinaison du sol les aurait exposés à la vue des sentinelles.

— Nous compterons jusqu'à trois cents avant de vous suivre – à moins d'entendre des bruits suspects, dit Thraun. Vous connaissez le point de rendez-vous. Prêts ?

Ilkar hocha la tête et Denser haussa les épaules.

— Finissons-en, grogna-t-il.

Hirad le regarda sévèrement.

— Tâche de te concentrer, Denser. Une erreur de ta part pourrait entraîner votre mort à tous les deux, ce qui serait impardonnable.

— Je n'ai perdu ni la vue ni la raison, se défendit le Xetesk.

— Juste ta motivation, répliqua Ilkar.

— Ni le respect que je dois à mes amis ! lança Denser en foudroyant le barbare du regard.

— Je suis ravi de l'entendre. Allons-y.

Les deux mages incantèrent à voix basse en laissant courir leurs mains le long de leur corps. Quand il eut terminé, Denser hocha la tête, fit un pas en avant et disparut. Ilkar l'imita, et Hirad les entendit parler tandis qu'ils s'éloignaient.

— Il ferait mieux de ne pas nous décevoir, grogna le barbare.

— Ne t'en fais pas. Denser a des défauts, mais il n'est pas stupide, le rassura Erienne.

— Seulement têtu, irritable et déprimant, dit Hirad.

— Personne n'est parfait, répliqua la jeune femme avec un sourire forcé.

Comme convenu, Denser passa derrière Ilkar, un doigt glissé dans la ceinture de l'elfe pour ne pas le perdre. La MarcheVoilée les enveloppait d'un cocon d'invisibilité, mais n'étouffait pas les sons qu'ils produisaient. Ilkar prit garde à marcher sur de la terre nue, évitant les touffes de hautes herbes qui poussaient au pied de la falaise.

— Ne t'arrête pas quand nous atteindrons l'échelle, dit Denser.

— Je connais les limites du sort, répondit Ilkar un peu sèchement. Et essaie de parler moins fort.

— À vos ordres, chef ! siffla Denser.

— Bon sang, que t'arrive-t-il ? soupira l'elfe, toute colère envolée.

— Tu ne comprendrais pas, souffla Denser.

— Explique toujours.

— Plus tard. Tu prendras à gauche ou à droite dans la tour ?

— À gauche, comme convenu.

— Je voulais juste vérifier.

Le campement ouestien était silencieux quand ils longèrent les premières tentes dressées en demi-cercle autour d'un étendard. Ilkar et Denser ralentirent, car des ronflements filtraient de la plus proche. Un peu plus loin, un cheval hennit, et le vent charria jusqu'à leurs narines l'odeur inimitable des excréments de cochons. Des bribes de conversation montaient de la tour de garde et du feu central.

Ilkar se concentra sur la tâche qui les attendait. Dans la sécurité du ravin, leur mission avait paru assez simple. Mais de près, la tour de garde semblait immense. Et on l'aurait crue bondée de puissants guerriers ouestiens !

Alors qu'il en approchait, l'elfe la parcourut du regard. Haute d'environ sept mètres, elle se composait de quatre troncs plantés dans le sol et tenus en place par des amas de pierres. Des poutres de renfort s'entrecroisaient jusqu'à la plate-forme où se tenaient les deux sentinelles. Dans le coin gauche, une cloche était fixée aux piliers du toit, battant attaché pour que le vent ou un coude maladroit ne la fassent pas tinter par mégarde.

— N'oublie pas : dans la gorge, ou dans l'œil jusqu'au cerveau. Nous ne pouvons pas les laisser donner l'alarme, chuchota Denser.

— Je sais, répondit Ilkar.

Son estomac se serra un peu plus. Ce n'était pas le genre d'action dont il avait l'habitude. Il avait tué beaucoup d'adversaires, mais toujours avec une épée ou un sort offensif. Jamais il n'avait assassiné quelqu'un.

— J'y vais !

L'échelle se dressait entre les deux troncs qui faisaient face au camp et montait jusqu'à une trouée dans la balustrade qui courait autour de la plate-forme. Les gardes s'étaient accoudés. Ils échangeaient parfois quelques mots. La plupart du temps, ils gardaient le silence.

Quand Ilkar empoigna les montants de l'échelle, le bois craqua. Son cœur fit un bond dans sa poitrine, et il sonda la plate-forme. Mais les Ouestiens ne semblaient pas l'avoir entendu. Pour le moment au moins, le vent jouait en leur faveur.

La nervosité d'Ilkar se transforma en une peur qui menaça de le paralyser. C'était un travail de guerrier, mais aucun de leurs compagnons n'aurait pu maintenir une MarcheVoilée en place. Pas même l'Inconnu, qui avait utilisé des OmbresAiles après que Laryon l'eut relevé de ses devoirs de Protecteur. Préserver la forme de mana pendant qu'on était immobile, donc visible, ou accomplir des missions simples – un meurtre, par exemple, pensa amèrement Ilkar – alors qu'on était en mouvement, tout ça sans perdre sa concentration, nécessitait une maîtrise parfaite des subtilités du sort.

Chaque fois que l'elfe posait le pied sur un barreau, le bois encore vert protestait bruyamment. Arrivé à cinq degrés du sommet, Ilkar ralentit. Mais il était inévitable que la tête d'un garde apparaisse en haut de l'échelle, et que l'homme fronce les sourcils en sondant l'obscurité – sans rien apercevoir de suspect.

Ilkar sentit la main de Denser empoigner le barreau que son pied venait de quitter. Ils n'étaient pas censés être aussi près l'un de l'autre. Placé comme il l'était, son compagnon n'avait pas pu voir le danger.

— Recule, souffla Ilkar au garde en continuant à grimper.

Il ne pouvait pas se permettre de ralentir davantage. Sinon, il redeviendrait visible, et les sentinelles donneraient l'alarme.

Il gravit encore un barreau, calant son pied contre le montant pour faire grincer le bois le moins possible. Mais un autre craquement déchira la nuit. L'Ouestien se pencha un peu plus. Il savait ce que signifiait le bruit qu'il avait entendu, mais ce qu'il ne *voyait pas* le plongeait dans la confusion.

Ilkar pensa brièvement à redescendre. Hélas, le changement de direction le trahirait, sans compter qu'il prendrait Denser par surprise. Au-dessus de lui, le garde se redressa mais ne s'écarta pas du bord de la plate-forme. Ilkar posa une main sur le dernier barreau de l'échelle. De l'autre, il dégaina sa dague.

Il n'avait pas d'autre choix.

— Oh, dieux, marmonna-t-il en jaillissant vers le haut, sa lame pointée devant lui.

La dague pénétra dans l'entrejambe du garde et s'y enfonça. L'homme grogna de douleur, tituba en arrière et s'effondra, arrachant l'arme des mains d'Ilkar, une main plaquée sur son bas-ventre, du sang souillant déjà son pantalon.

L'elfe prit pied sur la gauche de l'échelle. Alors que le premier garde heurtait la plate-forme avec un bruit sourd, l'autre fit volte-face, et sa mâchoire inférieure tomba sur sa poitrine quand il vit son camarade. Il fit mine de parler, mais la dague lancée par Denser se planta dans sa gorge, et son cri d'alarme devint un ignoble gargouillis.

Ilkar baissa les yeux vers sa victime, qui ouvrit la bouche et gémit. L'elfe s'accroupit en dégainant sa seconde dague, qu'il plongea dans l'œil de l'homme. L'Ouestien mourut instantanément, le cerveau transpercé.

Le deuxième soldat saisit l'arme plantée dans sa gorge et tituba. Il écarquilla les yeux quand Ilkar et Denser redevinrent visibles.

L'elfe s'aperçut du danger trop tard. Denser empoigna la cape de fourrure de l'Ouestien, qui bascula en arrière en battant des bras. Une de ses mains heurta la cloche, qui se détacha du pilier et tomba dans le vide.

— Avec un peu de chance…, commença Ilkar.

— Pas de chance, répliqua Denser alors que le second garde s'écroulait, du sang dégoulinant de sa plaie béante.

La cloche heurta les pierres à la base de la tour et rebondit une seule fois. Un tintement métallique résonna dans tout le camp.

— Au moins, les autres sauront que nous avons réussi, dit Denser.

— Nous sommes dans la merde ! se lamenta Ilkar. Tu parles l'ouestien ? (Denser secoua la tête.) Dans la merde jusqu'au cou !

Des voix dures montèrent de la tour voisine.

— Ne te relève pas, ordonna Denser.

— Merci pour le tuyau. Tu as une autre idée brillante ?

— Oui. Dépêchons-nous de voler un bateau et d'apprendre à naviguer.

Denser rampa jusqu'à la trouée, dans la balustrade. Les cris des sentinelles se faisaient plus pressants. Il y eut un moment de silence, puis une cloche sonna.

— Par les dieux déchus, quel gâchis, marmonna Ilkar en relevant la tête pour observer le camp.

Denser le força à se baisser de nouveau.

— Tu voulais du sabotage ? demanda-t-il, les yeux brillants. Je vais t'en donner.

Fermant les yeux, il se prépara à incanter.

Un grand sourire fendit le visage d'Ilkar.

Thraun avait posé son paquetage et commençait à défaire sa cuirasse quand le bruit de chute de la cloche résonna comme une alarme aux oreilles d'Hirad.

— Tu n'es pas obligé, Thraun, lança Will, nerveux et inquiet.

— Nous devons créer une diversion. Sinon, Ilkar et Denser seront tués.

— Voilà qui m'étonnerait d'eux, dit Hirad.

— Nous sommes sept contre trois cents. Il faut mettre le plus de chances possibles de notre côté, insista Thraun.

— Mais ce n'est pas la véritable raison, n'est-ce pas ? demanda Will.

Une lueur de colère passa dans le regard de Thraun. Puis il secoua la tête.

— Le moment est mal choisi pour en parler. (Il se tourna vers Hirad.) Ne m'attendez pas sur la plage. Je peux nager et je vous retrouverai.

Nu, il s'allongea sur le sol. L'Inconnu chargea le poêle de Will et l'épée de Thraun sur son dos, pendant que le voleur empaquetait la cuirasse et les vêtements abandonnés par son ami et les fourrait dans son propre sac.

— Dépêchez-vous d'y aller ! dit Thraun. Je vous rattraperai.

Des cris de colère et de confusion déchiraient le silence nocturne. Hirad prit la tête des Ravens et leur fit longer discrètement la falaise. Bientôt, le rivage s'inclina vers le site du campement ouestien, sur leur gauche. Rien ne bougeait au sommet de la tour de garde.

— Où sont-ils ?

En réponse à la question du barbare, une silhouette se dressa sur la plate-forme. Denser. Le mage écarta les bras, puis les ramena sur sa poitrine. Six colonnes de feu s'abattirent du ciel, projetant une lumière aveuglante sur tout le camp. Chacune percuta un des pavillons qui abritait les réserves de nourriture et l'équipement des Ouestiens.

Du FeuInfernal ! Les colonnes cherchaient des âmes, et Denser avait vu juste en supposant que des hommes ou des Destranas montaient la garde dans les pavillons. Pulvérisant les caisses de bois, de viande séchée, de légumes, de céréales, de cordes et d'armes, elles firent exploser les structures de toile, projetant dans la nuit des débris de planches et de poutres. Des rideaux de flammes jaune et orange se répandirent sur les côtés, embrasant sans distinction les tentes, les humains et les animaux. Les gardes qui dormaient autour du feu central n'eurent pas la moindre chance.

— Ravens, allons-y ! cria Hirad alors que le chaos se répandait dans le camp.

Il lui sembla entendre un éclat de rire porté par le vent. Tandis qu'il se lançait vers la base de la tour qu'avaient attaquée Ilkar et Denser, des OrbesFlammes volèrent vers l'extrémité nord du camp, faisant pleuvoir du feu sur les étendards tribaux et tout ce qui les entourait.

De nouveaux hurlements s'ajoutèrent à ceux qui se mêlaient déjà aux ordres, aux cris d'alarme et aux rugissements d'une vingtaine de brasiers. Des Ouestiens couraient dans toutes les directions, charriant des seaux d'eau, des provisions épargnées ou des camarades gravement brûlés.

Une poignée de soldats s'avancèrent pour intercepter les Ravens.

— Oublie ton bouclier, Erienne ! lança Hirad alors qu'ils prenaient position, la magicienne derrière le trio de guerriers. Il nous faut un sort offensif. Et vite.

— Compris.

Avec un rugissement, le barbare avança vers le premier Ouestien. Trois pas sur sa droite, l'Inconnu attendit l'attaque de flanc.

Hirad porta un coup latéral. Son adversaire para et fit un bond en arrière. Il parvint à dévier le coup suivant, qui visait sa gorge, mais ne put réagir à temps quand le barbare fit passer son épée dans son autre main et lui lacéra la poitrine. Du sang jaillissant de sa tunique, il s'effondra.

Hirad lui transperça le cœur.

Se retournant, il vit que l'Inconnu affrontait deux guerriers. Sa lame entailla le flanc du premier alors qu'il décochait un coup de pied dans le ventre du second. D'autres Ouestiens approchaient.

— Ilkar, nous avons besoin de vous deux ! appela Hirad.

— Nous avons une meilleure idée, dit l'elfe de son perchoir. Avancez vers le rivage. Nous vous retrouverons là-bas.

Hirad se retourna vers la bataille. Un incendie faisait rage au centre du camp. Attisées par le vent, les flammes se propageaient rapidement d'une tente à l'autre. Les cris des animaux terrifiés dominaient le rugissement du feu et la clameur des voix humaines.

Une vingtaine d'Ouestiens coururent vers les Ravens. Immobile, l'Inconnu frappa le sol avec la pointe de son épée.

— Je prends la gauche, dit-il en sentant les yeux d'Hirad posés sur lui.

— Will, à ma droite, ordonna le barbare.

Le petit homme nerveux se mit en position. Les Ouestiens qui chargeaient étaient assez nombreux pour submerger les Ravens. Hirad se tendit, prêt au combat.

Leurs adversaires étaient à vingt mètres quand Erienne se plaça entre l'Inconnu et le barbare. Elle s'accroupit et écarta les bras.

— GlaceVent.

La température baissa brusquement lorsqu'un redoutable cône d'air froid jaillit des paumes d'Erienne et, avec un sifflement, alla percuter les Ouestiens. Ils tombèrent en se tenant le visage, les lèvres scellées, les yeux gelés et fendillés, leurs cris d'agonie réduits à un pitoyable bourdonnement dans leur gorge ravagée.

À la périphérie du sort, le sang se figea dans tous les membres ; les doigts engourdis laissèrent échapper leurs armes et les têtes se détournèrent.

Le GlaceVent se dissipa aussi vite qu'il était apparu. Mais les Ouestiens survivants ne furent pas tirés d'affaire pour autant. Alors qu'ils tentaient de se regrouper, ils se laissèrent prendre par surprise par Thraun. Le métamorphe, qui s'était approché en silence, hurla et leur bondit dessus. D'un coup de dents, il arracha la gorge d'un guerrier. Avec ses pattes antérieures, il en renversa un autre.

Hirad voulut intervenir, mais l'Inconnu l'en empêcha.

— Non. Laisse-le ! Ils ne peuvent pas lui faire de mal. Continuons jusqu'au rivage.

Le barbare hocha la tête.

— Comme convenu.

Il prit la direction du nord pour éviter le premier groupe de tentes calcinées. Une silhouette noire passa au-dessus de sa tête et piqua vers lui. Frémissant, il brandit son épée. Denser s'immobilisa devant lui, ses OmbresAiles déployées et Ilkar dans ses bras.

— Nous n'en avons pas tout à fait terminé ici, dit le Xetesk. Allez chercher un bateau et commencez à traverser le bras. Nous vous rejoindrons par la voie des airs.

Ilkar ne dit rien. Les yeux fermés, il préparait un sort.

— Sois prudent, Denser, lui recommanda Erienne.

— Je ne pense qu'à ça...

Le mage reprit de l'altitude et gagna l'extrémité sud du campement. Hirad le suivit des yeux. Une flèche passa à quelque distance des Ravens, sa hampe noire visible grâce à la lumière de l'incendie. L'instant d'après, les portes des enclos à bestiaux volèrent en éclats, et leurs occupants se bousculèrent pour en sortir.

— Filons.

Hirad s'élança vers le rivage, laissant Thraun à son carnage et les mages à leur destruction.

Thraun sentait les feux, la peur et le sang mêlés à l'odeur des chiens et du gibier. Il se coula dans les hautes herbes. Son corps brun pâle se fondait avec les couleurs de la nuit, ses pattes effleurant le sol en silence.

Arrivé à la lisière de la zone occupée par les humains, il s'arrêta. Des myriades d'odeurs luttaient pour prendre le dessus les unes sur les autres. Thraun les ignora. Des ennemis se rassemblaient devant l'homme-frère. Ils le menaçaient de leurs armes pointues. Les bruits de la meute résonnant dans son esprit et les parfums de la forêt remontant à sa mémoire, Thraun chargea.

Le premier ennemi ne le vit pas arriver. Il bondit et referma les mâchoires sur sa gorge exposée tout en renversant un autre humain d'un coup de pattes. Du sang envahit sa bouche et recouvrit son museau. Son grognement de plaisir fut le dernier son qu'entendit sa victime.

La panique saisit les soldats. Ils rompirent les rangs et s'éparpillèrent. Thraun tourna la tête. L'homme-frère et les autres s'éloignaient. Son cerveau lutta pour se rappeler. L'eau. Il devait les retrouver au bord de l'eau.

Baissant les yeux, il lacéra le visage de l'homme qu'il avait renversé. Puis il hurla de nouveau et partit sur les traces de l'homme-frère, luttant contre une envie folle de poursuivre le gibier affolé dont la terreur le faisait saliver.

L'homme-frère longeait le bord de la zone occupée. Thraun était dans la première ligne d'habitations en flammes, leurs occupants déjà morts ou en fuite. C'était le chaos. Sur sa droite, il entendit des cris. Trois ennemis couraient vers l'homme-frère.

Thraun bondit, percuta le premier et l'envoya s'écraser dans les jambes des deux autres. Torturé par la soif de sang, il lui plongea ses crocs dans la gorge et secoua violemment la tête pour la déchirer pendant que ses griffes taillaient l'humain en pièces.

Un ennemi encore debout le frappa avec son arme. Thraun glapit en sentant la brûlure du métal. Il se tourna vers son agresseur, dont les yeux s'écarquillèrent. Malgré la force de son coup, le flanc de Thraun ne s'était pas fendu. Le loup découvrit ses crocs et avança.

Denser revint vers les pavillons en flammes, prenant assez d'altitude pour contempler les ravages dont il était l'auteur.

Des Ouestiens paniqués s'affairaient à la lisière de l'incendie. Malgré leurs efforts, ils ne parvenaient pas à l'éteindre. La ForceConique d'Ilkar avait renversé les barrières des enclos sur six ou sept mètres. Dans la confusion, les chevaux et le bétail fuyaient les brasiers jaunes étincelants qui montaient vers le ciel, piétinant sur leur passage les hommes et les tentes.

À sa gauche, Thraun avait refermé les mâchoires sur le bras d'un Ouestien. Plus loin dans l'ombre projetée par le feu, Denser aperçut les Ravens qui continuaient à progresser vers le rivage sans rencontrer d'opposition. Pour le moment, au moins. Dans ses bras, Ilkar commençait à se faire lourd. Le Xetesk était robuste, ses OmbresAiles conçues pour supporter le double de son poids. Mais ses forces avaient une limite et la fatigue sapait peu à peu sa concentration.

— Il te reste quoi ? demanda-t-il à l'elfe.

— Des OrbesFlammes ou une autre ForceConique. J'aimerais garder de quoi protéger le bateau. Et toi, jusqu'à quand pourras-tu tenir ?

— Je te le ferai savoir.

— Comment ?

— Quand je ne tiendrai plus, tu te sentiras tomber.

— Très drôle.

— Contente-toi de te concentrer sur ces orbes. Si nous réussissons à rompre leur chaîne de seaux, nous aurons une chance de nous en sortir sans une égratignure.

Ilkar ferma aussitôt les yeux. Ses lèvres remuèrent pendant que ses doigts décrivaient des arabesques dans l'air.

Denser observa les gestes précis de l'elfe, dont les bras restaient presque immobiles pendant que ses mains modelaient le mana invoqué par sa bouche. Ilkar ne gaspillait pas une once d'énergie. C'était un mage accompli, qui avait développé son don au fil des ans et d'expériences souvent douloureuses. Denser le savait, parce qu'il en avait été de même pour lui. Et pour tous leurs confrères.

Pourtant, malgré cette économie d'énergie, Ilkar commençait à fatiguer, alors que Denser se sentait toujours aussi frais qu'avant de lancer sa MarcheVoilée. Quelque chose lui était arrivé pendant qu'il invoquait AubeMort. Il avait forgé avec le mana un nouveau lien qui prenait source au plus profond de son être et lui fournissait une autre façon de modeler ses formes. Une méthode aussi rapide et ingénieuse que celle de Styliann.

Mais alors que le Seigneur du Mont devait se contenter d'une compréhension approfondie du mana, Denser avait désormais le sentiment de cohabiter à un niveau fondamental avec le combustible de la magie.

Ilkar hocha la tête pour indiquer à Denser qu'il était prêt à jeter son sort. Rouvrant les yeux, il fixa sa cible. Denser survola la chaîne de seaux, fit demi-tour au-dessus du bras de Triverne et rebroussa chemin, remontant la ligne d'hommes pour offrir à l'elfe une cible la plus large possible.

— OrbesFlammes.

Ilkar frappa dans ses mains et les écarta. Un trio de globes orange gros comme des pêches reposait dans ses paumes. Il écarta les bras et les baissa. Les OrbesFlammes jaillirent de ses mains. Ils continuèrent à grandir, atteignant la taille d'un crâne humain quand ils entrèrent en collision avec les Ouestiens.

Éclaboussés par un feu qui consumait aveuglément la fourrure et les chairs, les malheureux poussèrent des cris que les crépitements de l'incendie ne purent pas couvrir.

Les bras douloureux, Denser prit le chemin de la plage.

Hirad accéléra quand les OrbesFlammes d'Ilkar détruisirent la chaîne de seaux, réduisant en cendre la fragile organisation des Ouestiens. Il contourna les dernières tentes et déboula sur le sable, les Ravens derrière lui.

Leurs ennemis avaient renoncé à sauver leurs tentes, et se contentaient d'aider leurs camarades blessés à fuir le brasier.

Devant eux, Thraun s'immobilisa, regarda Will pour s'assurer qu'il était en sécurité, puis fonça vers Ilkar et Denser qui venaient d'atterrir près des bateaux.

Hirad l'imita, le bruit rythmique du ressac contrastant avec la clameur qui montait du campement ravagé. Il vit le métamorphe se jeter sur un Ouestien, le renverser et lui faire lâcher son seau alors que ses camarades hurlaient pour l'avertir. Trop tard !

Soudain, le vacarme diminua sensiblement. L'incendie continuait à faire rage, mais les Ouestiens s'interrompirent et dégainèrent leurs armes en comprenant ce qui se passait.

— Nous devons faire vite, grogna l'Inconnu derrière Hirad.

— Ravens ! hurla le barbare. Ravens, avec moi !

Il chargea le groupe d'Ouestiens qui s'était rassemblé autour de Thraun. Le métamorphe grogna et fit claquer ses mâchoires. Méfiants, ses adversaires gardèrent leurs distances. Mais ils ne purent éviter la charge des Ravens.

— Erienne, trouve-nous un bateau ! Quelque chose de rapide. Will, tu défends les mages. Inconnu, avec moi.

Hirad bondit dans la mêlée, son épée taillant en pièces la chair ennemie. Près de lui, la lame de l'Inconnu refléta brièvement la lueur des flammes avant de plonger dans le cœur d'un guerrier. Thraun comprit que de l'aide arrivait ; il glapit et passa à l'attaque.

Hirad dévia une hache qui visait son cou. La lame de son épée glissa le long du manche et coupa les doigts de son adversaire. L'homme frissonna, ouvrit la bouche et laissa tomber son arme. Le coup suivant du barbare lui ouvrit la gorge.

D'autres Ouestiens coururent au secours de leurs camarades. Thraun piétina sa dernière victime pour se porter à leur rencontre. Des épées se levèrent et s'abattirent. Alors qu'il écrasait son poing sur le nez d'un ennemi et lui plongeait sa lame dans le ventre, Hirad vit que le métamorphe n'avait récolté aucune blessure.

Derrière eux, un éclair bleu traversa le ciel et vint se planter dans les yeux de trois Ouestiens, qui s'effondrèrent en griffant leur visage fumant. Leurs camarades hésitèrent. Hirad dévia une attaque maladroite, perça la garde de son adversaire, lui flanqua un coup de tête qui le força à reculer et l'embrocha.

Près de lui, l'Inconnu lacéra deux poitrines ennemies avec sa lame ; du sang jaillit d'une artère tranchée et de poumons crevés.

Désormais, les grognements de Thraun ponctuaient les cris désespérés des Ouestiens.

Hirad regarda par-dessus son épaule. Ilkar et Erienne avaient mis à l'eau un voilier de sept mètres de long, assez grand pour que tous les Ravens y tiennent. En équilibre instable sur l'embarcation, Will tirait déjà sur les haubans. Il était temps de battre en retraite.

Les Ouestiens avaient perdu leur ardeur combative. Thraun se lança à la poursuite des petits groupes qui s'éparpillaient, histoire de les tenir à l'écart du rivage. Hirad et l'Inconnu se dirigèrent vers le bateau à reculons. D'autres éclairs fusèrent des doigts de Denser ; de nouveaux Ouestiens s'écroulèrent, le visage noirci et les yeux fondus.

— Montez à bord ! ordonna Hirad. Nous allons vous pousser.

Des flèches volèrent vers eux et vinrent s'écraser sur le BouclierDéfensif d'Ilkar. Le barbare fit la grimace. Les Ravens n'avaient rien perdu de leur légendaire efficacité. Quand l'Inconnu et lui entrèrent dans l'eau glacée, ils pivotèrent, empoignèrent la poupe du voilier où Will et les trois mages avaient déjà pris place, et s'arc-boutèrent pour le dégager du sable.

— Prévenez-nous s'ils reviennent, demanda Hirad.

D'autres flèches rebondirent sur le BouclierDéfensif. Si près du rivage, le vent produisait des vagues minuscules qui agitaient doucement le bateau. Derrière lui, le barbare entendit un bruit d'éclaboussures. Voyant Will se redresser, l'air alarmé, il fit volte-face. Trois Ouestiens couraient vers eux, des haches de guerre levées au-dessus de leur tête.

L'Inconnu frappa l'eau du plat de sa lame. Ils attendirent, mais les Ouestiens n'arrivèrent jamais jusqu'à eux. Sur leur droite, Thraun déboula dans une gerbe d'éclaboussures et enfonça ses crocs dans la cuisse d'un soldat. Un cri monta de la plage. Les deux autres Ouestiens tournèrent les talons et s'enfuirent, abandonnant le corps de leur camarade au courant tandis que son sang souillait l'eau noire.

Hirad hurla de triomphe en voyant la ligne de flammes qui illuminait les ténèbres au-dessus du campement. L'Inconnu lui posa une main sur l'épaule.

— Fichons le camp d'ici !

Ils pataugèrent pour rejoindre le petit voilier et se hissèrent à bord, Thraun à côté d'eux.

Le vent s'engouffra dans la voile noire que Will venait de dérouler. Les Ravens prirent le chemin de l'est.

Ils rentraient chez eux.

Chapitre 13

Sha-Kaan et une dizaine de ses lieutenants s'envolèrent du Foyer Couvelien, conscients qu'ils arriveraient sans doute trop tard pour sauver Jatha et le groupe de Vestares censés accueillir les Ravens. Au-dessus de Teras, le portail béait comme une plaie sans cesse plus large. Les sentinelles continuaient à tisser leur filet défensif autour de la fissure, parfaitement à l'aise par cette journée claire où elles verraient venir de loin une attaque potentielle.

Mais combien de temps le ciel resterait-il dégagé ? Combien de temps avant que Sha-Kaan soit forcé de déployer de plus en plus de Kaans pour patrouiller dans les bancs de nuages pluvieux qui descendaient périodiquement des montagnes de Beshara pour déposer leur humidité sur ses terres ?

La pluie nourrissait l'Herbeflamme, mais les nuages dissimulaient leurs ennemis. Pour l'instant, il était préférable qu'ils restent à l'écart. Les flots du Tere étaient assez puissants pour que les Vestares en canalisent une partie vers les champs d'Herbeflamme qu'ils cultivaient au cœur du Foyer Couvelien. C'était dans les plaines que la récolte en pâtirait le plus, car faute d'arrosage, l'Herbeflamme se flétrissait rapidement.

Mais plus loin vers les terres ravagées de Keol, où se dressait le portail de Septern camouflé par l'ingéniosité des Vestares, de nouvelles colonnes de fumée assombrissaient le ciel et de nouveaux feux coloraient le sol. Sha-Kaan emmena ses lieutenants très haut dans l'azur étincelant, poussant une série d'aboiements pour saluer et avertir les gardes postés sur leur passage.

Alors qu'ils survolaient les collines de Dormar et le désert qui entourait Beshara, ils virent que les silhouettes noires aperçues dans le ciel appartenaient à des dragons de la couvée Veret. Sha-Kaan envoya une impulsion mentale dubitative à ses compagnons.

Fuselés et rapides, les Verets étaient des créatures semi-aquatiques qui résidaient normalement dans les cavernes et les mers, au nord de Teras, et ne s'aventuraient jamais très loin de leur Foyer Couvelien situé au plus profond de l'océan de Shedara. Dotés d'écailles dans les tons de bleu et de vert, d'un museau fin qui soufflait des lances de feu concentré, d'un cou très court et de quatre pattes palmées, leur longue queue légèrement aplatie leur permettait de se propulser dans l'eau.

Des pointes venimeuses hérissaient leur échine. Mais leurs petites ailes, conçues pour la vitesse aérienne et aquatique, étaient leur plus grande faiblesse. Les sécrétions huileuses qui lubrifiaient celles des dragons terrestres étaient remplacées chez eux par une substance à base d'eau. Plus agiles que leurs congénères, ils étaient aussi plus vulnérables à leur feu. À condition qu'ils parviennent à les rattraper.

Les Kaans réduisirent la distance qui les séparait des Verets. Sha-Kaan sentait la peur de Jatha, les battements affolés de son cœur et sa respiration haletante pendant que les autres Vestares et lui couraient pour échapper aux Verets.

Ils étaient huit, tous concentrés sur leurs proies. Alors qu'il plongeait pour les attaquer, Sha-Kaan se demanda pourquoi ils s'étaient aventurés si loin dans les terres. L'interception des Vestares était-elle préméditée ou due à une coïncidence ?

Les Verets ne sentirent pas immédiatement la menace. Ils ne s'aperçurent pas que Sha-Kaan piquait vers eux, prêt à souffler, les mâchoires déjà ouvertes et dégoulinantes de combustible.

Le Grand Kaan riva son attention sur un jeune Veret bleu marine de la moitié de sa taille occupé à pourchasser un Vestare solitaire. L'homme zigzaguait entre les arbres noirs et rabougris, mais il n'était pas assez rapide et agile pour semer un dragon. Sha-Kaan le voyait bondir dans tous les sens, s'arrêter brusquement, rouler sur lui-même et se détendre comme un ressort, ainsi qu'on le lui avait enseigné.

En théorie, l'élan des dragons les privait de l'agilité nécessaire pour suivre de brusques changements d'allure ou de direction. Mais ce Vestare-là manquait visiblement de pratique, et les Verets étaient plus vifs que beaucoup d'autres couvées.

Sha-Kaan se plaça dans le sillage du jeune mâle Veret, qui s'était aligné habilement sur sa cible, et souffla deux jets de flammes concentrés qui transpercèrent le Vestare. Soulevé de terre, le malheureux fut projeté contre le tronc d'un arbre, un trou dans la poitrine et le visage en feu. Autour de lui, le bois sec s'embrasa aussitôt ; les flammes se propagèrent dans la forêt, incinérant les branches et les feuilles tandis que les oiseaux effrayés prenaient leur envol.

Sha-Kaan vira sur la droite et souffla sur l'aile du Veret au moment où il tentait de reprendre de l'altitude. Choqué, le jeune dragon tourna brusquement la tête vers lui, juste avant que le feu dévore la membrane de son aile et qu'il tombe en vrille dans la forêt.

Il rebondit sur le sol, glissa jusqu'à un bosquet et s'immobilisa dans un nuage de poussière et de feuilles mortes.

Sha-Kaan sonda le sol en quête de Jatha, dont il sentait toujours la présence, puis le ciel pour juger l'évolution de la bataille.

Trois Verets rivalisaient de manœuvres audacieuses afin de semer leurs assaillants plus gros et plus puissants. Un peu au-dessous de lui, sur sa gauche, un autre dragon aquatique se battait contre une femelle Kaan. Ses pointes venimeuses avaient perforé les écailles du cou de son adversaire, mais elle tenait bon, les mâchoires fermées sur la nuque du Veret.

Du sang coulait abondamment de ses plaies. Sha-Kaan lui envoya une impulsion pour lui ordonner de lâcher prise. La réponse qu'il reçut l'attrista. La femelle Kaan sentait déjà le poison se répandre dans ses veines. Elle savait qu'elle n'y survivrait pas, et elle entendait que le Veret l'accompagne dans la mort.

Sha-Kaan les regarda tomber vers le sol avant de se concentrer sur Jatha.

Le Vestare courait toujours. Il s'arrêta quand son maître se posa devant lui. Les survivants de son groupe étaient encore à une journée de marche du portail de Septern. Ils auraient déjà dû l'avoir atteint et attendre l'arrivée de leurs visiteurs balaiens.

— Vous êtes venu, Grand Kaan ! Que les Cieux en soient remerciés, haleta-t-il. Nous…

— Calme-toi ! lui ordonna mentalement Sha-Kaan. (Il lui envoya une impulsion apaisante pour dissiper la panique qui embrasait ses sens.) Assieds-toi et apaise ton cœur. Ses battements me blessent les oreilles.

Jatha s'effondra, à bout de souffle, l'ombre d'un sourire sur les lèvres. Dans le ciel, les Kaans finissaient de chasser les Verets et se déployaient en formation défensive pour les empêcher de revenir. Leur chef avait toute confiance en eux.

— Maintenant, dis-moi pourquoi vous êtes si loin du portail.

Jatha hocha la tête. Sha-Kaan sentit son pouls s'apaiser.

— Une activité fébrile règne à Keol, révéla-t-il. Nous avons été ralentis par la nécessité d'échapper aux patrouilles de Naiks et de Verets. Ils ont dû conclure un accord. C'est la seule explication possible à la présence des Verets dans le ciel de Keol. Quand nous les avons aperçus pour la première fois, hier, ils volaient vers le sud, et nous avons cru que nous pourrions passer discrètement. Mais certains d'entre eux nous ont tendu une embuscade.

La tête de Sha-Kaan s'inclina au bout de son cou. Une alliance entre les Naiks et les Verets ! Les Kaans avaient de plus gros problèmes que prévu. Une attaque concertée de trois couvées ou plus, et c'en serait fini d'eux.

— Es-tu certain qu'ils ont conclu un accord ?

— Nous les avons observés une journée entière, répondit Jatha. Plusieurs groupes se sont rencontrés, et ils ne se sont pas battus. Grand Kaan, c'est notre territoire, bien que nous ne l'ayons pas défendu jusque-là. Nous ne pouvons pas autoriser une occupation ennemie. Cela conduirait les Naiks beaucoup trop près de Teras.

— Il y a de plus grandes menaces qu'une couvée ennemie avide de nous prendre un royaume mort, affirma Sha-Kaan. Les humains de Balaia doivent atteindre le Foyer Couvelien sains et saufs. Il m'est impossible d'affecter des dragons à votre protection. Si tu as vu juste, je ne peux pas me permettre d'attirer l'attention sur vous en volant à votre secours. Comprends-tu ?

Jatha inclina la tête.

— Il y a un autre moyen.

Sha-Kaan replia vivement le cou et laissa échapper un sifflement.

— Aucun humain ne montera jamais un Kaan ! cria-t-il. Nous sommes les maîtres ici. Votre mission est de conduire les Balaiens en sécurité jusqu'à Teras. As-tu pensé à la bataille qui aurait lieu si on nous voyait avec des humains sur le dos ? Aucun « porteur » n'aurait une chance de survivre. Notre domination s'évanouirait. (Il baissa de nouveau la tête vers le Vestare.) Oublie cette idée, Jatha ! Je comprends le désespoir qui te l'inspire, mais n'en fais plus jamais mention. Les Kaans ne ploieront pas le cou devant des humains. Plutôt mourir.

— Je suis navré, Grand Kaan. Et je vous remercie de votre magnanimité.

— Si tu n'étais pas aussi important pour moi, ma réaction aurait été très différente. (Une note d'humour nuançait la réprimande de Sha-Kaan.) Tu es un serviteur et un compagnon fidèle, Jatha. Nous allons passer devant vous et débusquer les ennemis qui pourraient se cacher dans le ciel ou à terre. Ne bougez pas jusqu'à ce que la nuit tombe et que nous soyons partis en éclaireurs. Et envoie-moi un signal quand vous atteindrez le portail.

Jatha se releva, écarta les bras en signe de déférence, puis mit un genou en terre avant de reprendre la parole.

— Ce sera fait, Grand Kaan.

— Que les Cieux vous protègent.

Sha-Kaan s'envola paresseusement et rappela ses lieutenants à lui.

La patience de Senedai fut épuisée le quatrième jour.

Il n'y eut pas d'avertissement, ni de nouvel ultimatum. Par une aube venteuse, alors que les nuages lourds et une humidité étouffante annonçaient l'approche de la pluie, Barras fut réveillé par l'alarme générale. Il bondit de son lit, passa sa robe jaune de la veille, enfila ses bottes sans mettre de chaussettes et courut dans la cour, vaguement conscient que ses cheveux gris ébouriffés lui tombaient dans les yeux. Il les lissait en arrière quand Kard le rejoignit.

— Senedai ? demanda Barras.

Le vieux général hocha la tête.

— Et il a amené des prisonniers.

— Malédiction. (Barras pressa le pas.) Je pensais que nous pourrions le bluffer plus longtemps.

— Vous avez sauvé la vie de beaucoup d'innocents. Il était fatal qu'il finisse par perdre patience.

Derrière eux, un bruit de course retentit. Des soldats les dépassèrent, fonçant vers leurs postes, à la porte Nord et sur les remparts.

Kerela et Seldane apparurent.

— Ça va commencer, constata la Prime Magicienne, lugubre.

Barras hocha la tête.

— Si nous avions pu gagner plus de temps…

Kerela lui tapota l'épaule.

— Vous nous en avez fait gagner davantage que nous aurions osé l'espérer. Mon ami, vous avez été le seul à mesurer la peur que la magie inspire à Senedai.

Vous avez vu la faille, et vous vous êtes engouffré dedans. Il y a de quoi être satisfait.

— Je crois plutôt qu'il n'était pas pressé il y a quatre jours, mais qu'il l'est maintenant, dit Barras. Il a dû se passer dehors quelque chose qui requiert la prise immédiate de Julatsa. Un des autres Collèges vient peut-être de tomber…

Ils s'engagèrent dans l'escalier qui montait vers le poste de garde et les remparts.

— Il est sûrement sous pression, dit Kard. Mais pas forcément à cause d'une victoire de son camp. Le manque de réussite des autres armées ouestiennes peut très bien le pousser à agir.

Leur conversation s'interrompit quand ils baissèrent les yeux. Senedai était dans la cour, les bras croisés et les pieds bien écartés. La brise matinale qui faisait onduler sa cape noire agitait à peine ses lourdes tresses.

Derrière lui, plus d'une centaine de guerriers encerclait un groupe d'enfants et de vieillards julatsiens. Tous semblaient hébétés et un peu effrayés. Ils se doutaient qu'ils faisaient l'objet d'une âpre négociation, mais ignoraient le sort qui les attendait, car ils n'avaient pas l'air franchement terrifié.

— J'avais dit que cela nous prendrait six jours ! lança Barras sans préambule.

Senedai haussa les épaules.

— Les quatre premiers, vous n'avez rien fait, sinon envoyer vos soldats parader sous le nez de mes gardes. Je refuse d'en discuter plus longtemps.

Il leva un bras.

— Attendez ! cria Barras. Vous ne pouvez pas voir le résultat de nos efforts. Le démantèlement de la magie n'est pas un phénomène physique. Nous serons bientôt prêts.

— Vous m'avez menti, mage ! C'est ce que pensent mes capitaines, et pour votre peine, je vous couperai la tête, comme convenu.

— Il lui en a fallu du temps pour s'en apercevoir, grogna Kard.

— À vous de choisir le moment de votre reddition, continua Senedai. Mais quand le tas de cadavres commencera à monter, et que sa puanteur envahira l'enceinte du Collège, la haine de vos concitoyens survivants vous submergera.

Les prisonniers murmurèrent et s'agitèrent. Barras crut sentir les battements de leur cœur s'accélérer, et une sueur froide couler le long de leur nuque alors qu'ils prenaient conscience de l'imminence de leur mort. Les gardes ouestiens rétablirent l'ordre en braillant, mais la frayeur creusa les visages… et serra la gorge de Barras.

— Je croyais que vous étiez un homme d'honneur, pas un assassin d'enfants et de vieillards. Par les dieux, vous êtes un soldat. Comportez-vous comme tel !

Senedai s'essuya la bouche d'un revers de la main, comme pour dissimuler un sourire.

— Vous êtes un orateur doué, mais vos paroles ne m'émeuvent plus. Ce n'est pas moi qui les tuerai. Aucun de mes prisonniers ne mourra sous la lame d'un Ouestien. Je me contenterai de les remettre entre vos mains. Si vous abaissez votre barrière, ils vivront. (Il pointa un index accusateur sur les remparts.) Vous êtes les seuls meurtriers dans cette histoire. Regardez périr cinquante des vôtres, et sentez leur mort peser sur votre conscience.

Il leva la main et l'abaissa avant que Barras puisse ouvrir la bouche pour protester. Deux gardes saisirent chaque prisonnier et le poussèrent vers le LinceulDémoniaque, au pied de la porte Nord. Arrivés à un mètre du sort gris ondulant, ils s'immobilisèrent. À cette distance, l'aura devait être insoutenable.

Senedai longea le premier rang de prisonniers comme s'il inspectait des soldats placés sous son commandement.

Il s'arrêta au milieu.

— Senedai, non ! implora Barras.

— Baissez vos défenses, ordonna l'Ouestien en levant les yeux vers lui. Baissez vos défenses !

Barras ne répondit pas.

— Ne cédez pas ! cria une voix sur sa gauche.

Elle appartenait à un mage debout au premier rang des condamnés, le menton levé et le dos bien droit. Sous sa calvitie naissante, ses yeux brillaient de détermination. Senedai s'approcha de lui et le prit par le cou.

— Tu sembles impatient de mourir, vieil homme ! Peut-être aimerais-tu être le premier ?

— Je serai fier de mourir en protégeant mon Collège ! Et la plupart de mes amis m'imiteront avec joie. Enlevez vos sales pattes de ma gorge ! Je peux encore tenir debout tout seul.

Sur un signal de Senedai, les deux gardes le lâchèrent.

— J'attends, dit Senedai.

Le vieux mage se retourna pour s'adresser aux autres prisonniers.

— Aujourd'hui, je vous demande de me suivre, de donner votre vie pour sauver le Collège de Julatsa et ceux qui ont pu se réfugier entre ses murs. Je sais que beaucoup d'entre vous n'ont aucune affinité avec la magie. Mais dans cette cité, vous avez bénéficié de ses effets toute votre existence. Nous ne pouvons pas la laisser disparaître. Des siècles durant, les mages julatsiens se sont sacrifiés pour leur peuple. Vous avez vu de vos propres yeux combien se sont fait tuer en essayant de vous défendre. À présent, à nous de leur rendre la pareille. Que tous ceux qui sont prêts à entrer volontairement dans le LinceulDémoniaque disent « oui ».

La réponse unanime s'acheva sur le « oui » aigu d'une fillette.

Le mage se tourna de nouveau vers Senedai.

— Vos paroles sont pleines d'hypocrisie ! Vous avez ordonné notre mort. Donc *vous* exécutez vos prisonniers ! Julatsa a le droit de se protéger, et votre chantage finira par se retourner contre vous. Mais nous ne vous donnerons pas la satisfaction d'implorer votre pitié.

— Il n'en sera pas toujours ainsi...

Barras lut la haine sur le visage de Senedai et sut que le vieux mage, dont il ignorait le nom, venait de remporter une victoire – aussi minuscule fût-elle.

— Lâchez mes camarades ! ordonna-t-il.

Senedai n'avait pas le choix. Il secoua la tête et agita le bras, l'air très las. Les gardes reculèrent, perplexes. Leurs visages montraient qu'ils n'avaient pas compris le dialogue entre Senedai et le vieux mage – et qu'ils ne comprenaient pas davantage pourquoi aucun des prisonniers ne faisait mine de s'enfuir.

— Formez une seule ligne. Que chacun prenne la main des deux personnes qui l'encadrent.

Les prisonniers obéirent en silence, les vieillards se redressant fièrement malgré leur désespoir. Les enfants, eux, tremblaient de tous leurs membres. Une vision insoutenable, mais Barras se força à la supporter pour ne pas trahir l'extraordinaire acte de courage de ses concitoyens.

Il voulait leur crier de courir, de se battre pour leur vie. Mais il savait que leur solidarité ébranlerait davantage Senedai que toute tentative de résistance. Enfin, il prendrait conscience de la force d'âme des Julatsiens...

Un lourd silence s'abattit sur la cour. Cinquante Julatsiens se tenaient à un pas du LinceulDémoniaque. Le vent sifflait autour de l'enceinte du Collège. Derrière la ligne de prisonniers, Senedai et ses gardes hésitèrent, comme si toute volonté les avait abandonnés à présent que leur objectif était atteint.

Le vieux mage, qui avait pris la main d'une fillette sur sa droite et celle d'un homme âgé sur sa gauche, leva les yeux vers les remparts.

— Dame Kerela, seigneur Barras, général Kard, c'est un honneur pour nous de consentir ce sacrifice. Faites qu'il n'ait pas été vain.

— Il ne le sera pas, répondit l'elfe d'une voix tremblante.

— Comment t'appelles-tu ? demanda Kerela.

— Theopa, ma Dame.

— Theopa, ton nom vivra à jamais dans le souvenir des futures générations de mages julatsiens. J'ai honte de ne pas t'avoir mieux connu.

— Il suffit que vous me connaissiez maintenant. Que vous nous connaissiez tous ! (Le vieux mage haussa le ton.) Amis, marchons vers la gloire ! Les dieux nous souriront et les démons auront pitié de notre âme.

Un pieux mensonge dont l'homme était conscient, cela se lisait dans ses yeux...

Près de lui, la fillette pleurait. Theopa se pencha et lui chuchota quelques mots. L'enfant esquissa un sourire.

— Fermez les yeux et suivez-moi ! lança Theopa.

Il fit un pas en avant. Toute la ligne l'imita. Les cinquante Julatsiens tombèrent dans le Linceul, la bouche ouverte, leurs cris furent brusquement interrompus quand les démons arrachèrent leur âme de leur corps.

Barras sentit des larmes rouler sur ses joues. Un soldat passa près de lui en marmonnant quelque chose dans sa barbe. Kard l'entendit.

— Tu es consigné ! cria-t-il. Retourne immédiatement à tes quartiers, et ne parle à personne en chemin. Je viendrai m'occuper de toi personnellement.

Le soldat pâlit et s'exécuta.

— Ne soyez pas trop dur avec lui, dit Barras.

— Il vous a accusé de meurtre !

— Il avait raison...

Kard se planta devant l'elfe, le dissimulant à la vue des Ouestiens.

— Ne croyez jamais ça ! Le meurtrier est hors de ces murs. Un jour, il comparaîtra devant la justice.

Barras lui fit signe de s'écarter.

— Seigneur Senedai ! appela-t-il. (Le commandant ennemi leva les yeux vers lui.) Jusqu'à la fin de votre courte vie, puissent vos nuits être hantées par les ombres de l'enfer !

Senedai s'inclina.

— Je reviendrai à midi, et d'autres prisonniers mourront, promit-il.

Barras commença à préparer un sort. De là où il était, il pouvait incinérer Senedai.

Kerela l'interrompit, brisant délibérément sa concentration.

— Je comprends votre haine. Mais vous gaspilleriez votre mana dans le Linceul. Mieux vaut consacrer notre énergie à trouver un moyen de nous libérer, et de sauver les prisonniers. Venez, Barras. Reposez-vous, et réfléchissez.

Elle entraîna l'elfe vers l'escalier.

Chapitre 14

Tessaya devait savoir qu'il arrivait, mais c'était un risque à courir et un prix qu'il était prêt à payer. En réalité, Styliann n'avait pas cru un instant qu'il réussirait à extorquer un droit de passage à Riasu. Mais l'officier avait été tellement stupéfait par la démonstration des Protecteurs qu'il avait envoyé des cavaliers réclamer l'accord de Tessaya pour une entrevue avant que le sang de ses guerriers morts se soit figé dans leurs veines.

Pour Styliann, c'était une preuve supplémentaire et fascinante de la crainte qu'éveillait toute manifestation magique. Individuellement, les Ouestiens – seigneurs tribaux compris – étaient pour la plupart des êtres faibles. Certes, il existait quelques exceptions notables, à commencer par le commandant chargé d'assiéger Julatsa. Mais cet homme courageux lui-même répugnait à entrer dans le cœur de la magie collégiale, retenu par une angoisse de l'inconnu dont aucun effort de volonté n'aurait pu venir à bout. Des générations de conditionnement se dressaient entre lui et la conquête de Julatsa.

Une conquête que personne n'avait encore pu réussir.

Quant à Tessaya, c'était un cas à part. Sa réputation le précédait, et Styliann était certain qu'il refuserait de négocier avec lui : il préférerait le tuer ou le prendre en otage. Il penchait plutôt pour la deuxième possibilité.

C'était sur ça qu'il misait. Il devait franchir les monts Noirépine par la passe de Sousroc. Il avait préféré se séparer des Ravens, qu'il admirait autant qu'il se méfiait d'eux, car il n'avait aucun désir de participer à une tentative de libération de Julatsa. De la même façon, il n'avait pas voulu accompagner le brillant général Darrick – un héros comme on n'en faisait plus – parce que Gyernath était beaucoup trop loin. Avoir perdu son titre de Seigneur du Mont, fût-ce temporairement, était une humiliation à réparer au plus vite. Un problème qui prenait le pas sur tous les autres.

Un court moment, après le lancement d'AubeMort, quand il avait appris que quelqu'un s'était emparé de son poste, Styliann avait senti vaciller son influence sur les affaires balaiennes, et souffert d'une crise de confiance sans précédent. Mais il s'était très vite ressaisi. Le plus gros des travaux sur la magie dimensionnelle était conservé entre les murs de Xetesk, et il était sûr qu'un des textes récemment exhumés des catacombes de sa Tour avait un lien direct avec le problème que les Ravens devaient résoudre. Il conserverait sa position prédominante dans la hiérarchie de Balaia – à condition de rejoindre le Mont le plus vite possible.

D'où la route qu'il avait choisie. La plus directe, et de très loin. Mais aussi celle qui présentait le plus gros obstacle. Cela dit, que Tessaya attende sa venue n'était pas nécessairement un inconvénient. Après tout, Styliann était sous surveillance rapprochée, et il voulait seulement négocier. Les Ouestiens n'allaient pas rassembler leurs armées pour l'accueillir. S'il avait bien cerné la personnalité de Tessaya, ce serait même le contraire. Et Styliann avait l'avantage de savoir précisément quand il arriverait, un luxe dont ne bénéficiait pas le général ouestien.

Alors que le soleil atteignait son zénith, Styliann entra à cheval dans la passe de Sousroc, accompagné par ses Protecteurs et une escorte de quarante fantassins : des guides et une garde d'honneur, selon Riasu. Quand il le lui avait annoncé, Styliann avait eu du mal à ne pas éclater de rire. Son interlocuteur le croyait-il vraiment capable de se perdre dans une passe qui comportait un seul tunnel ? Et à son avis, que pouvaient faire quarante soldats ordinaires face à quatre-vingt-dix machines de guerre parmi les plus redoutables de Balaia ? Rien du tout, comme il ne tarderait pas à s'en apercevoir.

Styliann étouffa un bâillement et regarda derrière lui. En tête de la colonne, vingt Ouestiens marchaient le long de la passe, la lumière de leurs lanternes projetant des ombres dansantes sur les parois de roche noire. Au-dessus de lui, une fissure naturelle plongeait dans le cœur des monts Noirépine. Devant, le plafond s'abaissait brutalement jusqu'à une hauteur de moins de cinq mètres. Sur un côté, le chemin était bordé par un dangereux précipice.

L'air était frais et humide ; çà et là, de l'eau ruisselait, vestige d'une averse ou d'un torrent souterrain. Le bruit des bottes et des sabots se combinait au martèlement des fourreaux sur les cuisses des soldats, et résonnait de plus en plus fort sur les parois alors qu'ils s'enfonçaient dans la passe.

Peu de paroles avaient été échangées depuis leur départ – et aucune entre Styliann et les Ouestiens. La passe de Sousroc rendait toujours les voyageurs muets. La masse des montagnes, au-dessus de leur tête, plus la pression de la roche et du vide leur faisaient courber le dos et allonger le pas.

La colonne avançait à bonne allure. Déjà une heure qu'elle marchait ; à ce rythme-là, elle atteindrait l'extrémité de la passe dans un peu plus de trois autres. Les baraquements de la garnison de Riasu étaient loin derrière. Dehors, plus personne ne pouvait les entendre, d'un côté comme de l'autre. Styliann sourit. Le moment était venu. Il n'avait pas besoin de guides ni de garde d'honneur. Mieux aurait valu pour les quarante membres de son escorte qu'ils restent à l'ouest : au minimum, ils auraient bénéficié d'un sursis.

Passant en revue les options qui s'offraient à lui, Styliann décida de ne pas entamer ses réserves de mana. C'eût été inutile. Aucun Ouestien n'avait d'arc, une omission qu'ils ne vivraient pas assez longtemps pour regretter. Styliann se pencha et approcha sa bouche de l'oreille de Cil, qui marchait au centre de son cordon défensif.

— Détruisez-les ! ordonna-t-il.

Cil inclina la tête pour indiquer qu'il avait compris. Sans ralentir, il transmit l'ordre à ses frères. Styliann sourit de nouveau un instant avant que l'enfer se déchaîne sur les Ouestiens.

Les huit Protecteurs qui composaient la première ligne levèrent leur hache pour les plonger dans le dos ou le cou des soldats qui les précédaient. Derrière, trente autres Protecteurs pivotèrent en brandissant leurs armes et se jetèrent sur les hommes de l'arrière-garde.

Dans un concert de hurlements d'agonie, du sang jaillit sous les lames des Protecteurs et le bruit écœurant du métal déchirant la chair résonna aux oreilles de Styliann.

Luttant pour dégainer leurs armes et se mettre en position, les Ouestiens de l'avant-garde perdirent toute contenance, car la soudaineté de l'assaut les empêchait de penser clairement. Quelques-uns firent face aux Protecteurs, mais ils furent submergés par la précision et la puissance de leurs adversaires, dont chaque coup atteignait sa cible.

L'arrière-garde opposa une résistance vaillante mais brève. Un Ouestien poussa un cri de ralliement et se campa fermement sur ses pieds, ses camarades prenant exemple sur lui. Quelques secondes, des étincelles illuminèrent le passage, et le fracas de l'acier contre l'acier résonna dans l'espace clos.

Les Protecteurs se contentèrent d'augmenter la férocité et la rapidité de leurs attaques.

Les pieds glissant sur le sang qui couvrait la pierre, les corps mutilés de leurs camarades jonchant le sol autour d'eux, les dix derniers Ouestiens tournèrent le dos aux masques impassibles de leurs adversaires, et s'enfuirent en hurlant des avertissements que personne n'entendrait.

— Rattrapez-les et tuez-les ! ordonna Styliann.

À chaque extrémité de la colonne, une demi-douzaine de Protecteurs enjambèrent les cadavres et se lancèrent vers l'est ou vers l'ouest, le bruit de leurs pas sonnant le glas de leurs proies.

Toutes les lanternes ayant été piétinées dans la bataille ou ayant disparu avec les Ouestiens, Styliann incanta un GlobeLumière et fronça les sourcils en contemplant le carnage.

— Parfait. Des blessés ?

— Deux d'entre nous ont des coupures peu profondes. Rien de plus, répondit Cil.

— Parfait, répéta Styliann. Poussez les cadavres dans le précipice. Je vais passer en tête. Tu viens avec moi.

De nouveau, un hochement de tête...

Des Protecteurs se baissèrent pour empoigner les corps de leurs adversaires et les jeter dans le vide. Styliann talonna sa monture ; Cil et cinq de ses frères l'encadrèrent. Quelques mètres plus loin, il s'arrêta et mit pied à terre, épousseta ses vêtements et s'assit dos à la paroi nord, éclairée par son GlobeLumière.

Si peu de choses en ce monde impressionnaient Styliann, la passe de Sousroc en faisait partie. Une étonnante combinaison de génie humain et naturel. Créée pour le profit et la conquête, elle était devenue le point stratégique le plus important de Balaia. Styliann se gratta la joue gauche et haussa les épaules. Devenir l'instrument du mal alors qu'elles avaient été conçues pour le bien était le destin de beaucoup de créations.

— Et maintenant, nous attendons. Ou plutôt, vous attendez. J'ai du travail à faire. (Styliann ferma les yeux.) Et j'aurai besoin de vos frères d'âme.

À la lumière mourante de la fin d'après-midi, le seigneur Tessaya, taraudé par une vague inquiétude, se promenait autour de la ville de Sousroc.

La journée avait été riche en événements. Le message apporté par le pigeon avait gâché sa bonne humeur, mais pas ses plans. Les cavaliers envoyés par Riasu lui avaient annoncé une nouvelle inattendue, mais qui pourrait se révéler cruciale. Contrôler le Seigneur du Mont de Xetesk serait un atout qui valait bien l'effort à consentir pour contenir son pouvoir.

Peu importait sa redoutable escorte. Si Tessaya réussissait à l'isoler, il ne doutait pas de neutraliser ses Protecteurs, voire de les détruire. Styliann serait une précieuse monnaie d'échange, peut-être la plus précieuse de toutes. Et il avait offert de les aider en échange de son rapatriement à Xetesk. Aucun problème. Tessaya était prêt à promettre tout ce qu'on voudrait et à ne rien donner. Surtout à un mage.

Néanmoins, quelque chose clochait. Dans l'euphorie initiale générée par la naïveté de Styliann, et par la confiance aveugle qu'il semblait avoir en sa propre valeur, Tessaya avait aussitôt renvoyé les cavaliers avec une invitation rédigée de sa main. Il avait envisagé d'accueillir le Seigneur du Mont avec une force que même ses Protecteurs ne pourraient vaincre, mais il s'était vite ravisé. Pourquoi gaspiller la vie de ses hommes alors qu'avec un peu de patience, il pouvait atteindre son objectif sans faire couler une goutte de sang ouestien ?

À présent que la journée touchait à sa fin, et qu'il avait fait le tour des barricades construites par Darrick, Tessaya s'inquiétait. Un second tour de la ville de garnison ne suffit pas à dissiper son anxiété. Selon ses calculs, Styliann aurait déjà dû être là. Depuis une bonne heure. Or, les hommes qu'il avait envoyés à la rencontre de ceux de Riasu, pour les remplacer auprès du mage xetesk, n'étaient pas revenus.

Bien sûr, leur retard pouvait s'expliquer. Un cheval ayant perdu un fer, un manque d'organisation à l'extrémité ouest de la passe, une halte prolongée, la réticence de Styliann à continuer son chemin sans assurance supplémentaire des intentions pacifiques de Tessaya à son égard, les nouvelles exigences dont le Seigneur du Mont avait pu faire preuve…

Tessaya se laissa tomber sur un rocher plat qui surplombait la ville. Le soleil couchant l'auréolait d'une magnifique lueur rouge pâle, embrasait les nuages et dardait ses rayons vers la terre. La brise légère apporta à ses oreilles le son étouffé d'un marteau frappant une enclume. En contrebas, sur sa gauche, la porte d'un des baraquements s'ouvrit ; une longue ligne de prisonniers aux épaules affaissées en sortit pour la promenade du soir, flanquée par des gardes armés de haches.

En tendant l'oreille, Tessaya captait des bruits de voix en provenance de tous les secteurs de la ville : bavardages, ordres, disputes... Dans trois jours, les fortifications qui contrôlaient déjà la piste est-ouest principale encercleraient Sousroc. Alors, il pourrait se mettre au travail sur les défenses de la passe, négligées jusque-là.

Suite à l'occupation ouestienne, la petite ville de garnison s'était étendue comme une flaque d'huile à la surface d'un lac. Laissant dériver son regard au-delà de la cuvette peu profonde où se dressaient les bâtiments originaux de Sousroc, Tessaya observa la toile grise qui couvrait chaque centimètre carré de la pente et du plateau vers lequel elle montait, au sud. Les étendards d'une douzaine de tribus et d'une centaine de familles nobles mineures flottaient fièrement au-dessus des demi-cercles de tentes regroupées autour de feux de camp.

Pour sa part, le général avait choisi de loger à l'auberge avec ses conseillers, dont Arnoan, qu'il souhaitait garder à l'œil. Quant à sa famille, ses fils se battaient avec Senedai, dans le nord, et ses frères étaient morts depuis longtemps, tués par les mages xetesks. Les sourcils froncés, il avança d'un pas rapide vers l'extrémité ouest de la ville.

— Il me faut un éclaireur, dit-il au capitaine de garde.

— Seigneur.

L'officier barbu rugit un nom et sa voix se répercuta le long des bâtiments voisins. Un homme sortit en courant de la tranchée que ses camarades et lui étaient occupés à creuser hors des barricades, avant de la garnir de pieux.

— Kessarin, à votre service.

Tessaya étudia l'Ouestien athlétique vêtu d'un pantalon marron clair, d'une chemise assortie et de bottes souples. Une petite hache pendait à sa ceinture. Il était jeune, sans doute originaire d'un village noble mineur.

— Tu peux courir ? demanda Tessaya.

— Oui, seigneur.

Kessarin acquiesça vigoureusement. Anxieux de lui plaire, il en oublia la crainte que lui inspirait le général.

— Va dans la passe pour retrouver les imbéciles que j'y ai envoyés cet après-midi. Prends une lanterne sourde, mais ne l'utilise qu'en cas de besoin. N'entre en contact avec personne, et reviens directement me faire ton rapport.

— Bien, seigneur.

— Tu peux y aller.

Tessaya sonda la gueule noire de la passe, qui se fondait peu à peu avec les ombres grandissantes du soir. Il n'avait aucune envie d'affronter Styliann et ses Protecteurs, mais les premières lueurs de l'aube ne lui laisseraient pas le choix. Il fallait que Kessarin revienne très vite. L'idée qu'il pourrait ne jamais le faire effrayait Tessaya davantage qu'elle ne l'aurait dû.

Entouré par son escorte, Styliann se détendit et modela la forme de mana nécessaire à une Communion qu'il apprécierait immensément ou maudirait à jamais.

La forme fine torsadée comme une corde bleu marine traversa la pierre des monts Noirépine et partit en quête d'un esprit bien précis qui, malgré la soudaine augmentation de son pouvoir, ne parviendrait pas à résister à l'appel de Styliann.

Il fallut un instant à la Communion pour franchir la distance qui séparait la passe de Xetesk. Un sourire s'afficha sur les lèvres de Styliann tandis que son sort effleurait l'esprit endormi de centaines de mages, dans son Collège. Ils lui apparaissaient comme des ondulations à la surface d'une mare, une constellation psychique que quelqu'un d'entraîné et de talentueux pouvait déchiffrer s'il se montrait assez prudent.

Styliann fouilla leurs pensées embrumées par le sommeil, cherchant un esprit encore actif qui riderait ces ondulations comme les gouttes d'une averse. Il ne lui fallut pas longtemps pour le découvrir. Ce cerveau appartenait à un homme dont l'ascension au sein de la hiérarchie xeteske avait été spectaculaire. Un homme qui avait su saisir les occasions offertes par la réussite d'un de ses sorts – et surtout par l'absence du Seigneur du Mont en titre.

Styliann admirait son courage mais il haïssait l'humiliation qu'il lui avait infligée. Sans parler de la rage qu'il avait fait naître en lui en révélant la faiblesse de son propre cercle de fidèles. Dès qu'il aurait repris le titre qui lui revenait de droit, il exigerait la réponse à un certain nombre de questions.

La Communion vola vers sa cible, l'arrachant à sa somnolence pour lui imposer une lucidité aussi brusque qu'inconfortable. La résistance symbolique du mage fut très vite brisée.

— Navré de vous déranger à une heure pareille, seigneur, cracha Styliann d'une voix mentale chargée de bile.

— Sty-Styliann ? balbutia son correspondant.

— Oui, Dystran : Styliann. Assez près de vous pour transpercer votre pitoyable bouclier. Il faudrait vous concentrer davantage sur votre protection. Ça pourrait vous être utile.

Styliann s'enorgueillissait de n'avoir jamais été forcé d'accepter une Communion.

— Où êtes-vous ? demanda Dystran, tout à fait réveillé.

Styliann capta son anxiété, et l'imagina qui luttait pour se redresser et regarder autour de lui, bien que la Communion le maintînt immobile.

— Inutile de mettre un GlypheVerrou sur vos portes. Pas encore, du moins !

— Que voulez-vous ? demanda le nouveau Seigneur du Mont.

— À part le poste que vous m'avez volé ? Un petit coup de main, histoire que notre inévitable confrontation soit moins mouvementée que si elle se produisait maintenant.

— Vous revenez ?

— Xetesk est mon foyer ! cria Styliann, réconforté par l'idée que Dystran et ses fidèles ne semblaient pas avoir réfléchi aux conséquences de leur coup de force.

Il y eut une pause. Styliann sentit les pensées anxieuses de Dystran se bousculer dans son esprit. Comme il devait regretter que ses conseillers ne soient pas là pour lui venir en aide…

— Que voulez-vous ? répéta-t-il.

— Du muscle, répondit Styliann. Beaucoup de muscles. Qu'ils partent immédiatement de Xetesk pour prendre le chemin de Sousroc. Je les rejoindrai sur la route.

— Vous parlez de Protecteurs ? demanda Dystran, incrédule.

— Naturellement. Faire appel à eux est un des droits du Seigneur du Mont.

— Mais vous n'êtes plus le Seigneur du Mont. J'ai pris votre place.

Styliann gloussa. À défaut de mesurer la gravité de ses actes, Dystran faisait montre d'un certain aplomb. Après la réussite de sa ConnexionDimensionnelle, il avait été élevé au rang de maître. Mais sa prise de pouvoir ne devait satisfaire personne, à l'exception de ses conseillers qui se servaient sûrement de lui pour évaluer l'humeur et l'opinion du reste du Collège. Dommage qu'il ne le comprenne pas. Comme beaucoup d'autres avant lui, il était aveuglé par son ambition.

— Vous allez m'envoyer les Protecteurs, affirma Styliann. Alors, peut-être réglerons-nous notre différend de manière raisonnable, quand je reviendrai.

— Mais si je ne vous les envoie pas, vous ne reviendrez peut-être pas, répliqua Dystran. Dans ce cas, le problème sera réglé.

— Imbécile ! (Styliann avait lancé sa pensée comme une dague ; il sentit frémir l'esprit de son correspondant.) Serais-je resté Seigneur du Mont aussi longtemps pour laisser un parvenu s'emparer de ma Tour sans réagir ? (Il prit une profonde inspiration. Il ne devait pas s'énerver avant d'avoir obtenu l'information cruciale qu'il cherchait.) Je suppose que vous avez étudié les Textes d'Intendance ?

— Quand j'avais le temps...

— Bien entendu. Le Seigneur du Mont subit tant de pression...

Styliann sentit Dystran se détendre.

— C'est vrai. J'espère que nous pourrons en parler de façon civilisée.

— Avez-vous amendé l'Acte de Don pour vous en nommer destinataire ?

— L'Acte de... ? Je ne connais pas ce texte.

— Ah ah ! triompha Styliann. Vos conseillers non plus, apparemment. Mais sachez que vous en subirez tous les effets.

Il brisa la Communion et s'ébroua, histoire de s'éclaircir les idées. Il n'était pas surpris que Dystran ait négligé d'amender l'Acte de Don. En temps normal, il n'y avait pas de Seigneur du Mont précédent à qui reprendre ses pouvoirs. Le nouveau tenant du titre avait donc tout le temps de découvrir leur étendue.

En temps normal.

Souriant, Styliann se concentra pour appeler tous les Protecteurs, comme il en avait encore le droit.

Kessarin était un homme fier. Choisi par son capitaine et chargé par son seigneur d'une tâche aussi importante que secrète. Une mission dont il devrait rendre compte directement à Tessaya.

Il s'engagea dans la passe avec suffisamment d'huile dans sa lanterne pour tenir quatre heures. La mèche était coupée à ras, et le volet rabattu pour laisser filtrer le minimum vital d'air et de lumière.

Profitant des derniers rayons du soleil qui éclairaient son chemin, il parcourut rapidement la première partie de la passe – à ciel ouvert. Sur le sol meuble, ses bottes de cuir souple ne faisaient presque pas de bruit. Une hache attachée dans le dos, il avait les mains libres pour palper les parois rocheuses et se diriger au toucher, comme n'importe quel bon éclaireur de sa tribu. Le seigneur Tessaya voulait qu'il retrouve ses gardes sans qu'ils s'aperçoivent de sa présence, et il n'avait pas l'intention de le décevoir.

Kessarin fit la grimace en pensant aux hommes qui l'avaient précédé. À l'évidence, le Xetesk qu'ils devaient rejoindre n'était pas parti aussitôt après avoir reçu le message de Tessaya. Mais en cinq heures, ils auraient dû atteindre l'extrémité ouest de la passe où étaient cantonnés Riasu et sa garnison.

Kessarin doutait que ses camarades soient arrivés jusque-là. Conduits par le désagréable Pelassar, ils avaient sans doute fait halte au point de rendez-vous convenu, à une demi-heure de marche de Sousroc. Et ce malgré l'ordre d'avancer jusqu'au milieu de la passe si nécessaire. Selon Kessarin, choisir Pelassar pour commander cette unité était la seule erreur commise par Tessaya. Mais ce n'était pas une faute grave, et il serait ravi de dénoncer la paresse de son camarade, voire de le regarder se faire fouetter.

À sa grande surprise, Pelassar et ses trente hommes n'étaient pas à l'endroit où Kessarin pensait les trouver. Il s'attendait à être accueilli par un bruit de dés roulant sur la pierre, par des rires gras et par la lumière de lanternes éclairant tout à une centaine de mètres à la ronde. À aucun moment, il n'eut de raison de se dissimuler. Curieusement, Pelassar et son unité avaient continué leur chemin. Kessarin haussa les sourcils et fit de même.

L'éclaireur, jeune et en forme, avalait littéralement les kilomètres. Au bout d'une heure, la prudence l'incita à ralentir et à braquer le filet de lumière de sa lanterne à ses pieds plutôt que devant lui. Il respirait doucement et tendait l'oreille, ne parvenant à capter que le goutte-à-goutte de l'eau qui ruisselait sur la roche. Une demi-heure de plus, il marcha dans un silence total sans apercevoir aucun signe de Pelassar et de ses hommes.

Puis la brise presque imperceptible qui soufflait dans la passe charria jusqu'à ses narines une odeur de sang.

Kessarin s'immobilisa et referma le volet de sa lanterne. Alors que les ténèbres l'engloutissaient, il se plaqua contre la paroi de gauche en réfléchissant. Il connaissait mal cette partie du tunnel. Seules les deux extrémités lui étaient vraiment familières. Il se concentra. Toujours pas le moindre bruit. Aucune lumière. Pas un souffle d'air annonçant qu'un groupe d'hommes se déplaçait à proximité. Seulement une odeur de sang, si légère qu'il croyait presque l'avoir rêvée.

Kessarin était d'un naturel calme, mais le silence et l'obscurité commençaient à lui taper sur les nerfs. Des sons qu'il savait irréels lui effleurèrent les tympans. Les pleurs d'un enfant, les meuglements d'une vache... Tous distants, comme envoyés par la montagne pour le faire douter de sa santé mentale.

Kessarin secoua la tête et se força à se concentrer. Il avait deux possibilités :

ou il rebroussait chemin pour rapporter qu'il n'avait rien trouvé, à part un silence angoissant et une vague odeur de sang, ou il continuait – sachant que l'impatience de Tessaya augmenterait en son absence – et tentait de découvrir si ses craintes étaient justifiées. Seule la deuxième solution lui permettrait de gagner les faveurs du général. En espérant qu'il ne retourne pas sa colère contre le messager qui lui apporterait de mauvaises nouvelles.

Kessarin sonda de nouveau l'obscurité. Aucune lumière naturelle n'atteignait cette profondeur. Il n'aurait pas distingué la paroi s'il avait collé le nez dessus. Toute lueur se serait vue à des dizaines de mètres. Du coup, il pouvait être certain qu'il n'y avait personne devant lui. Il entrouvrit le volet de sa lanterne, pour que la flamme ne consume pas tout l'air et finisse par s'éteindre. Dans le silence qui l'enveloppait, les charnières métalliques grincèrent aussi fort que les gonds d'une porte rouillée.

Kessarin s'autorisa un sourire.

Laissant courir sa main gauche contre la paroi, il se remit en marche prudemment. Le rai de lumière qu'il braquait sur sa droite éclaira une petite déclivité. Quelques pas plus loin, il marcha dans quelque chose de gluant. Il s'immobilisa, certain qu'il avait trouvé la source de l'odeur.

Alors, ils se glissèrent hors des ténèbres devant lui, une pâle lueur dansant sur leurs masques de cauchemar. L'un d'eux l'empoigna par le cou avec une rapidité étourdissante. Kessarin lâcha sa lanterne, qui se brisa sur le sol. Il tenta de parler, mais aucun son ne sortit de sa bouche.

Les yeux écarquillés, il battit des bras tandis que ses agresseurs s'écartaient pour laisser passer un grand homme aux cheveux noirs.

Derrière lui flottait une sphère lumineuse.

— Félicitations ! déclara l'inconnu. Tu as presque réussi à nous faire croire que tu n'étais pas là. Presque. Je suppose que tu es seul ?

Terrifié, Kessarin parvint à hocher la tête, sa mâchoire coincée par le gantelet du guerrier qui le tenait.

— C'est bien ce que je pensais, dit son interlocuteur. La nuit est-elle tombée dehors ?

Nouveau hochement de tête.

— Parfait. Cil, nous avons du travail.

La main resserra son étreinte autour de la gorge de Kessarin. Tous ses rêves de gloire s'envolèrent dans des ténèbres dont il ne sortirait jamais.

La seule question encore en suspens était celle de la réception qu'il recevrait à Sousroc, mais l'Ouestien capturé par Cil avait dissipé une partie de son incertitude. Selon Styliann, Tessaya attendrait le rapport de son éclaireur avant de prendre une décision sur l'ampleur des défenses à déployer. À ce stade, il n'avait aucune raison de croire que l'absence du Seigneur du Mont soit due à autre chose qu'à un retard irritant.

Styliann et ses Protecteurs avançaient à bonne allure. Le globe magique projetait une lueur diffuse qui ne leur permettait pas de voir à plus de quelques pas devant eux. Mais les sens aiguisés des Protecteurs compensaient le manque de clarté.

Moins de deux heures plus tard, ils atteignirent l'extrémité est de la passe. Styliann ordonna une halte à quatre cents mètres de l'entrée, derrière une saillie rocheuse. Il confia son GlobeLumière à Cil, mit pied à terre et lança une MarcheVoilée sur son propre corps. Il aurait pu choisir un Protecteur pour cible de son sort, mais ses nuances le rendaient beaucoup plus difficile à maîtriser qu'un GlobeLumière ou des OmbresAiles.

— Restez ici ! ordonna-t-il. Ils ne me verront pas.

Styliann disparut. Une main courant le long de la paroi de gauche, il gagna rapidement la sortie.

Les ténèbres perdant de leur épaisseur, il évalua qu'il devait lui rester quatre heures jusqu'à l'aube.

Dehors, la nuit était sombre, mais presque lumineuse comparée à l'obscurité qui régnait dans la passe. Dedans, il faisait froid et humide. Styliann se réjouit d'avoir emporté son manteau.

Il n'y avait pas de sentinelles dans la passe, mais à l'extérieur, une dizaine d'hommes étaient assis autour d'un feu. Styliann eut pitié d'eux. La tempête xeteske les emporterait dans la tombe avant qu'ils comprennent qu'elle était sur le point d'éclater.

Il ralentit. Arrivé à une dizaine de pas des gardes, il s'accroupit derrière un éboulis provoqué par le sort que ses propres mages – sous la direction de Dystran – avaient lancé pour massacrer tant d'Ouestiens. L'odeur de mort imprégnerait à jamais les murs.

Aucun des hommes n'était tourné vers l'entrée de la passe, un détail que Styliann trouva un peu étrange. Trop d'assurance rendait imprudent. Il se tordit le cou pour observer Sousroc. Les défenses de Darrick avaient été renforcées, et il compta huit nouvelles tours de garde. La pente qui descendait vers les portails construits par Tessaya lui obstruait partiellement la vue, mais la lueur d'autres feux lui apprit la présence de plusieurs groupes de soldats autour de la ville.

Sousroc était tranquille. Les Ouestiens dormaient. Au-dessus d'eux, le ciel était clair, l'air frais et immobile. Il n'aurait pas de meilleure occasion. De nouveau dissimulé par sa MarcheVoilée, Styliann rebroussa chemin vers ses Protecteurs.

Une nuit d'inquiétude à Sousroc... Tessaya arpentait fébrilement les rues silencieuses. Le capitaine lui avait affirmé que Kessarin était son meilleur éclaireur. Il retrouverait les gardes et viendrait faire son rapport. Mais s'il devait aller jusqu'à l'autre extrémité de la passe, il ne rentrerait pas avant l'aube.

Quelque chose clochait... Comment expliquer que Styliann ne soit pas encore arrivé ? Si ses hommes avaient pris du retard, Tessaya aurait dû en être informé. Pour une fois, l'indécision le rongeait. Son instinct lui ordonnait de réveiller tous ses soldats et d'éliminer le mage à l'instant où il apparaîtrait. Mais son sens tactique l'implorait de jouer plutôt sur la finesse et la patience. Attendre l'arrivée de Styliann et l'accueillir à bras ouverts. Le laisser se placer exactement où il voulait qu'il soit.

Le Seigneurs des Tribus Paléon leva le nez vers le ciel en quête d'inspiration. En vain. Il s'était arrêté près de l'auberge ; pourtant, il résista à l'envie de demander conseil à Arnoan. Il savait déjà ce que dirait le vieux chamane : « Amenez-moi Styliann, et laissez-moi user de ma magie sur lui. » Mais comme tous ses confrères, il n'avait plus de magie : seulement des chants, des potions, des ossements et des grimoires. Styliann pourrait le détruire d'un geste.

Que devait-il faire ? Tessaya remonta la rue principale jusqu'aux portes de la ville et gravit l'échelle de la tour de garde qui les surplombait. Les sentinelles inclinèrent la tête pour le saluer.

— Continuez à surveiller l'entrée de la passe ! leur ordonna-t-il. (Les deux hommes se tournèrent vers la gueule noire et béante éclairée sur la droite par un feu de camp.) N'avez-vous rien vu ?

— Non, seigneur, répondit une des sentinelles sans quitter du regard l'entrée de la passe. Et ceux d'en bas non plus. Même la piste nord-sud est déserte.

— Par les enfers, que leur est-il arrivé ? grogna Tessaya.

— C'est un mage, seigneur, dit le garde. On ne peut pas lui faire confiance.

Tessaya ouvrit la bouche pour le réprimander, puis il s'avisa que la remarque, qu'il n'avait pas sollicitée, reflétait parfaitement ses pensées. Il se contenta donc d'acquiescer.

— Je ne devrais pas être surpris. Je suis ravi que vous sachiez à quoi vous attendre. (Il fit demi-tour.) Soyez vigilants. Vous ne devez surtout pas le manquer.

À cet instant, il y eut une explosion de violence à l'entrée de la passe.

Des guerriers masqués jaillirent dans la nuit. Ils éparpillèrent les braises du feu et massacrèrent les dix gardes qui ne les avaient pas vus venir. Puis, sans ralentir, ils modifièrent leur trajectoire et s'élancèrent vers le nord. En leur sein, Tessaya distingua un cavalier solitaire lancé au galop, qu'ils serraient de près sans se laisser distancer par sa monture. Rien dans leur attitude ne trahissait une once d'hésitation. Ils n'étaient que discipline, concentration et effrayante efficacité. Pas un seul ne jeta un regard vers Sousroc tandis qu'ils s'éloignaient le long de la piste et disparaissaient de la vue des gardes ébahis.

Tessaya jura pour s'arracher à son hébétude et abattit ses deux poings sur la rambarde avec tant de force que toute la tour trembla.

— Réveillez les tribus ! cria-t-il. Tirez de son lit jusqu'au dernier de nos hommes ! Je ne veux plus en voir un dans cette ville d'ici dix minutes ! Rattrapez-moi ces chiens et massacrez-les ! Tout de suite !

Des cloches résonnèrent tout autour de Sousroc. Tessaya sonda l'obscurité à l'endroit où Styliann avait disparu. Car c'était forcément lui. De retour dans l'est avec ses maudits guerriers masqués, il fonçait droit vers Xetesk. Soudain, un frisson parcourut son échine. Et Darrick ? Et les Ravens ? Où étaient-ils ? Il chassa cette nouvelle inquiétude de son esprit, sachant qu'elle reviendrait en force quand sa fureur retomberait. Pour l'instant, il n'avait qu'une cible à sa portée.

— Par les esprits de mes ancêtres, je boirai ton sang, Styliann de Xetesk, grogna-t-il.

Mais alors que les bruits du réveil de son armée montaient jusqu'à lui, il crut entendre un éclat de rire se répercuter dans les montagnes.

Il en fut ainsi les trois jours suivants.

Quotidiennement, le Conseil de Julatsa faisait trois macabres pèlerinages à la porte Nord pour voir Senedai et les Ouestiens assassiner des innocents en les sacrifiant sur l'autel du LinceulDémoniaque. Le premier jour, cent autres personnes périrent : cinquante le midi, cinquante au crépuscule. Le lendemain, ce nombre doubla. Beaucoup affrontèrent la mort avec autant de fierté que Theopa. D'autres se sacrifièrent à contrecœur, crachant leur colère aux mages qui les regardaient marcher vers le Linceul sans lever un doigt pour les défendre.

Le troisième jour, cette rébellion gagna l'enceinte du Collège. Quand ils se détournèrent des remparts après avoir vu cent cinquante femmes âgées dépossédées de leur âme par les démons, les membres du Conseil se retrouvèrent face à une foule enragée que Kard et la Garde Collégiale avaient toutes les peines du monde à maintenir à distance. Le général avait réussi à faire taire les mécontents. Mais leur silence semblait encore plus menaçant que les injures, et tous les yeux étaient rivés sur les mages.

Kerela hocha la tête.

— Je suppose que c'était à prévoir.

— Le moment est mal choisi pour leur parler, déclara Seldane.

— Il n'y en aura pas de meilleur. Même si j'espérais que les discours de Kard produiraient un effet plus durable.

— Je soupçonne que ceux qui les ont écoutés sont en train de prier au lieu de manifester, intervint Barras. Il était évident que nous ne parviendrions pas à les convaincre tous.

— Qu'espèrent-ils obtenir ? demanda Endorr.

— Rentrons, et demandons-leur, dit Kerela.

Elle fut la première à s'engager dans l'escalier intérieur de la tour de garde. Quand ses collègues et elle arrivèrent dans la cour, un murmure parcourut la foule.

La Prime Magicienne fit signe à Kard et à ses soldats de s'écarter. Flanquée par Barras et soutenue par le reste du Conseil qui se tenait derrière eux, elle dévisagea solennellement les Julatsiens furieux, dont les proches mouraient chaque jour plus nombreux hors du sanctuaire du Collège. Bien que beaucoup d'entre eux se soient tournés vers le Chef Négociateur en quête de réconfort ou d'une solution, Barras décida de laisser la parole à Kerela.

— C'est le moment le plus pénible que nous ayons jamais vécu, déclara la Prime Magicienne. (Toutes les voix se turent instantanément.) Nos parents et amis… vos parents et amis meurent par centaines, contraints d'entrer dans le LinceulDémoniaque par une armée d'assassins qui veulent détruire ce Collège. Mais dissiper le sort maintenant, ce serait risquer la vie de tous les Julatsiens.

— Si le Linceul disparaît, les Ouestiens arrêteront les exécutions ! lança quelqu'un dans la foule.

— Vraiment ? répliqua Kerela. À votre avis, pourquoi ont-ils commencé par tuer les jeunes, les vieillards et les femmes trop vieilles pour enfanter ? Ce sont des conquérants. Les prisonniers incapables de travailler sont pour eux des bouches inutiles à nourrir… et un danger supplémentaire. Peut-être pourraient-ils vendre les enfants comme esclaves de l'autre côté des océans du sud. Mais les autres leur coûtent des efforts et ne leur rapportent rien. Ils ne peuvent pas se permettre de traîner des poids morts. Je vous ai bien regardés : un tiers d'entre vous mourrait si nous dissipions le Linceul avant d'être prêts à agir. Tous ceux qui ne veulent pas croire que les Ouestiens se livrent à une sélection sont invités à nous rejoindre à la porte Nord au crépuscule pour le constater de leurs propres yeux.

— Nous ne pouvons pas rester les bras croisés pendant que les cadavres s'empilent dehors, insista le porte-parole des Julatsiens, un jeune homme brun appelé Lorron. Vous devez bien le comprendre.

— En effet. Et je suis étonnée que vous ne sachiez rien de nos plans. Le garde qui se tient à côté de vous, à qui le général Kard donnera ses instructions ultérieurement, a de toute évidence omis de vous en parler. (Kerela dévisagea le soldat, qui se décomposa sous son regard sévère.) J'espère que vous n'avez pas contribué à augmenter l'agitation qui règne entre ces murs, ajouta-t-elle plus doucement.

— Je vais vous dire quel est le problème ! lança le soldat. (Barras sentit Kard se tendre près de lui.) Vous feriez n'importe quoi pour protéger votre précieux Collège. Même si ça doit coûter la vie à tous les prisonniers.

— C'est vrai. Mais je vois que vous avez réussi à vous réfugier dans l'enceinte du « précieux Collège » que vous décriez. Notre hospitalité ne vous satisferait-elle pas ? (La pointe des oreilles de Kerela s'empourprait. Barras sut que l'explosion était imminente.) Dites-moi, reprit-elle sur un ton dangereusement calme, que voudriez-vous nous voir faire ?

— Il faut nous battre ! s'exclama le soldat. (Un murmure d'approbation monta de la foule.) Par les dieux du sol, que pouvons-nous tenter d'autre ?

Kerela hocha la tête.

— Je vois. Selon vous, nous pourrions vaincre les Ouestiens malgré leur supériorité numérique ?

— Nous pouvons essayer ! insista Lorron. Nous avons la magie.

— Et nous nous en servirons le moment venu ! cria Kerela avec une telle force que la foule entière sursauta. (Barras réprima un sourire.) Croyez-vous vraiment que j'aime regarder mourir des Julatsiens innocents ? Mais j'y suis obligée. Parce que plus de la moitié de mes mages sont incapables de se battre, à cause des blessures physiques ou mentales récoltées pour vous permettre de rester en vie. Le général Kard a imaginé un plan d'attaque, mais beaucoup de ses hommes ne peuvent pas quitter leur lit. Voulez-vous que je les envoie au carnage ? En quoi sont-ils moins importants que les prisonniers des Ouestiens ? Dordover a envoyé des soldats et probablement des mages à notre secours. Ne vaut-il pas la peine de les attendre ? Et devons-nous vraiment vous exposer nos plans dans cette cour, sous les yeux des sentinelles qui nous surveillent sur cette maudite tour ?

Kerela tendit un index vers la structure que les Ouestiens étaient occupés à déplacer, sans doute pour mieux observer l'altercation entre leurs ennemis.

— Ces exécutions me dégoûtent, mais je déteste penser que mes propres concitoyens me croient faible et incompétente. (Elle baissa de nouveau la voix.)

Nous sommes peu nombreux. Il faudra attaquer à nos propres conditions, au moment le plus favorable. Sinon, nous serons massacrés. Je comprends votre impatience, mais en agissant à ma façon, nous sauverons davantage de vies. Cela ne devrait-il pas être notre unique objectif ?

— Et pour le Collège ? demanda le soldat impertinent.

— Il est la main qui nous nourrit et l'énergie qui nous soutient. Nous le défendrons jusqu'à notre dernier souffle. Je ne vous mentirai pas : l'attaque que nous organiserons avec l'espoir de lever le siège ne devra pas laisser le Collège à la merci des Ouestiens. (Kerela marqua une pause.) Aucun Julatsien ne mourra en vain. Pas une vie ne sera gaspillée tant que j'occuperai le poste de Prime Magicienne. Quelqu'un veut-il ajouter quelque chose ?

Les citoyens se regardèrent et baissèrent la tête.

— Parfait. Encore une chose, avant que vous regagniez vos baraquements. Je dirige ce Collège, et parce que nous sommes en état de siège, le général Kard me seconde. Toute personne convaincue que ce n'est pas une situation acceptable peut, avec ma bénédiction, tenter de franchir le Linceul. Est-ce clair ?

Certains citoyens approuvèrent, d'autres pas. Tête baissée, la plupart venaient de s'aviser que leurs chaussures étaient la chose la plus intéressante à contempler dans l'enceinte du Collège. Kerela hocha la tête, rassembla le Conseil et marcha vers la Tour.

Derrière elle, la voix de Kard résonna.

— Dispersez-vous. Retournez à vos corvées. Pas toi, soldat. Approche un peu. J'ai dit : approche !

Debout à la poupe du voilier, Thraun grognait en direction des Ouestiens massés sur le rivage. Il ne facilitait pas le maniement de la barre, et Denser, sous le regard vigilant de l'Inconnu, dut passer un bras par-dessus son arrière-train pour contrôler leur navigation. Personne ne les poursuivait. Les flammes du camp ravagé illuminaient le ciel, projetant des ombres dansantes à la surface de l'eau. Les nuages qui se pressaient autour de la lune occultaient sa lumière.

Hirad s'assit et retira ses bottes pleines d'eau, qu'il vida par-dessus bord. Il était épuisé. Six jours de cheval et de marche, suivis d'un combat qu'ils n'avaient pas prévu de livrer. Il étudia leur embarcation. La voile gonflée mais pas trop tendue les conduisait vers l'autre rive du bras de Triverne. De l'autre côté de la baume, l'Inconnu tordait ses chaussettes. Erienne et Will s'étaient glissés dans la cabine de proue, à l'abri du palan. Quant à Ilkar, il agrippait le plat-bord et gardait les yeux rivés sur le plancher du voilier.

Ils s'étaient échappés, mais non sans mal. Heureusement, leur plan de secours avait fonctionné. Néanmoins, Hirad n'était pas satisfait.

— Que s'est-il passé, Ilkar ?

— Un Ouestien maladroit, dit l'elfe. Je crois qu'il se battait avec la dague de Denser pour l'arracher de sa gorge, et qu'il a fait tomber la cloche.

— Nous avons dû attaquer avant d'atteindre la plate-forme, précisa Denser.

Ilkar ne pouvait pas reculer, parce que sa MarcheVoilée se serait dissipée un court instant et qu'il m'aurait marché dessus. Un des gardes bloquant le haut de l'échelle, nous n'avons pas eu le choix.

— Vous avez saboté le boulot, grogna Hirad.

— Nous sommes des mages, pas des assassins ! répliqua Ilkar. Je n'avais jamais rien fait de pareil, contrairement à toi.

— C'est vrai, mais il faut quand même que je te montre les meilleures façons de tuer quelqu'un du premier coup. Ça aurait pu t'aider.

— Quand nous aurons regagné la terre ferme, je me plierai volontiers à n'importe quel entraînement. Pour le moment, si ça ne te fait rien, je suis occupé à essayer de ne pas vomir partout.

Hirad éclata de rire. Le voilier tanguait à peine. Pourtant, le visage de l'elfe avait pris une couleur caractéristique.

— Ça ira, promit-il.

— Fixe l'horizon, conseilla l'Inconnu. Il bouge moins que l'intérieur du bateau. Ça te donnera une impression de stabilité.

Ilkar riva son regard sur le point où le ciel rencontrait la mer.

Apparemment satisfait par ce qu'il avait vu à terre, Thraun se retourna et arracha au passage la barre à Denser. Puis il traversa le voilier en marquant une pause pour dévisager chaque Raven.

Hirad soutint son regard. Il distinguait les taches jaunes dans ses yeux, mais pas l'humanité prisonnière dont Will lui avait certifié la présence. Pourtant, il y avait là une intelligence bien supérieure à celle d'un animal. Malgré le peu de distance qui les séparait, le barbare ne se sentit pas menacé. Il regarda Thraun bondir sur le pont et se faufiler entre Erienne et Will. La main du voleur lui caressa le dos. Thraun tourna la tête et le gratifia d'un grand coup de langue sur la joue.

— Il est affectueux, pas vrai ? lança Hirad.

— Je me demande s'il sera embarrassé par son comportement quand il se retransformera, gloussa Denser, dont la bonne humeur contrastait avec sa morosité des derniers jours.

— Combien de temps allons-nous naviguer ? demanda Ilkar.

— La moitié de la nuit, peut-être plus, répondit l'Inconnu.

— Oh, dieux, grogna Ilkar, dont les jointures pâlirent sur le plat-bord.

Hirad lui tapota amicalement l'épaule.

À la proue, Will s'essuya la figure en postillonnant. Les sourcils froncés, il saisit le museau de Thraun et le secoua.

— Tu es obligé de faire ça ?

Le loup se passa la langue sur les babines et le regarda tristement. Will se rembrunit.

— Qu'est-ce qui se passe, Thraun ? Qu'est-ce qui ne va pas ? (Le loup baissa la tête.) Tu pourrais te transformer ici. Inutile d'attendre que nous arrivions. Souviens-toi.

Les deux mots censés réveiller la conscience humaine dans le corps animal… Mais Thraun se contenta de s'allonger sur le pont et de poser son museau sur ses pattes avant. Will regarda Erienne. La jeune femme semblait aussi inquiète que lui.

— Ça ira, dit-elle sans conviction. Il se métamorphosera quand nous serons de l'autre côté.

— Tu l'as vu la dernière fois, objecta Will. Il a repris sa forme humaine dès l'instant où nous avons été en sécurité. Il ne voulait pas attendre. Plus il tarde, plus il lui est difficile de se rappeler qui il est vraiment.

Le voleur caressa de nouveau l'échine de Thraun, qui agita paresseusement la queue, tel un chien lové aux pieds de son maître.

Will secoua la tête. Son ami détestait sa forme animale. Elle lui faisait peur. En tout cas, il l'affirmait. Mais cette fois… Le mouvement du bateau le gênait-il ? Cela dit, il semblait à son aise. À son aise. Une expression que Will n'avait jamais associée à sa forme de loup. Et pourtant, il avait assisté à une dizaine de métamorphoses depuis qu'il le connaissait.

— Thraun, regarde-moi ! supplia-t-il. (Le loup leva la tête en clignant des yeux. C'était toujours ça.) Souviens-toi. S'il te plaît.

Les narines de Thraun frémirent. Il huma l'air et grogna, le regard braqué sur l'eau, en face de lui. Will se tourna vers les autres Ravens.

— On peut aller plus vite ? Nous avons un problème !

Chapitre 15

La matinée avait été plutôt ensoleillée. Une brise fraîche venue du nord-ouest avait chassé les nuages dès l'aube, laissant dans son sillage un ciel bleu et dégagé, un soleil qui réchauffait doucement la terre et l'ombre sans cesse grandissante de la fissure.

Les quinze soldats et les trois mages affectés à sa surveillance s'étaient installés dans une des grandes maisons qui bordaient la place centrale de Parve. Ce bâtiment de deux étages comptait juste assez de chambres pour que chacun en ait une. Le garde-manger et le cellier, bien garnis grâce aux provisions récupérées dans les demeures voisines, leur assuraient un séjour confortable. Mais pas franchement plaisant.

Les volontaires savaient avoir peu de chance de revoir un jour les Collèges, dont ils étaient séparés par l'armée ouestienne et par les infranchissables monts Noirépine. Sans oublier la menace impossible à évaluer que représentaient la fissure et les créatures qui vivaient peut-être encore dans la cité morte de Parve.

Jayash, l'officier chargé de superviser la mission, leur interdisait de s'aventurer seuls hors de leurs quartiers. Chaque mage devait être accompagné d'un minimum de deux hommes d'armes, et les patrouilles qui quittaient la sécurité relative de la grand-place devaient compter au moins cinq soldats et un mage. Les rues de Parve n'étaient pas sûres.

Non qu'ils aient aperçu l'ombre d'un ennemi. Mais ils entendaient des bruits. L'écho d'une démarche dans la poussière, le claquement d'une porte par un jour sans vent, le fantôme d'une voix portée par la brise… Quelques acolytes avaient dû passer entre les mailles du filet de Darrick. Malgré la défaite des Seigneurs Sorcyers, Parve restait un endroit aussi étrange que dangereux.

Le onzième jour après le début des mesures, le soleil approchait de son zénith. Les mages avaient relevé les dimensions de la cité et analysé le rythme de croissance du NoirZénith. Désormais, ils se contentaient de surveiller la fissure, de faire des relevés quotidiens et de vérifier qu'ils n'avaient pas commis d'erreur. Même si personne ne l'avait dit à voix haute, tous se savaient chargés de donner l'alarme en cas d'une nouvelle attaque draconique. Un assaut auquel ils ne s'attendaient pas à survivre.

Jayash et trois soldats observaient les mages qui préparaient le sol pour leurs mesures. Dans une zone de mille mètres sur sept cents, huit lignes de pieux métalliques étaient fichées entre les pavés de la grand-place. Chacune représentait une direction. La distance qui séparait les pieux les uns des autres, et leur déplacement régulier vers les limites de la place, marquaient l'expansion de l'ombre.

Jayash fit le tour de la zone ainsi délimitée alors même que l'ombre se déplaçait sur le sol, monstrueuse souillure qui le faisait frissonner malgré la tiédeur ambiante. Puis il se retourna et longea une des lignes de pieux en comptant ses pas. La méthode imaginée par les mages n'avait rien d'une science exacte. Quand le ciel était nuageux, les contours de l'ombre devenaient indistincts, d'où une inévitable marge d'erreur.

Jayash s'immobilisa au bout de la ligne qui représentait le sud-est, sourcils froncés. Les deux derniers pieux lui semblaient un peu plus éloignés que les autres. Il regarda à droite et à gauche. À moins que ses yeux ne l'abusent, il en allait de même avec les lignes est et sud.

— Delyr ? appela-t-il.

Le Xetesk, qui était occupé à converser avec Sapon, son collègue dordovan, leva le nez vers lui.

— Jayash ?

— Avons-nous eu un problème les deux derniers jours ?

Delyr haussa les épaules.

— Pas vraiment. Nous avons constaté une accélération significative, mais sans doute peu importante, du rythme de croissance de l'ombre. Ce doit être partiellement dû à la présence des nuages qui brouillent ses contours. Nous en aurons bientôt la confirmation.

— Vous soupçonnez un problème depuis deux jours, et vous ne m'avez rien dit ?

— Depuis cinq jours, en fait. Je comprends que vous vouliez être tenu au courant des moindres détails, mais en termes scientifiques, ça ne méritait pas d'être mentionné. Je me suis donc abstenu.

— Mais aujourd'hui…

Delyr eut un sourire pincé.

— Nous vous ferons un rapport complet dès la fin du relevé. À présent, si vous voulez bien nous excuser… Le temps presse.

Il désigna la fissure, puis l'ombre, à la base de la pyramide, qui avait presque disparu. Jayash battit en retraite.

Delyr et Sapon contournèrent la zone délimitée en déposant un piquet à l'extrémité de chaque ligne. Puis ils revinrent d'un pas vif vers la pyramide et s'agenouillèrent près du marqueur solaire, un long morceau de bois poli planté dans le sol à la base du mur est. Quand les derniers vestiges d'ombre naturelle se seraient évanouis, ils pourraient commencer leur relevé.

Un système ingénieux, mais qui avait néanmoins une faille, pensa Jayash. Pour l'instant, l'ombre était encore assez petite et la pyramide près de ses limites.

Le mouvement du soleil, entre le moment où les mages s'accordaient à dire qu'il était midi et celui où ils mesuraient effectivement l'ombre, demeurait négligeable. Mais bientôt, l'ombre couvrirait la pyramide, les obligeant à décider de l'heure exacte à distance. En outre, plus la zone concernée grandirait, plus ils mettraient de temps à la mesurer.

Jayash imaginait déjà ce qui allait suivre. D'abord, tous ses hommes seraient affectés aux relevés plutôt qu'à la protection des mages. Ensuite, les mesures deviendraient de plus en plus imprécises, et la marge d'erreur des Ravens augmenterait jusqu'à atteindre plusieurs jours. Delyr ne semblait pas s'en apercevoir. Il était le seul à croire qu'il rentrerait chez lui dès que le rythme de croissance de la fissure aurait été établi avec précision. Il ne comprenait pas qu'il s'était porté volontaire pour devenir un martyr, pas un héros.

Il était midi. Delyr et Sapon se dirigèrent rapidement vers les pieux. La fissure restait suspendue dans les airs tel un rapace prêt à fondre sur sa proie. En l'absence de nuages, elle projetait une ombre large et distincte.

Sans échanger un mot, les deux mages se placèrent face à face, au bout des lignes nord et sud. Ils se mirent au travail avec des gestes précis, se penchant vers le sol pour déterminer la limite exacte de l'ombre et de la lumière. Posant la pointe de leur pieu entre les pavés, ils tapèrent sur la tête avec un petit maillet métallique. Quand ils eurent terminé, ils passèrent à la ligne suivante, en tournant dans le sens des aiguilles d'une horloge. En tout, l'opération ne leur prit pas plus de cinq minutes.

Jayash les vit échanger un regard anxieux et approcha d'eux à grandes enjambées.

Delyr et Sapon se rejoignirent au bout de la ligne sud. Ils mesurèrent la distance entre les deux derniers pieux avec un morceau de ficelle et un bâton sur lequel ils firent deux encoches. Puis ils consultèrent un parchemin qu'ils avaient pris dans une besace de cuir posée à leurs pieds.

— Que se passe-t-il ? demanda Jayash, qui le savait déjà.

— Un instant.

Delyr effectua un rapide calcul mental et leva les yeux.

— Verdict ? exigea Jayash.

— Nous avons un gros problème.

— Expliquez-vous.

— Nous vous le confirmerons demain, mais il semble que le rythme de croissance de l'ombre augmente. La fissure n'est pas stable.

— En clair ?

— Elle grandit de plus en plus vite.

Jayash gonfla les joues.

— Donc, nous avons moins de temps que prévu.

— Beaucoup moins, dit Delyr. Et nous n'avons aucun moyen de savoir si le rythme de croissance continuera à augmenter, même si je soupçonne que oui.

— Alors, quelle est votre nouvelle estimation ?

— Un instant...

Delyr se tourna vers Sapon, qui griffonnait furieusement. Son collègue souligna un chiffre avant de lui rendre le parchemin. Le Xetesk écarquilla les yeux.

— Tu en es sûr ?

— Oui, fit Sapon. J'affinerai le résultat plus tard, mais je ne dois pas être très loin de la vérité.

— Donc... À l'origine, nous disposions de trente jours avant que l'ombre recouvre Parve. À présent, nous n'en avons plus que huit.

Jayash leva les yeux vers la fissure et, frissonnant, imagina les dragons qui ne tarderaient pas à obscurcir le ciel de Balaia.

La nuit la plus longue de l'existence d'Ilkar...

L'Inconnu et Denser avaient réussi à mettre le cap sur l'autre côté du bras de Triverne, utilisant la brise de plus en plus forte pour les pousser vers l'endroit où les monts Noirépine rencontraient l'eau. Le Xetesk, ignare en navigation la veille encore, faisait des progrès rapides.

Alors qu'ils s'éloignaient de la côte, les vagues grossirent, et la mer d'huile où ils avaient d'abord vogué devint très vite un lointain souvenir. Habilement manœuvré par ses deux timoniers, le petit voilier tanguait, plongeait et remontait sans jamais risquer de se renverser.

Mais quelque chose clochait. Ilkar s'était toujours considéré comme doué d'une forte empathie. Pourtant, il fut très surpris qu'Hirad, en particulier, ne semble pas mesurer la gravité du problème. Que Thraun n'ait pas repris sa forme humaine n'était pas le pire. Pour l'elfe, c'était aussi visible que le soleil dans un ciel sans nuages.

Suivant les conseils de l'Inconnu, il avait gardé le regard rivé sur l'horizon et senti sa nausée diminuer lentement tandis que son cerveau enregistrait une image stable à jamais hors de sa portée. Mais peu à peu, il s'était intéressé aux autres occupants du bateau.

Tout était calme à bord. Hirad avait commencé par déblatérer, comme toujours quand l'atmosphère était détendue. Recevant des réponses monosyllabiques, il avait fini par hausser les épaules et se joindre au silence général, si inhabituel chez les Ravens.

Ils n'avaient même pas parlé de ce qu'ils feraient en atteignant le rivage, sinon pour dire qu'ils devraient se procurer des chevaux au plus vite et rejoindre Julatsa. Cela mis à part, ils n'avaient pas de plan précis. Et comme l'Inconnu ne semblait pas décidé à alimenter la conversation, personne n'avait plus envie de bavarder.

Ignorant son estomac révulsé et sa tête qui tournait encore, Ilkar se tourna pour observer l'Inconnu. D'une nature peu expansive, il gardait d'ordinaire un œil sur chaque détail, jouant le rôle d'ange gardien pour étouffer dans l'œuf les dangers susceptibles de menacer ses camarades. À présent, il était totalement replié sur lui-même. Parfois, il levait le nez vers la voile ou murmurait à Denser d'appuyer sur la barre. Le reste du temps, il gardait la tête baissée, les yeux fermés ou rivés sur le pont et les épaules voûtées.

Ilkar devinait ce qui le préoccupait – et aucun d'entre eux ne pouvait rien y faire. L'Inconnu avait changé pendant la courte période où il avait fait partie des Protecteurs. Pas à cause de la discipline que lui imposaient les démons, mais en raison de la proximité des âmes stockées dans le Réservoir du Mont de Xetesk. Il avait effleuré le sujet les jours suivants sa libération, et apparemment réussi à surmonter ses souvenirs.

Maintenant, alors que les Ravens voguaient vers l'est, ils refaisaient surface. Parce que chaque seconde les rapprochait un peu plus des Collèges, de Xetesk et du Réservoir d'Âmes dont la sienne avait été arrachée. Ilkar se demanda s'il entendait toujours les autres Protecteurs l'appeler.

— Inconnu ? (Le guerrier leva vers lui un regard sinistre.) Tu les sens ?

— Non. Mais ils sont là-bas, et je n'y suis plus. Leurs voix résonnent toujours dans ma mémoire et tirent sur les fibres de mon cœur. Le vide de mon âme n'est pas encore comblé. Je crois qu'il ne le sera jamais.

— Alors…

— S'il te plaît, Ilkar ! Je sais que tu voudrais m'aider, mais tu ne peux pas. Personne ne le peut.

L'Inconnu retourna à l'examen des planches du pont et souffla :

— Pour atteindre les dragons, je devrai marcher sur ma propre tombe.

Le cœur d'Ilkar se serra.

Puis son regard croisa celui de Denser. Le Mage Noir ne semblait pas en meilleur état que l'Inconnu, et cette constatation désespéra l'elfe. Il avait cru que leur évasion du camp ouestien raviverait l'enthousiasme de Denser. Mais il s'était arraché brièvement à sa torpeur, motivé par son seul instinct de conservation.

Il était persuadé d'avoir accompli la mission de sa vie : lancer AubeMort et détruire les Seigneurs Sorcyers. Pourtant, les Ravens devaient encore refermer la fissure dans le ciel. Sinon, aucun Balaien n'échapperait aux hordes de dragons qui finiraient par en jaillir. Ni Denser, ni les autres Ravens, ni Erienne et son enfant à naître. Il en avait conscience. Alors pourquoi refusait-il de prendre sa place au sein du groupe ? Ses réserves de mana devaient être reconstituées, et tous les Ravens étaient aussi fatigués que lui.

— Merci de ne pas m'avoir laissé tomber tout à l'heure ! lança Ilkar.

— De rien. (Denser haussa les épaules.) Je préfère te savoir vivant que tué par les Ouestiens.

Ilkar prit cela pour un compliment, mais il s'en attrista davantage qu'il ne s'en réjouit. L'ancien Denser, celui qui avait refait surface dans le camp ennemi, avait de nouveau disparu sous une montagne d'auto-apitoiement. L'elfe dut se mordre la langue pour ne pas le lui faire remarquer.

— Tu dois être crevé.

— J'ai connu pire. Quand on a lancé AubeMort, tout le reste paraît reposant.

— C'était quand même bien joué ! intervint Hirad.

Ilkar regarda le barbare, à moitié endormi sur son banc, sa cape roulée en boule sous sa tête. Dieux merci, il n'était pas affecté par la morosité des autres Ravens. Ils auraient besoin de sa force et de sa détermination, les jours à venir.

Ilkar ouvrit la bouche pour parler, puis s'aperçut qu'il n'avait pas envie de continuer sa conversation avec Denser. Entendre les propos désabusés d'un homme qui croyait avoir perdu toute raison de vivre était beaucoup trop déprimant.

L'elfe secoua la tête. Ne lui suffisait-il pas d'avoir une compagne et un enfant à naître ? Même Erienne n'avait pu forcer la barrière que Denser avait érigée autour de lui. La distance qui les séparait dans l'espace pourtant exigu du voilier mettait en évidence leurs difficultés actuelles.

Le problème le plus immédiat était allongé à la proue. Will n'avait pas retiré sa main du dos de Thraun. L'anxiété assombrissait son visage. Chaque fois qu'il murmurait quelque chose à l'oreille de son ami, le métamorphe se contentait de grogner sans ouvrir les yeux.

Thraun n'avait pas envie d'écouter. Que feraient-ils s'il ne se retransformait pas ? Ilkar faillit rire de sa propre question, mais l'ambiance ne s'y prêtait guère. De toute façon, la décision ne leur appartenait pas. Impossible d'ordonner au loup de partir ou de rester avec eux, car ils n'avaient aucun contrôle sur lui. Plus il resterait sous sa forme animale, plus il deviendrait sauvage. Tôt ou tard, il cesserait de les reconnaître. Alors, ils deviendraient des proies pour lui, et ils seraient forcés de le tuer. Ilkar savait que Will redoutait cette éventualité.

Ils auraient tous dû la redouter !

L'elfe craignait plutôt ce qui les attendait à Julatsa. Si le Collège était tombé, son Cœur étant détruit, il l'aurait su, comme tout mage julatsiens ayant survécu à la catastrophe. Mais il savait que la cité était peut-être déjà en ruine. Les Ouestiens étaient des conquérants, et le Conseil ne renoncerait pas à se battre jusqu'à ce que ses membres aient péri jusqu'au dernier...

Si les Ravens ne parvenaient pas à s'introduire dans la bibliothèque de Julatsa pour se procurer les informations dont ils avaient besoin, le triomphe des Ouestiens condamnerait la plupart des Balaiens à mourir entre les pattes des dragons. Ilkar ne tirerait aucune satisfaction de leur annoncer cette nouvelle.

Il soupira et observa le rivage, au loin, priant pour que le retour sur la terre ferme rallume une étincelle d'espoir dans son cœur. Mais il savait que cela ne serait probablement pas le cas. Le sort de Balaia n'était pas entre de bonnes mains.

Les Ravens jetèrent l'ancre dans une petite anse encadrée par des saillies rocheuses, à bonne distance de l'avant-poste ouestien. Au-dessus d'eux, la masse sombre des monts Noirépine dominait le bras de Triverne. Devant eux, une pente abrupte s'éloignait en direction du lac de Triverne, dont les eaux se jetaient dans la mer non loin de là, à l'embouchure du fleuve Tri.

Après avoir pataugé sur quelques pas, les Ravens prirent enfin pied sur la terre ferme, pour le plus grand soulagement d'Ilkar. L'elfe envisagea avec ravissement l'ascension pourtant difficile qui les attendait.

Pendant que l'Inconnu amarrait leur bateau, Denser affalant la voile en suivant ses instructions, Will et Thraun commencèrent à gravir la pente couverte d'herbe et d'argile effritée. Le voleur – qui emportait les vêtements de son ami par habitude plus que par conviction – avait saisi une poignée de fourrure, sur le dos du loup, pour l'empêcher de le distancer.

— Pourquoi te donnes-tu la peine d'apprendre tout ça ? demanda Ilkar, les mots franchissant ses lèvres avant qu'il ait le temps de réfléchir.

— Quoi ? demanda Denser.

— Si tu te fiches du futur, pourquoi te donnes-tu la peine d'apprendre à naviguer ?

À présent, Ilkar devait continuer.

Denser plissa les yeux.

— Peut-être pour rétablir un semblant de normalité dans ma vie. Disons que je fais un effort même si le cœur n'y est pas. Ça te pose un problème ?

Ilkar sourit pour dissiper la tension, conscient que tous les autres Ravens l'observaient.

— Je trouve ça un peu incongru, c'est tout. Fais comme si je n'avais rien dit.

Denser avança vers lui.

— Certainement pas. Ignorer ce que je ressens ne te donne pas le droit de cracher ce genre de remarque méprisante. Où veux-tu en venir ?

— J'essayais de dire que tu es imprévisible, et que ça nous pose un problème à tous. Quand tu replies cette voile, tu te comportes normalement, comme le bon vieux Denser. Mais dans une seconde, tu te refermeras comme une huître. Nous ne pouvons jamais dire où nous en sommes avec toi.

— Tu crois que je le sais ? (Denser s'empourpra.) Tout est chamboulé dans ma tête. J'ai un mal de chien à y voir clair. Ce qu'il me faut, c'est de la patience, pas des sarcasmes débiles !

Il enfonça un index accusateur entre les côtes d'Ilkar, qui écarta son doigt et le braqua sur Erienne.

— Tu veux dire qu'elle ne te suffit pas, comme raison de vivre ?

— Ilkar, ça suffit ! intervint la jeune femme. Laisse tomber.

Mais Denser approcha de l'elfe jusqu'à ce que leurs nez se touchent presque.

— Comment oses-tu douter de mes sentiments pour Erienne ? Tu ne comprends vraiment rien à rien. (D'une bourrade, il repoussa Ilkar.) Tiens-toi à l'écart de moi, Julatsien, et ne m'adresse plus la parole à moins d'avoir quelque chose d'intéressant à dire.

Il gagna la pente et commença à la gravir d'un pas rageur, Erienne sur les talons.

— Beau boulot, Ilkar ! lança Hirad en secouant la tête.

Il emboîta le pas aux deux mages et remarqua que le ciel s'éclaircissait à l'est. Bientôt, ils seraient forcés de se mettre à couvert. Par chance, les berges du fleuve Tri étaient envahies par une abondante végétation, et il semblait peu probable que les Ouestiens y aient établi des campements. Les Ravens progresseraient à bonne allure, mais ils devraient quand même se montrer prudents. Des étrangers dans leur propre royaume.

Ce qui inquiétait le barbare – en plus du manque de tact inhabituel d'Ilkar et de la réaction prévisible de Denser – était de savoir où ils se procureraient des chevaux. Sans montures, ils mettraient trois fois plus de temps à atteindre Julatsa et ne pourraient pas prendre le large rapidement en cas de problème. Comme il ne pouvait rien y faire pour le moment, Hirad se concentra sur l'ascension.

L'odeur de sa terre natale était partout, montant du sol où Thraun trottinait. Les couleurs de la forêt et de la meute lui revenaient en mémoire alors qu'il s'éloignait rapidement du bord de l'eau en s'efforçant de ne pas faire lâcher prise à l'homme-frère agrippé à lui.

Quand il arriva au sommet de la pente, il leva le museau et renifla. Malgré les relents d'iode, les parfums de la terre et de ses habitants se déployèrent devant lui comme une carte. Il tourna la tête vers l'homme-frère, qui ne cessait d'émettre des sons. Puis il s'agenouilla près de lui et lui prit la tête à deux mains.

Thraun lâcha un grognement où se mêlaient l'amusement et l'irritation. L'homme-frère prononça deux mots qui transcendaient les barrières du langage. Deux mots qui résonnèrent dans son esprit sans ouvrir aucune porte, mais qui lui valurent une agaçante confusion.

Il se tenait sur les pattes arrière et il n'y avait pas de fourrure sur son visage. Il ne pouvait plus hurler à la lune. En revanche, il était capable de courir debout sans tomber. Mais sous cette forme, ses perceptions ne lui apportaient aucune joie et il ne sentait plus la meute. Sa force demeurait, mais entachée de maladresse. Il ne comprenait plus vraiment la terre, les proies et les menaces qui l'entouraient.

Il savait que c'était des souvenirs fuyants qui le blessaient, accablaient son corps et punissaient son être. Il existait un moyen d'arrêter la douleur, mais il refusait de l'utiliser.

Effrayé, il réagit de la seule façon qu'il connaissait.

Thraun grogna et se dégagea de l'étreinte de Will. Ramassé sur lui-même, il regarda le voleur, les crocs découverts. Choqué, Will se releva et recula d'un pas, les mains tendues.

— Tout va bien. Calme-toi, Thraun. Calme-toi !

À cet instant, Hirad atteignit le sommet de la pente. Il vit le loup faire un bond en arrière et manquer basculer dans le vide.

L'animal semblait prêt à sauter sur Will.

Mais le petit homme conserva son calme et Thraun finit par se détendre. Il secoua la tête, se releva et s'éloigna en direction d'un bosquet.

— Que s'est-il passé ? demanda Hirad. (À la lueur grisâtre de l'aube, le visage de Will était d'un blanc crayeux.) Que lui as-tu fait ?

— Rien-rien du tout, répondit le voleur, recommençant à bégayer comme il l'avait fait pendant des jours après sa rencontre avec le familier de Denser, à Dordover. J'ai ju-juste essayé de le ra-ramener à lui en utilisant les mots.

— Quels mots ? insista Hirad.

— « Souviens-toi ». C'est ce qu'il se dit avant de se métamorphoser. Une phrase censée déclencher ses souvenirs. Mais ça ne marche pas.

Le petit homme semblait désespéré. Hirad lui posa une main sur l'épaule.

— Ça s'arrangera. Il est probablement parti se transformer…

Will tourna la tête vers le barbare, un sourire amer aux lèvres et des larmes plein les yeux.

— Ça m'étonnerait…

— Qu'est-ce qui est différent cette fois ? demanda Hirad. Il n'avait jamais réagi ainsi, pas vrai ?

— Non. Il déteste être un loup. Son pire cauchemar est de ne plus pouvoir reprendre sa forme humaine. Mais depuis que je le connais, il n'a jamais goûté le sang d'autant de victimes d'un seul coup. Je me demande s'il n'est pas frappé d'une sorte de frénésie qui empêche son esprit humain de refaire surface.

— Que pouvons-nous faire ?

Will soupira.

— Je l'ignore. Aucun sort connu ne permet de le ramener. Son mal n'est pas de nature magique. Nous devons attendre. Je vais continuer à tenter de communiquer avec lui.

— Un jeu dangereux...

— C'est le seul moyen ! Je ne peux pas le perdre, Hirad. Ce serait comme si j'étais mort ! Autant crever en essayant de le ramener, que rester les bras croisés et agoniser seul.

Hirad hocha la tête.

— Je comprends.

— Je sais.

Chapitre 16

Quand Ilkar, Denser, Erienne et l'Inconnu atteignirent le sommet de la crête, les Ravens prirent le chemin de la vallée du fleuve Tri. Le paysage qui s'étendait devant eux était magnifique, même à la lumière blafarde de l'aube. Au nord-est, le terrain montait en pente douce. Des fougères se balançaient en bruissant ; des bosquets isolés et de petits buissons entouraient des bassins rocheux ; des à-pics d'ardoise grise piquetaient le vert de la végétation et le brun du sol.

Au sud-est, dans la direction que devaient suivre les Ravens, une vision bien différente s'offrait à eux. Le terrain plongeait en pente abrupte vers la vallée du Tri, où il s'aplatissait brièvement pour former de grandes prairies d'herbe dense. Sur les berges du fleuve envahies par l'aubépine sauvage poussaient des saules et des chênes au tronc épais ; çà et là, des rochers plats invisibles pendant la saison des pluies émergeaient de son lit large de près de quatre cents mètres et semé de cailloux polis.

Au sud-ouest, l'énorme masse noire de la principale chaîne de montagnes de Balaia tutoyait les cieux, des plateaux, des pics et des ravins ponctuant sa descente vers des collines exubérantes, puis vers les landes fertiles de l'est. Hirad se demanda si le baron Noirépine, dont la famille tirait son nom de la cordillère, se sentait aussi petit que lui quand il la contemplait. Tant que ces montagnes resteraient debout, Balaia vivrait. Mais si les dragons attaquaient la fissure en nombre suffisant pour vaincre la couvée Kaan, elles seraient ravagées et brisées. Le barbare ne pouvait pas laisser faire ça.

Bien qu'elle fournît une excellente couverture aux voyageurs, la végétation qui foisonnait sur les rives du Tri n'allait pas faciliter leur déplacement. Alors que la lumière du jour balayait le ciel en venant à leur rencontre, les Ravens s'aventurèrent aussi loin dans les terres qu'ils l'osèrent.

Quand la fatigue eut raison d'eux, ils se dirigèrent vers le bord de l'eau et cherchèrent un endroit assez dégagé pour installer le poêle de Will, mais suffisamment abrité, histoire de les dissimuler aux éventuels guetteurs postés sur la rive d'en face ou au nord. Thraun avait disparu, mais ses camarades ne doutaient pas qu'il sût exactement où ils étaient.

— Content d'être de retour dans l'est ! lança Hirad en s'asseyant au pied d'un arbre.

Il se frotta le dos contre l'écorce rugueuse, et la sentit masser ses muscles raidis à travers sa cuirasse. Puis il desserra ses lanières et inspira profondément.

L'Inconnu ne dit rien, se contentant de sonder les bois qui les entouraient. Denser secoua la tête d'un air navré, et Will répliqua :

— Ça ne vaut pas le prix que nous avons payé.

Ce n'était pas la réaction qu'attendait Hirad. Ulcéré, il se tourna vers Ilkar. L'elfe, toujours morose, ne paraissait guère surpris par l'humeur noire de leurs compagnons.

— Nous devrions dormir, proposa le barbare. À notre réveil, je suis sûr que nous verrons la situation d'un autre œil.

— Nous avons besoin de Thraun, intervint l'Inconnu. Il nous faut ses perceptions affûtées et ses talents de pisteur. Si les Ouestiens patrouillent dans le coin, comme je le soupçonne, nous pourrions avoir de gros ennuis.

— Tu ne sais pas pister ? demanda Erienne.

— Pas aussi bien que Thraun, et de loin.

— Comment faisiez-vous avant de nous rencontrer ? demanda Will, qui ne cessait de sonder les fourrés en quête de son ami.

— Nous ne prenions jamais de missions de ce genre, expliqua Hirad. En général, on nous engageait pour défendre des châteaux ou pour livrer bataille en plein jour. On se pointait à l'endroit convenu. Quand c'était terminé, on empochait notre argent et basta ! Inutile de prendre des précautions pour éviter d'être vus.

— Eh bien, il suffira d'être prudents, voilà tout, dit sèchement Denser.

— Nous n'avons pas le temps d'être prudents, répliqua Ilkar. Si la bibliothèque de Julatsa est détruite avant notre arrivée...

— Je sais, je sais ! coupa le Xetesk. Inutile de me le rappeler.

— Pourtant, grogna l'elfe, tu n'as pas l'air trop pressé.

— Je veux seulement dire qu'il ne servirait à rien de nous faire tuer en nous précipitant à l'aveuglette.

— Baissez d'un ton ! lança l'Inconnu.

Les Ravens avaient progressé plus lentement qu'il ne l'espérait, et l'attitude de Denser les affectait tous. Ça devait changer avant qu'ils soient de nouveau obligés de se battre. La concentration était capitale, et pour l'instant, tout le groupe en manquait.

— Si vous avez fini d'énoncer des évidences, nous pourrions peut-être nous atteler à trouver la meilleure solution. Will, à quel point peux-tu communiquer avec Thraun sous sa forme de loup ?

Le petit homme haussa les épaules.

— Difficile à dire. Il reconnaît ma voix, c'est sûr, mais pour le reste... Il comprend les mots simples du genre « non », « arrête » ou « cours », mais je ne réussirai pas à lui expliquer qu'il doit pister pour nous. Surtout en ce moment. Il n'a jamais été aussi sauvage. Et il n'est jamais resté sous cette forme aussi longtemps.

— Nous devons le persuader de se métamorphoser, déclara Ilkar.

— Et comment ? Il ne m'écoute pas ! explosa Will.

— Dans ce cas, il faudra supposer qu'il a disparu. Désolé, Will, mais tu vois ce que je veux dire. (L'Inconnu défit son plastron.) Finira-t-il par nous attaquer ?

— Comment le savoir ? Je veux croire qu'il n'oubliera pas qui je suis, même s'il reste sous cette forme. Mais à la longue, de son propre aveu, il deviendra un animal sauvage comme les autres, sans aucun souvenir de son humanité.

— Et un peu plus difficile à tuer, souligna Denser.

— *Beaucoup* plus difficile à tuer ! dit Will. Mais nous n'en arriverons pas là. Les loups n'attaquent pas gratuitement. Ils chassent pour se nourrir, et les humains ne sont pas leurs proies de prédilection.

Comme s'il s'était aperçu que ses compagnons parlaient de lui, Thraun entra dans le camp. Sa soudaine apparition, dans le dos de Will, fit sursauter Erienne. Le petit homme se retourna, enlaça le loup et attira sa tête contre lui.

— Je suis content de te voir.

Thraun lui fourra son museau dans le cou. Puis il s'allongea face au poêle, l'odeur du bois, du café et du métal chaud faisant frémir ses narines.

— Au bout du compte, soupira Will, il fera ce qu'il voudra, et si l'un de vous pense pouvoir l'arrêter, je lui souhaite bonne chance !

— Très bien, dit l'Inconnu, impassible. Nous sommes à six jours de marche de Julatsa. Il faut nous procurer des chevaux au plus vite, mais nous ne pouvons pas prendre le risque de tomber sur un groupe important d'Ouestiens. Y a-t-il dans le coin des fermes ou des villages qu'ils pourraient ne pas avoir découverts ?

— Non, répondit Ilkar. Les plus proches susceptibles d'avoir échappé à leur attention sont sur le fief du seigneur Jaden, au nord. Mais ça nous obligerait à marcher deux jours de plus en terrain hostile, et dans la mauvaise direction. Comme l'a dit Styliann, si nous ne voulons ni voler ni nous battre, le lac de Triverne est notre seule chance de nous procurer des montures.

— Les Ouestiens ont déjà dû s'en emparer, dit Hirad.

— Je n'en suis pas certain… C'est le siège d'une magie très ancienne, le sanctuaire du mal aux yeux de nos ennemis. Et il est protégé en permanence par une garnison de deux cents hommes qui y sont peut-être encore. N'oublie pas que Triverne ne se situe pas sur la route la plus directe entre Julatsa et l'endroit où les Ouestiens ont débarqué, au nord d'ici.

— Une Communion ? demanda Erienne.

Denser haussa les épaules.

— S'il n'y a pas d'autre choix… Mais je dois d'abord me reposer.

— Je peux le faire !

— Comme tu voudras…

— Parfait, dit l'Inconnu en étendant les jambes. Je dois dire que je suis un peu sceptique, mais essayer ne coûte rien. Toutefois, si la Communion ne nous en apprend pas plus, je ne suis pas sûr que faire le détour par Triverne vaille le coup. Nous devons également contacter la magicienne postée à l'extérieur de Julatsa – à supposer qu'elle y soit encore – pour connaître l'évolution de la situation, et la position de nos ennemis. Mais Denser a raison : d'abord, il faut nous reposer. Je monterai la garde avec Thraun. Nous repartirons cet après-midi.

À l'aube du onzième jour de siège, le premier conflit ouvert éclata dans l'enceinte du Collège de Julatsa.

Deux cent cinquante innocents venaient de périr dans le Linceul où pourrissaient déjà les cadavres de leurs prédécesseurs. La révolte grondait depuis la première confrontation entre le Conseil et les réfugiés. À présent, elle menaçait d'exploser d'un instant à l'autre.

Les membres du Conseil rebroussèrent chemin, quittant la porte Nord où ils avaient assisté aux exécutions, attristés, dégoûtés et effrayés. Cette fois, il n'y avait pas eu de démonstration de force, de solidarité, de chants ou de défi craché à la face des Ouestiens. Juste des pleurs, des hurlements et des accusations amères.

Les Julatsiens émergèrent des bâtiments qui entouraient la cour alors que les mages revenaient vers la Tour, tête baissée. Comme toujours, Kard était sur le qui-vive. Il put déployer ses hommes et former une barrière protectrice autour du Conseil avant que la foule en colère l'encercle.

— Misère, marmonna Kerela entre ses dents.

Barras jeta un regard à la ronde. Si la clameur lui blessait les oreilles, la fureur des Julatsiens, sur le point de basculer dans le gouffre de la violence, lui brisait le cœur.

Kard hurla pour réclamer le silence. Seuls ceux qui étaient près de lui l'entendirent, et ils choisirent de l'ignorer. Malgré les efforts des soldats qui tentaient de la repousser, la foule continuait à avancer.

Le général se tourna vers Barras.

— À votre tour d'essayer, dit-il.

Le vieil elfe se pencha vers Kerela.

— Il est temps d'utiliser une ForteVoix, souffla-t-il à son oreille.

— Un seul mot, conseilla la Prime Magicienne. Je communique vos intentions aux autres.

— Merci.

Barras prit une profonde inspiration, ferma les yeux et imagina la configuration du Collège. La forme de mana de son sort était une simple ligne qui reliait les bâtiments : la Tour, les salles d'essai, le mur d'enceinte, la Cuve à Mana, les amphithéâtres, les laboratoires et les dépendances… Tous devinrent des récepteurs, des conduits et des amplificateurs de la voix de Barras.

L'elfe rouvrit les yeux et hocha la tête. Kerela posa une main sur l'épaule de Kard. Tous les soldats et les autres membres de Conseil se bouchèrent aussitôt les oreilles. Avant que les réfugiés aient le temps de réagir, Barras beugla, sur la fréquence du flux de mana :

— Silence !

Le mot résonna dans la cour comme une explosion. Faisant vibrer les tympans et les crânes, il contraignit les agitateurs au mutisme. Telle la parole des dieux, il se répercuta contre les bâtiments du Collège, irrésistible et assourdissant. Le métal gémit, le verre crissa et la pierre gronda.

Puis le silence se fit.

— Nous allons parler ou nous disperser, mais pas hurler ni nous battre, affirma Kerela.

Comme celle de Barras, sa voix était amplifiée par la forme de mana que l'elfe continuait à maintenir. Les Julatsiens portèrent les mains à leurs oreilles en grimaçant. Ils s'étaient immobilisés, mais leur colère restait intacte.

— Ne comprenez-vous pas que c'est précisément ce qu'espèrent Senedai et sa bande d'assassins ? Par les dieux du sol, si nous nous entre-tuons ou laissons la division s'installer dans nos rangs, nous leur mâchons le travail. (Kerela secoua la tête.) Nous devons rester unis, ou nous perdrons toute chance de les repousser.

— Bientôt, il ne restera plus personne à sauver ! objecta une voix.

D'autres lui firent écho, et Barras entendit clairement le mot « meurtriers ».

La foule resserra à nouveau les rangs.

— Je vous en prie... Accordez-nous votre confiance ! implora Kerela.

— Combien de temps encore ? grogna un colosse armé d'une masse, les muscles saillant sous sa chemise. Le cadavre de ma mère gît là-dehors. Chaque fois que je respire, sa puanteur m'emplit les narines. Mon cœur est en miettes. Pourtant, je dois rester là sans rien faire, pour que vous sauviez vos misérables vies.

— Je comprends votre chagrin..., commença Kerela.

— Vous ne comprenez rien ! cracha son interlocuteur. Combien de membres de votre famille sont morts pour protéger des mages qui s'engraissent sur leur dos depuis trop longtemps ?

— Et qui vous a empêché de succomber aux mains des Ouestiens ? riposta Kerela, qui commençait à perdre patience. Ces mêmes mages ! Ils ont péri dans le Linceul, alors qu'ils se battaient hors du Collège pour vous laisser le temps d'y entrer. Ne croyez pas que nous nous moquons du bien-être de notre peuple !

— Nous ne sommes pas votre peuple, dit l'homme au nom de toute la foule, qui s'était tue pour écouter le dialogue. Nous exigeons que vous dissipiez le Linceul pour nous laisser nous battre.

— Nous nous battrons à l'arrivée des Dordovans, pas avant, dit Kerela, sans se soucier que des oreilles ennemies, dehors, puissent capter cette information.

— Ils devraient être là depuis des jours. Combien de temps pensiez-vous réussir à nous faire gober ce mensonge ? Dissipez le Linceul immédiatement !

— Et si je refuse ?

— Nous serons contraints, nous aussi, de faire quelques sacrifices.

Le cœur de Barras se serra, et la nausée qui s'était emparé de lui sur les remparts augmenta. Il vit que Kerela n'avait pas prévu cette réponse.

— Vous nous tueriez pour nous forcer à agir ? Vous assassineriez d'autres innocents ? demanda-t-il en se concentrant sur sa forme de mana pour que sa voix porte dans toute la cour.

— Pas des innocents : des mages ! beugla le colosse.

Un murmure surpris parcourut la foule. Visiblement, tous les réfugiés n'étaient pas au courant de ses intentions.

— Que croyez-vous pouvoir faire si nous dissipons le Linceul ? Nous sommes trop peu nombreux. Vous suicider ne servirait en rien la cause de Julatsa.

— Vous vous moquez de Julatsa ! s'exclama l'homme, écarlate de colère. Tout ce qui vous intéresse, c'est de préserver ça ! (Il désigna la Tour et la clameur explosa de nouveau.) Combien d'autres malheureux devront périr dans l'horreur que vous avez créée pour que vous compreniez enfin ? Nous devons mettre un terme au massacre.

Les yeux jetant des éclairs de haine, il abattit son arme sur la tête d'un garde, qui s'écroula, du sang dégoulinant de sous son casque.

Aussitôt, un autre soldat plongea son épée dans le ventre de l'agitateur. Le colosse cria avant de s'effondrer.

Alors, la foule se rua en avant. Barras l'appela au calme, mais sa voix, même magiquement amplifiée, ne produisit aucun effet. Il vit des duels s'engager entre les réfugiés et les gardes, tandis qu'une partie des Julatsiens tournait les talons et s'élançait vers la Cuve à Mana où se trouvaient la majorité des mages encore valides.

Mais le Conseil avait un problème plus pressant, au sens littéral du terme. En agitant leurs épées sous le nez des réfugiés pas si pressés de mourir, les troupes de Kard réussissaient à conserver un espace d'un mètre entre elles et le premier rang de la foule.

— Vite ! ordonna Kerela. Tous ensemble, ÉclatSolaire. Couvrez toutes les directions, et tenez-vous prêts à courir vers la Tour. Kard, quand vous entendrez le mot de pouvoir, protégez-vous les yeux. Faites passer à vos hommes.

— Oui, ma Dame.

Barras abandonna sa ForteVoix pour se concentrer sur le nouveau sort. Alors qu'il rivait son regard sur le spectre du mana, il vit le disque jaune briller plus fort et grandir, ses collègues, qui lui prêtaient la force de leur esprit, canalisant toujours plus d'énergie vers lui. En quelques instants, il recouvrit tout le Collège, tournant lentement sur lui-même alors que des stries noires traversaient sa surface. Un par un, les membres du Conseil annoncèrent qu'ils étaient prêts en apposant leur signature au centre du disque.

Quand tous eurent terminé, Kerela prit la parole.

— Maintenant, Kard. Vilif, à vous de prononcer le mot de pouvoir.

— ÉclatSolaire ! cria le vieux mage. Déploiement.

La forme de mana se volatilisa. Barras ferma les yeux et plaqua les mains dessus. Une lumière blanche explosa dans la cour, aveuglant tous ceux qui ne s'étaient pas protégés. Bien que temporaires, les effets du sort étaient douloureux et effrayants. Les mages avaient pris un gros risque en le lançant.

Des cris de stupéfaction et de souffrance retentirent dans la cour. Barras entendit une centaine d'armes tomber sur le sol. Rouvrant les yeux, il vit les réfugiés détaler, leur colère remplacée par un irrésistible désir de fuite.

— Allons-y, lança Kard.

Il précéda les membres du Conseil jusqu'à la Tour, attendit qu'ils y soient tous en sécurité et se retourna pour crier une série d'ordres. Aussitôt, ses hommes se répartirent par équipes pour défendre les bâtiments les plus importants du Collège.

Barras referma les portes de la Tour derrière lui et gravit derrière ses collègues l'escalier extérieur qui conduisait aux remparts. Les membres du Conseil se rassemblèrent pour observer les effets de leur sort. Ils avaient réussi au-delà de toute espérance, brisant la solidarité de la foule et la dispersant. Mais quelques réfugiés étaient restés dans la cour, encore vibrants de fureur.

— Que font les Dordovans ? demanda Endorr, livide.

Au-delà de la masse grise et opaque du Linceul, il fixa le nord, d'où les renforts auraient dû arriver.

— Je n'en ai pas la moindre idée, répondit Kerela. Mais ce pauvre homme avait raison. Ils devraient déjà être là. S'ils ont rebroussé chemin ou s'ils ont péri, je ne vois pas ce qui pourrait nous sauver. Mes amis, la partie touche à sa fin. Nous nous sommes fait des ennemis dedans autant que dehors, et le moment d'agir approche. Dès que le calme sera rétabli, nous devrons parler avec Kard et décider du jour où nous tenterons de briser le siège.

— Mais les Ouestiens nous massacreront et s'empareront du Collège ! dit Seldane. Rien n'a changé, sinon que nous sommes encore moins nombreux, et que nos ennemis ont eu le temps de fortifier leur position.

Kerela ne dit rien. Barras suivit son regard, rivé sur les soldats qui évacuaient les deux victimes.

— Nous avons attendu le plus longtemps possible, déclara enfin la Prime Magicienne. À présent, nous ne recevrons plus aucune aide. (En larmes, elle se tourna vers ses collègues.) Nous allons perdre le Collège.

Sha-Kaan éprouvait une émotion qu'il n'avait jamais connue, et qu'il ne pensait pas expérimenter un jour.

Alors qu'il revenait de Keol, ses Kaans en formation de victoire derrière lui – une ligne incurvée décrivant un quart de cercle dans le ciel –, il avait réfléchi aux implications de l'alliance entre les Naiks et les Verets, et il n'aimait pas du tout la conclusion à laquelle il était parvenu. Son cœur cognait sourdement dans sa majestueuse poitrine. Sha-Kaan était anxieux.

Tout d'abord, cette alliance signifiait que deux couvées ennemies au moins communiquaient activement. Sans doute parce qu'elles avaient le même objectif immédiat : la destruction des Kaans. Mais si elles réussissaient, leur entente n'y survivrait pas.

Jusque-là, les Kaans et les Verets avaient réussi à se tolérer parce qu'ils ne convoitaient pas les mêmes territoires. Qu'est-ce qui avait pu pousser les dragons aquatiques à s'allier aux Naiks pour combattre les Kaans ? Peut-être se sentaient-ils capables de vivre dans les eaux et sur les rives du fleuve Tere. Mais Sha-Kaan savait que cela ne se produirait jamais. Son Foyer Couvelien était aussi convoité que secret et bien protégé. Les Naiks ne s'effaceraient pas pour laisser les Verets occuper la vallée.

Donc, il en déduisait que les Verets devaient faire face à une menace, et qu'ils s'étaient alliés avec les Naiks pour la parer. Pourquoi ne s'étaient-ils pas plutôt adressés aux Kaans ? Et qu'est-ce qui les inquiétait à ce point ? Aucune couvée ne s'intéressait à l'océan de Shedara, car les Verets avaient éliminé toutes les autres familles de dragons aquatiques des cycles auparavant.

Enfin, Sha-Kaan entrevit la vérité. Les Naiks étaient capables de détruire les Verets, si l'envie leur en prenait. Un acte gratuit, mais néanmoins possible. Il savait les Naiks assez vindicatifs pour menacer toute une couvée de la massacrer si elle refusait de leur apporter son aide. Et s'ils l'avaient fait avec les Verets, ils pouvaient le faire avec d'autres.

Une alliance basée sur la peur, mais qui serait très rapidement fatale pour les Kaans.

Sha-Kaan comptait sur la haine et la méfiance réciproques des couvées pour gagner le plus de temps possible. Tenir jusqu'au moment où le portail atteindrait sa taille critique, et où les Kaans seraient submergés de toute façon. Mais toute alliance rapprocherait inexorablement le jour de leur défaite.

Alors qu'il arrivait en vue de son Foyer Couvelien, Sha-Kaan chassa ces pensées funestes de son esprit pour se concentrer sur le plaisir qu'il éprouvait toujours en plongeant vers la vallée envahie par la brume.

Plus tard, dans le calme de Tiredaile, il réfléchit de nouveau au spectre de l'alliance ennemie qu'il maudissait, mais dont il comprenait la pertinence. Les Naiks n'avaient pas d'autre moyen de vaincre rapidement les Kaans. Contrairement à ses prédécesseurs, Sha-Kaan ne débattait pas des problèmes qui le préoccupaient : il se contentait d'annoncer sa décision et d'inviter ses conseillers à lui soumettre une meilleure option, s'ils en avaient une. En général, cela permettait de gagner beaucoup de temps.

Selon lui, deux actions s'imposaient. D'abord, parler aux Verets et découvrir les termes de leur alliance avec les Naiks. Puis tenter de la briser et en forger une de son côté, ou s'attaquer aux couvées les plus faibles pour les détruire. Une idée qui ne l'enchantait guère, car ses Kaans ne savaient déjà plus où donner de la tête.

La seconde action était de nature personnelle, et il la négligeait depuis trop longtemps. Il avait perdu le contact avec Balaia et ignorait comment la guerre tournait. Plus grave, il n'avait pas accès à l'espace interdimensionnel et à ses facultés régénératrices. Il devait se choisir un autre Dragonen.

Mais ce ne serait pas simple. Avec les batailles qui faisaient rage aux alentours et dans l'enceinte des cités collégiales, il n'y avait aucune chance que les Dragonens existants aient le loisir de recruter un mage capable de satisfaire à ses exigences.

Un problème critique en soi ! Septern et ses successeurs avaient tous été sélectionnés pour leur désir de servir Sha-Kaan et pour la force de leur esprit. Imposer un lien psychique à quelqu'un qui ne le désirait pas risquait de le plonger dans une grande confusion mentale, voire de provoquer sa mort.

Une seule possibilité s'offrait au dragon. Il connaissait un humain assez fort pour ne pas se laisser submerger, ses compagnons étant susceptibles de lui fournir la magie nécessaire. Certes, cela irait contre la tradition établie depuis quatre cents années balaiennes, mais il n'était pas en position de faire le difficile. S'il voulait s'entretenir avec les Verets, il devait disposer d'un moyen de se régénérer. Et ce serait seulement possible avec la signature d'un Dragonen dans l'espace de Balaia.

Tendant le cou, Sha-Kaan referma ses mâchoires sur une balle d'Herbeflamme et la mâcha pensivement.

— Qu'il en soit ainsi, murmura-t-il.

Puis il s'étendit sur le sol humide de Tiredaile et ouvrit son esprit pour se mettre en quête d'un nouveau Dragonen.

Il était une heure. La température s'était rafraîchie tandis que le soleil continuait sa course vers l'ouest par-dessus les monts Noirépine, le vent venu du sud-ouest amenant des nuages.

Les Ravens avaient bien dormi grâce au poêle qui répandait une bienfaisante tiédeur. L'Inconnu avait monté la garde sur leur sommeil, Thraun lui-même s'assoupissant, son flanc devenu un oreiller pour la tête de Will.

À son réveil, Erienne avait lancé une Communion et réussi à contacter la magicienne réfugiée dans les collines, au nord de Julatsa. Le sort avait été très court. Quand Erienne avait rouvert les yeux, Ilkar avait vu qu'elle ne savait pas si elle devait sourire ou se rembrunir. Un moment passa avant qu'elle puisse soutenir le regard de l'elfe.

— Tu es stable ? demanda Ilkar.

À la fin d'une Communion, le mana canalisé était soudain privé de focale, mais toujours concentré dans l'esprit du jeteur de sort, et sa dissipation progressive pouvait le désorienter.

Erienne fit signe que tout allait bien. Denser tendit la main pour coincer derrière son oreille une mèche de cheveux tombée devant son visage. Ce geste affectueux amena un large sourire sur les lèvres de la jeune femme.

— Le Collège est toujours debout, et son Cœur intact, rapporta-t-elle.

— Ton contact sait-elle combien d'Ouestiens sont cantonnés à Julatsa ? demanda l'Inconnu.

— Oui. D'après Pheone, ils sont environ dix mille, occupés à ériger des fortifications autour de la cité. Ils ont reçu des renforts après leur victoire, et cinq mille de leurs compatriotes campent non loin d'eux, vers l'ouest. Ils ne se sont pas encore mis en route vers Dordover.

— Et les Julatsiens qui ont réussi à s'enfuir ?

— Jusqu'à présent, les Ouestiens ne se sont pas intéressés à eux. Pheone pense qu'ils sont trop occupés à briser la résistance du Collège.

Ilkar se sentit à la fois très fier et… complètement anéanti. Sa cité occupée par des envahisseurs. Ses concitoyens forcés de se terrer dans les collines… Et pourtant, le Collège tenait toujours bon.

— Ce n'est pas tout, continua Erienne. Il semble qu'un groupe de réfugiés ait intercepté les forces dordovanes mentionnées par Darrick, au sud-est de Julatsa, et qu'il ait empêché leurs éclaireurs de se jeter sur les lignes ouestiennes. Il y aurait environ trois mille cavaliers et fantassins.

— Ils préparent un assaut concerté ? demanda l'Inconnu.

— Je suis étonné qu'ils n'aient pas déjà frappé, dit Hirad. Ils peuvent sûrement communiquer avec les mages restés dans le Collège et organiser un sauvetage !

— Personne ne peut communiquer avec eux, le détrompa Erienne. Et il ne serait pas facile de coordonner des groupes de réfugiés disparates, éparpillés aux abords de la cité.

— Pourquoi personne ne peut-il communiquer avec Julatsa ? demanda Ilkar, le cœur battant la chamade. Pheone est certaine que les Ouestiens n'ont pas encore pris le Collège ?

— Oui, parce que tes supérieurs ont dressé une protection magique qui bloque la Communion. (Erienne prit une profonde inspiration avant de lâcher :) Ilkar, ils ont déployé un LinceulDémoniaque.

— Un quoi ? demanda Hirad.

— Par les dieux du ciel ! s'exclama Ilkar, les yeux écarquillés de surprise.

Maintenant qu'il y réfléchissait, ça lui paraissait évident. Il n'y avait pas trente-six moyens de maintenir à distance une armée de quinze milles hommes, aussi effrayés soient-ils par la magie.

Mais si les Ouestiens ne pouvaient pas espérer s'introduire dans le Collège, les Ravens ne devaient pas y songer non plus. Ilkar expliqua rapidement le fonctionnement du sort à ses compagnons.

— Alors, comment entrer ? demanda Hirad.

— Je viens de t'expliquer que ça ne serait pas possible tant que le Linceul resterait en place.

— J'avais compris. Mon vieux, je ne suis peut-être pas aussi malin que toi, mais ne me prends pas pour un abruti complet. Voilà ce que je voulais dire : quand tes collègues auront dissipé le Linceul, comment prendre de vitesse dix mille Ouestiens et arriver avant eux à la bibliothèque ?

— Nous ne les prendrons pas de vitesse, affirma l'Inconnu. Il faudra les éloigner du Collège avant de songer à y entrer. Je sais que ça semble présomptueux, mais nous disposons de trois mille soldats professionnels dont les Ouestiens ignorent la présence, de Julatsiens assoiffés de vengeance, et de tout le temps nécessaire, puisque le NoirZénith ne grandit pas si vite que ça. Je suis sûr que nous réussirons.

— Ben voyons ! ricana Denser. (Puis il grogna et secoua la tête.) Une Communion ! Je crois que c'est Delyr.

Il s'allongea et ferma les yeux pour accepter le contact en provenance de Parve.

Un dialogue à distance qui allait tout changer.

Chapitre 17

Les Chambres du Conseil étaient froides et sinistres.

Hors du Collège, un silence surnaturel régnait partout. Deux hommes étaient morts, des dizaines d'autres blessés, et Kard avait imposé un couvre-feu général. Tous les réfugiés avaient été confinés dans les salles d'essai, la garde décuplée devant leurs portes.

Un cordon de quatre-vingts hommes protégeait la Tour. Pour la première fois, les soldats postés sur les remparts étaient tournés vers l'intérieur, pas vers l'extérieur.

Le cœur lourd, Barras imaginait la bataille qui éclaterait dans l'enceinte du Collège si le Conseil maintenait le Linceul. Il n'aimait pas ça du tout. Bien que le sort de Julatsa semblât scellé, il ne voulait pas en arriver là.

— Pourquoi refusent-ils de comprendre ? s'exclama Endorr.

— Où est votre famille ? demanda Cordolan, dont la jovialité n'était plus qu'un lointain souvenir.

— Vous savez bien que je n'en ai pas.

— Dans ce cas, vous ne pouvez pas comprendre pourquoi ils réagissent ainsi. Vos proches ne sont pas exécutés pendant que vous restez ici les bras croisés. Les gens que vous aimez le plus au monde ne risquent pas d'être sacrifiés dans des conditions atroces. Votre pire cauchemar ne se réalisera pas sous vos yeux.

— La vérité, intervint Barras, c'est que nous ne pouvons plus continuer, face à un tel massacre. Comme vous, Endorr, j'ai longtemps pensé que le Collège et la magie julatsienne étaient plus importante que quelques vies humaines ou elfiques. Mais ce n'est pas le cas. Je ne pensais pas non plus que Senedai mettrait ses menaces à exécution. Et j'avais tort. J'ai vu le visage des victimes d'aujourd'hui, puis la colère des réfugiés qui nous ont affrontés. À moins d'être inconscient, vous saisissez sûrement que nous ne pouvons pas laisser le massacre continuer.

— Une volte-face totale ! dit Seldane. Il n'y a pas si longtemps, nous avons parlé avec le général Kard et convenu que rien, même la vie de nos concitoyens, n'étais aussi important que de préserver le Collège.

— Une attitude moralement indéfendable ! répliqua Barras.

— Le Collège ne doit pas tomber, dit Torvis. La magie julatsienne ne peut pas mourir. Le déséquilibre de pouvoir affecterait tout Balaia.

— Nous pourrions enfouir le Cœur, fit Kerela. Ainsi, il survivrait malgré la victoire ouestienne.

Seldane secoua la tête.

— Pourquoi nous donner cette peine ? Si nous perdons la Cuve à Mana, la Tour et la bibliothèque, nous serons impuissants. Le Cœur est le centre spirituel de notre magie. Mais ce sont nos livres, nos bâtiments et notre énergie qui font de nous des mages julatsiens.

— Si nous ne tentons rien, une bataille éclatera dans ces murs, et je refuse de voir des Julatsiens s'entre-tuer dans mon Collège.

Alors que les larmes de Kerela avaient trahi la profondeur de son chagrin, quelques minutes plus tôt, son regard exprimait maintenant toute sa détermination.

— Si nous sortons de l'enceinte du Collège, les Ouestiens tueront tous les mages, rappela Vilif, et réduiront les réfugiés en esclavage. Je ne vois pas l'intérêt de nous livrer à eux et de leur remettre le Collège.

— Je peux vous assurer que nous ne nous rendrons pas sans combattre, dit Kerela.

— Si nous affrontons les Ouestiens, nous mourrons ! insista Seldane. Ici, nous continuerons à survivre jusqu'à l'arrivée des secours.

— Ils ne viendront pas ! lança Kerela en frappant la table du plat de la main. Nous aurions dû y penser dès le début ! Tant que le Linceul sera en place, personne ne pourra nous atteindre, nos alliés pas plus que nos ennemis. Nous avons érigé une barrière impénétrable. Certes, nous sommes en sécurité derrière, mais elle nous empêche de communiquer avec l'extérieur. Franchement, si j'étais une Dordovane, je ne me précipiterai pas sur les épées ouestiennes sans garantie que les gens que je viens secourir soutiendront mes efforts. Et vous ?

Seldane ne répondit pas, car on frappa à la porte.

Kard entra. Il semblait exténué, les yeux injectés de sang.

— Vous arrivez à pic, le salua Kerela. Prenez quelque chose à boire, asseyez-vous et racontez-nous ce qui se passe dehors.

Kard hocha la tête, reconnaissant pour ce moment de répit. Il défit sa cape, la posa sur le dossier de sa chaise, se servit un peu d'eau et s'assit en expirant bruyamment. Après avoir bu, il reposa sa coupe de cristal devant lui.

— Je suis trop vieux pour ces conneries ! grogna-t-il.

Des gloussements montèrent de la table.

— Un jugement valable pour la plupart d'entre nous, dit Vilif.

Le général eut un bref sourire.

— Nous sommes parvenus à rétablir l'ordre, mais ça ne durera pas éternellement. Ces gens ne sont pas nos prisonniers. Ils sont armés et deux fois plus nombreux que mes hommes… Mais cela n'a pas d'importance, puisque nous n'envisageons pas de nous battre contre eux. Pour ne pas y être obligés, il faudra prendre la bonne décision avant midi. Nous devons mettre un terme aux exécutions.

— Que suggérez-vous, général ? demanda Seldane.

— Dissipez le Linceul…

— Pour permettre aux Ouestiens de nous tuer ? explosa Endorr.

— Non, jeune idiot, grogna Kard. La Garde Collégiale de Julatsa ne laissera pas les Ouestiens nous massacrer, ni s'emparer de ces bâtiments. Économisez votre salive pour lancer vos sorts.

— Calmez-vous, général, dit Barras en posant une main sur le bras de l'officier. Nous sommes tous sous pression.

Kard hocha la tête et lissa sa tunique du plat de la main.

— Pour gagner le temps dont nous avons besoin, il faut que certains événements se produisent très vite. Et tout dépendra de vous, les mages. Si je peux énoncer mes recommandations sans être interrompu…

— Je crois que nous vous devons bien ça, dit Kerela.

— Merci ! grogna Kard en regardant Endorr. Selon moi, les Dordovans sont sans doute à une demi-journée de cheval d'ici, et ils ont dû entrer en contact avec les Julatsiens qui ont réussi à quitter la cité. Si je me suis trompé sur ce point, nous échouerons.

« Dès la dissipation du Linceul, vous devrez accomplir deux tâches. D'abord, communier avec les Dordovans et leur demander d'attaquer les lignes ouestiennes par l'arrière. Seuls, nous pourrions peut-être retenir les envahisseurs pendant un jour ou deux… Et peut-être pas. Ensuite, détruire cette maudite tour mobile : sinon, elle permettra aux Ouestiens de voir ce qui se passe dans le Collège, et leur fournira un moyen d'accès, une fois la menace du Linceul écartée.

« Mes hommes savent déjà ce qu'ils ont à faire, mais il me faut votre permission pour organiser une défense magique autour du périmètre du Collège. Barras, vous devrez parler à Senedai. Dites-lui que nous sortirons dans trois jours, et essayez de lui faire suspendre les exécutions jusque-là. C'est tout.

— Vous pensez tenter une sortie dans trois jours ? demanda Torvis.

— Non : après-demain. Mais je ne veux pas que les Ouestiens soient prêts à nous recevoir. Chaque minute gagnée sera précieuse.

— Dans ce cas, nous devrions dissiper le Linceul pendant la nuit, dit Endorr, quand ils seront moins nombreux à le surveiller. Ainsi, ils mettront plus de temps à donner l'alarme.

— Absolument, dit Kard. Juste avant l'aube, quand l'obscurité est la plus dense. Évitons d'agir au milieu de la nuit, parce que les Dordovans aussi seront endormis. Avant de détruire leur tour, je suggère d'attendre que les Ouestiens aient remarqué la disparition du Linceul. Ça les désorientera davantage…

— Mais ça ne changera rien au résultat : nous allons abandonner le Collège ! dit Seldane.

Kard la dévisagea un long moment.

— Ma Dame, je n'ai aucune intention d'abandonner le Collège.

— Alors pourquoi nous faire dissiper le Linceul pour lequel, si je peux me permettre de le rappeler, Deale a donné sa vie ? demanda Endorr.

— Parce que le moment est venu de nous battre pour notre liberté, répondit

Kard. Et de miser sur nos alliés prêts à intervenir. Dans le pire cas, nous pourrons enterrer le Cœur, pour le préserver jusqu'au jour où nous viendrons le reprendre.

— Vous ne croyez quand même pas que nous avons une chance de gagner ? ricana Endorr.

— Jeune homme, je ne provoque jamais de bataille que je suis sûr de perdre, répliqua Kard, hautain. Si nous savons canaliser notre énergie, et si nos renforts prennent les Ouestiens à revers, nous vaincrons.

— Merci, Kard, dit Kerela. Je propose que vous alliez parler à Senedai avec Barras, pendant que nous resterons ici pour mettre au point la répartition des mages.

Alors qu'il avançait vers la porte Nord en compagnie du général et d'une escorte de soldats, Barras sentit la tension qui régnait dans le Collège silencieux. Au sommet de la tour de bois et d'acier, actuellement en position face aux salles d'essai, une demi-douzaine d'Ouestiens accoudés au parapet les suivirent du regard.

— Vous auriez dû être Négociateur, général, dit Barras. Vous êtes presque aussi bon menteur que moi.

— Je ne vois pas de quoi vous voulez parler, marmonna Kard en continuant de regarder droit devant lui.

Mais l'elfe vit frémir sa lèvre supérieure.

— Il doit y avoir dix milles Ouestiens autour de ces murs. Ici, nous disposons de sept cents soldats, de quelques centaines de citoyens en colère et de moins de deux cents mages. À votre avis, de quoi je veux parler ?

— S'ils ont reçu des renforts, les Ouestiens pourraient bien être deux fois plus nombreux que ça...

— Et vous croyez que les Dordovans n'attendent qu'un signe de notre part ? Ils ont sûrement rebroussé chemin en voyant que Julatsa était tombée.

— Moi, je pense qu'ils sont toujours dans les parages, mais qu'ils n'osent pas lancer une attaque.

— Alors, combien de temps pourrons-nous retenir les Ouestiens ?

Kard haussa les épaules.

— Difficile à dire... Trois jours si nous nous débrouillons bien. Moins de vingt-quatre heures si nous cédons au défaitisme.

— Vous ne croyez pas vraiment que nous pouvons gagner ? insista Barras.

Kard éclata de rire, lui flanqua une grande claque dans le dos et ouvrit la porte de la Tour Nord.

— Je suis vieux, mais pas encore sénile ! Placez donc vos textes les plus précieux dans le Cœur avant de l'enfouir ! (Il tendit un bras vers l'escalier.) Après vous.

Les barons Noirépine et Gresse atteignirent le port méridional de Gyernath trop tard pour lancer leurs maigres forces dans la bataille, mais juste à temps pour aider à déblayer les décombres. Pendant que Noirépine distribuait ses ordres, il éprouva un certain soulagement en dépit de la destruction et de la mort qui les entouraient.

Ils étaient encore à un jour de marche de la ville quand ils avaient vu les incendies. Une fleur orange déployait ses pétales au-dessus des montagnes qui marquaient la limite septentrionale du territoire de Gyernath. À cet instant, les deux barons avaient craint le pire. Ils avaient imaginé le pillage de la ville portuaire, la déroute des défenseurs, la mort de leurs espoirs de victoire encore embryonnaires…

Mais Gyernath avait survécu, et les envahisseurs survivants s'étaient repliés vers les monts Noirépine. Grâce aux messagers envoyés par le baron, la garnison avait eu des jours pour se préparer à l'attaque, et cela avait suffi à faire la différence.

Une semaine entière, Gyernath avait repoussé les vagues d'Ouestiens qui arrivaient par la terre et par la mer. Alors que ses bâtiments brûlaient et que ses mages succombaient, la cité avait réussi à briser l'élan et le moral de ses ennemis. Même si les chamanes ne disposaient plus de feu noir et blanc à déchaîner sur eux, les défenseurs avaient subi de très lourdes pertes.

Gyernath avait perdu la moitié de ses militaires et de ses réservistes, morts ou gravement blessés. Désormais, elle disposait de moins d'une centaine de mages, dont les Ouestiens avaient fait leurs cibles de prédilection.

Noirépine se réjouissait que Gyernath ne soit pas tombée. Hélas, il ne pouvait pas lui réclamer les hommes dont il aurait eu besoin pour reprendre sa propre ville.

— Cela dit, il y aura là-bas moins d'Ouestiens que prévu, fit Gresse, qui gardait pour unique séquelle de sa commotion un vague mal de crâne et une vision parfois brouillée.

— Ça dépend… Nous ignorons quelle proportion de cette armée venait de Noirépine, et laquelle débarquait de la baie.

— Toujours aussi optimiste ?

— Difficile de l'être, quand on voit ce qu'ils ont fait de cet endroit magnifique.

Du haut de leur colline, les deux hommes baissèrent les yeux vers l'océan. La ville s'étendait à leurs pieds à la lumière éclatante de ce milieu d'après-midi. La fumée des incendies éteints montait lentement vers le ciel. L'essentiel des combats s'était concentré autour de la route de Drover, l'avenue principale qui offrait désormais un spectacle de dévastation. Il ne restait pas une auberge, une maison, une boulangerie ou une armurerie intacte.

Sur la gauche et la droite, les cendres et le sang dessinaient le chemin suivi par les attaquants. Des brasiers funéraires brûlaient partout où le regard se portait.

Aux alentours du port proprement dit la ville redevenait un peu reconnaissable. Les mâts de trois ou quatre navires oscillaient à la surface de l'eau, mais les Ouestiens n'étaient pas des marins, et tous leurs efforts pour enfoncer le blocus de Gyernath avaient lamentablement échoué.

Huit jours de combats ininterrompus avaient privé des milliers de gens de leur maison, de leurs parents ou de leur conjoint. Les soldats et les miliciens encore valides mobilisaient leurs dernières forces pour récupérer dans les ruines ce qui pouvait l'être et rendre habitable le plus grand nombre de bâtiments possible. Le craquement des poutres brisées qu'ils déblayaient couvrait le bruit des marteaux qui en clouaient d'autres pour soutenir les murs et les toits fissurés.

Un homme remonta la route de Drover et s'approcha des deux barons. De haute taille et d'âge mûr, le médaillon du maire de Gyernath pendait à son cou et il tenait un rouleau de parchemin.

— Bienvenue dans ma ville, ou dans ce qu'il en reste, dit-il en serrant la main de Noirépine.

— C'est déjà plus que je ne pourrais vous dire en ce moment, répliqua Noirépine. Scalier, je vous présente mon ami, le baron Gresse.

— J'ai entendu parler de vos efforts, dit Scalier. Il est très rare de rencontrer un homme honorable qui porte ce titre, de nos jours. Ce cher Noirépine excepté.

— Et encore plus rare de rencontrer un Balaien de l'est victorieux, répondit Gresse. Je vous félicite pour votre triomphe.

Le sourire de Scalier s'évanouit, et son long visage ridé se rembrunit sous ses mèches de cheveux gris agitées par la brise.

— Si on peut le qualifier de tel. Nous ne repousserons pas une autre attaque. La prochaine fois, les Ouestiens nous noieront dans la baie. Et quand je regarde ces ruines, je me demande si ça ne serait pas une bénédiction.

— Je suis peut-être le seul en mesure de comprendre ce que vous ressentez, déclara Noirépine. Mais vous savez, si je vous réclame des hommes et des mages, c'est justement pour éliminer la possibilité d'une telle attaque. (Il caressa sa barbe.) Je suppose que ce parchemin contient votre décision...

— En effet. Navré qu'il m'ait fallu aussi longtemps pour vous apporter notre réponse, mais comme vous le voyez, nous avons eu des problèmes plus urgents à régler.

Scalier tendit le parchemin à Noirépine, qui le déroula et le parcourut rapidement. Son cœur se gonfla de fierté, et un sourire éclaira son visage.

— Il ne faut pas me confier autant de soldats et de mages ! Vous devez en conserver une partie.

Il passa le parchemin à Gresse, qui siffla entre ses dents à la vue des chiffres.

— Pour quoi faire ? soupira Scalier. Regardez autour de vous. Il faut arrêter les Ouestiens, et vous réussirez peut-être si vous disposez de nos forces. Nous placerons des éclaireurs et des feux de signalisation sur toutes les routes qui conduisent à Gyernath. Si les Ouestiens reviennent, nous serons prévenus, et nous organiserons une évacuation par la voie maritime. Je remets notre armée entre vos mains, et puissent les dieux bénir votre lutte.

Noirépine lui donna l'accolade et lui flanqua dans le dos des claques à lui en décrocher les poumons.

— Ce que vous venez de faire, c'est tout simplement donner une chance à Balaia, affirma-t-il gravement. Une fois que nous aurons repris ma ville et détruit les campements ennemis des deux côtés de la baie, nous marcherons vers le nord pour nous battre à Sousroc. Et cette fois, nous pourrons envisager une victoire. Ensuite... (Il se tourna vers Gresse.) Ensuite viendra le temps de régler nos comptes.

— Quand vos hommes pourront-ils se mettre en route ? demanda Gresse.

— Il nous faudra un moment pour charger les navires. Profitez-en pour mettre un plan de bataille au point avec mes capitaines, et aussi pour vous reposer. Après-demain, la marée sera haute à l'aube. Vous devriez repartir avec elle.

Noirépine hocha la tête.

— À présent, essayons de trouver une auberge encore debout pour boire à Gyernath et à Balaia.

Il descendit la route de Drover, la tête haute et d'excellente humeur. Avec l'aide des huit mille soldats prêtés par Scalier, ses hommes et ceux de Gresse chasseraient les Ouestiens de Noirépine et les renverraient panser leurs blessures chez eux, dans l'ouest. Il espérait que ses ennemis survivraient en nombre suffisant pour raconter à qui voudrait les entendre que défier le baron Noirépine était une très mauvaise idée.

Chapitre 18

Ce fut Thraun qui le sentit le premier, mais Hirad l'apprit bien plus tard. Denser était toujours en Communion. Ses lèvres remuaient en silence pendant qu'Erienne lui caressait les cheveux. Pour les autres Ravens, rien ne sortait de l'ordinaire. Mais le loup leva le museau et émit un doux bruit de gorge qui se transforma en gémissement. Il secoua sa grosse tête et se leva en reniflant, les poils du dos hérissés et les pattes tremblantes.

Will tendit la main et prononça quelques paroles apaisantes. Mais Thraun recula pour s'écarter du poêle, puis regarda vers la gauche, de l'autre côté du fleuve, et vers la droite, où la végétation les protégeait des yeux de leurs ennemis.

Soudain, il cessa de gémir. Son regard croisa celui d'Hirad. Le barbare aurait éclaté de rire, tant le loup semblait froncer les sourcils, si une atroce douleur ne lui avait pas subitement déchiré le crâne.

Il cria, se prit la tête à deux mains, tenta de se relever mais s'écroula, victime d'horribles spasmes qui déformaient jusqu'à ses traits. Il entendit vaguement la voix inquiète d'Ilkar, sentit des mains le saisir et tenter de l'immobiliser alors qu'il se convulsait sur le sol.

Hirad aurait juré que des masses d'armes cloutées lui pilonnaient le cerveau, et qu'une main gigantesque le broyait pour le réduire à la taille d'une pomme. Des éclairs rouges et dorés déchirèrent le voile noir qui s'était abattu devant ses yeux. Un bruit assourdissant, pareil au battement de milliers d'ailes gigantesques, résonnait à ses oreilles. Dans un bref instant de lucidité, il s'aperçut que son nez saignait.

La douleur avait une voix. Hirad n'entendit d'abord que son écho et crut que la souffrance le faisait délirer. Mais la voix, portée par un tourbillon de murmures, se saisit fermement de son esprit engourdi. Le barbare aurait voulu ouvrir les yeux mais n'y parvint pas. Ses membres immobiles lui paraissaient en plomb.

Je suis en train de mourir, pensa-t-il.

— Non, Hirad Cœurfroid, dit une voix qu'il connaissait bien. (Bien qu'elle sortît tout droit de ses cauchemars, elle lui apporta un étrange réconfort.) Désolé pour les effets secondaires déplaisants qu'entraîne un premier contact à cette distance. Mais ne t'inquiète pas : ça passera. Je t'apprendrai.

— Sha-Kaan, c'est vous ? demanda mentalement Hirad.

— Excellent ! Tes facultés intellectuelles sont intactes.

— Je n'en ai pas vraiment l'impression... Et « déplaisant » n'est pas le mot que j'aurais choisi pour décrire ce que vous venez de me faire.

Le gloussement de Sha-Kaan fut comme une caresse qui effleura l'esprit meurtri du barbare.

— À l'instar de Septern, tu ignores la peur. Je regrette que tu ne sois pas un mage...

— Pourquoi ?

— Parce que cela rendrait notre lien plus fort et plus absolu.

— Quel lien ? lança Hirad, angoissé.

Il ne comprenait pas pourquoi Sha-Kaan avait choisi de le contacter, ni comment il avait réussi sans être en Balaia.

— Je vais te demander quelque chose qui aidera ma couvée à survivre. Vois-tu, je suis très âgé, même selon les critères des Kaans, et je n'ai plus de Dragonen depuis la mort de Seran au château du pic de Taran. Tu es le seul humain doté d'un esprit assez solide pour répondre à mes appels. Il se peut que j'aie besoin de toi avant que les Ravens arrivent dans mon domaine.

Hirad était sous le choc. Il se sentait très honoré sans comprendre pourquoi. Tout ce qu'il savait au sujet des Dragonens, c'était qu'il s'agissait obligatoirement de mages.

— Mais comment pourrais-je vous aider ? Je suis incapable de lancer des sorts. Pourquoi moi ?

— D'autres membres de ton groupe sauront canaliser les énergies de l'espace interdimensionnel pour me soigner. Mais à mes yeux, ton esprit est le seul qui brûle comme une flamme. Même si j'étais gravement blessé, je te trouverai et t'aiderai à rejoindre mon sanctuaire. Si tu acceptes, je t'enseignerai tout ce que tu devras savoir.

— Et moi, pourrai-je vous appeler ?

— Si tu n'avais pas d'autre solution, oui. En revanche, je ne peux pas te promettre de répondre immédiatement, ni de t'apporter le secours que tu désireras. Pourtant, c'est ce que j'attends de ta part.

— Mais si je suis au milieu d'une bataille ?

Hirad imaginait déjà la douleur mentale l'abattant aussi sûrement qu'une hache ennemie. Il ne pouvait pas autoriser ça. Les Ravens étaient trop importants.

— Si ton esprit est aussi ouvert qu'il devrait l'être, je sentirai que tu as un « empêchement », et j'attendrai que tu sois disponible avant de te contacter, déclara Sha-Kaan.

— Dans ce cas, j'accepte, lança Hirad sans trop réfléchir.

— Parfait. À présent, dis-moi où vous en êtes. Avez-vous trouvé un moyen de refermer la fissure ?

Le barbare raconta rapidement que les Ravens rejoignaient Julatsa pour consulter les textes de Septern. Mais le Collège était assailli par les Ouestiens et enveloppé d'un LinceulDémoniaque.

— Je dois en savoir plus au sujet de ce sort. Est-il pandimensionnel ? demanda Sha-Kaan.

— J'ignore la signification de ce terme, avoua Hirad. La seule certitude, c'est que rien de vivant ne peut traverser le Linceul. Il s'étend vers le haut jusqu'aux cieux et vers le bas jusqu'en enfer. Tous ceux qui s'aventurent dedans ont leur âme arrachée par des démons.

Sha-Kaan se tut quelques instants, mais Hirad sentait toujours sa présence et son anxiété. Il profita de ce bref répit pour mesurer l'énormité de ce qu'il venait de faire, et s'aperçut qu'il n'en était pas perturbé le moins du monde. Pourtant, une question le tarabustait.

— Pourquoi m'avez-vous choisi maintenant ?

— Parce que je dois entreprendre des actions dangereuses. Un Dragonen m'est indispensable. Revenons au Linceul. J'enquêterai de mon côté. Vos mages se sont engagés dans une aventure qu'ils ne comprennent et ne contrôlent pas réellement. Je contacterai la couvée et sonderai l'espace autour de la cité vers où vous allez. Il existe peut-être un moyen de passer. Sois prêt à recevoir mon appel demain, au moment où votre soleil atteindra son zénith.

— Entendu.

— Je te remercie, Hirad Cœurfroid. Tu as pris un engagement indéfectible, mais tu n'es pas le seul. Partout où il y a des mages, on trouve des Dragonens. À demain.

Sha-Kaan se retira de l'esprit du barbare, qui s'aperçut alors qu'il ignorait comment le contacter en cas de besoin. Il rouvrit les yeux.

— Par les dieux du sol, Hirad, que t'est-il arrivé ? s'exclama Ilkar, penché sur lui.

Le soulagement ramena un peu de couleur sur ses joues.

Le barbare sourit. Il lui semblait avoir une éponge à la place du cerveau ; sa vision n'avait pas encore retrouvé son acuité, et une douleur sourde lui rappelait qu'il n'avait pas rêvé sa conversation avec Sha-Kaan. Il gisait sur le dos, une cape roulée en boule sous la tête. Une main de femme essuya avec un chiffon le sang qui avait coulé de son nez.

— Combien de temps suis-je resté… évanoui ? demanda Hirad.

— Deux ou trois minutes, répondit l'Inconnu.

— Peut-être moins, ajouta Ilkar.

Un grondement retentit. Le museau de Thraun apparut soudain dans le champ de vision du barbare. Sous son front plissé de manière presque comique, ses yeux jaunes sondèrent ceux d'Hirad. Apparemment satisfait, il le gratifia d'un grand coup de langue sur la joue, puis s'éloigna.

— En voilà au moins un qui est content, plaisanta le barbare.

— Crois-moi, il ne l'était pas tout à l'heure. Mais alors, pas du tout, l'informa l'Inconnu.

— Ça vous ennuie si je m'assois ?

Les autres aidèrent Hirad à se redresser. Un peu à l'écart du groupe, l'air troublé, Denser mâchouillait le tuyau de sa pipe. Non loin du barbare, Will caressait le flanc de Thraun. Ilkar, l'Inconnu et Erienne se pressèrent autour de leur ami, et l'elfe lui tendit une chope de café.

— Tu as laissé tomber l'autre.

— Je ne m'en souviens pas.

Hirad sentit son humanité revenir et ses pensées se préciser.

— Alors, que s'est-il passé ? insista Ilkar.

— C'était Sha-Kaan. Il m'a parlé de Tiredaile…

— De quoi s'agit-il ? demanda l'Inconnu en s'accroupissant.

Hirad haussa les épaules. Il ne savait pas d'où sortait ce mot. Le dragon ne l'avait pas employé.

— Tiredaile. Je suppose que c'est sa maison. Son antre, si vous préférez.

Il dévisagea Ilkar et l'Inconnu. Le premier semblait pensif, le second anxieux.

— Je présume que ça n'était pas une bonne nouvelle, murmura l'elfe. Je veux dire, la raison pour laquelle il t'a contacté.

— La *façon* dont il l'a contacté m'inquiète davantage, affirma l'Inconnu. Regarde-le : il est plus pâle qu'un cadavre de deux jours.

— Merci de me remonter le moral, dit Hirad. Sha-Kaan a peur d'être blessé, et il avait besoin d'un nouveau Dragonen. De moi, pour être plus exact.

— Quoi ? s'exclamèrent les trois mages.

— Ouais, c'est aussi ce que j'ai dit. Mais je jouerai le rôle de contact, et c'est vous qui lancerez les sorts. Il m'a choisi parce que mon esprit lui est déjà familier. Et parce que j'ignore la peur !

— Normal : quand une chose est effrayante, tu n'es pas assez intelligent pour t'en apercevoir, gloussa Ilkar.

— Tu n'as pas accepté, n'est-ce pas ? demanda Denser.

Hirad leva un sourcil.

— Bien sûr que si. Je le devais.

— Merci beaucoup ! explosa le Xetesk.

— C'est quoi, ton problème ? grogna Hirad. D'après toi, j'avais le choix ?

— Évidemment ! Tu aurais pu dire non ! Suppose que je ne veuille pas être un Dragonen ?

— C'est moi le Dragonen. Toi, tu es juste un… Je ne sais pas trop ; un consort, peut-être ?

Le terme avait quelque chose de vexant et Hirad le savait. Mais il s'en moquait.

Denser se leva.

— J'espère que tu plaisantes ! Si tu crois que je vais accepter d'être un « consort » tu te fourres le doigt dans l'œil jusqu'au fond de tes braies !

— Denser, rassieds-toi et baisse d'un ton ! ordonna l'Inconnu. Sinon, tu rameuteras toute la nation ouestienne avec ton boucan. Et c'est pareil pour les autres. Nous sommes les Ravens. Essayons de nous en souvenir, une fois de temps en temps.

— Ce n'est pas à moi qu'il faut dire ça, grogna le barbare.

— Hirad…, l'avertit l'Inconnu.

— Non, il faut que vous m'écoutiez ! (Le barbare baissa la voix.) Je sentais que Sha-Kaan avait besoin de moi – de nous – autant que nous aurions besoin de lui. Et au cas où tu l'aurais oublié, Denser, si sa couvée et lui succombent, nous suivrons le même chemin peu de temps après. Le protéger est notre devoir. Et je ne peux pas le faire tout seul. Je n'ai pas eu le temps de vous consulter tous. Donc, j'ai fait ce que j'avais à faire. Ce qui me paraissait juste et bon.

Denser et Erienne échangèrent un bref regard.

— Tu as raison, au moins pour ce qui est du temps, dit enfin le Xetesk.

Les Ravens le dévisagèrent. Dans leur affolement, ils avaient oublié sa Communion.

Ilkar se racla la gorge.

— Je sens que je vais regretter d'avoir posé la question, mais... pourquoi ?

— Parce qu'il nous reste seulement huit jours pour refermer la fissure.

Darrick exultait. Huit jours de chevauchée enivrante l'avaient amené à portée de frappe de l'avant-poste ennemi, près de la baie de Gyernath. Selon ses éclaireurs, il abritait un petit groupe de guerriers et d'ouvriers – guère plus de cent cinquante personnes –, et voyait passer un flot intermittent de cavaliers venus des contrées ouestiennes.

Les hommes de Darrick avaient progressé à bonne allure, avec une discipline qui faisait l'orgueil de leur commandant. Leurs chevaux étaient à bout de forces, mais leur voyage touchait à sa fin. Ils pourraient se reposer après avoir détruit l'avant-poste ennemi. Juste avant de prendre la mer.

La cavalerie des quatre Collèges, soit cent quatre-vingt-dix bretteurs et archers, plus dix-huit mages, avait fait halte à une heure de cheval du campement ennemi. Son plan d'attaque était au point.

Le plus grand risque viendrait des trois tours de garde, chacune occupée par trois guerriers. Darrick avait affecté à leur prise quatorze archers et assez de mages pour leur fournir des BoucliersDéfensifs. Il aurait préféré recourir à une attaque magique, mais les sorts nécessaires étaient très difficiles à préparer et à lancer sur un cheval au galop. Le reste de l'avant-poste se composait de tentes disposées en cercle. Elles feraient une cible parfaite pour une charge de cavalerie et brûleraient admirablement bien.

Darrick s'adressa une dernière fois à ses hommes alors que le soleil se couchait à l'horizon.

— Ces gens ont envahi nos terres et massacré nos frères. Chacun de vous a perdu un ami ou un proche à cause d'eux, que ce soit à Sousroc ou à Julatsa. Et les dieux seuls savent ce qu'il est advenu de Noirépine, de Gyernath, d'Arlen, d'Erskan, de Denebre et d'Eimot. Ces soudards n'ont fait montre d'aucune miséricorde envers nous, et j'entends que nous leur rendions la pareille. Tuez-les ! Sinon, ce sont eux qui vous tueront.

« Je veux que ce campement soit réduit en cendres. Que la terre brûlée que nous laisserons derrière nous serve d'avertissement aux Ouestiens à venir ! L'est ne courbera pas l'échine devant l'ouest. Les Collèges survivront. Nous chasserons nos ennemis de nos terres, de nos foyers et de nos lits. Êtes-vous avec moi ?

La clameur qui lui répondit fit s'envoler les oiseaux à un kilomètre à la ronde. Darrick hocha la tête.

— Dans ce cas, allons-y.

La cavalerie avança vers la baie.

Le calme était retombé sur le campement des Ravens. Assis autour du poêle de Will, chacun méditait en silence les paroles de Denser.

Will s'était étendu près de Thraun, un bras passé autour de son cou. Le loup restait en alerte, les oreilles dressées. Erienne les observait avec une certaine jalousie, car ils partageaient une intimité qu'elle n'avait plus avec Denser.

Le Xetesk tripotait des feuilles mortes, l'air absent, sa pipe éteinte oubliée au coin de sa bouche. Erienne fronça les sourcils et envoya une onde inquisitrice dans le mana. Mais comme les fois précédentes, elle se heurta au voile qui enveloppait l'esprit de son compagnon.

Elle n'était pas sûre qu'il soit conscient d'avoir érigé une barrière contre elle. Pensait-il à autre chose qu'à ses souvenirs d'AubeMort et à l'effet que le sort avait eu sur lui ?

Elle se leva et alla s'asseoir près de lui. Denser la salua d'un sourire froid qui lui donna des frissons.

— Tu veux qu'on aille se promener ? Il fait nuit. On pourrait descendre au bord de l'eau.

Denser la dévisagea, le front plissé.

— Pour quoi faire ?

— Ça tombe sous le sens, marmonna Ilkar.

— Ne te mêle pas de ça, Ilkar, lâcha Erienne. Denser, s'il te plaît…

Le Xetesk haussa les épaules et se leva en soupirant.

— Je te suis, soupira-t-il.

Erienne se rembrunit. Mais elle ne dit rien et s'éloigna en direction du fleuve.

— Ne vous éloignez pas trop, leur recommanda Hirad. Le coin n'est pas sûr.

Erienne écarta une branche basse pour passer. Malgré l'heure tardive, la lune fournissait assez de clarté pour qu'elle voie où elle mettait les pieds. D'un bon pas, elle descendit la pente broussailleuse qui conduisait au bord de l'eau.

Arrivée sur la berge – un mélange de petits cailloux, de boue et de plantes aquatiques –, elle tourna à gauche et, enjambant quelques flaques, marcha vers une étendue d'herbe que surplombaient les branches d'un saule pleureur. Elle s'assit sur le sol humide et suivit des yeux le cours paresseux du fleuve, qui avançait inexorablement vers le bras de Triverne et vers la mer. Dans la pénombre, l'eau gris foncé ressemblait à de la vase. Une vision qui ne fit rien pour améliorer l'humeur de la jeune femme.

Denser la rejoignit, alluma sa pipe et attendit.

— Assieds-toi, l'invita Erienne en tapotant l'herbe à côté d'elle.

Le mage haussa les épaules avant d'obtempérer. Mais il laissa une certaine distance entre eux et évita son regard.

— Pourquoi refuses-tu de me parler ? demanda Erienne.

Elle ne savait pas par où commencer. Mais d'une manière ou d'une autre, elle devait réussir à l'atteindre. Pas seulement pour son propre bien. Pour celui des Ravens !

— Je te parle, se défendit Denser.

— Oh, oui ! « Comment ça va ? » « Bien. » Ça, c'est de la conversation profonde et enrichissante !

Une brise agita les feuilles du saule, dans le dos de la jeune femme, et poussa ses cheveux devant son visage.

— De quoi voudrais-tu que je te parle ?

— Mais de toi ! Pour l'amour des dieux, Denser, tu vois dans quel état tu es depuis que tu as lancé AubeMort ?

Face à la mauvaise volonté du Xetesk, Erienne perdit patience.

— Je n'ai pas changé, fit Denser. Simplement acquis une compréhension supérieure du fonctionnement de la magie.

— Oui, et regarde ce que ça t'a fait ! Ça t'a éloigné de nous – de moi – et donné un foutu air de supériorité, comme si nous n'étions plus dignes de ton attention.

— Tu te trompes.

— Vraiment ? Tu engueules Ilkar, tu provoques Hirad et tu passes le plus clair de ton temps à m'ignorer.

Les yeux d'Erienne se remplirent de larmes. Quelques jours plus tôt, assise près de lui pendant qu'il récupérait, après AubeMort, elle avait eu le cœur gonflé de fierté parce qu'il avait réussi – et d'une joie délirante parce qu'il avait survécu. Mais toutes ses émotions s'étaient heurtées à un mur. À présent, elle se sentait impuissante.

— Qu'est-ce que tu as dans la tête ?

— Rien du tout, souffla Denser.

— Exactement ! cria la jeune femme. Depuis que tu as reconstitué tes réserves de mana, on dirait que tu ne te soucies plus de rien. Ni de moi ni des Ravens… ni même de notre enfant.

— Ce n'est pas vrai.

Denser évitait toujours son regard. Elle mourait d'envie de le prendre dans ses bras. Mais elle savait qu'il la repousserait et qu'elle en aurait le cœur brisé.

— Alors parle-moi ! supplia-t-elle. Par pitié.

Quand Denser soupira, elle faillit le gifler. Puis il tourna enfin la tête, et elle vit qu'il cherchait ses mots.

— C'est difficile…

— Nous avons toute la nuit devant nous.

— Pas vraiment. (Un petit sourire flotta sur les lèvres du Xetesk.) Tu comprends la magie. Tu sais quelle énergie il faut dépenser pour contrôler le mana, et quel épuisement succède à une incantation. Tous les mages ont un jour ou l'autre cherché un moyen de limiter ces inconvénients. Mais sans avoir rien demandé, je suis désormais capable de lancer des sorts en puisant à peine dans mes réserves. Et ce n'est pas tout !

Erienne brûlait de l'interrompre, mais elle ne voulait pas briser son élan. Elle ne voyait pas où il voulait en venir, et ça n'avait peut-être aucun rapport avec ce qui la préoccupait. Mais il parlait, et c'était déjà ça.

— Chacun de nous a un rêve. J'ai découvert qu'il ne faut surtout pas le réaliser…

— Là, je ne te suis plus, avoua Erienne. Pourquoi courir après des choses qu'on ne désire pas réellement ?

— Une fois qu'on a obtenu celle qu'on veut plus que tout, il ne reste aucune raison de vivre, répondit Denser.

— Il doit bien y avoir autre chose après…

— Oui, admit le Xetesk. Mais rien d'aussi grand ou d'aussi important.

— Comment peux-tu dire ça ? Nous sommes les seuls à pouvoir refermer la fissure interdimensionnelle. Tu ne trouves pas ça assez important ?

— Je ne sais pas…

— Si nous échouons, nous mourrons tous ! Toi compris.

— Je n'ai plus peur de la mort. J'ai lancé AubeMort. Bon sang, j'ai accompli une chose que je croyais impossible ! La seule dont je pouvais continuer à rêver, parce que j'étais persuadé qu'elle ne se produirait jamais. Mais j'ai réussi, et je suis vide à l'intérieur. Si je devais périr maintenant, je mourrais satisfait.

Cette fois, Erienne le gifla si fort que le bruit résonna longtemps dans l'air nocturne. Elle se doutait que cela attirerait les autres, mais elle s'en fichait. Toute la frustration qu'il lui avait infligée, tous ses regards froids, toutes ses rebuffades des derniers jours… Elle avait besoin de se soulager. Mais elle ne se sentit pas mieux après l'avoir frappé.

— Dans ce cas, fais-le pour quelqu'un d'autre ! Moi, par exemple. Ou ton enfant. Espèce de salaud égoïste !

Denser lui prit le bras.

— J'ai lancé AubeMort pour nous sauver tous.

— Tu l'as fait pour toi ! cracha Erienne, méprisante. Après ce que tu viens de me dire, aucun doute n'est possible sur ce point. (Elle se dégagea violemment.) Je suis presque étonnée que tu aies contenu la puissance du sort. Pourquoi ne pas avoir accompli l'ultime acte d'égoïsme en nous entraînant tous dans la mort ? Au moins, nous n'aurions plus à supporter tes sautes d'humeur et ton auto-apitoiement.

Elle aurait continué sa tirade si les paroles suivantes de Denser ne l'avaient pas arrêtée net.

— J'ai failli le faire, avoua-t-il. Mais je me suis retenu, parce que je t'aime.

Erienne détourna la tête. Comment osait-il jouer ainsi avec ses sentiments ? Elle aurait dû le gifler une nouvelle fois, mais quelque chose dans le ton de sa voix l'en empêcha.

— Voilà qui est difficile à croire, répliqua-t-elle froidement.

— C'est quand même la vérité.

— Tu as une drôle de façon de le prouver.

— En ce moment, je ne peux pas être l'homme dont tu as besoin. Pour être honnête, j'ai l'impression d'avoir consenti un énorme sacrifice. Pas seulement pour toi, mais pour les Ravens. Au pied du mur, je n'ai pas pu trahir la confiance que vous aviez placée en moi. Et même si AubeMort a tenté de me convaincre d'anéantir le monde, j'ai résisté.

Il baissa le nez.

— C'est drôle. Je n'aurais jamais cru lancer AubeMort un jour. Mais quand je l'ai fait, le désir de vous protéger a primé sur l'envie d'achever l'œuvre de ma vie.

Erienne se rapprocha de lui, lui passa un bras autour du cou et caressa la joue qu'elle avait giflée.

— À présent, tu as l'occasion de t'attaquer à une nouvelle œuvre. Toute ta vie était fondée sur la destruction, mais toi et moi, nous avons créé quelque chose. Une nouvelle vie. À toi de la préserver.

Elle s'aperçut que Denser tremblait. Un instant, elle se demanda si c'était de froid ou d'émotion. Puis il se tourna vers elle pour lui prendre les mains, et elle vit que son visage était inondé de larmes.

— C'est ce que je souhaite plus que tout ! Mais je me sens trahi. Aussi loin que remontent mes souvenirs, toute ma vie a été consacrée à ce sort. Il n'y avait de place pour rien d'autre. À présent que je l'ai lancé, c'est comme si j'avais perdu ma raison d'être. Comme s'il ne restait plus rien qui vaille la peine que je continue à me battre.

Il caressa la joue d'Erienne.

— Je sais qu'il doit être dur pour toi d'entendre ça, et que j'ai tort de le penser, mais je n'y peux rien. C'est ce que je ressens. Et si je devais ne jamais plus rien désirer autant que lancer AubeMort ?

— Ça reviendra ! Fais-moi confiance. Il faut juste que tu essaies.

Erienne l'embrassa tendrement, lui caressant les lèvres avec sa langue. Denser répondit à son baiser. Il l'enlaça et la serra contre lui. La jeune femme sentit son sang bouillir. Bien qu'elle mourût d'envie de s'abandonner entre ses bras, elle le repoussa.

— Ce n'est pas si facile, haleta-t-elle.

Leurs deux visages étaient aussi proches que possible. Denser sourit avec la sincérité qui la faisait toujours fondre et qu'elle avait cru ne jamais revoir.

— On dirait que cet endroit a été conçu pour ça, la taquina-t-il. De l'herbe douce, le murmure de l'eau, le scintillement du clair de lune... Il serait discourtois de ne pas en profiter.

— Ça fait des jours que tu m'ignores, et maintenant, tu voudrais... ?

—Il faut bien commencer par quelque chose.

Denser tendit la main pour lui caresser la poitrine. Erienne aurait voulu se dérober, mais sa volonté la trahit. Alors qu'elle laissait son amant l'allonger sur le dos pour la couvrir de baisers, elle crut entendre des pas s'éloigner en direction du camp.

Sha-Kaan se reposa un moment. Lassé de l'Herbeflamme, il dévora une chèvre fraîchement abattue, qui apaisa quelque peu sa faim.

Puis il se remémora sa conversation avec Hirad Cœurfroid. Bien qu'impressionné par la force de l'humain, il n'était pas sûr d'avoir pris la bonne décision. Si son plan ne fonctionnait pas comme prévu, Sha-Kaan savait qu'il pourrait se débrouiller sans lui. Mais l'idée que le barbare meure dans ces circonstances – car c'était inévitable – ne lui plaisait guère. Il avait tenté un pari, et ce n'était pas le genre de chose qu'il faisait à la légère.

À présent, il devait passer à l'action.

Le dragon broya et engloutit les derniers os de la chèvre, avala une balle d'Herbeflamme pour faire passer le tout et bascula hors de Tiredaile en lançant un appel télépathique au Kaan dont il aurait besoin.

Sha-Kaan se matérialisa dans le fleuve et but de grandes lampées d'eau fraîche. Au-dessus de lui, la brume s'écarta. Un jeune Kaan massif se laissa tomber vers la berge, ses ailes déployées freinant sa descente. Il se posa maladroitement sur un large rocher plat où ses griffes creusèrent de larges sillons.

Sha-Kaan se redressa, le cou en S, les écailles jaunes de son ventre exposées, les pattes antérieures aplaties et les ailes à demi étendues pour assurer son équilibre. Il regarda le nouveau venu, qui avait adopté la même position, la tête baissée en signe de respect. Elu-Kaan lui rappelait ce qu'il était à son âge : grand et fort, confiant en ses capacités, mais nerveux en présence de ses aînés.

— Les Cieux te saluent, Elu-Kaan.

— Votre appel m'honore, Grand Kaan.

— J'ai une mission à te confier. Il semble que ton Dragonen soit un mage qui réside dans la cité balaienne de Julatsa.

— En effet, Grand Kaan, bien que je ne l'aie pas contacté depuis des cycles. J'ai eu de la chance lors des derniers combats que j'ai livrés.

Elu-Kaan inclina davantage la tête, mais son esprit demeura fier, car il avait toutes les raisons de l'être.

— Ce n'était pas de la chance, mais du talent. (Sha-Kaan sentit la fierté du jeune Kaan.) Pour le moment, il faut que tu traverses l'espace interdimensionnel pour parler avec ton Dragonen, si tu en es capable. Les mages ont protégé leur Collège avec une énergie puisée dans la dimension des Arakhes. Je crains que le sort n'alimente le pouvoir des démons, et je ne peux pas leur concéder un accès illimité à Balaia. Essaie de voir si ton portail te permet de passer, mais ne risque pas ta vie. Ce que je te demande est très dangereux. Retire-toi dès l'instant où tu sentiras les Arakhes te harceler, car ce sont des ennemis redoutables.

— Je pars tout de suite, déclara Elu-Kaan en redressant la tête.

— Ta réponse doit me parvenir avant que l'orbe assombrisse les cieux.

— Oui, Grand Kaan.

— Je vais m'absenter un temps du Foyer Couvelien pour aller parler aux Verets. Si je ne reviens pas, cherche la signature d'Hirad Cœurfroid des Ravens. Elle repose dans l'Esprit de Tiredaile. Toi seul auras ma permission d'y entrer si je venais à mourir.

— J'en suis honoré, Grand Kaan.

— Tu es encore jeune, Elu, mais la puissance vit dans ton cœur, dans ton esprit et dans tes ailes. Suis mon exemple, et à terme, tu me succéderas. (Sha-Kaan s'apprêta à prendre son envol.) Puissent les Cieux être dégagés pour toi.

— Et pour vous, Grand Kaan. Soyez prudent. Nous avons besoin de vous.

Sha-Kaan ne répondit pas. Après avoir dit adieu à sa couvée, il vola vers le nord, en direction de l'océan de Shedara.

Le ciel était calme, et le vent qui soufflait dans les couches supérieures de l'atmosphère le portait. Après les salutations d'usage, il donna ses ordres aux sentinelles du portail et continua son ascension. Alors qu'il crevait le plafond des nuages, la lumière radieuse de l'orbe l'inonda.

Vu d'en haut, son monde semblait si beau et si tranquille qu'on aurait pu le croire en paix. L'émotion serra le cœur de Sha-Kaan. Fermant ses paupières internes, il sonda mentalement l'espace, au-dessous de lui.

Il ne détecta rien. Pas le moindre vol de dragons. Pas d'aboiements signalant une bataille à venir ni de cris de douleur témoignant d'une bataille perdue. Satisfait, il accéléra.

L'océan de Shedara commençait à l'endroit où s'achevaient les royaumes de Dormar et de Keol, et occupait l'hémisphère septentrional. À marée basse, son immensité était ponctuée d'îles, de falaises et de bancs de sable qui disparaissaient à marée haute. Mais seul un dragon très myope aurait pu ignorer leurs reliefs temporairement engloutis.

Bien qu'étant des créatures aquatiques, les Verets nichaient et se reproduisaient dans des cavernes que les flots salés n'envahissaient pas en permanence. Sha-Kaan savait où les trouver. Il piqua délibérément vers le centre de leur filet mental avant de redresser son vol pour attendre leur réponse.

Elle ne fut pas longue à venir. Une demi-douzaine de Verets volèrent à sa rencontre dans l'air humide. Sha-Kaan sentit leur agressivité, et la désamorça avant qu'ils arrivent assez près de lui pour engager le combat.

— Je veux parler à Tanis-Veret, mon Haut-Jumel, dit-il, sachant que le nom de leur Ancien et l'évocation du lien que leurs deux couvées entretenaient depuis longtemps les forceraient à ravaler leur colère. Je suis Sha-Kaan.

Les Verets se portèrent à sa rencontre en lançant des avertissements, comme pour le mettre au défi de plonger vers leur Foyer Couvelien aquatique. Leurs écailles bleu marine mouillées scintillaient sous la lumière de l'orbe, et leur corps fuselé fendait l'air tandis qu'ils s'élevaient vers leur visiteur.

Sha-Kaan les regarda manœuvrer, sentit leur assurance et conclut qu'il se ferait tuer s'il ne les dissuadait pas d'attaquer. Il continua à décrire de larges cercles tandis que les Verets se déployaient autour de lui en émettant des ondes mentales de respect – mais aussi de fureur et de haine, pour le spécimen placé sur sa droite.

— Vous ne vous écarterez pas de nous pendant la descente, ordonna-t-il, et vous n'appellerez personne.

— Je comprends, répondit Sha-Kaan. Bien sûr, vous savez que je ne suis pas une menace pour vous. Je viens seul afin de parler à Tanis-Veret.

— Telle est la tradition, dit un autre dragon, aux émotions plus mesurées. Tous les visiteurs doivent être escortés jusqu'à la Plate-Forme Couvelienne.

— On n'est jamais trop prudent, admit Sha-Kaan.

Les Verets plongèrent, modérant leur vitesse naturelle pour tenir compte du corps moins aérodynamique de leur visiteur. Ils se dirigèrent vers une petite île d'où jaillissaient cinq immenses tours de pierre.

— Atterrissez au centre, ordonna l'un d'eux à Sha-Kaan, qui inclina ses ailes pour freiner et se laissa tomber à la verticale entre les aiguilles rocheuses.

Son escorte modifia sa trajectoire et s'éloigna.

Presque aussitôt, l'océan bouillonna devant lui. Tanis-Veret creva sa surface.

Une masse d'eau écumante dégoulina de son dos écailleux alors qu'il s'arrachait aux flots salés et s'élançait dans le ciel. La pierre renvoya l'écho de son message de bienvenue. Il fit un retournement en vol complet et se posa au bord de l'île.

— Il n'y a rien de meilleur au monde que la caresse du vent sur des écailles mouillées, se réjouit-il. Tu es bien loin de chez toi, Sha-Kaan.

— À circonstances exceptionnelles, mesures exceptionnelles, répliqua le Grand Kaan en baissant le cou. Je te salue, Tanis-Veret.

— Moi de même.

Le cou du dragon aquatique était trop court pour dessiner un S. Mais il s'assit sur ses pattes postérieures, exposant les écailles de son ventre comme l'avait déjà fait son visiteur.

Au-dessus d'eux, les sentinelles piquèrent vers l'océan et disparurent dans ses profondeurs, leur angle de pénétration, optimal, provoquant un minimum de remous.

— Nous n'aurons pas besoin d'eux, n'est-ce pas ? lança Tanis-Veret.

Sha-Kaan inclina la tête.

— Ta confiance est aussi appréciée que réciproque.

— Je t'écoute, même si j'ai déjà une petite idée sur la raison de ta visite.

— Je n'irai pas par quatre chemins. J'ai cru comprendre que tu t'étais allié avec les Naiks pour livrer une bataille qui ne te concerne pas, et qui n'a aucune chance de bénéficier à ta couvée.

Tanis-Veret détourna le regard. Une quinte de toux fit tressauter sa poitrine, dont les écailles ternies trahissaient son grand âge. Il était beaucoup plus vieux que Sha-Kaan, mais la structure de sa couvée interdisait aux autres Verets de contester son autorité. Son successeur serait désigné après sa mort. Chez les Kaans, en revanche, seule comptait la force mentale. Sha savait qu'un jour, Elu finirait par le battre et par prendre sa place. Alors, il s'effacerait pour redevenir un Ancien parmi les autres.

— Sha-Kaan, ma couvée est en grand danger. Les naissances ont considérablement baissé. Il est crucial que nous protégions nos Parturientes, mais ça implique que nous serions trop peu nombreux pour défendre notre territoire en cas d'attaque.

— Ainsi, j'avais raison. (La colère submergea Sha-Kaan. Le mépris prit le pas sur la compassion qu'il éprouvait pour Tanis.) Pourquoi n'es-tu pas venu me voir ? cracha-t-il, une langue de flammes jaillissant de sa gueule pour ponctuer sa question.

— Les Naiks étaient déjà là. Avec la puissance nécessaire pour nous massacrer. Nous n'avons pas eu le choix.

— Sur le coup, certes. Mais après ?

— Ils l'auraient appris. Connaissant nos problèmes, ils savaient que nous devrions replier nos ailes devant eux.

Sha-Kaan observa Tanis-Veret, l'air déçu. L'Ancien était brisé. Fini. Il n'avait même plus la force nécessaire pour tenter de libérer sa couvée.

— Dès qu'ils n'auront plus besoin de vous, les Naiks vous achèveront.

— Peut-être, soupira Tanis-Veret. Je suis obligé de leur faire confiance.

— Tu vas laisser mourir ta couvée ! grogna Sha-Kaan. J'ai eu tort de penser à t'offrir mon aide.

— Et comment pourrais-tu nous aider ? Les Kaans sont déjà occupés à défendre le portail de leur dimension jumelée, ouvert dans le ciel à la vue de tous. Votre propre survie est en jeu.

— Nous aurons d'autant plus de mal à tenir si tu aides les Naiks.

— Je me dois d'abord à ma couvée, comme tu peux sûrement le comprendre.

Tanis-Veret leva un regard nerveux vers le ciel.

— Il n'y a personne.

— Détrompe-toi. Ils ne sont jamais très loin.

— Le dernier jour a été le plus pénible que j'ai vécu depuis bien des cycles, dit Sha-Kaan. J'ai tué un de tes semblables qui avait poursuivi et immolé mon Vestare. Une femelle de ma couvée est morte empoisonnée par un jeune mâle de la tienne, et je préfère ne pas citer les autres victimes que la bataille a faites dans nos deux camps. Nous ne sommes pas en guerre contre vous. Alors, pourquoi nous attaquer ?

— Si nous refusons, les Naiks nous détruiront, répondit Tanis-Veret.

— Je comprends ton problème et la confusion où il doit te plonger. Mais je suis ici, à présent. Ma couvée vous protégera si tu romps l'alliance que les Naiks t'ont imposée.

Sha-Kaan bougea pour la première fois depuis son atterrissage. Il étendit ses ailes et se dressa sur ses pattes postérieures pour donner plus de poids à sa promesse. À côté de sa silhouette, dont l'ombre couvrait presque tout l'îlot, Tanis-Veret paraissait encore plus petit et plus fatigué. Il remua les mâchoires, l'air pensif, et plissa le front.

— Vous n'êtes pas assez nombreux pour nous protéger.

— Parce qu'ils sont déterminés à franchir notre portail, les Naiks se sont alliés à vous et, je suppose, à d'autres couvées mineures incapables de leur tenir tête. Pour préserver notre dimension jumelée, nous devrons déclarer la guerre à ces couvées. Si ce ne sont pas les Naiks qui vous massacrent, ce sera nous. Romps ton alliance avec eux. Fais confiance aux Kaans.

— Je ne peux pas.

— Dans ce cas, nous continuerons à détruire les tiens chaque fois qu'ils seront une menace pour nous. Et si cette menace venait à s'aggraver, la prochaine fois que tu me verras ici, je serai à la tête d'une armée. Évitez-nous dès que vous le pourrez ! Je ne permettrai pas que les Kaans échouent.

— Je suis désolé que les choses soient ainsi.

— Il est en ton pouvoir de les changer, Tanis-Veret. Si tu décides de le faire, sois certain que j'accueillerai favorablement ta requête.

Le Veret se redressa enfin et regarda Sha-Kaan dans les yeux.

— Tu devrais partir. Je ne transmettrai pas ton message jusqu'à ce que tu aies quitté notre territoire.

— Que les vents et les marées te soient favorables.

— Essaie de vaincre les Naiks.

— Oh, j'y arriverai ! Il est regrettable pour toi que tu n'y croies pas.

Sha-Kaan fit ses adieux à Tanis-Veret et s'envola vers la sécurité relative du ciel, où le vent dissipa enfin sa colère.

Chapitre 19

À trois cents mètres du camp ouestien, des arbres jaillissaient sur le chemin, créant un coude qui dissimulait l'approche de la cavalerie. Conscient que le bruit de leurs sabots devait être audible, Darrick cria à ses hommes l'ordre de se séparer et de charger.

Devant lui, les archers accélérèrent, flanqués par une dizaine de guerriers et suivis par cinq mages qui lançaient des BoucliersDéfensifs. Ils restèrent à l'écart du chemin, fonçant vers les tours de garde pendant que Darrick et le reste de ses hommes rejoignaient les tentes.

Le général talonna sa monture, et franchit le lacet à la tête de sa cavalerie à l'instant où les premières volées de flèches volaient de part et d'autre. Celles des Ouestiens rebondirent sur le champ de force invisible, mais celles des attaquants firent mouche. Darrick pensa que le talent de ses archers ne cesserait jamais de l'étonner. Tenant en selle à la force des cuisses, ils parvenaient à compenser le mouvement d'un cheval au galop pour tirer avec précision. Quatre Ouestiens s'effondrèrent.

Leurs ennemis n'étaient pas préparés à affronter une charge de cavalerie. Ou un autre type d'attaque, d'ailleurs. Ils n'avaient pas prévu de champ de bataille, ni disposé leurs tentes pour laisser un seul accès étroit où attirer d'éventuels assaillants. Leur camp était conçu pour faciliter le stockage et l'acheminement de matériel et de provisions vers l'autre côté de la baie de Gyernath. Pour un général doué, un véritable paradis ! Et Ry Darrick était le meilleur de tous.

Levant une main gantée, il pointa un index vers la gauche, puis vers la droite, et lança un ordre. Ses hommes se divisèrent en deux groupes pour prendre les Ouestiens en tenailles. Leurs épées étincelant sous le soleil de l'après-midi, ils entrèrent dans le camp, taillèrent en pièces ses défenses maladroites, découpèrent les cordes et la toile, firent s'effondrer les tentes sur leurs occupants impuissants et renversèrent tous ceux qui se dressaient sur leur chemin. Arrivés de l'autre côté, sur la plage, ils s'arrêtèrent au bord de l'eau et firent demi-tour pour évaluer les dégâts qu'ils venaient d'infliger à leurs ennemis.

Les tours de garde n'abritaient plus que des cadavres. Les archers désœuvrés attendaient l'ordre suivant de leur général. Partout dans le camp, des cris de détresse et de colère jaillissaient dans le sillage de l'ouragan qui s'était abattu sur les Ouestiens. Ceux qui avaient été piétinés par les chevaux se relevaient, quand ils en étaient encore capables, et reformaient hâtivement leurs défenses. Mais ils étaient trop peu nombreux, et ils réagissaient trop tard.

— À tous les mages... Feu !

En réponse à l'invitation de Darrick, une vingtaine d'OrbesFlammes jaillirent vers le ciel et retombèrent au milieu du campement, embrasant les tentes et semant le chaos parmi les Ouestiens. Les hurlements des premières victimes de l'incendie parvenaient à peine aux oreilles de Darrick quand il lança sa seconde charge.

Près de deux cents cavaliers repartirent à l'assaut dans l'autre sens. Piétinant de la toile fumante, ils abattirent leurs épées sur les guerriers hagards qu'ils avaient arrachés à leur tranquillité. Sur le chemin, les archers éliminèrent toute menace à distance, tandis que les mages lançaient des ForcesConiques et des GrêlesMortelles pour pulvériser la pierre, le bois, la chair et la cervelle.

La bataille fut terminée en un clin d'œil.

À la tête de sa cavalerie triomphante, Darrick balaya du regard le campement qu'il venait de détruire. *Comme au bon vieux temps,* pensa-t-il.

Il n'avait pas perdu un seul homme.

Ils étaient trois à l'attendre sous le vent. Ils espéraient le surprendre, mais ils n'avaient pas fermé leur esprit, et leurs pensées étaient aussi transparentes que du cristal pour le Grand Kaan.

Il volait vers Teras, dans la couche supérieure de l'atmosphère. Visiblement, les Naiks avaient été avertis de son passage. Il les sentit monter vers lui sur sa droite avant même que leurs cris de défi résonnent dans le ciel froid.

Sha-Kaan vira et plongea sur le trio, profitant de l'avantage que lui conférait sa position pour prendre de la vitesse et adopter un angle d'attaque idéal. Les Naiks se dispersèrent avec l'espoir de briser sa concentration, mais il avait survécu à suffisamment de batailles pour ne pas se laisser troubler par une tactique aussi éculée. Son regard était déjà rivé sur la proie de son choix : un petit Naik de vingt mètres de long – soit moitié moins que lui –, mais qui ne savait pas profiter de l'avantage conféré par sa masse inférieure.

Alors que Sha-Kaan se rapprochait de lui, il vit que les ailes de sa cible étaient mal positionnées par rapport à la direction de son vol. Ou le Naik était très maladroit, ou... Sha-Kaan redressa et reprit de l'altitude alors qu'un jet de flammes embrasait l'air sous son ventre, et qu'un second le manquait d'une bonne largeur d'aile. Avec un rugissement de dépit, les Naiks qui avaient voulu lui tendre un piège se croisèrent au-dessous de lui. Sha-Kaan bascula sur le dos et piqua de nouveau vers l'appât, qui n'avait pas encore corrigé sa position.

Perçant le barrage des deux autres Naiks, il ouvrit la gueule et cracha du feu vers sa gauche. Atteinte au flanc, sa proie s'éloigna en hurlant de douleur, les écailles couvertes de cloques à l'endroit où Sha-Kaan l'avait touchée.

Sans attendre sa contre-attaque, Sha-Kaan déploya ses ailes, fit un tonneau et remonta sur sa droite en se tordant le cou pour regarder derrière lui. Il voyait seulement deux de ses adversaires.

Il roula de nouveau sur lui-même, mais une fraction de seconde trop tard. Du coin de l'œil, il aperçut le troisième Naik qui piquait vers lui, visant son estomac exposé. Sachant qu'il ne pourrait pas éviter son jet de flammes, Sha-Kaan décrivit un demi-cercle, replia ses ailes et se prépara à la douleur pendant que son élan continuait à l'emporter vers le haut.

Le feu l'atteignit à l'épaule et fila le long de son cou. Il sentit ses écailles fondre et sa peau se contracter, mais refusa de bouger, car il savait où le Naik allait achever son mouvement.

Alors que le souffle d'air de son déplacement le frôlait, Sha-Kaan ouvrit ses paupières externes, étendit ses ailes et passa la tête sous son ventre, ignorant sa nuque douloureuse pour refermer ses mâchoires sur l'aile du Naik. Plus jeune et plus vigoureux que lui, son adversaire tenta de se dégager. Au fil de longues années de bataille, Sha-Kaan avait acquis un sens de l'équilibre sans faille, et l'autre dragon réussit seulement à se déchirer les muscles et les membranes.

Quand le Grand Kaan souffla du feu sur son aile lacérée, le Naik infirme commença une longue chute en vrille vers le sol.

Avec un rugissement de douleur et de triomphe, Sha-Kaan déploya ses ailes. Devant lui, le seul Naik indemne faisait du surplace dans les airs, cherchant une ouverture, tandis que son compagnon, blessé mais encore très vif, décrivait des cercles autour de leur ennemi.

Sha-Kaan devina ce qui allait se passer. Un des Naiks donna un signal et s'éleva dans le ciel pendant que l'autre plongeait. Puis ils modifièrent leur trajectoire pour foncer tous les deux sur Sha-Kaan. Là encore, cette manœuvre éculée trahissait leur manque d'expérience. Les écailles des dragons leur servaient d'armure. Pour l'avoir oublié, beaucoup mouraient en tentant une attaque en tenailles.

Sha-Kaan n'avait aucune intention d'esquiver l'attaque. Il accepta de recevoir une nouvelle blessure, se contentant de faire son possible pour limiter les dégâts. Il inversa le battement de ses ailes pour ralentir, puis les replia le long de ses flancs, colla son cou contre son estomac et se laissa tomber.

Le Naik du dessus réagit aussitôt. Il augmenta son angle de piqué, et son jet de flammes atteignit Sha-Kaan dans le dos. Mais le Naik du dessous – celui qui avait une aile abîmée – ne parvint pas à corriger sa trajectoire.

La queue de Sha-Kaan fendit l'air comme un fouet et vint s'enrouler autour du cou du Naik, qui cracha quelques pitoyables flammèches en luttant pour respirer. Mais la queue de Sha-Kaan le serrait de plus en plus fort. Pendant qu'il tombait, le Grand Kaan déséquilibra son adversaire, plus léger, tendit le cou et lui souffla des flammes à la gueule. Puis il lâcha son cadavre et redressa son vol, les ailes déployées, le cou et le dos raidis par la douleur.

Il rugit de nouveau. Cette fois, l'ennemi ne répondit pas.

Voyant que la bataille était perdue, le dernier Naik fit demi-tour et s'enfuit. Sha-Kaan le regarda disparaître dans la couche inférieure de l'atmosphère, forme noire de plus en plus petite sur le fond clair des nuages. Au lieu de le suivre, il reprit de l'altitude et continua plus lentement son chemin vers Teras, où l'attendaient son Foyer Couvelien et les flux dimensionnels réparateurs du Hall de Jumelage.

Les Ravens ne se remirent pas en route avant le milieu de l'après-midi.

Son contact avec Sha-Kaan avait laissé le barbare épuisé et affamé. Thraun et Will disparurent dans les broussailles et revinrent presque aussitôt avec quatre lapins et des pigeons. Will les fit cuire sur son poêle avec du grain pris dans le paquetage de l'Inconnu, des racines cueillies au bord de la rivière et un mélange d'herbes de sa composition. L'ensemble faisait un ragoût décent. Mais Hirad regretta de n'avoir pas de pain pour l'accompagner, ni de bière ou de vin pour le faire descendre.

— Voilà beaucoup trop longtemps que je n'ai pas bu un coup, soupira-t-il, au bord de la déprime.

— Ne m'en parle pas, dit l'Inconnu. Mes profits ont dû dégringoler, depuis le temps que tu n'as pas mis les pieds chez moi.

Hirad le dévisagea en espérant que c'était de l'humour, mais il vit que ça n'était pas le cas. Korina leur manquait à tous, et plus particulièrement à l'Inconnu, pour moitié propriétaire de la *Volière*, une auberge gérée par son associé Tomas. À cet instant précis, Hirad aurait donné n'importe quoi pour étendre ses jambes devant la cheminée de l'arrière-salle, un gobelet de vin à la main et une assiette de viande et de fromage sur les genoux.

Mais ses souvenirs de la *Volière* étaient abîmés par le chagrin. La dernière fois que les Ravens s'y étaient réunis, Sirendor Larn, son plus vieil ami, avait été assassiné. Qu'il ait donné sa vie pour sauver Denser ne consolait pas le barbare, malgré l'importance du Mage Noir pour l'avenir de Balaia.

Alors qu'il mâchait un morceau de lapin cartilagineux, Hirad repensa à leur rencontre avec Denser, au château du pic de Taran, et à tous les événements funestes qui en avaient découlé. Tant de ses camarades étaient morts… Bien sûr, les Ravens avaient accompli de nombreux exploits. Pourtant, alors qu'il ruminait, assis sur la berge du fleuve Tri, l'insignifiance du groupe pesait lourdement sur le moral d'Hirad. Ils n'étaient jamais que sept. À part l'Inconnu, Ilkar et lui, les autres n'avaient pas beaucoup d'expérience du terrain. C'était quand même à eux que revenait la tâche cruciale de refermer la fissure avant que les dragons envahissent le ciel de Balaia.

En temps normal, il aurait déjà été difficile de persuader les sceptiques de l'importance de leur mission, et d'obtenir le libre accès à la bibliothèque d'au moins deux Collèges. À présent que les armées ouestiennes avaient envahi le territoire des mages, ce serait quasiment impossible. Leurs ennemis ne les croiraient sûrement pas : même s'ils couraient un danger aussi grand que les Balaiens de l'est, pourquoi auraient-ils ajouté foi à la parole d'une bande de mercenaires, fussent-ils aussi célèbres que les Ravens ? Pour l'instant, la fissure n'était pas visible dans cette partie du continent. Quand elle le deviendrait, il serait sans doute trop tard.

Les Ravens seraient donc forcés de dissimuler les raisons de leurs actes à tous ceux qu'ils rencontreraient, parce qu'ils n'avaient pas le temps, ni la patience, de les convaincre de la véracité de leurs propos. Selon Hirad, les seules personnes susceptibles de les prendre au sérieux – outre celles que Styliann choisirait éventuellement de convertir – étaient les mages dragonens. Mais ils formaient une secte si fermée que leur soutien ne servirait pas à grand-chose. Aucun n'accepterait de révéler son lien avec les Kaans aux autres mages, et encore moins au reste de la population de Balaia.

Hirad cracha un peu de cartilage. Leur situation était vraiment injuste, mais se lamenter sur leur sort n'aurait rien résolu.

La marmite était vide. Tous les Ravens avaient terminé leur repas.

— Il est temps de nous remettre en route, dit Hirad. Will, tu veux bien refroidir le poêle ? Inconnu, nous feras-tu la gentillesse d'établir un itinéraire ? Si certains d'entre vous ont besoin de se soulager, c'est le moment ou jamais. Nous ne ferons pas d'autre halte avant la tombée de la nuit.

Denser grogna, se leva et avança vers le bord de l'eau.

— Quel caractère délicieux, commenta Ilkar.

— Malheureusement, sur ce point, il n'a pas beaucoup changé, renchérit Hirad. Erienne, tu es sûre de vouloir rester avec lui jusqu'à ce que tu sois chenue et grisonnante ?

— Qui te dit que mes cheveux grisonneront ? Je reconnais qu'il n'est pas très aimable en ce moment. Mais ça irait mieux si tu faisais montre d'un peu plus de tact.

— Du tact, lui ? ricana Ilkar en désignant le barbare. C'est comme si tu demandais à Thraun de se faire limer les crocs !

— Merci de ton soutien ! lança Hirad. (Tournant le dos au mage, il fit à l'Inconnu un sourire qu'il ne lui rendit pas.) Alors, de quel côté on part ?

Le guerrier se leva et aida Will à jeter de la terre sur le poêle pour le refroidir.

— Je pourrais répondre « vers l'est », mais je suppose que ça ne ferait rire personne. Puisque nous avons décidé que le lac de Triverne n'est pas une option valable, il ne nous reste pas tellement de choix. Selon moi, nous devrions foncer vers Julatsa. Vu le peu de temps dont nous disposons encore, il faudra courir le risque de rencontrer des Ouestiens, d'autant plus que Thraun nous préviendra longtemps à l'avance. Je suggère que nous nous écartions du fleuve pour nous diriger vers la cité collégiale. Sur le chemin, le sol est plat, et la végétation devrait nous offrir une couverture suffisante.

— Si tu le dis…

Denser revint dans la clairière.

— Tu t'es vidé les boyaux ? lui demanda Hirad.

— Oui, merci de t'en inquiéter, grogna le Xetesk.

— Allons-y.

Le barbare fit signe à l'Inconnu de leur montrer le chemin. Thraun s'écarta d'eux pour marcher vers le fleuve. Will chargea le poêle sur ses épaules et emboîta le pas au trio de mages.

À pied, la route vers Julatsa serait très longue. Hirad se surprit à espérer une rencontre avec des Ouestiens qui ne soient pas trop sur leurs gardes.

Thraun lapa l'eau du fleuve paresseux. Il la sentit rafraîchir sa gueule et glisser vers son estomac en suivant les circonvolutions de son œsophage. Son esprit était confus, mais il ne se souvenait plus d'un temps où il n'en avait pas été ainsi.

Un peu plus tôt, il avait éprouvé de la peur, et ça ne lui avait pas plu du tout. Ne voyant rien à frapper, il s'était tapi sur le sol, vaincu, pendant que le pouvoir animal torturait l'homme-chef. Il avait crié alors que le pouvoir emplissait sa tête, puis l'espace autour de lui, se répandant dans la poussière et gagnant les feuilles des arbres et les fleurs des buissons.

Thraun l'avait senti avant tous ses compagnons. Les humains étaient trop ignorants pour redouter ce pouvoir comme ils l'auraient dû. Parce qu'il venait de nulle part. Il n'avait pas de visage, pas de forme et il ne respirait pas. Et pourtant, il était d'origine animale. Thraun le savait.

Seul l'homme-chef l'avait perçu. Et bien qu'il ait exprimé de la douleur, le pouvoir ne l'avait pas blessé. Quand il s'était retiré, son corps ne portait pas de marques, et son esprit avait conservé son acuité.

Néanmoins, Thraun doutait qu'il soit en sécurité. Le pouvoir pouvait revenir n'importe quand. Et il devait veiller sur l'homme-frère. Il ne tolérerait pas que quiconque le menace. Thraun se souvenait des autres membres du groupe, mais l'homme-frère était le seul qu'il reconnût vraiment. Il semblait plus calme en leur compagnie, ce qui était une bonne chose. Et en le protégeant, Thraun savait qu'il protégerait les autres : la femme qui portait la vie en elle, les deux hommes à l'âme enveloppée de brume et celui dont le cœur torturé désirait une chose que son esprit essayait de réprimer.

Thraun veillerait sur eux. Thraun chasserait. Thraun tuerait.

Levant le museau, il huma l'air. L'odeur de la meute était forte, et l'appel de la forêt lui semblait irrésistible. Chaque jour, il se faisait un peu plus fort, l'attirant davantage vers un endroit où il serait libéré des hommes.

La Chambre du Conseil de Julatsa était un endroit glacial. Autour de la table ovale, Kerela, Barras, Seldane, Torvis, Endorr, Cordolan et Vilif écoutaient le général Kard leur décrire les grandes lignes de la bataille à venir.

Barras et lui avaient au moins réussi à persuader Senedai de suspendre les exécutions. En revanche, le commandant ouestien avait juré de sacrifier tous ses prisonniers si les Julatsiens tentaient de le tromper. Un risque qui valait la peine d'être couru : quand le combat s'engagerait, une journée avant le moment où les envahisseurs pensaient que le Linceul tomberait, il y aurait de grandes chances que toute leur attention soit concentrée sur le mur d'enceinte du Collège. Dans ce cas, les prisonniers auraient une chance de s'en sortir.

À cause d'un courant d'air, les flammes du brasero placé derrière Kard vacillèrent, plongeant son visage dans l'ombre.

— Les événements s'enchaîneront de la manière suivante. Une heure avant l'aube, nous dissiperons le LinceulDémoniaque. En supposant que les gardes de la tour ne réagissent pas immédiatement, huit mages tenteront de communier avec nos alliés, hors de la cité. Chacun d'eux balaiera une direction différente, et se concentrera sur les endroits les plus susceptibles d'abriter un campement.

« La suite dépendra de la vigilance des sentinelles. Si elles comprennent tout de suite ce qui se passe, nous serons forcés de sauter aussitôt à l'étape suivante. Dans le cas contraire, nous retiendrons notre attaque jusqu'à ce qu'elles donnent l'alarme. Une dizaine de mages lanceront des OrbesFlammes sur la tour de garde, pendant que nous ouvrirons simultanément les portes Nord et Sud. Nos archers et le reste des mages se positionneront sur les remparts. La Garde Collégiale et la milice tenteront une sortie. Leur objectif sera d'infliger un maximum de dommages aux Ouestiens postés très près de nos murs, avant que Senedai puisse rassembler le reste de son armée.

« Quand le gros des troupes ennemies arrivera au contact, nos forces battront en retraite dans le Collège. Nous refermerons les portes sur elles, et les mages lanceront des GlyphesVerrous. Alors, le siège pourra recommencer.

« J'ai choisi une dizaine d'hommes qui, profitant de la confusion, seront chargés de localiser et de libérer les prisonniers. Vous avez des questions ?

Kard se radossa à sa chaise et croisa les bras. Autour de la table, les membres du Conseil hochèrent la tête, l'air approbateur.

— Nous pourrions augmenter la puissance de la Communion en la lançant à partir du Cœur, proposa Vilif.

— Vous savez que seuls les mages seniors sont autorisés à y entrer ! lança Endorr.

— Cette remarque ne m'aurait pas étonnée de la part de Torvis, dit Kerela, mais venant de quelqu'un d'aussi jeune que vous… Je suis ravie que vous respectiez nos traditions et nos lois avec tant de ferveur.

— Bien que le moment soit mal choisi pour ça, dit Torvis.

— C'est aussi ce que je pense, déclara Kerela. À moins que quelqu'un d'autre y voie une objection, je suis prête à autoriser l'accès au Cœur. Nécessité oblige.

Barras acquiesça. Endorr se rembrunit mais ne dit rien, et le vieil elfe eut un élan de compassion pour lui. Endorr avait gagné sa place au sein du Conseil à force de travail, de talent et de dévouement. Malgré l'urgence de la situation, il devait être difficile pour lui de voir ses privilèges ainsi rognés.

— Comment vos hommes sauront-ils quand ils devront se replier ? demanda Seldane.

— Une fois les sentinelles de la tour éliminées, je posterai des mages munis d'OmbresAiles – trois devraient suffire – au-dessus de la cité pour surveiller le rassemblement des troupes ennemies, déclara Kard. Je veux porter un coup significatif à la garde ouestienne, mais je ne suis pas assez fou pour m'attaquer à l'armée entière. Je ne brûlerai pas Julatsa pour nous libérer. Outre que le temps nous manquerait, je doute que ce serait une tactique efficace.

« Si nous sommes obligés de nous battre dans les rues de Julatsa – donc dans un espace exigu – être en infériorité numérique nous donnera l'avantage dans un premier temps. Mais dès que les mages volants verront approcher des forces suffisantes pour submerger mes hommes, ils leur donneront le signal de la retraite.

— Pourquoi risquer la vie de vos troupes ? demanda Vilif. Ne vaudrait-il pas mieux les économiser en les postant sur les remparts ?

Kard secoua la tête.

— Je ne suis pas d'accord. Ils ne resteront pas longtemps dehors, et leur sortie produira deux effets capitaux. D'abord, être les premiers à faire couler le sang restaurera leur confiance. Je vous assure que rester à l'abri du Collège et regarder avancer l'armée ouestienne leur saperait le moral, et qu'ils n'ont pas besoin de ça. Ensuite, si nous arrivons à infliger des pertes à Senedai, nous saperons sa belle assurance. Et notre volée de sorts l'affaiblira encore.

— Comment pourrait-il se décourager ? Ses hommes sont dix fois plus nombreux que les nôtres !

— Mais leur moral n'est pas inébranlable. Et quand ils seront pris à revers par nos alliés... Vous devinez comment ils réagiront.

Barras fronça les sourcils. Oui, il devinait la réaction des Ouestiens. Ce serait un massacre. Mais il n'y avait pas d'autre solution. Même s'ils se cachaient derrière le Linceul pendant cent jours, ils finiraient par être vaincus. Leurs réserves de nourriture n'étaient pas inépuisables, et la reprise des sacrifices provoquerait un nouveau soulèvement des réfugiés.

— Au nom de l'enfer, comment avons-nous pu penser qu'invoquer un LinceulDémoniaque était une bonne idée ? soupira-t-il.

Quelques instants, personne ne pipa mot. Kerela posa une main sur le bras de Barras, mais ce fut Kard qui se décida à lui répondre.

— Il fallait gagner du temps, dit-il. Nous en étions tous conscients, notre courageux ami Deale y compris. Il fallait empêcher les Ouestiens de nous submerger. Malgré nos beaux discours, chacun de nous espérait la même chose : voir une armée apparaître au sommet des collines et déferler sur les Ouestiens pour nous sauver.

« À présent, douze jours plus tard, nous devons regarder la vérité en face. Cela n'arrivera pas tant que le Linceul sera en place, et il n'est plus supportable de voir périr nos concitoyens. D'une certaine façon, ce serait moins difficile si les Ouestiens se contentaient de les passer au fil de l'épée. Parce qu'ils conserveraient leur âme. Mais les forcer à entrer dans le Linceul... Par les dieux du ciel, nous pouvons seulement imaginer les tourments qu'ils connaissent.

— Devons-nous fouler aux pieds leur sacrifice en nous rendant comme des lâches ? s'emporta Endorr.

Les yeux de Kard lancèrent des éclairs. D'un regard, Barras lui ordonna de réprimer sa colère.

— Il est trop tard pour aider ceux qui sont déjà morts, répondit le général en s'efforçant de garder son calme. Mais pas pour sauver ceux qui sont entre les mains de nos ennemis. Endorr, mon naïf jeune mage, il n'est nullement question de lâcheté. Bien au contraire. J'attends que vous jouiez votre rôle jusqu'au bout, afin que les Ouestiens craignent Julatsa à jamais. Si nous mourons tous, mais qu'un seul enfant, hors de ces murs, échappe aux griffes de nos ennemis, je considérerai que nous aurons gagné. Alors, ai-je votre permission de commencer ?

Tous les membres du Conseil hochèrent la tête.

— C'est donc entendu. Demain, une heure avant l'aube, je viendrai vous retrouver ici pour vous demander de dissiper le LinceulDémoniaque. À partir de cet instant, je prendrai le commandement de tous les résidents de Julatsa, hommes et femmes, mages et soldats. Me concédez-vous cette autorité ?

— Oui, général Kard, répondit Kerela. Et nous vous accordons aussi notre soutien inconditionnel, notre bénédiction et nos prières. Sauvez notre Collège. Empêchez nos gens de mourir.

— Je verrai ce que je peux faire...

Le retour de Sha-Kaan au Foyer Couvelien ne fut pas aussi triomphal que le précédent. Il plongea dans la brume sans que personne lui prête attention, et annonça son arrivée aux Vestares de service au moment d'atterrir. Se dispensant des politesses d'usage, il s'enquit aussitôt de la disponibilité du Hall de Jumelage, attendit quelques secondes que les battements de son cœur aient repris un rythme normal et bascula dedans.

Elu-Kaan y gisait sur le flanc, la tête et le cou constellés de coupures et de brûlures. Une de ses ailes reposait sur le sol, sa membrane noircie et desséchée, mais miséricordieusement intacte. En revanche, son souffle était haletant et rauque, comme si ses poumons avaient rétréci.

Bien qu'épuisé par son vol et encore raide après son combat, Sha-Kaan ordonna à ses Vestares de s'occuper d'abord d'Elu-Kaan. Se déplaçant pour ne pas gêner ses serviteurs, il se laissa tomber lourdement sur le sol et posa sa tête à côté de celle du jeune dragon.

Il n'avait pas besoin de poser la question pour savoir ce qui était arrivé. Elu-Kaan avait dû croiser les Arakhes. S'il ne s'était pas réfugié dans le flux de l'espace interdimensionnel, c'était sans doute faute d'avoir pu contacter son Dragonen à Julatsa.

Son museau était couvert d'une myriade d'égratignures, probablement laissées par les griffes et les crocs des Arakhes. Presque immunisés contre le feu draconique, c'étaient des adversaires redoutables. Mais ils s'aventuraient rarement hors de leur dimension pour harceler les monstrueux reptiles dont ils n'osaient pas dérober l'âme. Malheureusement, le LinceulDémoniaque violait le sanctuaire de l'espace interdimensionnel. Elu-Kaan avait dû les rencontrer là, et il avait failli le payer de sa vie.

Les deux races n'avaient jamais établi de contact formel. Les dragons répugnaient à négocier avec quiconque. Quant aux Arakhes, ils refusaient la discussion. Convaincus que les espèces des autres dimensions leur étaient inférieures, ils les utilisaient ou les détruisaient selon leur bon vouloir. Sha-Kaan, qui avait eu affaire à eux une fois, admettait qu'ils avaient de bonnes raisons de se croire supérieurs. Mais les humains et les elfes avaient appris à traiter avec eux, une nouveauté qui rendait les « démons » plus imprévisibles. Et encore plus dangereux.

Elu-Kaan battit des paupières en sentant le souffle de Sha-Kaan sur son museau. Un fluide noir coula de ses narines, mais les Vestares étaient déjà très occupés à traiter son aile et les écailles de sa poitrine.

— Je suis désolé, Grand Kaan. J'ai échoué, dit-il d'une voix sifflante.
— Parle avec ton esprit, Elu. Je m'ouvre à toi. Repose ta gorge et tes poumons.
— Merci.

Une impulsion mentale pleine de gratitude accompagna ce mot. Elu-Kaan était conscient de l'honneur que lui faisait le Grand Kaan en acceptant de converser mentalement avec lui.

— Bientôt, tu auras le droit de le faire quand il te plaira. Pour le moment, raconte-moi ton voyage et ta rencontre avec les Arakhes. Et surtout ne me parle pas d'échec. Je t'avais confié une mission risquée. Avoir survécu atteste de ta force et de ton talent. Si tu es trop fatigué, n'hésite pas à me le dire, et nous remettrons ce dialogue à plus tard.

— Vous êtes blessé, Grand Kaan.

— Soucie-toi uniquement de ton propre état, Elu. Je dois communiquer à mon Dragonen les informations que tu me révéleras. Parle pendant que tu en es encore capable.

Elu-Kaan prit une inspiration aussi profonde que possible, tout son corps frissonnant de douleur. Sha-Kaan se demanda quelle était la gravité de ses blessures, mais il pourrait poser la question aux Vestare plus tard.

— Il est assez difficile de suivre le couloir sans un Dragonen comme repère, mais je connais bien le tracé de ce flux d'énergie. Par bonheur, la signature de Balaia est très forte.

Elu-Kaan ayant refermé les yeux, Sha-Kaan put s'autoriser une grimace d'inquiétude. Une inspiration plus courte fit frémir le corps de son interlocuteur. Sa voix vacilla un instant avant de recouvrer sa fermeté.

— Quand je me suis approché de Julatsa, j'ai senti la présence de ce que vous appelez le LinceulDémoniaque. Derrière, il régnait un silence semblable au vide que nous avons perçu quand les Balaiens ont jeté le sort qui a déchiré notre portail.

— Calme-toi, Elu, dit Sha-Kaan en sentant son pouls s'accélérer.

Il regarda les Vestares qui badigeonnaient la poitrine d'Elu-Kaan d'un onguent à base de boue chaude. Mais l'effet ne serait pas immédiat, loin de là…

Un serviteur se glissa entre les deux dragons pour poser un récipient fumant sous les narines d'Elu-Kaan, qui sursauta, surpris par l'odeur des feuilles broyées. Tous les muscles de son cou se détendirent alors que la vapeur aux vertus régénératrices gagnait ses poumons.

— Nous avons beaucoup de chance que les Vestares soient aussi doués, dit Sha-Kaan.

Il fit un signe de tête aux serviteurs. Bien que n'ayant pas entendu le dialogue entre les deux dragons, ils s'inclinèrent en retour.

— Maintenant, dis-moi comment les Arakhes t'ont atteint.

— J'ai cru pouvoir traverser le Linceul. Mais dès que je l'ai effleuré, j'ai capté la force de sa magie. J'ai senti qu'il reliait la dimension de Balaia et celle des Arakhes, et que les énergies circulaient dans les deux sens.

« Le Linceul grouillait d'Arakhes. Ils ont envahi mon couloir pour m'attaquer avec leurs pieds, leurs mains et leurs dents. Mon feu ne les a pas arrêtés. Ceux qui m'ont mordu à la gueule m'ont vraiment fait mal. Comme de la glace qui éteignait mes flammes. À présent, elle s'est répandue dans mon cou et jusqu'au plus profond de moi, et ça brûle…

Une quinte de toux interrompit Elu-Kaan. Sa queue tressauta et s'écrasa sur le sol à côté d'un Vestare qui fit un bond en arrière. Un nouveau flot d'ichor noire jaillit de ses narines et renversa le récipient, dont le contenu fut aussitôt absorbé par le sol humide du Hall de Jumelage. Les serviteurs le remplacèrent sans délai.

— Cela suffit, Elu-Kaan. Tu dois te reposer.

— Non, Grand Kaan. Il y a encore une chose que vous devez savoir.

La voix du dragon faiblissait. Sha-Kaan devina que les baumes et les onguents avaient des propriétés soporifiques : le sommeil n'était-il pas le meilleur traitement ?

— Les Arakhes du Linceul dévorent les âmes des Balaiens qui s'y aventurent. Ils pensent que les Julatsiens leur ont fourni un accès à leur dimension qu'ils ne pourront pas refermer. Prions les Cieux qu'ils se trompent, parce que nous n'avons aucun moyen d'aider les Balaiens. La puissance des Arakhes est trop grande et nous sommes déjà débordés.

— Quelles seront les conséquences ? demanda Sha-Kaan, désireux d'explorer toutes les ramifications de cette nouvelle menace.

— Si les Arakhes réussissent à vaincre les mages avec qui ils ont fabriqué le Linceul, ils pourront l'étendre jusqu'où bon leur semblera. C'est un portail, Grand Kaan. Sans Balaiens pour le contrôler, il risque d'engloutir notre dimension jumelée aussi sûrement que celui de Teras.

Le contact mental avec Elu-Kaan cessa.

Un instant, Sha-Kaan crut qu'il était mort. Un regard aux Vestares le rassura.

Il se releva, non sans difficulté.

Il n'avait pas le temps de se reposer et de soigner ses blessures, car il avait vu juste. Comme souvent, en tentant de se protéger, les Balaiens avaient déclenché une série d'événements qui leur échappaient. S'adresser à Hirad Cœurfroid ne suffirait pas : il devait parler à tous les Ravens.

Sans un regard en arrière, Sha-Kaan avança vers son couloir et, utilisant la signature du barbare comme repère, commença son voyage dans l'espace interdimensionnel.

Chapitre 20

Barras frappa doucement en espérant que le général était endormi. Mais une voix rauque l'invita aussitôt à entrer. Il poussa la porte des appartements de Kard, situés à la base de la Tour, et découvrit le militaire assis devant une fenêtre ouverte. Une chope fumante posée sur le rebord, il observait le ciel piqueté d'étoiles.

La nuit apportait toujours un certain soulagement. Car dans l'obscurité, le LinceulDémoniaque devenait presque invisible… Même si son aura continuait à faire frémir tous ceux qui s'en approchaient. D'après les sabliers, il restait deux heures avant l'aube.

Ils ne pouvaient plus rien faire, sinon attendre l'ordre d'attaquer et voir ce que leur apporterait cette journée. Un silence tendu s'était abattu sur le Collège. Chaque homme, chaque femme et chaque enfant connaissait son rôle. Sous le regard des sentinelles ouestiennes perchées sur leur tour, Kard et ses lieutenants avaient exposé leur plan aux civils. Ils avaient été répartis par groupes en fonction de leurs capacités, et chaque groupe avait reçu une mission spécifique : approvisionner en munitions ou en nourriture les soldats postés sur les remparts, évacuer et soigner les blessés, éteindre les incendies ou réparer les brèches éventuelles du mur d'enceinte.

De son côté, Kerela avait réuni tous les mages pour leur ordonner d'obéir à Kard jusqu'à la fin de la bataille. Si elle tournait mal pour eux, ceux qui ne participeraient pas à l'enfouissement du Cœur devraient mourir en protégeant leurs collègues. Enfin, pendant que les occupants du Collège grappillaient quelques heures de sommeil avant le début des hostilités, Endorr et Seldane avaient, sur l'ordre de Barras, transféré les textes les plus importants de Julatsa dans le Cœur. Quand le Linceul se dissiperait, il ressemblerait plus à une bibliothèque en désordre qu'au centre de la magie julatsienne.

Barras évalua d'un coup d'œil l'ameublement spartiate de la pièce. Un lit à une place, dont les couvertures n'avaient pas été défaites, se dressait contre le mur de droite. Sous la deuxième fenêtre, encore fermée, un bureau et sa chaise croulaient sous un tas de cartes, de livres et de parchemins. Voyant entrer son vieil ami, Kard débarrassa le siège pour le lui offrir.

— Asseyez-vous, Barras. Ménagez vos forces, car vous en aurez besoin aujourd'hui.

Un feu de cheminée répandait une chaleur presque étouffante dans la pièce, et le menton fraîchement rasé du général luisait de sueur. Il alla chercher la casserole pendue à un crochet, dans l'âtre, et remplit une chope pour son visiteur, qui s'en saisit à deux mains et remercia d'un hochement de tête.

— Êtes-vous certain que nous ayons pris la bonne décision ? demanda Kard.

— Que pouvions-nous faire d'autre ?

— Réprimer les émeutes et continuer à survivre entre ces murs pendant… (Le général fouilla dans ses documents et en sortit une feuille de vélin. Quelques rouleaux de parchemin tombèrent sur le sol ; il ne se donna pas la peine de les ramasser.)… cent dix-sept jours. À condition d'imposer un rationnement sévère.

Barras leva un sourcil.

— Et ensuite ?

Kard haussa les épaules.

— Beaucoup d'événements auraient pu se produire dehors. Quelqu'un serait peut-être venu nous libérer.

— D'ici là, Senedai serait tombé à court de prisonniers, et les montagnes de cadavres en décomposition monteraient plus haut que nos murs. Que vous arrive-t-il donc ?

Barras sirota le breuvage fumant. Ce n'était pas du café, mais une infusion à la menthe poivrée, très rafraîchissante.

— Rien du tout, soupira Kard. J'espérais que vous m'apportiez une autre solution, qui n'entraîne pas la mort de milliers de gens.

— Douteriez-vous du bien-fondé de nos actions ?

— Absolument pas ! Mais je ne pensais pas que nous en arriverions là quand vous avez invoqué le LinceulDémoniaque.

— Regrettez-vous que nous l'ayons fait ?

— Non. Non, pas du tout. Mais la nuit dernière… Ou peut-être était-ce celle d'avant ? Bref, l'autre nuit, je me demandais ce qui se serait passé si vous n'aviez pas invoqué le Linceul.

— Et… ?

—Je le sais aussi bien que vous. Les Ouestiens auraient envahi le Collège. Nous n'avions presque plus de mages valides, notre armée se débandait et les civils étaient trop terrifiés pour réagir. De cette façon, nous avons pu reprendre des forces, et même si notre moral est toujours aussi bas, nous devrions réussir à porter un coup terrible à nos ennemis.

Barras ne dit rien, se contentant de siroter son infusion et de regarder les pensées de Kard se refléter sur son visage. Il s'en voulait d'avoir interrompu sa rêverie. Conscient que son existence touchait à sa fin, le vieux soldat se remémorait tout ce qu'il avait vécu. Les doutes qu'il exprimait étaient ceux d'une personne assez intelligente et sensée pour chercher une meilleure solution jusqu'au dernier moment, avant de concéder qu'il n'y en avait pas.

— Je suppose que vous n'êtes pas venu me rendre une simple visite de courtoisie, déclara enfin Kard.

— Vous supposez bien. Le Conseil a décidé de commencer l'invocation dès maintenant. Heila ne se manifestera peut-être pas tout de suite, et quand il le fera, nous devrons négocier la levée du Linceul. Je ne peux pas vous garantir qu'elle se produira exactement une heure avant l'aube, mais nous ferons le plus vite possible. Vous devriez mettre en place les mages chargés d'attaquer la tour de garde.

— Entendu. Je vais également réveiller mes soldats. Mais n'auriez-vous pas pu me prévenir plus tôt ?

— Nous étions occupés à étudier certains de nos textes. (Barras se leva et posa sa chope vide sur le bureau. Quelques gouttes de tisane dessinèrent un cercle humide sur une carte.) Désolé.

Kard eut un haussement d'épaules insouciant.

— Peu importe. Tous ces papiers ne nous serviront plus à rien ! (Il serra la main du vieil elfe.) Bonne chance.

— Je vous reverrai en haut dans la matinée. Puissent les dieux être avec vous.

— S'ils ne le sont pas, c'est nous qui serons avec eux très prochainement, fit le général.

Barras sortit de ses appartements et gagna le Cœur de la Tour de Julatsa.

Les Ravens avaient fait halte pour la nuit au pied d'une petite pente abritée du vent. Au-dessus d'eux, les broussailles s'agitaient ; de chaque côté, des marécages s'étendaient à perte de vue.

Ils avaient continué à marcher bien après le coucher du soleil, jusqu'à ce que Denser leur signale qu'Erienne n'en pouvait plus. La jeune femme ne s'était jamais plainte, mais l'épuisement se lisait sur son visage. Bien qu'irritée par sa faiblesse, elle ne tarda pas à s'endormir, un sourire rassuré sur les lèvres.

Après avoir allumé le poêle, Will s'était éloigné en compagnie de Thraun. Ils étaient revenus longtemps après, l'air maussade, et le loup s'était allongé un peu à l'écart du campement.

Denser avait pris le premier tour de garde et l'Inconnu le second. À présent, assis dos à la pente, sous la clarté radieuse des étoiles, Hirad observait ses amis endormis et pensait au chemin qu'ils venaient de parcourir.

Ils avaient avancé à bonne allure. Mais le barbare déplorait qu'ils n'aient pas pu se procurer deux ou trois chevaux pour porter leurs paquetages et leur permettre de se reposer à tour de rôle. Cela dit, bien que le temps leur soit compté, son plus grand souci était la façon dont ils devraient s'y prendre pour franchir d'abord les lignes ouestiennes, puis le LinceulDémoniaque.

Hirad n'avait pas compris grand-chose aux explications d'Ilkar, sinon que leur mission s'annonçait très difficile. Il espéra que Sha-Kaan le recontacterait bientôt, et qu'il aurait trouvé un moyen de traverser ce sort redoutable.

Le barbare bâilla, secoua la tête pour s'éclaircir les idées et leva les yeux. Encore deux heures avant l'aube, peut-être un peu plus. Grâce à la chaleur bienveillante du poêle, il faisait bon dans le campement.

Hirad se leva. Il alla se servir une tasse de café, puis rajouta de l'eau et des grains moulus dans la casserole. Ils pourraient remplir leurs outres à la prochaine rivière, mais leurs réserves de café touchaient à leur fin. Le barbare plissa le nez, l'air dégoûté, en pensant aux infusions qu'Ilkar leur préparerait quand le sac serait vide.

Il allait se rasseoir lorsqu'un grognement le fit sursauter. Un peu de café brûlant éclaboussa sa main gantée. Hirad fit volte-face. Ramassé sur lui-même, Thraun le fixait de ses yeux jaunes et froids. Le barbare soutint son regard et se força à sourire.

— C'est moi, vieux frère. Tu te souviens ?

Le loup continua à grogner, les poils se hérissant sur son échine. Près de lui, Will ouvrit les yeux.

— Que se passe-t-il ? demanda-t-il d'une voix pâteuse, en se redressant sur un coude.

— Je ne sais pas, répondit Hirad. Thraun...

Le loup aboya, bondit et s'enfuit dans les ténèbres.

Alors, la douleur submergea Hirad. Brève mais intense, elle brouilla ses perceptions et le fit tomber à genoux. Il lâcha sa tasse de café, qui se vida dans la poussière.

— Hirad Cœurfroid, entends-moi.

Il n'aurait su expliquer pourquoi, mais la voix de Sha-Kaan lui semblait cette fois beaucoup plus proche. Et elle n'était plus autoritaire, plutôt chagrinée.

— Je vous entends, Sha-Kaan.

— Je dois ouvrir le portail. Il faut que je parle aux Ravens. Êtes-vous dans un endroit sûr ? D'après ton rythme cardiaque et ta signature, tu étais en train de te reposer.

— Oui, Grand Kaan.

— Parfait. J'arrive.

La douleur s'évapora.

Quelques pas devant le barbare, une ligne de lumière jaillit de la pente pour dessiner un rectangle de trois mètres de haut sur deux de large dont la surface s'obscurcit aussitôt.

Hirad se releva et regarda autour de lui. Will fixait le portail, les yeux écarquillés. Les autres Ravens s'agitèrent dans leur sommeil, perturbés par le malaise indéfinissable qui avait envahi leur esprit.

— N'aie pas peur, Will. C'est Sha-Kaan.

— Je vais bien, assura le voleur d'une voix tremblante. Comment ça, c'est Sha-Kaan ?

— Je ne peux pas t'expliquer les détails, puisque je ne les connais pas moi-même. Mais il a quitté sa dimension pour venir nous parler dans la nôtre. Réveille les autres.

Hirad se concentra sur le rectangle de lumière, où les ténèbres se piquetèrent de petits points dorés tourbillonnants évoquant les flocons d'une tempête de neige. Puis elles glissèrent vers la gauche, révélant un passage éclairé par des braseros qui menait à une petite pièce nue qu'Hirad reconnut instantanément.

— Qu'est-ce que c'est ? demanda Will.

Le barbare sourit.

— Le chemin qui conduit au Grand Kaan.

— *Bien joué, Hirad Cœurfroid*, chuchota la voix du dragon dans sa tête. *Ta signature est très forte. Viens, et amène tes compagnons.*

Une étrange euphorie s'empara du barbare. Sa tête était légère, son cœur gonflé de joie et ses membres pleins d'une énergie nouvelle. Il étouffa l'inquiétude qui taraudait son esprit. Sha-Kaan était là !

— Je connais cet endroit, lança Ilkar derrière lui, sur un ton plus las que surpris.

— Cette fois, notre rencontre se déroulera sous de meilleurs auspices, promit Hirad.

— Forcément, il n'y a plus rien à voler !

L'Inconnu les rejoignit en silence, les traits tirés et le regard vide.

— Comme au bon vieux temps, pas vrai ? lui lança Hirad en souriant.

— Non, pas vraiment.

L'Inconnu le précéda dans le portail. Hirad vit Denser et Erienne le contourner.

— Fascinant, murmura le Mage Noir. Je te vois de l'autre côté, mais je ne peux pas passer ma main à travers pour te faire signe. (Il revint vers Hirad.) Tu veux bien te prêter à une petite expérience ?

Le barbare haussa les épaules.

— Si ça peut te faire plaisir...

— Fais le tour du portail. Moi, je reste ici.

Hirad commença à marcher vers la pente et s'interrompit au bout de deux pas.

— Ce n'est pas normal, dit-il en voyant que l'ouverture l'avait suivi, et qu'elle était toujours en face de lui.

— Si, assura Erienne. Tu es un Dragonen à présent. Ce portail existe grâce à toi et à ton lien avec Sha-Kaan.

— Je vois, mentit le barbare, qui ne comprenait pas de quoi elle parlait.

— Vous venez, oui ou non ? s'impatienta l'Inconnu en repassant la tête par l'ouverture.

— Will, qu'est-ce qu'on fait pour Thraun ? demanda Hirad. Tu crois qu'il acceptera de venir ?

— Je ne suis pas sûr d'accepter moi-même, grommela le petit homme aux cheveux noirs striés de mèches grises, héritage d'une terreur qui hantait toujours ses cauchemars. Mais je suppose qu'il me suivra, s'il veut toujours me protéger. À mon avis, la présence du dragon l'effraie.

— Il n'est pas le seul, dit Erienne.

— Ravens, avec moi ! Allons à la rencontre du Grand Kaan, lança Hirad. Et surtout, laissez vos armes au fourreau.

On eût dit un bond dans le passé ! Hirad se rappelait parfaitement comment il s'était lancé à la poursuite de Denser, la première fois qu'ils étaient entrés dans le couloir de jumelage de Sha-Kaan. À l'époque, il ne s'était pas arrêté pour regarder autour de lui. Cette fois, il avait le temps de jeter un coup d'œil.

Le passage était court. L'Inconnu attendait à l'autre bout, dans la petite pièce. Des bancs s'alignaient contre les murs de gauche et de droite ; au fond se dressait une porte fermée.

De l'autre côté s'étendait un couloir menant à la pièce de plus grande taille où Hirad avait manqué être inciné par Sha-Kaan. Les portes jumelles qui encadraient une cheminée, contre le mur de droite, avaient été remplacées, toute trace de suie nettoyée. Quelques bûches brûlaient dans un second âtre, contre le mur du fond, au-dessous d'une plaque ronde ornée du blason des Dragonens.

Hirad s'en approcha pour l'étudier. Deux pattes griffues sous la gueule ouverte d'un dragon qui crachait des flammes. Et en filigrane…

Un instant, le barbare crut que ses yeux lui jouaient un tour. Mais non. Son cœur se gonfla de fierté quand il reconnut l'emblème des Ravens – une tête et une aile de corbeau sur fond rouge – incrusté sous le blason des Dragonens. La hiérarchie que sous-entendait cette disposition ne le tracassait pas le moins du monde.

— Ça alors, murmura Ilkar, qui avait lui aussi remarqué le filigrane.

Hirad sourit.

— On dirait que nous sommes tous dans le coup.

— Où est Sha-Kaan ? demanda Erienne.

Hirad désigna les portes jumelles. Elles ouvraient sur une antichambre nue, à l'exception de deux énormes battants ornés d'un blason doré qui scintillait doucement dans la lumière des braseros. Là encore, il ne restait plus trace de la fureur que Sha-Kaan avait déchaînée contre le barbare lors de leur première rencontre.

— Aide-moi à ouvrir, demanda Hirad à l'Inconnu, en s'arc-boutant contre un des battants.

Sha-Kaan les attendait dans son Hall Draconique, allongé sur le sol, la tête tournée vers eux et la queue lovée autour de son corps.

— Bienvenue, Hirad Cœurfroid, mon Dragonen, dit-il à voix haute, enfin que tous puissent l'entendre. Et bienvenue au reste des Ravens.

Sha-Kaan était immense. Le barbare ne s'était jamais autorisé à mesurer à quel point. Sa taille seule aurait suffit à terroriser n'importe qui. Mais songer qu'une créature de près de quarante mètres de long avait aussi des pouvoirs mentaux et des connaissances bien supérieures aux siennes risquait de le faire basculer dans la folie. Sans compter la puissance physique qui émanait du reptile volant.

À présent qu'il contemplait Sha-Kaan avec les yeux d'un Dragonen, Hirad voyait au-delà de son gigantisme. Il avait accès à son esprit, percevant ses pensées et ses craintes. Et il savait que le Grand Kaan était blessé.

Le barbare traversa l'étendue carrelée jusqu'à la zone de terre humide où reposait Sha-Kaan. Dix feux brûlaient dans des cheminées, sur trois côtés de la pièce, l'emplissant de chaleur et de condensation.

Instinctivement, les Ravens se déployèrent en formation défensive autour du barbare : l'Inconnu sur sa droite, Will sur sa gauche et les trois mages en ligne derrière eux. Thraun n'était pas en vue. Alors qu'ils approchaient, Hirad put distinguer des traces de brûlure sur le cou du dragon.

— Dites-moi ce que je dois faire pour vous soulager, Sha-Kaan.

— Nous aurons le temps de nous en occuper plus tard – ou plus de temps du tout. Pour l'heure, je suis surtout préoccupé par la situation à Julatsa. Vos mages ont libéré un pouvoir qu'ils sont incapables de contrôler, et je crains qu'ils ne le sachent même pas.

— Puis-je parler ? demanda Ilkar.

Sha-Kaan souleva la tête en clignant lentement des yeux.

— Un elfe de Julatsa, constata-t-il. Ce que tu as à dire m'intéresse beaucoup, mais sois bref. Le temps presse.

— Merci.

Ilkar fit un pas en avant. Avec un soulagement visible, Will s'écarta pour le laisser passer.

— Le pouvoir auquel vous faites allusion est lié à un sort très ancien baptisé LinceulDémoniaque. Tous les membres du Conseil de Julatsa maîtrisent son invocation et sa dispersion. Je vous assure qu'ils ont la force mentale nécessaire pour ne pas se laisser submerger par les démons. Par sa nature même, le Linceul est une invocation finie. Les démons ne peuvent pas sortir de sa zone d'effet. C'est impossible.

Sha-Kaan garda le silence un moment, ses lourdes arcades sourcilières baissées comme s'il se rembrunissait. Il exhala un souffle chaud et âcre qui piqua les yeux de ses visiteurs et les fit toussoter.

— C'est ce que croit votre Conseil ?

— Le LinceulDémoniaque est inscrit dans nos annales. Sa structure de mana est solide et fiable, ainsi que l'ont montré de nombreuses expériences.

— Mais la trame de votre dimension ne l'est pas, répliqua Sha-Kaan d'une voix qui résonna à leurs oreilles comme un glas. Les forces de l'espace interdimensionnel sont à l'œuvre dans votre ciel. Or, les Arakhes – ceux que vous appelez « démons » – sont des créatures dimensionnelles. Votre Linceul leur fournit une prise sur Balaia. Elle est actuellement limitée, mais risque de devenir permanente au moment de la dispersion du sort. Si cela se produisait, les Arakhes menaceraient à la fois votre survie et le jumelage de la couvée Kaan.

— Non, dit Ilkar en secouant la tête. Julatsa contrôle le construct de mana. Les démons peuvent choisir leur catalyseur, mais ils sont forcés d'utiliser le Linceul comme une extension de leur propre dimension dans Balaia – une extension délimitée par notre magie.

Les yeux de Sha-Kaan lancèrent des éclairs. Hirad sentit flamboyer sa colère.

— Ilkar, je ne crois pas que..., commença-t-il.

— Je me contente d'expliquer ce que je sais, se défendit l'elfe.

— Et tu sais bien peu de choses ! cria Sha-Kaan. Le LinceulDémoniaque fournit aux Arakhes un accès à votre dimension. Le couloir ainsi créé se projette de leur propre monde dans l'espace interdimensionnel, jusqu'à ce qu'il rencontre une autre dimension qu'il ne peut pas pénétrer – et les Cieux seuls où savent elle se trouve. Le couloir n'est pas contenu dans Balaia, et l'affaiblissement de votre trame fournit aux Arakhes plus de pouvoir que tu ne peux imaginer. Tout ça parce que l'essence de votre univers se répand dans l'espace interdimensionnel, où ils peuvent l'absorber à leur gré. Désormais, ils ont assez de force pour s'opposer victorieusement aux membres du Conseil Julatsien.

— Fais-lui confiance sur ce point, dit Hirad, qui sentait fondre la patience très limitée du dragon. Je ne comprends pas de quoi il parle, mais je suis certain qu'il a raison.

Ilkar approuva du chef.

— Puis-je poser une question, Grand Kaan ? intervint Denser.

Le dragon tourna la tête pour le foudroyer de son regard bleu.

— Ah ! lâcha-t-il, dédaigneux. Mon petit voleur. Tu devrais t'estimer heureux que je n'aie pas décidé de prendre ta vie en échange de l'amulette que tu m'as dérobée. Mais comme on dit chez nous, quand les ailes de vos ennemis assombrissent les cieux, il faut se résoudre à mâcher l'herbe la plus pourrie pour alimenter son feu. Souviens-toi de cela, et parle !

Par-dessus son épaule, Hirad regarda Denser. Le mage avait pâli, mais il soutint le regard du dragon sans ciller.

— AubeMort était notre seul espoir de survie…

— Ne me pousse pas à bout, voleur ! Tes motivations n'ont aucune importance… Contrairement à ce que tu m'as dérobé. Je t'écoute.

Hirad soupira.

Denser prit une profonde inspiration.

— J'aimerais vous demander d'où vous tirez toutes ces informations, et comment…

— Comment je peux être aussi certain de ce que j'avance ? Parce qu'un de mes jeunes Kaans les plus robustes gît aux portes de la mort après avoir combattu les Arakhes dans un lieu où ils n'auraient pas dû être. Ils l'ont attaqué dans son propre couloir de jumelage. Et avant que tu poses la question : oui, ça devrait être impossible.

— Que pouvons-nous faire, Grand Kaan ? demanda Hirad, qui redoutait déjà la réponse du dragon.

— Nous avons une solution. Pour ça, j'aurai besoin de votre force, de votre magie… Et de vos âmes.

— Il veut se servir de nous comme appât, marmonna l'Inconnu.

Sha-Kaan lâcha un gloussement qui fit vibrer toute sa gorge.

— En effet, dit-il. Un appât empoisonné.

Mal à l'aise, les Ravens se regardèrent.

— Je vais vous expliquer ce que vous devez faire…

Hirad plongea son regard dans celui du dragon et n'y lut aucune mauvaise intention. Seulement un désir de survivre et de vaincre. Alors, il hocha la tête et écouta.

Thraun s'approcha à petits pas méfiants de l'ouverture d'où s'échappait l'odeur animale. Il savait que ce qu'il voyait était anormal. Par l'ouverture, il distinguait des lumières. Mais quand il regardait derrière, il ne voyait qu'un trou noir désolé.

Un grognement apeuré monta de sa gorge. L'ouverture conduisait à l'homme-frère, mais aussi à l'animal dont le pouvoir l'effrayait. Pourtant, elle ne menait nulle part : ni à la forêt, ni à la plaine, ni à l'eau, ni même au ciel.

Thraun renifla la base de l'ouverture. Il vit l'herbe devenir pierre et huma les odeurs qui en montaient. Il y avait du bois et de l'huile, des humains et un elfe : des éléments familiers dont la proximité le réconfortait. Par-dessus ces odeurs, il captait des relents qu'il ne pouvait rattacher à rien.

Levant la tête, il sonda les profondeurs de l'ouverture et vit la clarté et la pierre. La piste de l'homme-frère – marquée par la peur, mais pas par la terreur – était aussi forte que celles des autres humains et de l'elfe.

Le cœur battant la chamade, Thraun regarda derrière lui, contempla une dernière fois les lumières, dans le ciel, et franchit prudemment l'ouverture.

Chapitre 21

Hirad dévisagea solennellement tous ses compagnons. Les paroles de Sha-Kaan résonnaient encore dans sa tête, mais il avait toujours autant de mal à mesurer le danger. Comme d'habitude, le dragon lui avait donné le choix… sans lui laisser d'alternative.

Ils pouvaient partir du principe que le Conseil Julatsien était assez puissant pour endiguer la menace. Mais s'ils se trompaient, Balaia serait envahi par des démons qui jailliraient aux quatre coins du continent, portés par une vague de mana pur. Le mana était l'air qu'ils respiraient, mais il tuerait chaque homme, chaque femme et chaque enfant qu'il toucherait. Sa concentration chasserait l'air de leurs poumons. Pire encore, il laisserait leur âme à la merci des Arakhes, comme les avait appelés Sha-Kaan.

Il y avait une autre possibilité. Le dragon connaissait un moyen d'inquiéter suffisamment les démons pour les détourner de leur objectif. Mais la description de ce moyen, plus celle des risques qu'il impliquait pour lui et pour les Ravens, avait de quoi couper le souffle. En revanche, en cas de réussite, ils auraient mis un terme à la menace démoniaque et trouvé un moyen d'entrer dans le Collège de Julatsa au nez et à la barbe des Ouestiens.

Hirad sondait les visages de ses compagnons en quête d'une réponse. Pour certains, c'était évident. Ilkar se contenta de hocher la tête. L'Inconnu soutint le regard du barbare, comme pour lui faire honte d'oser douter de lui.

Hirad était prêt à suivre aveuglément les instructions du Grand Kaan, tant que les Ravens seraient d'accord. *Tous* les Ravens.

Will avait peur. Par les dieux du ciel, ils avaient tous peur ! Mais le voleur avait déjà failli perdre la raison en voyant un unique démon. La perspective d'en affronter une multitude sapait par avance ses forces.

— Nous ne serons peut-être pas obligés de les combattre, dit Hirad.

— Mais nous serons contraints de les voir, répliqua Will.

— Nous te protégerons.

— Seul Thraun en est capable.

Hirad avait presque oublié le loup. Il avait dû rester dehors. Et s'il refusait de les accompagner, Will ne viendrait pas non plus.

Les Ravens ne se battaient pas quand ils n'étaient pas au complet. Jamais !

— Et si Thraun est là ?

— Dans ce cas, vous pourrez compter sur moi.

Hirad se tourna vers Denser et Erienne.

— Nous ne réussirons pas sans vous, leur dit-il. *Primo* parce que vous faites partie des Ravens. *Secundo* parce que nous aurons besoin de vous pour aider Ilkar à lancer son... bouclier de mana ou je ne sais quoi.

Il s'adressait surtout à Denser, mais ce fut Erienne qui répondit.

— Ce ne sera pas évident, mais je pense que nous pouvons y arriver. De toute façon, nous n'avons pas le choix.

La jeune femme posa une main sur son ventre ; un instant, l'inquiétude assombrit son visage.

— On a toujours le choix, marmonna Denser.

— Comme celui que tu nous as laissé avec AubeMort ? lança Hirad. Maintenant, c'est ton tour de t'en remettre à nous.

— Je n'ai pas dit que je refusais.

— Mais si tu acceptes, tu devras *être* là ! Pour de bon, et tout le temps, insista le barbare.

Sha-Kaan tendit le cou pour parler par-dessus l'épaule d'Hirad.

— Il a raison, voleur. Je ne doute pas de tes compétences, mais si tu n'es pas totalement concentré sur la mission, tu nous mettras tous en danger. Qu'en dis-tu ?

Denser frémit, mais un froncement de sourcils d'Hirad le dissuada de se rebiffer.

— Je n'ai rien de plus urgent à faire..., dit-il.

Sha-Kaan tourna sa tête vers le barbare. Sa gueule était presque aussi haute que l'homme.

— Alors ? demanda-t-il.

— Vous pouvez considérer ça comme un oui, Grand Kaan, dit Hirad.

— Parfait. Levez le camp ! Vous ne reviendrez pas ici.

— Et Thraun ? demanda Will.

— Thraun ? répéta Sha-Kaan.

— Le métamorphe. Le loup, expliqua Hirad.

— Ah... Nos consciences se sont touchées, et j'ai vu dans son esprit l'image d'une forêt. Il est quelque part dans le couloir. Il viendra ! Le lien qu'il partage avec toi, petit humain Will, est aussi fort que celui d'un dragon et de son Dragonen.

Soulagé, Will se détendit et regarda autour de lui.

— Va le chercher, dit Hirad. Pendant ce temps, nous lèverons le camp.

— Dépêchez-vous ! pressa Sha-Kaan. Le Conseil passera bientôt à l'action.

Les Ravens rebroussèrent chemin vers Balaia.

Le général Kard montant la garde dehors, les membres du Conseil Julatsien – moins Deale – se rassemblèrent dans le Cœur et, baignés par la clarté du GlobeLumière d'Endorr, se préparèrent à contacter Heila.

La petite pièce qui abritait l'essence même de leur magie était encombrée par une sélection de leurs annales les plus importantes. Les textes s'empilaient entre les huit segments de pierre lisse et couvraient une grande partie du sol dallé entre les circonvolutions de la spirale qui reliait la porte au Cœur proprement dit. Ainsi plaqués contre les murs, les mages ne pouvaient se voir les uns les autres.

Kerela fronça les sourcils à la vue des obstacles répandus dans le saint des saints julatsien, et Barras ne put s'empêcher de sourire.

— Nous avons toujours dit qu'il faudrait agrandir la bibliothèque.

— Je ferai dessiner les plans dès que nous aurons renvoyé les Ouestiens chez eux, déclara Torvis.

Un gloussement monta de l'assistance, dissipant un peu la tension. Kerela leva les mains pour rétablir le calme.

— Je vous en prie, mes amis ! Nous sommes ici pour disperser le LinceulDémoniaque qui nous protège des envahisseurs. Sa création nous a privés de Deale, dont l'âme est toujours sous l'emprise d'Heila et le restera les dieux seuls savent combien de temps. Peut-être ne sera-t-il jamais libéré. Je vous demande de méditer quelques instants sur son sacrifice.

Les membres du Conseil baissèrent la tête. Deale avait consenti le sacrifice suprême. Son âme était désormais à la merci – aussi peu adapté que soit ce terme – des démons. Barras et Kerela se sentaient d'autant plus concernés qu'Heila aurait choisi l'un d'eux à la place de Deale, s'il l'avait pu.

— Merci, dit enfin la Prime Magicienne. À présent, nous allons invoquer Heila, le Maître du Linceul.

À sept, la tâche des membres du Conseil s'annonçait plus difficile. Kerela affecta seulement trois d'entre eux à l'ancrage de la colonne. De la sueur dégoulina très rapidement sur le front d'Endorr, de Torvis et de Seldane tandis qu'ils luttaient pour maintenir son intégrité. La forme de mana s'embrasa brièvement alors que le disque descendait, mais les trois mages tinrent bon et firent signe à Barras qu'il pouvait lancer l'ouverture du portail.

Une flambée de lumière bleue courut le long du cylindre, manquant arracher le disque à l'emprise mentale du vieil elfe.

— Quelque chose cloche, dit-il d'une voix tendue.

— Êtes-vous stable ? demanda Kerela.

— Tout juste.

— Puis-je continuer l'invocation ?

— Nous n'avons pas le choix.

Barras sentit de la transpiration ruisseler le long de son dos. Le mana continuait à jaillir vers le haut pour aller se dissiper contre les murs ou plonger dans le Cœur, ajoutant à la puissance qui alimentait les efforts du Conseil.

La voix de Kerela devint un murmure lointain pour Barras, qui mobilisait son expérience et sa volonté afin de maintenir le portail ouvert. Quelque part, les démons puisaient à la source d'un pouvoir qui générait une immense pression sur le mana que les mages projetaient à travers le portail, où Kerela introduisit sa tête pour réciter l'invocation.

Barras ne comprenait pas le comportement des démons. Étaient-ils déçus que le Conseil veuille les forcer à dissiper le Linceul ? Ou résistaient-ils pour le simple plaisir de leur mettre des bâtons dans les roues ? Au fond de lui, l'elfe devinait qu'il y avait quelque chose de plus sinistre et de plus inquiétant. Il le sentait à la lisière de ses perceptions et de sa compréhension. Ses collègues et lui allaient devoir redoubler de prudence.

Soudain, la pression s'évanouit. La colonne disparut, et Heila se manifesta de nouveau parmi eux. Cette fois, il était plus grand et plus gros, et sa peau bleu azur brillait d'un éclat si vif qu'il dissimulait partiellement ses traits. Le démon tourna lentement sur lui-même ; les bras et les jambes croisés, le dos bien droit, il balaya du regard la scène qui s'offrait à lui dans le Cœur.

— Je ne pensais pas revenir si tôt, dit-il, irrité.

— Par notre honneur, nous sommes tenus de limiter l'usage du Linceul au strict minimum, annonça Kerela.

— Ah... C'est de dissipation que vous voulez parler, pas de prolongation.

— Cela te surprend ?

— Que vous désiriez dissiper le Linceul ? Non ! Mais que vous vouliez le faire maintenant...

— Il n'est pas dans tes attributions de choisir le moment de la dissipation.

— Mais les circonstances évoluent, n'est-ce pas, Prime Magicienne ?

Une sourde anxiété s'abattit sur le Cœur. Barras fronça les sourcils. À sa connaissance, rien n'avait changé.

— Ce qui signifie ? demanda Kerela avec un calme impressionnant.

— La dissipation du LinceulDémoniaque n'est actuellement pas dans notre intérêt. Y procéder maintenant serait une nuisance pour nous.

Heila restait impassible, sa voix ne trahissant aucune émotion. Pourtant, tous ses mots témoignaient de son immense pouvoir. Le Conseil savait qu'il avait peu de supérieurs au sein de la hiérarchie qui contrôlait la dimension démoniaque, loin d'être aussi anarchique que le laissaient supposer les croyances populaires.

— Une nuisance ? répéta Kerela. Permets-moi de te rappeler que la dissipation du Linceul n'est pas subordonnée à tes caprices. C'est au Conseil Julatsien de décider du moment où elle doit se produire. Si nous t'en avertissons, c'est pour permettre aux tiens de se retirer à temps. Mais nous ne sommes pas tenus de le faire. C'est une politesse que nous te concédons, dans l'espoir que tu te montreras miséricordieux avec les âmes déjà prisonnières de l'étreinte du Linceul. Pour le reste, tu ne peux pas t'opposer au sort de dissipation.

Heila sourit, révélant des rangées de crocs pointus.

— Je suis conscient des limites qui nous sont imposées par le construct de votre forme de mana, et j'admire l'intelligence qui a présidé à leur élaboration. Tout ce que je vous demande, c'est de nous laisser deux jours supplémentaires pour récolter tout le pouvoir que le Linceul nous a temporairement concédé. Nous avons aussi des ennemis à combattre ! Si vous m'accordez ce délai, nous libérerons toutes les âmes que nous avons prises.

Les yeux d'Heila brillaient d'une lueur si vive qu'elle occultait l'éclat de sa peau – ou plutôt, de la couleur du mana dont il avait choisi de s'envelopper.

Barras entendit Seldane hoqueter de stupeur. Quand Kerela reprit la parole, son hésitation ne lui échappa pas.

— Heila, c'est une offre généreuse et tentante... Très tentante. En d'autres circonstances, je l'accepterais. Mais la vie de milliers de Julatsiens dépend de la dissipation immédiate du Linceul. Malgré tout mon chagrin pour Deale et les autres victimes du Linceul, je ne peux t'accorder le délai que tu réclames.

Les sourcils d'Heila s'arquèrent entre ses yeux comme deux flèches jumelles. La colère déforma son visage et fit tourbillonner le mana autour de lui. Son souffle soudain glacial balaya le Cœur, et ses poings s'ouvrirent pour libérer des volutes de brume blanche qui poussèrent des hurlements humains avant d'être aspirées par le portail.

— Nous vous combattrons, Prime Magicienne. Je te jure que ces âmes et toutes les autres subiront une éternité de tourments, loin des cieux où est leur juste place. Elles sont perdues à jamais, comme tu le seras aussi. Je te choisis, Kerela de Julatsa. Tu m'appartiens.

— Tu ne peux pas me toucher, Heila, dit la vieille elfe, bien que les paroles du démon l'aient ébranlée. Prépare tes séides à la dissipation du Linceul. Au revoir.

Kerela brisa le lien et Heila disparut. De nouveau, le mana s'engouffra dans la colonne, mais Barras était prêt à le recevoir. Avec un grognement, il scella le portail.

Un lourd silence tomba sur le Cœur. Barras écarta une mèche de cheveux gris tombée devant son visage et gonfla les joues. Torvis et Vilif échangèrent un regard inquiet.

— Qu'a-t-il voulu dire par « nous vous combattrons » ? demanda enfin Endorr.

— Je suppose qu'ils résisteront à la dissipation, avança Cordolan.

— Non, dit Kerela. Ce sera pire que ça. Les démons recherchent des âmes, et un élément nouveau leur donne la force de nous défier, à présent qu'ils disposent d'une prise sur Balaia. Je pense qu'ils essayeront de briser la contention.

— Quoi ? s'exclama Seldane. En sont-ils capables ?

— En temps normal, non. Mais en temps normal, ils ne penseraient pas non plus avoir le pouvoir de nous menacer dans notre dimension...

— Ne vaudrait-il pas mieux leur accorder le délai qu'ils réclament ? proposa Endorr. Laisser Heila finir ce qu'il a à faire ?

Torvis émit un murmure désapprobateur, que Vilif se chargea de formuler.

— Non, jeune maître. Je crois que vous vous méprenez sur les ennemis auxquels Heila a fait allusion. À mon avis, dans deux jours, les démons seront assez forts pour briser la contention. Heila était irrité parce qu'il n'est pas certain que ce soit le cas aujourd'hui.

— Je suis tout à fait d'accord, fit Barras. Dans deux jours, le Linceul ferait un nombre considérable de victimes. Nous ne pouvons pas attendre.

— Mais son offre…, commença Endorr.

— Un pur mensonge ! coupa Kerela, tendue mais déterminée. Plus nous tergiverserons, plus le risque d'échouer augmentera. Nous ne pouvons pas nous permettre de faiblir. Sinon, les démons s'empareront de Julatsa. Ensuite, ils déferleront sur tout Balaia.

Les Ravens se regroupèrent autour de Sha-Kaan, l'odeur de bois et d'huile de sa peau mêlée à son haleine âcre et à la chaleur des feux.

Tous adoptèrent une position défensive, les humains couvrant une direction et le dragon les trois autres. Comme d'habitude, Hirad était flanqué par l'Inconnu et par Will. Thraun se tenait près du petit homme. Derrière eux, Ilkar, Erienne et Denser attendaient le signal de Sha-Kaan pour incanter.

Ils ne sentaient pas que le couloir se déplaçait, mais Sha-Kaan leur assura qu'ils approchaient de Julatsa et qu'il attendait le moment approprié pour ouvrir une brèche dans le Linceul. Leur immobilité leur tapait sur les nerfs, et Hirad avait du mal à croire qu'ils puissent se déplacer sans le sentir. Seule la confiance qu'il faisait à Sha-Kaan l'empêchait de douter.

— Quand nous toucherons le LinceulDémoniaque, vous le saurez, dit le dragon. Les parois de ce couloir trembleront et vous trébucherez. Je tenterai de nous stabiliser, mais je devrai frapper au cœur même de leur puissance si nous voulons les arrêter et permettre à vos mages de disperser le Linceul.

— Dans combien de temps ? demanda Hirad.

— Très peu… Ils ont déjà commencé leurs préparatifs. Ilkar, Denser, Erienne, tenez-vous prêts à incanter.

— Avant de commencer, j'aimerais rappeler à tout le monde la nature de ce sort, dit l'elfe. Nous allons construire une Chambre Froide en générant une sphère que le mana ne pourra pas pénétrer. Puis nous l'alimenterons et la maintiendrons en puisant dans nos propres réserves de mana. C'est un processus extrêmement fatigant. La Chambre Froide n'arrêtera pas les démons, mais franchir ses limites les affaiblira considérablement. L'absence de flux de mana, autour de vos armes, vous permettra de les blesser, mais vous aurez du mal à les tuer. Votre objectif principal sera donc de les garder à distance.

« Nous donnerons à cette sphère une couleur vert pâle, pour que vous puissiez voir à travers. Mais ne vous aventurez dehors sous aucun prétexte. Sinon, vos armes ne vous serviront plus à rien, et votre âme sera perdue.

Hirad et l'Inconnu hochèrent la tête. Will baissa les yeux vers Thraun, qui soutint son regard.

— Ne t'écarte pas de moi, même une seconde.

Le petit homme dégaina ses épées courtes, incapable d'empêcher ses bras de trembler. Thraun continua à le fixer, un grognement sourd montant de sa gorge.

— Vous êtes sûr qu'ils nous attaqueront ? demanda Will.

— Cela ne fait aucun doute, répondit Sha-Kaan pendant qu'il guidait le couloir vers Julatsa en se fiant aux repères fournis par Elu-Kaan. Notre présence perturbera le flot de leur énergie, comme un bouchon empêche le vin de couler d'une bouteille. Vos âmes les attireront et elles monopoliseront leur attention. Les Arakhes sont incapables de discipline face à la tentation.

Sha-Kaan se tordit le cou pour regarder les Ravens.

— Encore une chose. Les Arakhes peuvent jaillir de n'importe où, car ils ne sont pas assujettis à nos lois physiques. Ils pourraient arriver au-dessus de votre tête, sous vos pieds, ou face à vous. Leur contact est de feu, leur morsure de glace, et leurs yeux tenteront de vous arracher l'âme. Frappez fort et souvent. Et ne montrez aucune peur !

Le regard du dragon croisa celui d'Hirad, qui sentit couler en lui un flot de gratitude mêlée de colère. Sha-Kaan tenait toujours le lancement d'AubeMort pour responsable de tout ce qui s'était produit, et il ne leur pardonnerait pas si facilement.

Hirad se tourna vers les mages.

— Vous êtes prêts ?

Ilkar hocha la tête.

— Concentre-toi sur ton épée, et laisse-nous nous occuper du reste.

— Je me demande de quelle couleur est le sang de démon.

— C'est l'occasion ou jamais de le découvrir, dit Denser. N'hésite pas à vérifier, d'accord ?

— Autant de fois que je le pourrai ! fit Hirad. Grand Kaan, l'incantation commencera à votre signal.

— Parfait. Ilkar, Denser, Erienne... Allez-y.

Sha-Kaan inclina le cou en arrière.

Une vibration parcourut le couloir. Hirad plia les genoux pour conserver son équilibre et dégaina son épée. Derrière lui, les mages s'étaient assis dos à dos. Ils ne pouvaient pas se permettre de tomber, car une chute aurait brisé leur concentration.

Ilkar n'appréhendait pas l'union de leurs trois formes de magie. Tout au contraire, depuis le premier lien formé avec Denser (dans la grange de Septern, pour sauver Hirad), cette idée le fascinait, et il savait que le Xetesk était dans les mêmes dispositions d'esprit.

Quand leurs trois volontés furent focalisées sur le spectre du mana, Ilkar regarda les énergies orange, bleu foncé et jaune qui caractérisaient Dordover, Xetesk et Julatsa fusionner au-dessus de leur tête. Chaque mage était enveloppé d'un cocon de la couleur qui lui correspondait. Tels les brins d'une corde, il alla s'entrelacer avec les deux autres pour les renforcer.

Alors que le flot de mana poussait vers le haut, cherchant une échappatoire, les trois mages baissèrent la tête afin que leurs crânes se touchent, et chacun prit la main des deux autres pour compléter le cercle. Erienne, la plus calée en matière de constructs d'exclusion du mana, dirigea l'incantation.

— Une seule magie, un seul mage, entonna-t-elle.

— Une seule magie, un seul mage, répéta Denser.

— Ne perdons pas de temps en vaines palabres ! grommela Ilkar.

Il sentait la chaleur circuler entre Erienne et Denser à travers le flux de mana qui les enveloppait comme une tulipe tricolore géante.

— C'est moi qui prononcerai les mots, mais nous devrons unir nos efforts pour modeler la forme, dit Erienne. Conservez vos couleurs pour le moment, et poussez vers l'extérieur pour dessiner chacun un côté d'un triangle équilatéral. Connectez les trois côtés, et faites tourner.

Ilkar sentit vibrer le couloir. Il l'ignora et se concentra sur la pyramide d'énergie qui décrivait une lente rotation au-dessus de leur tête. Avant de continuer, Erienne lui laissa quelques instants pour se stabiliser.

— À présent, détachez vos côtés à partir du sommet et inclinez-les vers le bas. (La pyramide donna naissance à une forme hexagonale.) Reproduisez et doublez, de base à base.

Un construct très simple... À présent qu'il était presque achevé et que les deux pyramides superposées tournaient en sens contraire, Ilkar devinait la suite de son développement et pressentait les difficultés qu'ils rencontreraient. Erienne ne tarda pas à confirmer ses soupçons.

— Très bien. Maintenant, il nous faut une pointe à chaque extrémité, chacune tournant dans le sens inverse de la pyramide du dessous. Chacune aura six côtés où seront disposés en alternance les panneaux de mana de nos trois Collèges. Cela pour l'ancrer et produire la forme qui expulsera le mana hors de l'ensemble. Pendant la construction, les pyramides doivent continuer à tourner.

La jeune femme se tut. Autour d'Ilkar, l'air bourdonna de leurs efforts conjugués.

Il fallait beaucoup d'entraînement pour maintenir une forme de mana et la faire évoluer en même temps. Le cloisonnement était une compétence que les mages acquéraient très tôt, mais qu'ils mettaient très longtemps à perfectionner. Ilkar ne doutait pas plus de la maîtrise d'Erienne et de Denser que de la sienne. Mais cette fois, les enjeux étaient capitaux. Si les pyramides cessaient leur rotation, le sort se retournerait contre eux avec des conséquences graves : perte de mémoire, cécité... Mort, peut-être.

Les panneaux de Denser apparurent presque immédiatement. Ils se touchaient par leur pointe supérieure et tournaient en sens inverse, comme l'avait exigé Erienne.

— C'est bon pour moi, déclara le Mage Noir.

Ilkar se demanda ce qu'AubeMort lui avait fait. Il aurait dû être impossible d'exécuter cette mission aussi vite. Quoi qu'il en fût, cela fournissait aux deux autres mages un modèle sur lequel calquer leurs propres panneaux.

Ilkar imagina une brise légère et la stocka dans un coin de son esprit, sachant qu'elle alimenterait la rotation des pyramides le temps nécessaire.

Malgré les mouvements contraires de son flux de mana, l'elfe parvint à le modeler grâce à de subtils mouvements de ses mains, qui tenaient toujours celles d'Erienne et de Denser. Avec son esprit et sa voix, il dessina des panneaux assortis à ceux du Xetesk, mais d'un jaune profond, et les mit en place juste après ceux de la Dordovane. À présent, les pyramides étaient munies de pointes à chaque extrémité, et ils pouvaient lancer leur sort.

— Fantastique, dit Erienne, pas vraiment surprise, car elle avait conscience de l'étendue de leurs dons respectifs. Les deux moitiés doivent avoir une forme identique et tourner à la même vitesse, bien qu'en sens inverse. Aplatissez les pyramides et étendez-les... Oui. Élargissez la base des pointes. Bloquez ! Nous sommes prêts pour le déploiement.

— Je suis stable, annonça Denser.

— Moi aussi, dit Ilkar.

Au-dessus d'eux, la forme de mana pendue dans les airs tournoyait comme deux casques à pointe identiques.

— *Dor anwar enuith*, récita Erienne. (Les mots des annales dordovanes étincelèrent dans le construct, mêlant des fils orange aux fils bleus et jaunes.) *Eart jen hoth.*

La jeune femme lâcha les mains de Denser et d'Ilkar et leva les siennes au-dessus de sa tête.

— Déploiement !

Elle baissa brusquement les bras. La forme de mana gonfla comme si une énorme quantité d'air venait d'y être insufflée pour faire pression sur ses parois. Sa moitié supérieure enveloppa les Ravens et Sha-Kaan, l'inférieure se glissant sous eux pour ralentir les démons qui tenteraient de les attaquer par le bas.

— *Lys falette*, dit doucement Ilkar.

La forme pâle et translucide prit un reflet vert.

Les trois mages baissèrent la tête. Leur incantation était finie. Désormais, les Ravens et les dragons respiraient un air dépourvu de mana. Il avait exactement le même goût, mais sapa aussitôt les forces des mages. Ilkar, Erienne et Denser ne parviendraient pas à maintenir la Chambre Froide très longtemps.

Hirad n'eut pas besoin d'ouvrir la bouche pour annoncer à Sha-Kaan que le sort était lancé. Une secousse ébranla le couloir, agitant les tapisseries pendues aux murs et faisant jaillir des étincelles dans les cheminées alors que les bûches et les braises implosaient. Hirad vacilla. Will trébucha contre le flanc de Thraun et s'écroula. Incapable de voir la menace qu'il sentait au plus profond de son être, le loup hurla de terreur.

— Reprenez-vous ! ordonna l'Inconnu, qui n'avait pas bronché.

Il frappa le sol avec la pointe de son épée. Ce bruit métallique tira ses camarades de leur hébétude.

Une seconde secousse fut suivie par un grondement sourd. Un nuage de poussière se répandit dans le couloir.

— Préparez-vous ! lança Sha-Kaan.

Hirad et l'Inconnu se regardèrent. Le barbare capta chez son ami une anxiété sans précédent – et une détermination assez forte pour balayer toute incertitude. Il n'eut pas besoin de se demander d'où elle lui venait. L'Inconnu savait d'expérience ce que c'était d'avoir son âme arrachée par un démon. Mais la sienne lui avait été rendue et il n'avait aucune envie de la reperdre.

Leurs âmes appelant les démons comme une sonnerie de clairon, les Ravens plongèrent dans le LinceulDémoniaque.

Chapitre 22

Les bras en croix, les membres du Conseil Julatsien entouraient la chandelle de mana, au centre du Cœur. Autour d'eux, le rugissement du mana démoniaque déchirait l'air, balayant les motifs qu'ils luttaient pour former et les forçant à dépenser une énergie considérable pour maintenir fermée la porte qui donne sur la dimension démoniaque.

L'incantation avait commencé dans le calme. Les mages avaient rapidement créé et déployé la forme qui scellerait le Linceul et disperserait son énergie dans la dimension démoniaque. Mais à l'instant où la couronne était entrée en contact avec le Linceul, les démons avaient attaqué.

Alors qu'il s'accrochait désespérément à sa concentration et aux lambeaux de la couronne, Barras remercia les dieux d'être entouré de mages aussi exceptionnels. S'ils avaient été moins doués, ils auraient lâché prise, et le pouvoir que les démons déchaînaient contre eux aurait brisé leur esprit. Pour le moment, seuls Endorr et Cordolan avaient failli. Ils s'en remettaient aux autres membres du Conseil pour préserver les vestiges de la couronne, le temps d'arriver à se focaliser de nouveau dessus.

Néanmoins, les remerciements de l'elfe étaient nuancés par une angoisse : malgré toute leur puissance, ses collègues et lui risquaient de ne pas tenir beaucoup plus longtemps. Il était déjà trop tard pour faire marche arrière. Le construct de mana qui délimitait le Linceul était alimenté par les démons. En échange de ce service, ils réclamaient l'âme d'un des jeteurs de sort. Mais au moment de la dissipation, les mages julatsiens reprenaient le contrôle du Linceul. Cela pompait considérablement leurs réserves de mana et modifiait la nature même du construct.

En théorie, les démons pouvaient profiter de cet instant de vulnérabilité pour violer la protection conférée par le construct et inonder Balaia d'une quantité de mana suffisante pour étouffer toute vie. Le Conseil Julatsien avait toujours eu conscience de cette possibilité. Jusque-là, les démons n'avaient jamais disposé d'une source de pouvoir indépendante assez importante pour transformer cette possibilité en réalité.

Jusque-là !

Barras s'inquiétait car les démons savaient exactement à quel moment frapper. Donc, ils avaient une compréhension des annales julatsiennes bien supérieure à ce qu'il avait pu imaginer. S'ils étaient capables de lire les pistes de mana, ils seraient en mesure de s'opposer à toutes les défenses du Conseil.

Les mages s'accrochaient à leur couronne, alternant les tentatives de la refermer sur le Linceul et de reconstituer l'intégrité de sa forme, pour empêcher les démons de la tailler en pièces. Barras frissonna. La couronne était le point faible du construct. Si les démons parvenaient à la détruire, comme ils en avaient l'intention, ils seraient en liberté dans la dimension balaienne.

— Kerela, nous devons nous concentrer sur la couronne. Ses limites sont déjà floues. Nous n'arriverons pas à la refermer !

Barras avait parlé tout bas, mais il savait que ses collègues entendaient sa voix malgré les hurlements du mana qui assaillait leur esprit.

— Nous devons d'abord rétablir notre cohésion. Le lien avec le Linceul n'est pas assez solide, répondit Kerela. Endorr, il nous faut un bouclier pour nous protéger du mana démoniaque.

— Entendu, Prime Magicienne, répondit son jeune subordonné.

— Abandonnez-nous le contrôle de la couronne. Nous réussirons à la maintenir pendant que vous incanterez.

— Retrait, annonça Endorr.

Alors qu'il désengageait son esprit, ceux de Vilif et de Seldane s'engouffrèrent à sa place pour compenser l'affaiblissement de la forme et l'empêcher de se déchirer.

Barras ferma les yeux et laissa sa conscience dériver prudemment vers Endorr. Il sentit le jeune mage puiser dans leur source de mana pour créer le bouclier et altérer sa forme habituelle – conçue pour repousser les sorts offensifs – afin qu'elle endigue le flot de mana démoniaque pur. Le vieil elfe sourit. Manifestant son génie habituel, Endorr jumela le bouclier avec un MasqueMana destiné à bloquer les attaques mentales.

Le sourire de Barras s'évanouit aussi rapidement qu'il était apparu. La forme de mana d'Endorr était imprécise. Les deux sorts ne coïncidaient pas tout à fait, et la déperdition d'énergie provoquait l'instabilité de l'ensemble. Endorr ne semblait pas s'en être aperçu. Il continuait à déverser du mana dans son construct, dont la circonférence pulsa alors qu'il s'apprêtait à le déployer. Au centre du dodécaèdre grossier, Barras aperçut un vortex maladif de couleurs : le jaune luttait contre le pourpre et contre un gris foncé tourbillonnant qui annonçait une faiblesse catastrophique.

— Endorr, vous n'êtes pas stable. Vérifiez vos annales. Ne déployez pas encore le bouclier. Vous avez le temps.

Les paroles du vieil elfe affectèrent la concentration de tous les membres du Conseil. D'autres lambeaux de couronne se détachèrent alors que les mages se laissaient distraire par la vue de la forme de mana imparfaite créée par Endorr.

Mais il n'avait rien entendu. Hors du cercle d'énergie qui reliait ses collègues, il était concentré sur sa propre incantation. Ses lèvres remuaient en silence et ses mains s'agitaient comme si elles s'efforçaient de contenir physiquement la forme de mana. À l'évidence, il n'avait pas vu le nœud de couleurs, au centre. Barras ne comprenait pas pourquoi, mais les ténèbres qui consumaient le cœur des sorts jumeaux ne pouvaient produire qu'un seul résultat.

— Endorr ! hurla Kerela, sans relâcher sa prise sur la couronne.

Endorr continua à incanter. L'anxiété submergea les autres membres du Conseil, menaçant l'intégrité déjà précaire de la couronne. Kerela ordonna à ses collègues de se concentrer. Ils stabilisèrent leur forme de mana, le regard rivé sur Endorr.

Aucun ne pouvait bouger. Sinon, les cinq autres n'auraient plus aucune chance de maintenir la couronne face à la tempête d'énergie démoniaque.

Endorr approchait de l'instant du déploiement. Le dodécaèdre pulsait d'une lumière jaune striée de bronze et de blanc. Mais au centre, le gris demeurait. Barras sentit la tension qui s'emparait du reste du Conseil.

— Préparez-vous à l'impact, au cas où son sort se retournerait contre nous, ordonna Kerela.

Pourquoi Endorr était-il incapable de voir son erreur ? Barras lutta pour trouver un moyen de communiquer avec lui, mais il savait qu'il n'en existait pas. Et laisser vagabonder son esprit augmenterait le danger qui menaçait déjà la couronne.

Endorr ouvrit les yeux et prononça le mot de pouvoir. Alors, il vit le cancer qui dévorait son construct, ce mal que son esprit n'avait pas perçu. Il s'empourpra quand la forme se développa vers l'extérieur, puis s'effondra sur elle-même, consommée par les ténèbres qui la ravageaient de l'intérieur. Un cri aigu s'échappa de sa gorge. Du sang dégoulina de ses oreilles et de son nez. Tremblant, il griffa l'air de ses mains pour tenter de remodeler son construct défectueux.

Avec un éclair qui déchira le spectre du mana, le construct implosa. La tête d'Endorr partit en arrière. Ses membres se raidirent. Puis il s'effondra sur le sol et ne bougea plus.

La clarté aveuglante se dissipa aussitôt. Mais la couronne oscillait follement. Une nouvelle explosion de mana traversa les limites du Linceul, brisant une dizaine de points d'ancrage.

— Verrouillez la couronne ! cria Kerela. Verrouillez-la !

Les six membres encore indemnes du Conseil luttèrent pour rétablir un semblant de stabilité.

— Et maintenant ? demanda Seldane, angoissé.

— Nous attendons, nous réfléchissons, nous nous concentrons et nous reprenons des forces, dit Kerela.

— Nous attendons quoi ?

— Je ne sais pas, Seldane, soupira la vieille elfe. (Pour la première fois, Barras lut dans ses yeux la possibilité d'une défaite.) Je ne sais pas…

Le couloir vibra quand il traversa les limites extérieures du LinceulDémoniaque. Aussitôt, les contours verts de la Chambre Froide se couvrirent de formes démoniaques bleues. Sans la protection du sort, les Ravens auraient déjà perdu leurs âmes.

Mais les hurlements de frustration et de douleur qui jaillirent d'une centaine de gueules garnies de crocs acérés témoignèrent de l'impuissance des démons.

Un moment, aucun des assaillants n'osa s'aventurer plus loin.

— N'attendez pas qu'ils réagissent ! Frappez-les pendant qu'ils se pressent hors de la sphère. Faites en sorte qu'ils vous craignent !

Pour ponctuer son injonction, Sha-Kaan ouvrit sa gueule dégoulinante de flammes et la referma sur un démon. Les griffes de ses pattes avant en transpercèrent deux autres, tandis que sa queue en décapitait un avant de s'enrouler autour des trois mages pour les protéger.

L'Inconnu cessa de frapper le sol avec la pointe de son épée.

— Ravens, grogna-t-il. Ravens, avec moi !

Sa lame décrivit un arc-de-cercle vers le haut. Des cris de colère montèrent de la gorge des démons. Leurs bras et leurs jambes se tendirent et leurs griffes étincelèrent face au métal qui se frayait un chemin parmi eux.

Hirad regarda sur sa droite et vit Will lancer une attaque féroce avec ses deux épées courtes. Thraun hurla et se jeta dans la mêlée.

Hirad se concentra sur les démons. Enragés par l'attaque des Ravens, ils se pressaient contre la surface de la Chambre Froide, cherchant un point faible. Parfois, l'un d'eux pénétrait dans l'espace vide de mana et battait aussitôt en retraite, son cri d'angoisse et ses contorsions trahissant sa souffrance.

Mais les créatures étaient de plus en plus nombreuses. Le désir de goûter la chair et l'âme des Balaiens finirait par oblitérer leur instinct de survie. Hirad leva les yeux. Au-dessus de leur tête, les monstres se bousculaient en hurlant leur soif de sang et d'essence vitale.

— Avons-nous une chance de les vaincre ? demanda le barbare, sceptique.

— Notre rôle n'est pas de les vaincre, répondit Sha-Kaan, un jet de feu concentré sortant de sa gueule pour calciner le bras d'un démon qui s'était aventuré dans la sphère. Plus nous en attirerons vers nous, moins il en restera pour faire pression sur le Conseil Julatsien. Nous devons les occuper pour donner aux mages la possibilité de dissiper le Linceul !

— Et s'ils n'y parviennent pas ?

— Nous mourrons tous d'une façon ou d'une autre... (Sha-Kaan tourna la tête. Quand son regard croisa celui de son Dragonen, Hirad sentit l'assurance du dragon se communiquer à lui.) Bats-toi, Hirad Cœurfroid. Battez-vous, Ravens, comme jamais vous ne vous êtes battus !

Une première vague de démons envahit la Chambre Froide, et le véritable combat s'engagea.

Comme une tempête tournant à l'ouragan, la charge mentale des démons se déchaîna. Ils lacéraient les fils d'énergie qui composaient la couronne, arrachaient le mana du corps des mages et déchiquetaient leur concentration.

Le pire, c'était leurs voix et leurs rires. Alors qu'ils devenaient plus forts et plus assurés, leurs vagues de mana sapant la volonté de leurs ennemis, les monstres gagnèrent peu à peu du terrain. Bientôt, ils ouvriraient une brèche dans la dimension balaienne.

Au début, ce furent de simples murmures incohérents qui fusionnèrent pour former une voix unique qui exprimait la haine et le mépris de millions de créatures. Et promettaient des tortures inimaginables : une éternité de souffrance pour les mages et pour tous ceux qui leur étaient chers. Une agonie et un chagrin infinis. Un enfer !

Seulement s'ils s'accrochaient à leur sort futile… S'ils baissaient les bras et laissaient les démons achever leur travail, ils les épargneraient. Certes, quelques mages mourraient dans les rues de la cité. Mais était-ce un prix exorbitant pour la sauvegarde du Conseil, le noyau de la magie julatsienne ? Les vies sacrifiées aujourd'hui permettraient aux générations futures de prospérer. Tout ce qu'ils avaient à faire, c'était de lâcher prise…

Barras sursauta et rouvrit les yeux, le cœur battant. Autour de lui, tous ses collègues avaient les paupières baissées. Cordolan souriait. Au-dessus d'eux, la forme de la couronne se délitait lentement. Ses pointes s'aplatirent et disparurent. Sa trame se fractura, un torrent de mana démoniaque menaçant d'emporter ses morceaux.

— Non ! hurla le vieil elfe.

La couronne vacilla, maintenue en place par le seul subconscient des mages. Mais cette ultime prise faiblissait aussi, et l'exclamation de Barras brisa les vestiges de concentration de ses collègues.

— Kerela, réveillez-vous ! cria-t-il, sachant que le nom de la Prime Magicienne attirerait son attention, mais pouvait aussi l'arracher au cercle.

Un risque qu'il devait courir… Il se mobilisa sur la partie de la couronne que contrôlait Kerela, au moment où elle reprenait ses esprits, les paroles résignées qui allaient franchir ses lèvres se transformant en jurons. Dégoulinant de sueur, Barras prit en charge une zone du construct beaucoup trop étendue pour qu'il puisse espérer la maintenir.

Puis il sentit Kerela le rejoindre et déployer de nouveau ses forces mentales. Alors, il se replia sur sa propre partie de la couronne.

— Les autres, à présent ! lança la Prime Magicienne. Stabilisez leur zone du construct avant de vous adresser à eux. Et surtout, ne les brusquez pas.

Comme s'ils réveillaient des enfants plongés dans un sommeil profond, les deux elfes caressèrent l'esprit de leurs collègues pour les tirer de leur transe. Ils entendaient les démons les inviter à s'abandonner à l'enfer. Mais leurs voix se chargèrent d'anxiété, puis de fureur, lorsqu'ils comprirent que les membres du Conseil leur échappaient.

Vilif fut le dernier à reprendre la lutte pour le maintien de la couronne. Il semblait terriblement fatigué, ses soixante-quinze années pesant lourdement sur ses épaules. Sa posture jadis fière et droite était remplacée par un dos voûté et un regard abattu. Son crâne chauve d'une pâleur malsaine, il tremblait de tous ses membres, au bord de l'effondrement.

— Nous vaincrons, Vilif ! promit Barras. Ayez confiance en notre force collective. Continuez à faire battre le Cœur.

Le vieil homme hocha la tête et un peu de lumière revint dans ses yeux. Mais autour du cercle, l'attitude des membres du Conseil exprimait leur accablement avec plus d'éloquence que des mots. Ils avaient frôlé le désastre, et ils le savaient. Sans aide extérieure, ils ne tarderaient pas à succomber. Et cette fois, même Barras n'y pourrait rien.

Les démons attaquaient de toutes parts avec une fureur croissante. Hirad n'eut pas le temps de regarder comment ses amis s'en sortaient, car il avait déjà fort à faire de son côté.

Les démons se jetaient sur lui, leurs bouches sans lèvres dévoilant des crocs semblables à des aiguilles, leurs griffes étincelant dans la lumière verte de la sphère, leur visage tordu de douleur, leur peau ternie par l'absence de mana. Mais ils ne faisaient montre d'aucune hésitation. Même sortis de leur élément naturel, ils étaient très forts.

Hirad tenait son épée longue dans la main droite et une dague dans la gauche. Les démons, pas plus grands que des enfants humains, l'assaillaient par vagues, en gloussant, en caquetant, en hurlant – et en lui promettant une éternité de souffrance.

Le barbare leur rit au nez. Du bout de l'épée, il décrivit des arabesques devant lui tout en frappant derrière sa nuque avec sa dague. Il sentit la lame percer quelque chose de mou, entendit un cri de douleur et vit, sur sa droite, une créature agripper à deux mains le moignon de sa jambe tranchée. Elle le foudroya du regard et disparut aussitôt.

Au sommet de la sphère, le vacarme augmenta. Hirad changea ses armes de main et fit tourner l'épée au-dessus de sa tête pour dissuader les démons de plonger sur lui. Dans son dos, cinq monstres s'apprêtaient à fondre sur les mages. Le barbare fit mine de s'interposer, mais l'Inconnu le prit de vitesse. Son épée à deux mains déchira la peau bleue des créatures qui, ralenties par l'absence de mana dans l'air, ne purent pas bouger assez vite pour esquiver.

D'autres démons se ruèrent dans la Chambre Froide. Hoquetant de douleur, ils tentèrent d'attaquer le dos découvert de l'Inconnu.

— Ravens, reculez ! rugit Hirad. Will, sur ma gauche, à droite de l'Inconnu. Il faut protéger les mages !

Le voleur para l'attaque de deux démons qui planaient au-dessus de sa tête et recula pour se mettre en position. Hirad chassa les créatures qui menaçaient l'Inconnu – qui lâcha son épée et dégaina une paire de dagues des fourreaux fixés à ses cuisses.

— Will, si tu te sens débordé, préviens-nous pour que nous te soulagions.

— Je n'y manquerai pas.

À présent, les trois combattants formaient un triangle défensif que Sha-Kaan dominait de toute sa masse. Le dragon continuait à détruire les démons sans émettre d'autre son que le rugissement des flammes qui jaillissaient de sa gueule. Dans son esprit, Hirad sentait sa présence calme et pleine d'assurance.

Au-dessus d'eux, les démons revinrent à la charge.

Thraun maîtrisa sa confusion pour aider l'homme-frère, qui frappait sans relâche les créatures bleues qui attaquaient dans le ciel vert.

Ses mâchoires claquèrent, se refermant sur de la chair dépourvue de saveur. Il savait qu'il faisait mal à ses ennemis, ses griffes les blessant. Mais les créatures ne saignaient pas, et les traces de ses crocs se refermaient dès qu'il les lâchait pour mordre de nouveau.

Il éprouvait une peur supérieure à celle que lui valait la présence de l'énorme animal, qui n'était pas contre eux, mais dont le pouvoir aurait pu les détruire si facilement. Les créatures bleues n'étaient pas des oiseaux. Pourtant, elles volaient. Elles n'étaient pas non plus humaines, bien qu'elles puissent marcher debout. Leur odeur l'affolait. N'étant pas originaire de leur monde, elle avait quelque chose de surnaturel et de maléfique, comme si ces créatures étaient mortes et néanmoins toujours vivantes.

À cette idée, son front de loup se plissa.

Il lacéra la figure d'un de ses agresseurs, qui glapit et disparut trop vite pour que l'œil de Thraun puisse le suivre. Mais il essaya et s'exposa ainsi à la morsure d'une autre créature. Alors qu'elle refermait ses mâchoires sur son oreille, Thraun sentit du feu embraser son crâne. Il hurla et secoua la tête pour déloger l'ennemie, qui alla s'écraser contre un mur.

La terreur menaçait de le submerger. Il recula, la langue pendante et les yeux rivés sur tous les visages qui se jetaient sur lui. Avec un gémissement, il regarda l'homme-frère.

Alors, l'air vira au bleu.

— Ils sont là, annonça Sha-Kaan.

Perplexe, Hirad sonda les parois de la Chambre Froide. Les petits corps des démons avaient disparu, remplacés par des milliers d'yeux qui ne cillaient pas, les observant au milieu de visages pas plus grands que celui d'une poupée. Leurs sourcils sombres formaient une ligne diagonale qui partait de leurs tempes et piquait vers leur nez. Leurs traits semblaient taillés à la serpe. Sur leurs mâchoires carrées, leur peau bleue semblait tendue à craquer. Sous des yeux enfoncés dans leurs orbites, leur petite bouche était garnie de crocs blancs plantés dans des gencives noires.

— Par tous les dieux ! souffla Hirad.

— Ne les laissez pas emporter votre âme, recommanda Sha-Kaan.

— On fait comment ? cria Will.

— Ne les regardez pas dans les yeux. S'ils s'emparent de votre esprit, votre âme suivra.

Les démons attaquèrent.

Le ciel s'emplit de créatures minuscules, ailées ou non, qui hurlaient leur joie de se trouver en présence d'âmes fraîches et leur douleur d'être enveloppées d'une atmosphère empoisonnée. Elles envahirent la Chambre Froide. Chaque fois que l'une d'elles s'écrasait sur le sol, deux autres prenaient sa place. Mais elles étaient visiblement affaiblies.

Imitant ses amis, Hirad lâcha son épée longue pour dégainer une seconde dague.

— Continuez à en abattre le plus possible, Ravens ! Couvrez les mages.

Les dagues du barbare sifflèrent devant lui, dessinant un motif conçu pour protéger sa poitrine et sa tête. Les démons se pressaient dans l'air et couvraient le sol, à ses pieds. Quelques-uns jaillirent à travers la pierre. Trop mal en point pour nuire vraiment à leurs adversaires, ils réussirent seulement à entraver l'avance de leurs semblables.

Les lames d'Hirad s'abattaient, chaque coup catapultant au loin les créatures trop légères. Ses avant-bras bloquaient les attaques, écrabouillaient des nez, des côtes et des mains, renvoyant les démons à leur dimension d'origine. Ses bottes broyaient les créatures drainées de leur mana, qui ne mouraient pas mais disparaissaient.

Et pourtant, elles continuaient à l'assaillir sans relâche, griffant son armure de cuir, s'accrochant à ses bras, éraflant le sommet de son crâne et tirant sur les semelles de ses bottes. Partout où elles touchaient sa chair, des lances de feu et de glace lui transperçaient le corps. Hirad rugit sa colère et accéléra le rythme de ses attaques.

Près de lui, Will respirait beaucoup trop vite, et le grognement effrayé qui accompagnait ses mouvements fit frémir le barbare.

— Will, calme-toi ! lança-t-il sans cesser de se démener comme un beau diable. Concentre-toi sur tes cibles, et ignore la douleur. Ils ne peuvent pas te tuer si tu ne les regardes pas en face.

— Ils sont si nombreux, haleta le petit homme.

— Chaque fois que tu en tues un, ça en fait… un de moins !

Hirad abattit sa dague de gauche sur une ligne de quatre démons, dont les glapissements continuèrent à résonner quelques instants après qu'ils eurent été renvoyés dans leur dimension.

Derrière lui, Sha-Kaan massacrait les créatures en soufflant des jets de flammes par les narines ou par la gueule. En même temps, il se servait de ses griffes et de sa queue pour protéger les mages immobiles. Chacun de ses mouvements était mesuré et précis. Toutes ses langues de feu semblaient conçues pour provoquer un maximum de dégâts.

On ne pouvait pas en dire autant de Thraun. Affolé par cet assaut surnaturel, le loup gémissait en tournant sur lui-même. Ses mâchoires claquaient un peu au hasard ; ses pattes fendaient anarchiquement l'air, et toute son attention paraissait concentrée sur Will.

L'attaque redoubla d'intensité. La sphère était complètement envahie par les démons.

— Retenez-les encore un peu. Nous sommes en train de gagner, les encouragea Sha-Kaan.

— De gagner ? répéta Hirad, incrédule, en frappant avec ses pieds et ses dagues.

Les créatures étaient partout. Elles grimpaient sur ses jambes, plantaient leurs crocs dans sa cuirasse, se pressaient au-dessus de sa tête tel un essaim de grosses guêpes bleues et lui griffaient le cuir chevelu. L'Inconnu, pourtant du genre stoïque, hoqueta de douleur tandis que ses bras nus se couvraient de morsures et d'égratignures. Hirad vit son sang dégouliner et imagina le feu et la glace qui envahissaient ses membres.

Will avait cessé de se battre. Les bras pliés au-dessus de la tête, il était littéralement recouvert de créatures bleues. Thraun hurla et se jeta sur ses agresseurs, tandis que d'autres démons transperçaient sa fourrure, ses pattes arrière frémissant sous leur poids combiné.

Sha-Kaan cracha un jet de flammes sur sa droite, et balaya avec sa queue une nouvelle volée de démons. Mais ses écailles dorées disparaissaient presque sous le bleu, et il avait du mal à déloger les rejetons de l'enfer.

— Tenez bon, Ravens, tenez bon ! s'époumona Hirad en ignorant la douleur pour continuer à frapper.

À présent, la pression montait aussi du sol. Quelques démons parvinrent à toucher les mages sans défense. L'Inconnu cria un avertissement et plongea sous la queue du dragon pour éloigner les créatures du trio dont l'incantation les empêchait de basculer dans le gouffre de la mort. Tant que l'intégrité de la Chambre Froide était préservée, les Ravens avaient une chance. Même ainsi, ils semblaient sur le point de succomber.

Will hurla. Les démons l'avaient atteint au visage.

— Non ! brailla Hirad. Lâchez-le, espèces de monstres !

Il se jeta sur le petit homme et le plaqua à terre, oubliant ses armes pour déloger à la main les créatures qui harcelaient son compagnon. Thraun lui prêta main forte en pulvérisant les corps minuscules entre ses crocs.

— Sha-Kaan ! appela Hirad par-dessus le vacarme qui régnait dans la Chambre Froide. Nous devons sortir d'ici ! Tout de suite !

— Encore un petit moment, fit le dragon d'une voix étranglée curieusement lointaine. Nous pouvons vaincre. Nous le devons.

Sentant les démons lui mordre la nuque et déchirer ses vêtements, Hirad sut que Sha-Kaan avait tort. Les Ravens allaient bientôt mourir.

Endorr gisait sur le sol du Cœur, recroquevillé, les mains plaquées sur les tempes, un genou remonté contre sa poitrine et l'autre jambe tendue sous lui. Un filet de salive coulait au coin de sa bouche et un peu de sang s'échappait de son nez.

Au moins, il était toujours vivant. Barras en prit vaguement note en se concentrant sur ses efforts de plus en plus vains pour empêcher la couronne de se désintégrer.

Les démons humèrent le parfum de la victoire, leurs moqueries transperçant l'armure de volonté du vieil elfe. Le mana qui rugissait autour de lui, affaiblissait sa prise sur le construct que le Conseil devait maintenir à tout prix.

Autour du cercle, l'épuisement était général. La sueur, les larmes, les grimaces et les corps tendus annonçaient inexorablement la défaite. Endorr avait besoin d'aide et ses collègues ne pouvaient rien faire pour lui. Par les dieux, ils ne pouvaient rien faire pour eux-mêmes !

— Combien de temps ? haleta Seldane.

— Nous tiendrons aussi longtemps qu'il le faudra, répondit Kerela.

Mais tous savaient que ça n'était pas le sens de la question.

Barras sentit des larmes de rage perler à ses paupières. Ils étaient coincés ! Le bouclier d'Endorr ne s'était pas matérialisé, et ils ne pouvaient pas relâcher leur prise sur la couronne le temps de lancer un sort d'immobilisation, parce que les démons ne leur en laisseraient pas le temps. Mais ils ne tiendraient pas éternellement. Quand leurs réserves de mana s'épuiseraient, le résultat serait le même que s'ils abandonnaient maintenant.

Pourtant, pas question de céder face aux démons. Pas tant qu'il leur resterait une chance de recevoir une aide de dernière minute, et même s'ils ne voyaient pas d'où elle pourrait venir.

Barras refoula d'autres larmes. Longtemps, il avait caressé l'idée d'une vieillesse paisible, dans l'étreinte affectueuse du Collège qu'il avait servi toute sa vie. Puis les Ouestiens avaient attaqué, et il avait accepté l'idée de mourir en héros pour défendre ce même Collège.

Mais ça... Cette mort ignominieuse et inutile, dans une pièce close, sans air frais ni soleil ! Cette fin qui n'apporterait d'espoir à personne, et serait une source de tourment pour tous. Mourir ainsi était indigne d'un elfe de sa prestance, ou de tout autre membre du Conseil. Ce destin semblait inévitable, et malgré tout, il restait inacceptable.

Barras releva la tête. Les yeux toujours rivés sur le spectre du mana, il entreprit de renforcer la structure de la couronne.

— Barras ? appela faiblement Torvis.

— Que je sois damné si je laisse ces démons s'emparer de mon Collège et de ma dimension. Je refuse de courber l'échine devant eux.

Avec l'énergie du désespoir, l'elfe ponctua ses paroles par la création d'un nouveau fil destiné à recoudre les morceaux du construct.

— Par les dieux du sol, nous ne sommes pas encore finis ! grogna Kerela d'une voix rauque. Ceux d'entre vous qui s'en sentent capables, aidez-moi à montrer à ces salauds qui sont les véritables maîtres de Balaia. Les autres, accrochez-vous à la couronne et ne faiblissez pas.

Et elle joignit ses forces à celles de Barras pour consolider le construct et continuer à le développer.

Alors, ils perçurent un changement. D'abord si léger qu'il fut presque imperceptible, il augmenta graduellement, petite goutte perdue dans l'intensité de l'ouragan de mana, et parvint néanmoins à perturber les voix moqueuses qui harcelaient les mages.

Barras aurait aimé s'attribuer la paternité du phénomène, mais il savait que leurs efforts renouvelés n'y étaient pour rien. Le miracle tant attendu se produisait ! Quelqu'un ou quelque chose venait de distraire les démons.

— C'est la seule chance que nous aurons ! (Avec toute son autorité naturelle, la voix de Kerela appelait ses collègues à agir.) Nous avons déjà fait perdre assez de temps à Kard ! Débarrassons notre cité de ce maudit Linceul !

La couronne, sur le point de se disloquer quelques minutes plus tôt, s'embrasa d'une lueur aveuglante.

Les hurlements de Will menaçaient plus la concentration des mages que les nuées de démons qui s'accrochaient à eux. Ignorant leur souffrance, Hirad et l'Inconnu arrachaient, projetaient au loin ou piétinaient les hideuses poupées qui rampaient vers leurs proies.

D'une main, l'Inconnu saisit une créature qui visait ses yeux. De l'autre, il continua à débarrasser les mages de leurs agresseurs, restant accroupi pour éviter la queue de Sha-Kaan qui fouettait l'air autour d'eux.

Hirad avait la partie encore plus difficile. Will se roulait par terre en gémissant. Il disparaissait sous la masse de démons qui l'attaquaient et se débattait de plus en plus faiblement. Hirad sentit la nausée le gagner quand il vit les griffes et les crocs des créatures s'enfoncer dans la chair du petit homme.

— Tiens-toi tranquille, Will ! hurla-t-il en secouant la tête pour déloger le démon qui s'était laissé tomber sur son crâne.

Il sentit le froid et le feu se répandre le long de son cuir chevelu, puis un filet de sang couler entre ses yeux. Le petit homme continua à se tordre sur le sol, le visage couvert de créatures bleues.

Hirad lui saisit une épaule pour l'immobiliser. De sa main libre, il arracha les démons sans se soucier des marques qu'il allait laisser. Thraun l'observait, perplexe et terrifié. De temps en temps, il se tordait le cou pour déloger de sa fourrure une des rares créatures qui s'en prenaient à lui. La plupart l'ignoraient, car son âme animale était trop profondément enfouie en lui.

Partout, des démons blessés ou à bout de forces retournaient d'où ils étaient venus. Mais ils étaient aussitôt remplacés par d'autres, qui se jetaient sur leurs proies pour les tailler en pièces.

Une main griffue lacéra la joue d'Hirad. Le barbare jura, referma la main sur le démon qui venait de le blesser et l'écrasa dans son poing.

Du coup, Will lui échappa et roula sur lui-même, se frottant frénétiquement les flancs et le visage.

— Tiens-toi tranquille, répéta Hirad.

Mais le petit homme ne l'écoutait pas.

— Il faut sortir d'ici, gémit-il.

Il se releva et courut vers la lisière de la Chambre Froide.

— Non ! Will, non !

Hirad plongea et lui saisit une cheville. Le voleur s'étala de tout son long, mais se releva et recommença à courir. Hirad entendit les démons lui susurrer qu'il avait bien raison : il serait en sécurité hors de la sphère.

Galvanisé, Thraun aboya et bondit sur son ami, qu'il manqua de quelques centimètres. Will atteignit la limite de la Chambre Froide et passa une main dehors.

Au même moment, les démons se volatilisèrent. Ilkar, Erienne et Denser annulèrent leur sort et le silence s'abattit sur le couloir.

Hirad regarda ses compagnons. L'Inconnu s'était assis près des trois mages plus ou moins indemnes. Son crâne et ses bras n'étaient plus que des masses crevassées et sanguinolentes. Sha-Kaan était allongé sur le ventre ; ses écailles semblaient intactes, mais le barbare, qui sentait sa douleur, savait qu'il avait payé le prix de la souffrance pour chaque démon tué.

Un hurlement déchira l'air. Se retournant, les Ravens virent Thraun assis près de Will, une patte posée sur sa poitrine.

— Oh, non ! souffla Erienne.

Will ne bougeait plus.

Chapitre 23

Barras imagina plus qu'il ne l'entendit le bruit de succion de la couronne scellant le LinceulDémoniaque. Mais les cris de frustration et de fureur qui s'évanouirent en quelques instants étaient bien assez réels pour lui.

Le Conseil avait lancé son sort. Libérés de leur concentration, les mages s'abandonnèrent à un intense soulagement et s'autorisèrent un bref moment d'euphorie. Vilif tituba, et il serait tombé sans le soutien du robuste Cordolan, qui ne tenait lui-même plus très bien sur ses jambes.

Tandis que Torvis, Seldane et Kerela couraient vers Endorr, Barras eut la présence d'esprit d'enjamber une pile de livres pour gagner la porte du Cœur. De l'autre côté, Kard attendait, pâle et anxieux. Son visage s'illumina à la vue du vieil elfe.

— Par les dieux, Barras… Ce que j'ai entendu…

— Nous allons bien. Sauf Endorr, qui est blessé. Mais nous avons réussi à disperser le Linceul. Vous pouvez appeler les mages de Communion.

— Endorr ? demanda Kard.

— Vous ne pouvez rien faire pour lui. Occupez-vous plutôt de nos défenses. Il n'y a pas de temps à perdre.

Barras regarda le général s'éloigner, puis se concentra sur le Cœur.

Kerela se releva et se passa une main sur le front. Son regard croisa celui de Barras.

— Ça se présente mal, annonça-t-elle, lugubre. Il est dans le coma. (Elle posa une main sur l'épaule de Cordolan.) Conduisez-le à nos guérisseurs. J'attendrai les mages de Communion. Dépêchez-vous !

Cordolan, Torvis et Seldane soulevèrent Endorr et le portèrent hors de la pièce. Vilif les suivit d'un pas vacillant. Dans le couloir, Barras entendit Cordolan réclamer de l'aide.

— Merci, Barras, lui dit Kerela.

— Pourquoi ?

— Pour nous avoir montré la voie à tous.

L'elfe haussa les épaules.

— Ça n'aurait fait aucune différence si…

Un rectangle de lumière se dessina près de la porte du Cœur. Kerela ouvrit la bouche, mais Barras leva une main pour l'empêcher de parler.

— Tout va bien, Kerela. Vous êtes sur le point de découvrir une chose que vous n'avez jamais soupçonnée. Et qui me concerne directement.

Soudain, le tracé du rectangle se solidifia et une silhouette se découpa dans la lumière qui brillait derrière elle.

Elle fit un pas en avant. Puis d'autres personnes entrèrent à sa suite dans le Cœur : un colosse qui portait quelqu'un dans ses bras, un énorme chien qui ressemblait à…

— Grands dieux…, commença Barras.

— Ne vous inquiétez pas, dit Ilkar. Le loup est un métamorphe. Il est avec nous.

Barras n'avait pas revu les Ravens depuis la réunion du lac de Triverne, avant le lancement d'AubeMort. Il les pensait coincés de l'autre côté de la passe de Sousroc. Il fut donc stupéfait de les voir apparaître par ce qui était sans nul doute un portail dragonen. À sa connaissance, aucun des mercenaires ne servait les Kaans. Pourtant, seul un Dragonen pouvait permettre l'ouverture d'un portail, et ce n'était pas Elu-Kaan qui l'attendait dedans.

— Comment êtes-vous arrivés ici ?

— Une longue histoire…, répondit Ilkar en poussant ses camarades vers la porte du Cœur, dont le mana torturait les non-mages et faisait sentir au Xetesk et à la Dordovane qu'ils n'étaient pas les bienvenus. Mais elle devra attendre. Pour l'instant, il nous faut un accès immédiat à la bibliothèque, et un guérisseur pour Will.

— Vous avez traversé le Linceul ? demanda Barras.

— Oui. S'il vous plaît… Nous n'avons pas beaucoup de temps.

— En effet, intervint Kerela. Mais il me suffit de quelques secondes pour accueillir un des fils prodiges de Julatsa.

Elle embrassa Ilkar sur les deux joues et lui serra chaleureusement les mains.

— Comme vous pouvez le voir, nous avons transféré une partie de la bibliothèque ici, parce que les Ouestiens sont à nos portes. Nous allons engager une bataille que nous n'avons aucun espoir de gagner. Mais la présence des Ravens fait toujours pencher la balance en faveur de leurs alliés. Pour le moment, nous devons dégager le Cœur afin de lancer nos préparatifs de Communion. Venez, nous allons conduire votre camarade blessé à l'infirmerie. Ensuite, nous prendrons quelques minutes pour parler dans les Chambres du Conseil.

Elle fit signe à Ilkar de la précéder, puis se tourna vers Barras.

— Vous auriez pu me faire confiance, lui dit-elle d'une voix douce.

— Nous n'avons pas le droit de le dire. Ce n'est pas une question de confiance, se défendit le vieil elfe.

— Nous en reparlerons plus tard.

Malgré la pression du mana, Hirad revint dans le Cœur.

— Sha-Kaan veut vous voir, Barras ! lança-t-il.

— Vous, un Dragonen ? s'exclama l'elfe en fronçant les sourcils.

Le barbare hocha la tête.

— Venez. Elu-Kaan est gravement blessé. Il a besoin de votre aide.

Il guida Barras dans le couloir de jumelage.

Le général Kard marcha rapidement vers les cuisines, à la base de la Tour, et ordonna aux mages de Communion de rejoindre le Cœur. Puis il sortit dans la cour silencieuse, saluant d'un signe de tête la discipline des Julatsiens qui avaient obéi à son ordre : ne plus faire aucun bruit dès la dissipation du Linceul.

Kard leva les yeux vers la tour de garde mobile des Ouestiens, éclairée par des torches pendant toute la nuit. Il avait du mal à croire que les sentinelles postées au sommet n'aient pas remarqué la disparition du Linceul. À en juger par leur absence de réaction, c'était pourtant le cas. Cela dit, il avait remarqué que la masse grise était très difficile à distinguer dans l'obscurité. Et les humains avaient la fâcheuse habitude de repérer uniquement ce qu'ils s'attendaient à voir.

Il était plus étonnant que leurs ennemis n'aient pas senti la soudaine absence de pression maléfique. Il s'en réjouissait, et espérait que cela durerait une heure de plus : ainsi, les mages chargés de détruire la tour auraient le temps de se préparer à incanter, et le gros de sa force de frappe serait prêt à déferler dans les rues de Julatsa.

Kard se tint immobile quelques instants, sachant que ses hommes étaient à leur poste dans le mur d'enceinte. Ils avaient dû voir et surtout sentir le LinceulDémoniaque se dissiper. Derrière les portes fermées du Collège, la petite armée recevait ses dernières instructions et attendait l'ordre d'attaquer. Ailleurs, les trois mages qui surveilleraient la bataille depuis le ciel et ceux qui devaient couvrir la retraite des soldats sur les remparts profitaient de leurs derniers instants de repos pour s'exercer à modeler les formes qui sèmeraient la mort dans les ennemis.

Un bruit de pas précipités retentit dans son dos. Kard se retourna et, surpris, recula un peu. Un monstrueux guerrier avançait vers lui, avec dans les bras le corps inerte d'un homme beaucoup plus fluet. Il était suivi par ce qui ressemblait fort à un loup, et par trois membres du Conseil qui portaient Endorr, toujours inconscient. Bouche bée, Kard lança instinctivement la main vers son épée.

— Nous sommes des amis, annonça le colosse. De quel côté est l'infirmerie ? Vite ! Will ne tiendra pas longtemps.

Kard fit un vague geste vers la gauche. Son interlocuteur courut dans la direction indiquée, le loup sur les talons. Derrière lui, deux soldats soulagèrent Cordolan, Torvis et Seldane de leur fardeau.

— Les Ravens sont ici ! lança Cordolan à Kard. Il semble que Barras soit un Dragonen, et... Vous devriez rejoindre les Chambres du Conseil. Kerela est en train de leur parler, d'après ce que j'ai compris.

Puis il pressa le pas pour rejoindre les autres. Le général leva les yeux au ciel et repartit en courant vers la Tour, s'arrêtant seulement pour échanger quelques mots avec un de ses lieutenants.

— Vous connaissez la situation. Les ordres n'ont pas changé, mais il semble que les probabilités viennent de tourner légèrement en notre faveur. Si les Ouestiens donnent l'alarme avant mon retour, détruisez leur tour de garde et lancez l'attaque. C'est bien compris ?

— Oui, messire.

Kard fonça vers les Chambres du Conseil.

Après avoir conduit Barras à Sha-Kaan, Hirad se joignit au conseil de guerre qui réunissait Kerela et les mages des Ravens. Le Grand Kaan devait regagner immédiatement Tiredaile en laissant son couloir de jumelage ouvert pour qu'Elu-Kaan, sous la surveillance de Barras, puisse recevoir les soins dont il avait besoin dans les flux d'énergie interdimensionnels.

Le barbare se fit présenter Kerela, la Prime Magicienne de Julatsa, et le général Kard, le militaire grisonnant chargé de la défense du Collège. L'Inconnu était resté avec Will et Thraun.

— La Communion vient de commencer dans le Cœur, dit Kerela, reprenant son exposé à l'endroit où elle s'était arrêtée quand Hirad était entré dans la pièce. Nous ignorons qui nous entendra, et combien de temps il leur faudra pour nous atteindre. Ce que nous savons, c'est que plus le ciel s'éclaircira, plus vite les Ouestiens remarqueront la disparition du LinceulDémoniaque. Une fois la bataille engagée, nous pensons pouvoir tenir deux jours, peut-être trois. Au-delà, le Collège sera perdu.

— D'accord, soupira Ilkar, qui avait du mal à assimiler toutes ces informations. Quelles sont nos chances ?

— Je ne sais pas trop, avoua Kerela. D'un point de vue strictement militaire, les Ouestiens sont dix ou quinze fois plus nombreux que nous. Mais nous sommes protégés par nos murs, et contrairement à eux, nous avons des mages.

— Ça risque de ne pas suffire, dit Erienne. Mais ce n'est pas notre problème principal, Ilkar ?

L'elfe hésita avant d'acquiescer.

— Kerela, nous ne sommes pas venus ici pour vous aider à sauver Julatsa, révéla-t-il à contrecœur. (Il se passa la langue sur les lèvres avant de continuer.) Une menace bien plus grave que les Ouestiens guette Balaia. Les Ravens sont chargés d'y mettre un terme avant qu'elle nous détruise tous, Ouestiens compris.

Kerela garda le silence un long moment. Denser choisit de ne pas se mêler à la conversation, se contentant de mâchonner le tuyau de sa pipe et de hocher la tête de temps en temps. Pour une fois, Hirad se félicita de son humeur morose.

— Je croyais qu'AubeMort devait nous garantir la victoire, dit Kerela, perplexe.

— Sur les Seigneurs Sorcyers, oui, expliqua Erienne. Mais l'incantation a provoqué une déchirure dans la trame de notre dimension. Cette fissure relie Balaia à la dimension des dragons, et elle s'agrandit à chaque seconde. Bientôt, elle sera trop importante pour que les Kaans puissent la défendre de leur côté. Alors Balaia sera envahie par les autres couvées draconiques.

Cette fois, le silence de Kerela dura encore plus longtemps. Il y avait une curieuse symétrie entre les dégâts dimensionnels que les Ravens venaient de décrire, et la soudaine force que les démons avaient déployée pour combattre la dissipation du Linceul. Kerela dévisagea ses interlocuteurs en quête d'une félonie qu'elle savait d'avance ne pas y trouver, puis d'une vérité qu'elle ne voulait pas croire.

— Qu'êtes-vous venus... ?

—Les textes de Septern, coupa Erienne. Tout ce qui pourra nous aider à refermer un portail dimensionnel de grande taille.

— Vous pouvez disposer de notre bibliothèque. Je suis sûre que Barras confirmera votre analyse quand il aura fini ce qu'il est en train de faire. Je suggère que vous commenciez vos recherches dans le Cœur dès la fin de notre Communion. Barras y a fait transporter nos textes clés, dont la plupart des travaux de Septern. Nous détenons plus d'une centaine de ses manuscrits. Notre bibliothécaire vous aidera, mais ça risque d'être long.

— Nous avons deux jours dans le meilleur des cas, rappela Ilkar en se levant.

— Pendant ce temps..., intervint Hirad. Général Kard, si je puis me permettre, vous auriez intérêt à débattre de votre plan avec l'Inconnu et moi. Nous avons pas mal d'expérience, et si nous devons nous battre pour vous, nous aimerions avoir notre mot à dire.

Kard eut un mouvement de recul.

— Je connais mon métier, jeune homme !

— Mais nous sommes les Ravens, dit Hirad. Nous avons participé à plus de sièges que vous ne l'imaginez, que ce soit du côté des assaillants ou des défenseurs. Je me permets d'insister.

Kerela posa une main sur le bras de Kard.

— Il ne faut négliger aucune aide. Tout ce qui jouera en notre faveur est bon à prendre.

— Très bien. Mais je doute que vous trouviez à redire à mon plan !

— Moi aussi. Cela dit, nous réussirons peut-être à améliorer les détails. Ça ne coûte rien d'essayer. L'Inconnu est à l'infirmerie.

Kard désigna la porte.

— Allons-y ! Les Ouestiens n'attendront pas longtemps.

L'Inconnu avait posé Will sur un lit, dans l'infirmerie miséricordieusement déserte. Mais il savait qu'aucun emplâtre ou infusion ne parviendrait à le guérir. Le voleur était bien au-delà d'une intervention conventionnelle.

Thraun s'était assis à son chevet. Parfois, il lui donnait un coup de langue sur la joue. La plupart du temps, il se contentait de le regarder de ses grands yeux jaunes désespérés. Pendant qu'une magicienne guérisseuse l'interrogeait sur la cause de l'affliction de Will, l'Inconnu caressa distraitement la tête du loup.

L'infirmerie était un bâtiment en pierre, avec un toit d'ardoise et des murs couverts de tapisseries. Elle abritait une vingtaine de lits disposés en deux rangées parallèles. L'Inconnu savait que cela ne suffirait pas pour accueillir les blessés qui afflueraient bientôt. À une extrémité de la grande salle, des draps propres étaient empilés devant l'âtre où brûlait un feu qui fournissait à la fois une image apaisante et la chaleur nécessaire pour faire mijoter les onguents et pourvoir au confort des patients.

L'Inconnu débordait de compassion pour Will. Avoir son âme arrachée par des démons était horrible. Mort ou vivant, ça ne faisait aucune différence. L'âme devait résider dans le corps de son propriétaire, jusqu'à ce qu'elle choisisse de le quitter de son plein gré pour s'aventurer dans l'au-delà.

Celle de Will était toujours là, mais les démons l'avaient touchée. Voilà pourquoi il gisait dans une profonde inconscience. Un miracle que son cerveau puisse encore ordonner à ses poumons de fonctionner ! L'Inconnu était à peu près sûr que le voleur allait mourir. L'expression de la guérisseuse qui tentait de prendre contact avec son esprit confirma ses soupçons.

— Alors ? s'impatienta-t-il.

La guérisseuse – une grande femme gracieuse, des cheveux gris coupés au carré autour de son visage ridé – se tourna vers lui et s'écarta du lit pour laisser deux civiles affectées à l'infirmerie s'occuper du petit homme et l'installer le plus confortablement possible.

— Je n'avais jamais vu quelqu'un partir si loin et rester quand même ici... Il est difficile de croire que son âme ne l'ait pas déjà quitté. Je ne peux pas entendre son esprit, et encore moins communiquer avec lui. Son cerveau le maintient en vie, mais je ne saurais dire combien de temps ça durera. Probablement très peu.

Elle regarda Thraun.

— Ne vous inquiétez pas pour lui. Il comprend que Will est gravement malade et que vous essayez de l'aider. Alors, votre estimation ?

L'Inconnu vit Hirad et le général julatsien entrer dans l'infirmerie.

— Vous voulez savoir quand il peut se réveiller, ou quand il risque de mourir ?

— Nous savons tous les deux que la première chose a peu de chances de se produire.

— S'il n'a pas refait surface d'ici demain matin, je devrai le faire transporter au mouroir. Nous aurons besoin de son lit pour les blessés encore sauvables...

L'Inconnu s'accroupit près du loup, qui leva vers lui des yeux mélancoliques.

— J'ignore si tu me comprends, Thraun, mais il va y avoir une bataille. Si tu souhaites aider Will, lutte avec nous.

Thraun soutint un long moment le regard de l'Inconnu avant de le contourner. Il lécha le visage de Will, puis s'allongea à la tête de son lit. L'Inconnu se releva et remarqua que les coupures de ses bras s'estompaient sous l'influence continue du SoinGuérison d'Ilkar et d'Erienne.

— Ça valait le coup d'essayer, soupira-t-il en s'approchant de Kard et d'Hirad, qui avait reçu le même traitement. Je suppose que vous êtes venus me parler du siège ? (Les deux hommes firent oui de la tête.) Ça vous dérange qu'on discute devant une chope de café ?

Il indiqua l'aire de repos, à l'extrémité ouest de l'infirmerie. Plusieurs casseroles chauffaient dans la cheminée.

Quand ils se furent confortablement installés, l'Inconnu tendit une main à Kard, qui la serra.

— Je crains d'avoir négligé de me présenter tout à l'heure. Je suis le Guerrier Inconnu.

— Je m'en doutais un peu... Kard, général des forces julatsiennes.

— Je vous écoute, mais faites vite.

— Très bien. Nos mages ont lancé une Communion pour alerter tous les renforts éventuels situés à moins d'un jour de marche de Julatsa. Votre ami Ilkar m'a donné le nom d'une magicienne que nous pourrions contacter dehors.

— Pheone.

— C'est ça. Ensuite, nous attendrons que les sentinelles de la tour de garde donnent l'alarme pour déclencher notre attaque.

— Pourquoi ne pas le faire tout de suite ? s'étonna Hirad.

— Parce que chaque seconde gagnée rapprochera nos alliés de nous. Sans leur aide, nous perdrons sûrement cette bataille...

— Attendre est quand même une erreur, insista l'Inconnu. Ça met vos hommes sur les nerfs, et ça vous prive d'un élément de surprise qui pourrait être crucial. Attaquez dès que vous serez prêts. Détruisez leur tour avant qu'ils puissent donner l'alarme, et faites sortir vos hommes sous le couvert de la première vague de sorts offensifs... Car je suppose que vous avez prévu d'en lancer une ?

— Mais..., dit Kard.

— Je comprends votre désir de laisser aux Dordovans le plus de temps possible pour arriver. Mais pensez à l'effet qu'une attaque surprise aura sur les Ouestiens. Avant qu'ils s'aperçoivent de la disparition du Linceul, ils mourront dans leur sommeil et autour de leurs feux de camp. Le temps qu'ils organisent une résistance, nous serons revenus à l'abri des murs du Collège, où nous les attendrons de pied ferme.

Kard hocha la tête.

— C'est logique, concéda-t-il. Ensuite, nous n'aurons qu'à les tenir à distance le plus longtemps possible, en les empêchant de lancer un assaut concerté.

— Exactement, dit l'Inconnu. Assurez-vous de leur porter un premier coup puissant. Qu'ils aient peur de s'approcher de nous. Et recommandez à vos mages de se déplacer entre deux attaques, histoire que les Ouestiens ne puissent pas deviner d'où viendra la suivante.

— D'accord, dit Kard, sinistre. Mais nous devrons dégager les remparts.

— Postez vos guerriers en bas, et dites-leur de se tenir prêts à monter à votre signal, fit Hirad. Il faudrait quand même garder des archers sur le chemin de ronde. Souvenez-vous : si votre attaque éclair dans les rues de Julatsa réussit, les Ouestiens seront déjà désorganisés et démoralisés. Il leur faudra des heures pour préparer une riposte et commencer le siège. Si vous pouvez leur porter d'autres coups pendant leur approche, vous gagnerez le temps nécessaire à l'arrivée des renforts. À condition d'utiliser vos mages de façon judicieuse.

L'Inconnu tendit une main et serra brièvement l'avant-bras de Kard.

— Comprenez que nous ne mettons pas en cause vos compétences ou votre autorité. Nous nous contentons d'y ajouter notre expérience. À combien de sièges avez-vous pris part ?

— C'est le premier, révéla Kard.

— Dans ce cas, vous avez déjà accompli un travail phénoménal, le félicita l'Inconnu. Voilà dix ans que les Ravens existent, et qu'ils assiègent ou défendent des places-fortes.

— Vos conseils me seront donc très précieux.

— Ils nous aideront certainement à rester en vie plus longtemps, dit Hirad.

— Encore une chose. (Kard vida sa chope de café.) Senedai, le commandant ouestien, détient des milliers de prisonniers julatsiens. Il a juré de les exécuter si nous tentions de le tromper. Et c'est exactement ce que nous nous apprêtons à faire.

— Ne sera-t-il pas trop occupé pour se soucier d'eux ? avança Hirad.

— C'est ce que j'ai dit au Conseil, mais franchement, j'en doute. Il dispose de quinze mille guerriers. Je suis sûr qu'il en affectera quelques-uns à l'élimination d'un problème potentiel.

— Y a-t-il des mages parmi ces prisonniers ? demanda l'Inconnu.

— Certainement, mais ils n'ont pas dû se manifester. Sinon, Senedai les aurait déjà tués. Il est impitoyable, comme il l'a prouvé en sacrifiant nos concitoyens dans le LinceulDémoniaque.

— Vos mages ont-ils dirigé vers leurs collègues une de leurs tentatives de Communion ? À votre avis, où sont-ils retenus ?

À l'expression d'Hirad, l'Inconnu comprit que le barbare se posait les mêmes questions, et qu'il était arrivé à la même conclusion.

— Au sud de la cité, probablement dans le silo à grains. C'est le seul bâtiment assez grand pour abriter des milliers de personnes et il est bien protégé. Quant à une Communion, nous ne pouvons pas courir ce risque. *Primo* parce que nous ignorons s'il reste des mages vivants. *Secundo* parce que nous ne voulons pas avertir les prisonniers et les Ouestiens de l'imminence de notre attaque.

L'Inconnu regarda Hirad, qui fronça les sourcils et hocha la tête.

— Nous les libérerons. Mais ça exigera une modification de vos plans.

— Laquelle ?

— Laissez faire les Ravens, dit Hirad. Nous connaissons notre boulot.

Le général hocha la tête.

— Entendu. Si le cœur vous en dit, les prisonniers sont à vous.

La Communion avait porté ses fruits. Pheone, la magicienne que les Ravens avaient déjà contactée, était avec un groupe de deux cents Julatsiens qui comptait onze autres jeteurs de sorts. Ils rejoignaient l'endroit où les Dordovans, selon eux, avaient dressé leur camp, et pensaient pouvoir attaquer les Ouestiens qui encerclaient la cité dès le lendemain.

Les mages avaient également localisé les Dordovans. Deux mille cinq cents fantassins, cinq cents cavaliers et cinquante mages, sur le point de tourner les talons pour regagner leur propre Collège face à l'ampleur des forces ennemies, avaient reçu l'ordre d'abandonner leur projet pour se mettre en marche vers Julatsa.

Trois autres groupes disparates de soldats, de citoyens et de mages – environ cent cinquante – avaient été découverts et mis au courant des plans de Kard. Ils se joindraient à l'attaque s'ils parvenaient à rallier l'armée dordovane.

Autrement dit, les assiégés devraient tenir au moins une journée face à des Ouestiens quinze fois plus nombreux qu'eux. Kard pensait que c'était possible. Tout reposerait sur l'usage optimal des mages et sur le moral des troupes, qui serait grandement amélioré si les Ravens parvenaient à libérer les prisonniers.

Pour la première fois depuis la chute de la cité, un vent d'espoir soufflait sur le Collège. La nouvelle de la mystérieuse – mais extrêmement bienvenue – arrivée des Ravens s'était répandue comme un feu de broussailles, amenant des sourires sur tous les visages. Les réfugiés pensaient que c'était un bon présage. Ça expliquait en outre pourquoi, une heure après la dissipation du Linceul, les sentinelles ouestiennes n'avaient toujours pas compris que leurs proies étaient vulnérables à une attaque.

Pour ces soldats mal avisés, il serait bientôt trop tard…

Un groupe de six mages sortit de la Tour. L'aube approchait, même si l'obscurité régnait encore dans la plaine. Tout était calme dans la cour. On entendait seulement le bruit des casseroles qui s'entrechoquaient dans les cuisines, celui des feux doucement attisés dans les cheminées, et les protestations étouffées des chaînes fraîchement graissées alors que des seaux remplis d'eau remontaient des puits. Comme l'avait réclamé Kard, un préambule ordinaire, bien qu'artificiellement orchestré, à la journée qui commençait.

Mais derrière chaque porte, un capitaine ou un lieutenant attendait le signal du général, ses hommes équipés et prêts à courir vers leur poste. Les mages chargés de surveiller le déroulement des opérations préparaient leurs OmbresAiles, et les Ravens s'étaient tapis derrière la porte Sud. Hirad et l'Inconnu avaient déjà l'épée à la main. Ilkar, Erienne et Denser révisaient respectivement l'incantation d'un BouclierDéfensif, d'une BrûlePluie et d'OmbresAiles. Le Xetesk avait l'intention de survoler ses camarades, pour leur éviter de rencontrer des Ouestiens en chemin.

Les six mages traversèrent nonchalamment la cour, déjà concentrés sur leurs sorts. Malgré l'acier qui bardait les niveaux inférieurs de la tour de garde ennemie, sa plate-forme était simplement protégée par un filet destiné à arrêter les flèches.

Il n'y eut pas d'avertissement. Les six mages s'immobilisèrent. La seconde d'après, une dizaine d'OrbesFlammes volèrent dans le ciel, le délai de préparation supplémentaire dont ils avaient bénéficié ajoutant à la vitesse et à la précision de leur déploiement.

Une lumière aveuglante explosa dans la cour avant de fondre impitoyablement sur les sentinelles ouestiennes sans défense. Puis l'obscurité revint, et un court silence s'abattit sur le Collège avant que les projectiles magiques atteignent leur cible.

La nuit julatsienne s'illumina quand un déluge de feu orange engloutit la plate-forme, embrasant le bois et la chair et les consumant avec une égale voracité. Les flammes bondirent vers le haut et réduisirent en cendres le toit de la tour. Sur la plate-forme elle-même, les Ouestiens transformés en torches vivantes hurlaient de douleur. L'un d'eux creva le filet protecteur et tomba dans le vide, laissant derrière lui un sillage de fumée.

Quand les lamentations funèbres d'une unique cloche d'alarme se mêlèrent aux cris des mourants, la cour du Collège grouilla d'activité. Kard et ses capitaines donnèrent des ordres, et les portes s'ouvrirent. Les Ravens furent les premiers à jaillir du côté sud, Denser les précédant par la voie des airs. Derrière eux déferla une force de six cents soldats et réfugiés armés, plus une trentaine de mages défensifs. Du côté nord, quatre cents autres hommes et vingt mages les imitèrent, laissant le Collège provisoirement privé d'acier, mais pas de magie.

Pendant que le LinceulDémoniaque défendait le Collège, Senedai avait réduit le nombre d'Ouestiens postés autour du mur d'enceinte, sans doute pour les loger plus confortablement dans les bâtiments dont ils s'étaient emparés. Mais des postes de garde barraient encore tous les chemins d'accès au Collège au-delà de la large avenue pavée qui l'entourait. C'était là que s'engagerait la bataille.

À la tête des Ravens, Hirad courut vers la rue principale de Julatsa, qui conduisait au quartier industriel. En les voyant approcher, les sentinelles hurlèrent des avertissements et dégainèrent leurs armes. Leurs cris furent repris en une dizaine d'autres endroits sur la périphérie du Collège, mais la marée julatsienne était déjà sur le point de balayer la première ligne défensive ennemie.

— Ravens ! rugit Hirad. Ravens, avec moi !

Il s'élança, l'Inconnu sur sa gauche et Ilkar derrière eux.

— Bouclier levé, annonça l'elfe. Retiens ton sort, Erienne.

— Compris.

Quatre Ouestiens leur barraient le chemin, avec des expressions allant de l'incertitude à l'incompréhension la plus totale. Hirad fondit sur eux en faisant décrire un arc-de-cercle horizontal à son épée. Sa cible bondit en arrière et brandit sa hache. Le barbare écarta facilement l'arme et flanqua au type un violent coup de tête qui lui brisa le nez. L'Inconnu marqua un point de plus : son épée à deux mains brisa l'arme de sa victime avant de se planter dans son épaule. Hirad entendit les os de l'Ouestien se briser.

Alors que son premier adversaire portait une main à son visage ensanglanté, un autre brandit sa hache pour le frapper. Hirad lui entailla l'estomac et l'acheva en lui plongeant son épée dans le cœur. Puis il se retourna pour égorger l'homme au nez brisé, tandis que l'Inconnu lançait son poing dans le ventre du dernier Ouestien et profitait de son hébétude pour lui trancher le cou.

Denser se posa derrière eux.

— Première à gauche, et ensuite, première à droite. La voie est libre pour le moment, mais les Ouestiens se réveillent. Nous devons faire vite. Erienne, tu vas bien ?

La jeune femme fit oui de la tête et pointa un index vers son crâne, où elle retenait la forme de mana de sa BrûlePluie.

Denser redécolla et les Ravens reprirent leur course folle, laissant les Julatsiens nettoyer les rues derrière eux.

Hirad prit une branche dans un feu de camp et s'engouffra dans une étroite ruelle où les flammes vacillantes de sa torche improvisée suffisaient à peine à dissiper les ombres les plus épaisses. Derrière eux, il entendit les cris des Ouestiens réveillés en sursaut, les alarmes qui résonnaient autour de la cité et le fracas des épées julatsiennes s'abattant sur celles des envahisseurs. Les murs qu'ils longeaient étouffaient les détonations, tandis que la lumière des OrbesFlammes et le scintillement des BrûlePluies déchiraient l'obscurité au-dessus de leur tête.

Sans perdre Denser de vue, Hirad tourna dans une ruelle pavée légèrement plus large que la précédente. Soudain, le Xetesk vira sur la droite et plongea vers les Ravens. Le barbare s'arrêta net.

— C'est encore plus facile que je ne le pensais, annonça Denser en se posant devant lui. Le silo à grains est au bout de cette ruelle, de l'autre côté d'une grande place. Il est gardé, et les fenêtres des bâtiments qui l'entourent sont éclairées, mais pour le moment, tous les Ouestiens courent vers le Collège. Si nous nous dépêchons, nous…

Dominant le vacarme de la bataille et les explosions des sorts, un hurlement déchira la nuit. Un cri très long, plein de colère et de chagrin, qui devint un gémissement avant de s'achever sur un aboiement dont l'écho se répercuta dans les rues de Julatsa. Une seconde, le silence se fit. Puis la bataille reprit comme si de rien n'était.

— Bouclier baissé, dit Ilkar. Par tous les enfers, qu'est-ce que c'était ?

— Grands dieux, souffla Erienne, qui avait perdu sa forme de mana. Thraun…

— C'est à cause de Will, comprit l'Inconnu. Pauvre bougre…

Un nouveau hurlement fit vibrer leurs tympans.

— Que va faire Thraun ? demanda Ilkar.

— Je ne sais pas, avoua Erienne. Mais je pense que nous devrions retourner là-bas le plus vite possible. Si quelqu'un a une chance de le raisonner, c'est nous.

— Nous devons d'abord libérer les prisonniers, dit Hirad. (Il regarda Denser, les OmbresAiles fièrement déployées dans son dos.) Erienne, va avec lui, s'il peut te porter. Il te sera plus facile de choisir les cibles de tes sorts. Ilkar, lance un OrbeFlamme, et ensuite, utilise ton épée : nous ne pouvons pas gaspiller un autre bouclier. Thraun et la veillée de Will devront attendre un peu.

Son esprit, un moment embrumé par la perte d'un nouveau Raven, s'éclaircit à l'approche de l'action.

— Ravens, avec moi !

Un troisième hurlement résonna dans la ruelle. Plus près, cette fois.

Le loup était en liberté dans la cité.

Chapitre 24

Dystran jura et jeta le livre à ses pieds. Puis il s'accouda au balcon de la Tour et pria pour que tous les enfers se déchaînent sur le précédent Seigneur du Mont. Quand il s'était emparé du pouvoir à Xetesk, Dystran se doutait que Styliann était toujours en vie. Il s'apercevait qu'il aurait besoin des Protecteurs pour l'aider à conserver sa position acquise par traîtrise. Et voilà que tous les Protecteurs se dressaient au pied de sa Tour, sur la pelouse soigneusement entretenue. Silencieux, terrifiants et immobiles, ils attendaient.

Au début, Dystran n'avait pas voulu croire son prédécesseur et il s'était rendormi d'un sommeil agité. Peu après, des coups frénétiques frappés à sa porte l'avaient tiré du lit. Il était passé dans son étude. Du balcon, il avait vu les Protecteurs émerger de leurs baraquements plongés dans l'obscurité. Sans se presser, mais avec une détermination sans faille, ils s'étaient avancés sous la lumière des torches, les flammes orange se reflétant sur leur masque, leur cuirasse et les boucles de leurs bottes ou de leur ceinture.

Ils avaient mis près d'une heure pour se rassembler dans la cour. Dystran ne les avait pas regardés faire. Il avait regagné son étude et pris les Textes d'Intendance sur les étagères qui encadraient son bureau. D'une main fiévreuse, il les avait feuilletés. L'Acte de Don était là, accessible à la vue de tous. Mais dans son orgueil imbécile, il ne s'était pas donné la peine de le lire.

Les annales concernant l'Acte de Don étaient les plus modernes du Collège, rédigées par Styliann en personne et conçues pour faire de la renonciation un processus aussi long que complexe. Le temps qu'il étudie le texte en détail, qu'il rassemble le Cercle des Sept et procède à la méditation requise, huit jours se seraient écoulés. Les Textes d'Intendance gisaient donc ouverts à ses pieds, la brise agitant les pages du dessus.

— Nous devons les arrêter, marmonna Dystran.

— Qu'avez-vous l'intention de faire ? demanda le plus vieux de ses conseillers, un mage grisonnant nommé Ranyl.

— Nous pourrions commencer par mettre des GlyphesVerrous sur les portes, dit Dystran.

— Ils se contenteraient de hacher menu les battants, fit Ranyl. Aucun sort d'immobilisation n'est assez puissant pour les retenir et ils réagiront à toute agression en attaquant celui qui en a donné l'ordre. Autrement dit, vous. (Le vieux mage s'exprimait d'une voix calme mais ferme.) Il y a quatre cent dix Protecteurs dans cette cour, et chacun bénéficie de défenses magiques. Je sais qui je soutiendrai en cas d'affrontement.

— Alors, que pouvons-nous faire ? demanda Dystran.

— Les laisser partir et révoquer l'Acte de Don. Ou envoyer un assassin tuer Styliann. Les seuls moyens d'amener les Protecteurs sous votre contrôle...

— Un assassin ? ricana Dystran. Styliann sera bientôt entouré par plus de cinq cents Protecteurs. La nation ouestienne entière aurait du mal à l'atteindre.

Ranyl se pencha, ramassa les Textes d'Intendance et les posa sans douceur sur les mains de Dystran.

— Dans ce cas, seigneur, puis-je vous suggérer humblement de commencer à lire ?

En contrebas, obéissant à un ordre muet, les Protecteurs se tournèrent comme un seul homme. Le cœur de Dystran fit un bond dans sa poitrine. Sous le regard de tous les occupants du Collège, réveillés en sursaut, ils marchèrent vers la porte Sud. Les traits tirés par l'anxiété, Dystran secoua la tête en voyant des visages interrogateurs se tourner vers lui et Ranyl.

Arrivé à la porte, le Protecteur de tête écarta la sentinelle, enleva la barre de sécurité et, avec trois de ses frères, poussa les lourds battants bardés de métal. Sans la moindre hésitation, la petite armée s'éloigna dans les rues sombres de Xetesk.

Dystran crut presque entendre le rire moqueur de Styliann résonner à ses oreilles.

Les lèvres pincées, le seigneur Tessaya regarda Styliann et sa redoutable escorte filer vers le nord, tandis que ses guerriers luttaient pour reformer les rangs sous les aboiements de leurs capitaines. Tessaya fit appeler Adesellere, le plus gradé de ses généraux.

— Je veux que quatre mille hommes se lancent à leur poursuite avant les premières lueurs de l'aube. Ne les laissez s'échapper sous aucun prétexte. Envoyez un message à Riasu ; qu'il me rejoigne demain avec cinq mille réservistes. Enfin, j'entends qu'à partir de cet instant, vous supervisiez personnellement la défense de Sousroc, de la passe et des environs. Prêtez une attention toute particulière au sud. Dans deux jours, j'irai à Korina. Veillez à ce que chaque commandant dispose de pigeons voyageurs. Est-ce bien compris ?

— Oui, seigneur, dit Adesellere, un homme âgé mais encore fougueux, le crâne chauve et le visage couturé de cicatrices. Voulez-vous que je reste ici avec les défenseurs ?

Tessaya hocha la tête et lui posa une main sur l'épaule.

— Vous êtes une des rares personnes en qui j'aie une confiance absolue. Envoyez Bedelao à la poursuite du mage. Je ferai passer le mot à mes éclaireurs, au nord et au sud. J'ai le pressentiment que nous allons devoir réviser nos plans. Tous mes frères, les autres seigneurs de tribu, ne se sont pas acquittés de leur tâche aussi bien qu'ils l'auraient dû.

— Je ne vous décevrai pas, affirma Adesellere.

— Ce n'est jamais arrivé…

Tessaya donna congé à son général. Il le regarda s'éloigner en hurlant des ordres à ses lieutenants, occupés à rétablir un semblant d'ordre dans la garnison. Ce n'était pas ainsi qu'il avait envisagé les choses. Jurant entre ses dents, il tenta de repérer le moment où elles avaient commencé à déraper.

Certainement lors de la destruction des Seigneurs Sorcyers. Mais d'autres événements avaient contribué au chaos actuel. Le siège de Julatsa n'était toujours pas terminé et Taomi semblait avoir des problèmes dans le sud. En principe, les Balaiens de l'est n'auraient dû avoir aucune chance. Mais jusqu'à présent, les Ouestiens n'avaient pas réussi à capturer ou à éliminer une seule de leurs figures de proue.

À moins que Tessaya ne se trompe lourdement, le général Darrick, le baron Noirépine et les Ravens étaient toujours vivants et occupés à combattre les Ouestiens. Maintenant, sauf si ses hommes parvenaient à le rattraper, Styliann allait regagner Xetesk pour servir de porte-étendard à tous les mages. Tessaya détestait qu'on lui force la main, mais il n'avait pas le choix. Il fallait que Senedai s'empare des cités collégiales, qu'Adesellere arrête toute avance ennemie venant du sud, et qu'il gagne rapidement Korina à la tête de dix mille hommes. Il avait encore une chance de soumettre la capitale de l'est, qui se vautrait dans sa richesse comme un pourceau dans la boue et ne s'était jamais beaucoup préoccupée de ses défenses. Certes, elle lui opposerait une résistance. Mais comme les armées des Collèges et celles des cités du sud ne pourraient pas venir lui prêter main-forte, Tessaya était certain de vaincre.

Mais ce ne serait pas la marche glorieuse dont il avait rêvé. Et quelqu'un paierait pour ça. Très cher !

La flottille de Darrick, composée d'embarcations de petite et de moyenne taille, avait traversé les trois quarts de la baie de Gyernath quand un cri d'alarme retentit sur son flanc sud.

Le général regarda la plage, mais elle était déserte. Pourtant, la consternation se répandait à bord de tous les bateaux sur sa droite, et plusieurs hommes – ou plus probablement des elfes – tendaient un index vers le sud en poussant des exclamations inquiètes.

Darrick plissa les yeux et ne vit rien. Puis, quand une embarcation à deux mâts s'écarta de son champ de vision, il les aperçut enfin. Des voiles. Occupées à contourner la presqu'île de Gyernath. D'abord deux, puis quatre, pareilles à des fantômes poussés par la brise. Toute activité s'interrompit à bord, les occupants de son bateau tournant la tête pour observer la flotte qui avançait vers eux. D'autres voiles émergèrent de derrière la presqu'île, tels des prédateurs silencieux, rapides et meurtriers.

— Par les dieux de l'eau, marmonna Darrick. (Il se tourna vers son second.) Il faut que les elfes et les mages les identifient, et vite ! Faites passer le mot.

L'homme s'éloigna en criant un nom qu'il ne saisit pas.

Il appela ses porteurs de drapeaux.

— Signalez un changement de direction immédiat. Cap au nord-nord-est. Si ce sont des Ouestiens, nous devons mettre le plus de distance possible entre eux et nous.

Les messages furent transmis. La flottille modifia sa trajectoire pour gagner un endroit du rivage où elle aurait beaucoup plus de mal à accoster. Cette manœuvre fut aussitôt imitée par l'autre flotte, plus importante et essentiellement composée de vaisseaux à trois mâts.

La distance qui les séparait diminuait à toute allure. Des drapeaux furent hissés au sommet des mâts et déployés sur chaque proue. À présent, Darrick distinguait de minuscules silhouettes dans les haubans, et des visages alignés le long du bastingage. Des milliers de visages.

Ils auraient tout juste le temps de toucher terre avant d'être rejoints, et les bateaux, déjà une trentaine, ne cessaient d'affluer de l'autre côté de la baie. Si c'étaient des Ouestiens, la cavalerie des quatre Collèges serait foutue.

Sur la gauche de Darrick, une magicienne se lança dans le ciel, ses OmbresAiles prévues pour une altitude maximale. Le général la suivit des yeux tandis qu'elle volait vers le sud, et s'attendit à voir des flèches jaillir des bateaux ennemis pour l'abattre.

À bord, tout le monde s'était tu. On n'entendait plus que le craquement des planches, le bruissement des voiles, le clapotis de l'eau que fendait la proue et les éclaboussures produites par les rames. Darrick s'aperçut qu'il retenait son souffle.

Trois formes montèrent du vaisseau de tête pour intercepter la magicienne. Ce n'était pas des projectiles, mais d'autres mages. Des vivats retentirent, et un sourire fendit le visage de Darrick. Les Ouestiens n'avaient pas de jeteurs de sorts. Qui que soient ces gens, c'était forcément des alliés.

Tous les regards étaient rivés sur les quatre mages qui décrivaient des cercles dans le ciel. Leur conversation sembla durer une éternité.

Puis la magicienne revint à bord. Sans reprendre son souffle, elle parla à toute vitesse, comme si les mots se bousculaient pour sortir de sa bouche. Darrick éclata de rire et lui posa une main sur l'épaule.

— Calmez-vous !

La jeune femme prit une profonde inspiration avant de lui adresser un sourire éblouissant.

— Désolée, seigneur, mais je suis tellement soulagée…

— Je comprends. À présent, dites-nous qui sont nos nouveaux amis.

— C'est l'armée de Gyernath. Conduite par les barons Gresse et Noirépine.

Cette fois, Darrick éclata de rire, frappant du plat de la paume le mât près duquel il se tenait.

— Je n'y crois pas ! Les rencontrer sera un vrai plaisir !

Il ordonna aux porteurs de drapeaux de signaler un retour à leur trajectoire initiale.

Un peu avant midi, alors que les deux flottes venaient de jeter l'ancre aussi près du rivage que leur tirant d'eau les y autorisait, et que des barges à fond plat convoyaient les hommes et les chevaux sous la surveillance de mages munis d'OmbresAiles qui planaient dans le ciel, Darrick prit pied sur le sable et marcha vers les deux barons.

Gresse et Noirépine observaient le débarquement des troupes. Voyant approcher Darrick, ils se portèrent à sa rencontre, main tendue.

— Quelle heureuse coïncidence ! lança le général lysternien après les salutations d'usage. Je pensais justement rejoindre Gyernath pour récupérer le plus d'hommes possible avant de marcher sur Sousroc. Et je découvre que deux de nos barons prétendument fainéants m'ont fait économiser une semaine en amenant une armée sur cette plage.

— Fainéants ! Vous avez entendu ça, Noirépine ? demanda Gresse. Qu'est-ce que vous en dites ?

— J'en dis que les jeunes militaires ambitieux avec un pois chiche en guise de cervelle sont légion. Mais fort heureusement, nous n'avons pas affaire à l'un d'eux.

Darrick salua ce compliment d'une révérence.

— Et vous n'êtes pas non plus des barons fainéants, même si on ne peut pas en dire autant de certains de vos semblables.

Ses deux interlocuteurs échangèrent un bref regard et Gresse plissa les yeux.

— Nous prendrons les mesures qui s'imposent quand tout ça sera terminé. Mais pour le moment, général, laissez-nous vous raconter ce que nous avons déjà fait. Ensuite, nous pourrons planifier ensemble la libération de Noirépine.

— La libération de… ? (Le cœur de Darrick fit un bond dans sa poitrine. Il fixa le baron, qui fronça les sourcils.) N'ont-ils pas foncé directement sur Gyernath et Korina ?

— Non. Visiblement, ils préféraient utiliser ma ville comme un avant-poste dans le sud. Une chance pour vous, sinon, vous n'auriez pas trouvé d'armée à Gyernath. Le plus gros de leurs forces s'est dirigé vers Sousroc sans y passer.

— Nous devrions nous asseoir pour parler plus à notre aise, proposa Gresse. Nous voulons être aux portes de Noirépine avant la tombée de la nuit.

Darrick se sentait plein d'une énergie nouvelle. La chance avait tourné en leur faveur, et cela modifiait toutes leurs perspectives. Gyernath était parvenue à repousser l'attaque ouestienne, et il semblait que la ligne de ravitaillement nord-sud n'était pas encore établie. Pour la première fois depuis qu'il avait traversé la passe de Sousroc, résolu à prêter main-forte aux Ravens, Darrick commençait à croire qu'ils pourraient libérer Balaia des griffes des Ouestiens.

Mais son soulagement était gâché par une inquiétude grandissante. Selon les dernières estimations, ils disposaient d'une vingtaine de jours avant que la souillure brune qui recouvrait Parve crache une armée de dragons conquérants. Comme toujours, les Ravens étaient chargés de sauver Balaia, et Darrick devait les aider en écartant les Ouestiens de leur chemin. Maintenant qu'il avait pris pied dans l'est du continent, il devait absolument les contacter. Parce que s'il leur arrivait malheur, seuls Styliann et lui pourraient informer les Collèges de la menace.

Et Darrick n'avait aucune confiance en Styliann.

Sha-Kaan s'assit lourdement dans le Hall de Jumelage. À cet instant, il sentait le poids de chacun de ses quatre cents cycles. Elu-Kaan, le dragon dont il avait espéré faire son successeur, gisait à l'article de la mort dans un couloir de jumelage. Au moins, son Dragonen était près de lui. Sha-Kaan doutait que les soins du vieux mage elfe et le flux régénérateur de l'espace interdimensionnel suffisent à guérir Elu-Kaan. Mais malgré la situation désespérée qu'affrontaient les collègues de Barras à Julatsa, ils devaient essayer.

Le bon côté des choses, c'était que Sha-Kaan avait pu informer le Dragonen de la nature des blessures d'Elu-Kaan en s'appuyant sur sa propre expérience douloureuse des Arakhes. Ses écailles étaient couvertes d'égratignures ; ses paupières éraflées par les griffes des démons le brûlaient, et la glace de leurs morsures étouffait le feu dans sa gorge.

En mâchonnant des balles d'Herbeflamme, il pensa qu'il s'en était tout de même tiré à bon compte. Les sorts des mages des Ravens avaient affaibli la horde qui s'était jetée sur eux. Elu-Kaan n'avait pas eu cette chance. Il avait subi toute la fureur des Arakhes, et récolté des plaies horribles à la gueule. C'était ces blessures-là que Sha-Kaan redoutait le plus, et il avait exhorté Barras de les soigner en premier.

Le Grand Kaan aussi avait besoin de récupérer. Idéalement, il aurait aimé le faire dans son propre couloir de jumelage, avec l'aide d'Hirad Cœurfroid et des Ravens. Même si cela lui en coûtait, il avait admis que c'était impossible pour le moment. Il avait donc dû se contenter dans un premier temps de l'énergie du Hall de Jumelage. Quand il en avait eu assez du boucan qui y régnait, il s'était réfugié dans le calme et le silence de Tiredaile.

Sha-Kaan avait conscience d'avoir trop tiré sur la corde. Les blessures reçues pendant la bataille au-dessus des plaines du sud ne s'étaient pas encore refermées. Bien qu'il ait replié ses ailes, les muscles qui commandaient leur ouverture le tiraillaient encore. Il se tordit le cou pour examiner son corps, et se rembrunit à la vue de ses écailles ternies. Autrefois, au soleil, elles brillaient si fort que nul ne pouvait les regarder en face. À présent, elles trahissaient son âge et sa santé défaillante. Ses ailes étaient encore bien lubrifiées, mais cela ne durerait plus beaucoup.

Une partie de son âme avait hâte de voir le jour où le poids de la couvée Kaan ne pèserait plus sur son dos. D'ici là, il lui restait beaucoup de choses à faire, et le sort de ses semblables paraissait aussi incertain que la direction d'un vent vagabond.

Sha-Kaan avala la dernière balle d'Herbeflamme. L'alarme résonna dans sa tête avant qu'il ait pu la poser sur la boue grasse du sol. Il expira à fond, de la fumée montant des coins de sa gueule alors que son irritation se communiquait aux glandes de ses gencives. Au fond, il s'était douté qu'il n'aurait pas le temps de récupérer. Mais il espérait au moins avoir quelques instants de repos.

Il bascula hors de Tiredaile, un appel à la couvée Kaan se formant déjà sur ses lèvres.

Le spectacle qui l'attendait devant le portail l'ébranla profondément. Bien que la garde ait été doublée autour de la masse brune, les Kaans semblaient pitoyablement peu nombreux face à leurs adversaires. Les Naiks arrivaient en force et ils amenaient des alliés.

Les éclaireurs des Kaans avaient envoyé des messages d'avertissement dans le filet des esprits, forçant les Dormeurs de la couvée à se réveiller pour joindre leurs efforts à ceux de leurs frères et sœurs, et mettre à exécution le plan défensif conçu par Sha-Kaan.

Le dragon se força à étouffer ses doutes. Le portail s'élargissait beaucoup plus vite que dans ses pires cauchemars. À présent, il était solidement ancré dans le ciel de Beshara. Une fine ligne de nuages bordait désormais la fissure. Sha-Kaan comprit qu'elle ne tarderait pas à se développer elle aussi, ajoutant un problème de visibilité à la liste qui accablait les défenseurs.

L'instabilité structurelle du portail finirait par provoquer son effondrement. Mais ça se produirait bien après la destruction des Kaans et de Balaia. Les ondes de choc traverseraient l'espace interdimensionnel pour se propager à tous les mondes. Mais aucun d'eux n'en souffrirait autant que les ruines de Balaia.

Sha-Kaan chassa ces pensées funestes de son esprit. Pour l'instant, les Kaans devaient se préoccuper de survivre à la bataille imminente. Ses frères arrivaient de toutes les directions pour défendre leur couvée et leur dimension de jumelage. Au nord, une énorme masse noire annonçait l'approche des Naiks et de leurs alliés réduits en esclavage.

Alors qu'il contournait le portail et sentait l'attraction qu'il exerçait sur son esprit, tel un tourbillon qui aurait voulu l'aspirer, Sha-Kaan comprit que cette bataille serait la dernière. Si les Ravens n'avaient pas atteint Beshara avant la prochaine attaque des Naiks, tout serait perdu.

Il distribua mentalement des salutations et des ordres.

Les premiers vols de Kaans se mirent en formation.

Le silo à grains de Julatsa se dressait au milieu d'une place pavée – une barrière naturelle contre les incendies susceptibles d'attaquer les maisons de bois qui l'entouraient. Précédents historiques obligent, il avait été construit avec la pierre la plus robuste. Jadis, il était arrivé que des disettes forcent la paisible population julatsienne à prendre des mesures désespérées. Le sang d'innombrables malheureux dont les familles mouraient de faim s'était infiltré entre ces pavés et dans la terre qu'ils recouvraient. Même si cette époque était révolue depuis longtemps, le silo à grains en restait un vibrant souvenir.

Les Ravens se tenaient dans l'ombre d'une des ruelles qui débouchaient sur la place. Denser volait au-dessus d'eux, portant Erienne dans ses bras comme il avait porté Ilkar pendant l'assaut contre le campement ouestien, près du bras de Triverne. Parallèlement à eux, l'avenue principale qui reliait la place au marché sud de la cité continuait sa course jusqu'au Collège.

Ils n'entendaient plus Thraun, mais le vacarme augmentait dans tous les quartiers de Julatsa. Hirad serra plus fort la poignée de son épée. Ils allaient devoir faire vite, et espérer que les mages du Collège seraient prêts à les couvrir.

Le silo à grains mesurait un peu plus de trente mètres de large sur soixante de long. Les Ouestiens avaient posté une demi-douzaine de gardes devant les portes, qui faisaient face à leur ruelle, et des feux brûlaient devant l'entrée de toutes les artères qui y conduisaient.

Quand l'occasion tant attendue se présenta enfin, Hirad sauta dessus. Un OrbeFlamme atterrit près d'eux, projetant des langues de flammes orange vers le ciel. Les Ouestiens en poste près des feux coururent vers les Julatsiens qui venaient d'apparaître sur la gauche des Ravens, et les gardes du silo à grains promenèrent des regards nerveux à la ronde. Visiblement, ils hésitaient sur la conduite à tenir.

— Maintenant, Ravens ! rugit Hirad en chargeant, l'Inconnu sur sa droite et Ilkar un pas en arrière, l'épée au clair.

Au-dessus d'eux, Denser descendit vers le silo à grains. Quelques gouttes de feu liquide s'abattirent sur les gardes, embrasant leurs vêtements. Paniqués, ils s'enfuirent sans voir les Ravens qui fonçaient vers eux.

Alors qu'il tentait d'étouffer les flammes qui le léchaient, le plus rapide trébucha obligeamment sur le pied que l'Inconnu venait de tendre en travers de son chemin. Il s'écroula de tout son long. Le colosse n'eut plus qu'à lui plonger son épée dans le dos.

Près de lui, Hirad se planta devant deux autres Ouestiens, dont l'un sondait anxieusement le ciel. Son compagnon aperçut les Ravens, pila net et le prit par le bras pour attirer son attention.

— Qui veut passer le premier ? grogna le barbare en entaillant le visage de l'homme de gauche. Allons, ne faites pas les timides !

Il esquiva un coup de hache maladroit et planta son épée dans le ventre de l'Ouestien. Puis il dégagea sa lame d'un mouvement vif et s'écarta pour éviter l'attaque de son deuxième adversaire. Suivant le mouvement, l'homme tourna le dos à l'Inconnu. Ce fut sa dernière erreur. Son corps n'avait pas touché le sol quand le colosse fit face aux trois derniers gardes pendant qu'Ilkar courait vers les portes du silo à grains.

Hirad décida de prêter main-forte à l'Inconnu, même s'il savait que son ami n'en avait pas vraiment besoin. D'un revers du poignet, le colosse bloqua un coup de hache et leva vivement son épée. Arrachée à son adversaire, l'arme disparut dans l'obscurité.

Puis il porta un coup sec du haut vers le bas. Sa lame à double tranchant découpa l'Ouestien par le milieu. Il bascula en arrière en tenant sa cage thoracique fendue, du sang entre les doigts.

Hirad engagea le combat avec l'avant-dernier Ouestien, qui lui donna un peu plus de fil à retordre. Ils croisèrent le fer quelques instants, jusqu'à ce que le barbare décide que ça avait assez duré. Il lança son pied dans le ventre de son adversaire, qui grogna, mais ne baissa pas sa garde pour autant.

Hirad fit un pas en avant, feinta vers la droite, passa prestement son épée dans sa main gauche et frappa du même côté. L'Ouestien fut trop lent à réagir. Il était à peine tourné dans la bonne direction quand l'épée du barbare mordit son cou et le trancha jusqu'à la moelle épinière.

Hirad le regarda s'écrouler. Puis il se tourna vers l'Inconnu à temps pour le voir essuyer sa lame sur le cadavre du dernier homme.

— On est bons, pas vrai ? lança-t-il en écartant les bras.

— On le savait déjà, répondit l'Inconnu avec une ébauche de sourire.

Ils coururent rejoindre Ilkar, qui s'apprêtait à incanter. Denser et Erienne décrivaient des cercles à l'aplomb des portes.

— La voie est libre pour le moment, annonça le Xetesk. Les Julatsiens ont rencontré quelques problèmes au sud du marché, mais les Ouestiens ne se sont pas encore organisés. Faites vite quand même, parce que je vois une force importante, deux ou trois mille hommes, venir au pas de course de l'ouest. Vous n'avez pas beaucoup de temps avant qu'ils arrivent.

Hirad hocha la tête. Du pommeau de son épée, il martela les battants barrés et cadenassés. De l'autre côté, un brouhaha de voix rendait sans doute ses coups inaudibles, mais il devait essayer de prévenir les prisonniers. Sinon, quelqu'un risquait d'être blessé.

— Écartez-vous des portes ! hurla-t-il. Je n'ai pas le temps de vous expliquer. Contentez-vous d'obéir !

Ilkar recula d'un pas. Concentré, les coudes plaqués au corps et les avant-bras écartés comme s'il voulait rattraper un ballon, il fit un imperceptible signe de tête au barbare, qui s'écarta.

— Déploiement, dit Ilkar à voix basse.

Il tendit les bras, et sa ForceConique jaillit pour aller enfoncer les battants de bois. Ils étaient peut-être conçus pour résister à un bélier, mais pas au sort d'un mage senior. La forme de mana les fit littéralement exploser. Le cadenas et sa chaîne cédèrent avec un grincement et vinrent s'écraser contre le mur, près de la tête d'Hirad.

— Ouah, du calme, souffla le barbare.

Ilkar haussa les épaules.

— Il fallait que ça marche du premier coup.

Les trois Ravens entrèrent et découvrirent une mer de visages effrayés.

Tout le monde braillait.

— À toi l'honneur, fit Hirad en tapotant le dos de l'elfe. C'est toi le natif du coin, après tout.

Ilkar lui jeta un regard noir et ouvrit la bouche pour réclamer le silence.

Chapitre 25

Un instant, les yeux de Thraun s'embuèrent pendant que la vie s'échappait du corps de l'homme-frère. Il le sentit jusqu'au plus profond de son être, et un abîme de solitude s'ouvrit dans son cœur de loup. Un gémissement s'échappa de sa gorge quand il vit la tête de l'homme-frère basculer sur le côté, sa poitrine s'abaissant une dernière fois pour ne plus se soulever.

Il tendit le museau vers la femme qui s'occupait de l'homme-frère au moment où elle tirait sur lui une sorte de peau blanche dépourvue de poils. Thraun capta son chagrin, son impuissance et sa colère.

Puis une fureur animale s'empara de son esprit de loup. Ouvrant la gueule, il hurla à la lune – que lui dissimulait l'abri humain – tandis que la soif de sang l'envahissait et lui ordonnait de chercher une proie.

La femme n'exprimait plus qu'une terreur qui se lisait sur son visage et suintait de tous les pores de sa peau. Thraun la sentait comme il pouvait sentir la forêt. La femme eut un mouvement de recul. Elle avait peur de lui, et c'était une bonne chose : le signe qu'une proie se savait vaincue. Comme elle avait essayé de sauver l'homme-frère, il ne put se résoudre à l'attaquer. Un vestige de pensée cohérente refit surface dans son esprit affolé, et il courut vers la sortie de l'abri en hurlant de nouveau son chagrin, les muscles gonflés par la rage.

Dehors, il s'immobilisa sur le sol de pierre. Tout n'était que feu et cris. Le chaos et la confusion régnaient. Des humains couraient dans tous les sens. L'odeur de ceux dont il avait goûté la chair le prit à la gorge, se mêlant à la puanteur des corps en décomposition. Une grande quantité d'humains – ceux qui n'étaient pas souillés par l'odeur tant haïe – avancèrent vers une ouverture, dans le mur. Au-delà grouillaient les proies que réclamait sa soif de sang.

Thraun courut vers l'ouverture, ses aboiements faisant fuir les humains devant lui. Cette race avait toujours redouté les loups, et il sentit la terreur se transformer en soulagement quand il les dépassa sans leur prêter attention. Il franchit l'ouverture et, humant l'air tandis que ses pattes continuaient à courir, il fonça vers l'endroit où il savait que ses proies l'attendaient. Un troisième et dernier hurlement exprima son désespoir d'avoir perdu l'homme-frère.

Puis il ne resta plus que la soif de sang.

Thraun courut vers la lumière vacillante d'un feu. Quelques-uns des humains qu'il détestait tellement se pressaient autour. Il captait leur anxiété face au bruit et aux flammes qu'avaient déchaînées les compagnons de l'homme-frère. Son corps de loup se faufila dans les ténèbres sans que personne ne le remarque, le vacarme couvrant le bruit de ses pattes et les grondements sourds qui montaient de sa gorge.

Des proies !

Thraun n'avait aucun véritable désir de chasser. La meute était très loin, toutes les couleurs de la forêt comme ternies dans son souvenir. Son cerveau animal était ravagé par la perte de quelque chose qui ne pourrait jamais lui être rendu.

D'un bond formidable, il jaillit des ténèbres. Ses mâchoires se refermèrent sur la gorge d'un premier humain ; du sang coula entre ses crocs quand il lui posa ses pattes sur les épaules pour le renverser. L'humain s'effondra sans se débattre, la vie s'échappant déjà de son cou lacéré. Thraun lécha avidement son sang, sans se soucier qu'il recouvre son museau et éclabousse sa fourrure. Abandonné à son extase, il n'entendit pas les autres humains l'encercler, mais il sentit l'impact quand un de leurs bâtons de métal ripa sur sa fourrure sans réussir à l'entamer.

Il se tourna. Les quatre humains reculèrent, leurs doigts tendus désignant l'endroit où l'un d'eux l'avait frappé. Thraun se ramassa sur lui-même, ses yeux jaunes étincelant de mépris devant leur impuissance.

Les humains reculèrent encore, mais ils ne pourraient pas s'échapper. Au moins, pas tous. Thraun bondit de nouveau. Ses pattes s'abattirent sur la poitrine de sa proie et son museau lui souffla une haleine brûlante au visage. Ses mâchoires claquèrent, lui déchirant une joue. L'humain hurla. Ses compagnons frappèrent le loup et le tirèrent en arrière. Thraun lâcha sa proie, non sans l'avoir égorgée pour la faire taire, et se retourna, la langue pendante.

Un des humains fit volte-face et s'enfuit en hurlant. Thraun le suivit du regard mais le laissa partir. Les derniers le regardaient, conscients qu'ils n'arriveraient pas à le vaincre, ni à lui échapper tous les deux. Celui de gauche fit un signal à l'autre et ils se lancèrent dans des directions opposées.

Thraun avait déjà choisi sa victime. Il s'engagea à sa suite dans un étroit chemin bordé de murs de pierre, et mit un terme à ses pitoyables gémissements loin de la lumière du feu.

Plus tard, le corps et l'esprit apaisés d'avoir vengé la mort de l'homme-frère, il se nettoya les pattes, le museau et le poitrail, puis revint vers l'endroit où gisait le corps de son ami. Alors que la soif de sang se dissipait, deux mots retentirent dans sa tête.

Souviens-toi !

Ilkar craignit un moment de ne pas réussir à obtenir le silence. Le silo à grains était bondé d'hommes, de femmes et d'enfants qui avaient reculé avant l'explosion des portes, mais se pressaient en avant depuis qu'ils savaient que les nouveaux venus n'étaient pas des Ouestiens. On eût dit qu'ils parlaient, pleuraient ou criaient tous à la fois. L'elfe crut qu'ils allaient le piétiner tant ils étaient pressés de sortir.

Il leur cria de se calmer. Hirad et l'Inconnu joignirent leurs efforts aux siens – après avoir rengainé leur épée, car ils savaient que Denser les alerterait en cas de danger.

Il faisait sombre dans le silo à grains, mais pas complètement noir. Une demi-douzaine de lanternes à mèche courte éclairaient ses profondeurs caverneuses et ses arches de pierre. À gauche et à droite, Ilkar aperçut des zones réservées aux repas et à la toilette. Même si l'odeur de transpiration et de renfermé était suffocante, l'absence de puanteur lui apprit que ces malheureux n'avaient pas été forcés d'uriner et de déféquer là où ils dormaient.

Au premier rang de la foule, plusieurs hommes le dévisagèrent, leur voix noyée par le brouhaha ambiant. Au centre, Ilkar reconnut l'aura d'un mage et avança pour lui parler. Son mouvement provoqua un début de panique. Tandis que la foule reculait instinctivement, l'elfe préféra ne pas songer aux traitements que ces gens avaient subi entre les mains des Ouestiens.

Et encore, ils ignoraient ce qu'il était advenu de leurs anciens compagnons de captivité. Chaque jour, leurs geôliers en emmenaient une partie qui ne revenait jamais. Ilkar savait où ces malheureux gisaient. Cette idée noua son estomac. Il imagina la réaction des prisonniers quand ils découvriraient les cadavres de leurs compagnons. S'il ne les préparait pas au spectacle funeste qui les attendait près du Collège, elle risquait de mettre leur sauvetage en péril.

Le mage était un homme d'âge mûr, plutôt freluquet. Des touffes de cheveux roux se dressant au garde-à-vous sur son crâne étroit, il ne cachait pas son soulagement.

Ilkar ne le laissa pas parler. Il lui fit signe d'avancer et l'entraîna vers le seuil du bâtiment.

— Quel est votre nom ?

— Dewer.

— Je suis Ilkar, et voilà mes compagnons, les Ravens. Nous sommes venus vous délivrer. Mais nous n'avons pas beaucoup de temps.

— Les Ravens ? s'exclama le mage, des larmes dans les yeux.

— Oui. Écoutez, il faut absolument restaurer le calme. Les Ouestiens ne sont pas loin. Nous devons partir immédiatement !

— Je vais faire passer le mot. Pendant ce temps, vous devriez aller parler à Lallan. Ici, tout le monde l'écoute.

Dewer désigna un grand homme mince d'environ soixante ans. Il portait un pantalon vert foncé et une chemise bordeaux, sales et déchirés, mais dont la qualité se voyait encore malgré la poussière et les accrocs. Bien que pâle et creusé, son visage restait fier, et il se tenait très droit, comme s'il refusait de courber l'échine malgré un destin contraire. Ilkar marcha vers lui et fit signe à Hirad et à l'Inconnu de le rejoindre.

— Lallan ? (L'homme hocha la tête, et ils se serrèrent brièvement la main.) Je suis Ilkar. Voilà Hirad Cœurfroid et le Guerrier Inconnu.

— Je sais. Je vous ai identifiés tout de suite.

— Il est très important que vos compagnons nous écoutent et suivent nos instructions. Sinon, il risque d'y avoir un massacre.

— Combien êtes-vous ? demanda le barbare.

— Trois mille quatre cent soixante-dix-huit, répondit aussitôt Lallan. Nous étions plus nombreux au départ, mais les Ouestiens ont emmené les vieillards, les plus jeunes enfants et une partie des femmes.

— Je sais, et c'est justement un des points que je veux aborder tout de suite.

Autour d'eux, les éclats de voix se transformèrent en murmures excités, avant de céder la place à un silence presque total.

— Très impressionnant, dit l'Inconnu.

— Nous avons décidé dès le début de notre captivité que la discipline était importante, expliqua Lallan. Je parlerai le premier, puis je vous présenterai à eux. Ils vous écouteront si je leur demande.

Les quatre hommes s'écartèrent de la foule afin de gagner ce qu'il restait des portes. Denser choisit cet instant pour atterrir sur la place. Il déposa Erienne, l'embrassa et se renvola. La jeune femme courut dans le bâtiment, provoquant une nouvelle vague de murmures inquiets.

— Erienne ? lança Hirad.

— Nous avons un problème. La force principale des Ouestiens arrive sur nous. Denser pense qu'elle est sous le contrôle direct de leur commandant, et qu'il a deviné ce qui se passe. Ils seront ici très bientôt. Les Julatsiens tiennent la route qui conduit au Collège, mais ils sont attaqués en une bonne dizaine d'endroits. Les hommes de Kard meurent dans les rues, alors qu'il a besoin d'eux sur les remparts.

— Compris, dit l'Inconnu. Lallan, à vous !

Le mage fit face à la foule en levant les mains.

— Mes amis, dit-il d'une voix forte, les Ravens sont ici pour nous sauver. Mais notre fuite ne sera pas sans risque. Alors, je vous supplie d'écouter ce qu'Ilkar va vous dire, et de ne pas laisser le doute embrumer votre esprit. Des guerriers ouestiens approchent. Nous devons agir vite et sans la moindre hésitation. Nous n'aurons pas d'autre chance. Ilkar ?

L'elfe fit un pas en avant.

— Dehors, il fait encore nuit. La seule lumière provient des feux de camp et des sorts de nos mages. Les Ouestiens tiennent Julatsa, mais nous avons une occasion de vous arracher à leurs griffes. Voilà ce que nous attendons de vous. Au signal de Lallan, sortez et courez aussi vite que vous le pourrez jusqu'au Collège, en passant par le marché sud et en ne vous écartant jamais de l'avenue principale, que les hommes du général Kard contrôlent pour le moment. Mais ça ne durera peut-être pas. Quiconque sachant se battre et qui trouve une arme sur le cadavre d'un Ouestien devra s'en emparer. Si vous tenez à la vie, ne vous arrêtez pas avant d'être en sécurité dans l'enceinte du Collège.

« J'ai encore deux choses à vous dire. La première, c'est que le Collège est assiégé. Nous ne pouvons pas vous offrir la liberté, mais avec votre aide, nous parviendrons peut-être à reprendre notre cité. Cela dit, nous n'essaierons pas de retenir ceux qui estiment que leurs chances seront meilleures dehors. Ceux-là devront se sentir libres de courir dans la direction qui leur chantera. Mais je tiens à préciser que les Ravens se tiendront sur les remparts du Collège.

« Quant à la deuxième chose... Lorsque vous approcherez du Collège, vous découvrirez un spectacle horrible : les cadavres de vos compagnons d'infortune emmenés par les Ouestiens. Ils ont été assassinés au pied du mur d'enceinte pour forcer le Conseil à se rendre. Mais ils ont donné leur vie pour vous laisser une chance. Ne perdez pas de temps à vous lamenter sur leur sort tant que vous ne serez pas en sécurité. Sinon, leur sacrifice aura été vain. C'est tout.

De nouveau, Lallan s'adressa à la foule, d'où montaient des sanglots.

— Mes amis, nous n'avons pas le temps de répondre à vos questions. Nous devons courir aussi vite que possible, et prier pour que les dieux et nos soldats nous protègent. Que les plus robustes aident les plus faibles et portent les enfants. Les mages qui le peuvent lanceront des boucliers pour couvrir leurs collègues. Nous allons sortir dans l'ordre des tours de corvée que nous avons établis. Répartissez-vous immédiatement, et que les groupes A à E avancent vers moi. Exécution !

Lallan frappa dans ses mains. Le martèlement de milliers de pieds emplit le silo, couvrant le grincement des tables que les prisonniers poussaient vers les murs pour dégager les portes de devant. Ilkar sourit de fierté. Puis il se tourna vers Hirad et l'Inconnu, qui hochèrent la tête. La discipline des Julatsiens leur donnait une chance de réussir.

Denser se posa de nouveau près de la sortie.

— Dépêchez-vous ! Ils ne sont plus très loin de la porte ouest. Nous devons vider les lieux tout de suite, sinon, ils nous submergeront. (Il tendit les bras à Erienne, qui courut vers lui.) Une petite BrûlePluie serait la bienvenue.

Ils décollèrent ensemble.

Les premiers groupes étaient prêts à évacuer le silo.

— Allez-y ! leur ordonna Lallan, dans l'ombre de l'Inconnu. Dirigez-vous vers le marché sud en suivant le couloir tracé par les soldats, et n'oubliez pas de ramasser des armes si vous en trouvez. Courez !

Son dernier mot fut englouti par le vacarme de la charge et les encouragements des autres groupes. Les prisonniers foncèrent sans se retourner.

L'Inconnu et Hirad rejoignirent Ilkar à gauche des portes. Là, ils observèrent la ruée des Julatsiens vers une liberté provisoire. Au-dessus d'eux, Denser et Erienne suivaient l'avancée des Ouestiens. Partout dans les rues de Julatsa résonnaient des bruits de combat ; les détonations des sorts, le fracas des épées qui s'entrechoquaient et les ordres criés par les officiers les assaillaient de toutes parts.

— Je n'avais pas espéré que ça se passerait aussi bien, avoua Ilkar.

— Ne te réjouis pas trop tôt, dit l'Inconnu. Ils n'avancent pas assez vite. Et regarde Denser !

L'elfe voyait trop bien ce que son ami voulait dire. Même si les Ouestiens avaient commencé par sacrifier les vieillards et les enfants, il en restait encore parmi les prisonniers. Effrayés, ils ne cessaient de trébucher, ralentissant les adultes valides qui devaient s'arrêter pour les soutenir. Derrière eux, dans le silo, la voix de Lallan couvrait le tumulte, les exhortant à redoubler d'efforts et de célérité.

À l'ouest, Denser signalait que la force ennemie était sur le point d'arriver.

Au-dessus des toits, grâce à sa vision magiquement augmentée, Denser surveillait l'évacuation du silo et les Ouestiens qui menaçaient son bon déroulement.

Le long de l'avenue principale, les soldats julatsiens avaient de plus en plus de mal à endiguer la pression des envahisseurs qui affluaient vers eux. La situation n'était pas encore critique, mais à l'est et à l'ouest, Denser voyait les Ouestiens sortir des bâtiments qu'ils occupaient, et courir vers le silo à grains pendant que des cloches sonnaient l'alarme dans toute la ville.

Les points les plus faibles du couloir d'évacuation étaient ses deux extrémités et le marché sud, dont l'étendue pavée permettait d'accéder facilement aux lignes de défenseurs. Par bonheur, les Ouestiens ne les avaient pas encore atteints, grâce aux soldats qui leur bloquaient le passage dans les rues adjacentes et à l'utilisation judicieuse du feu en guise de barricade. Les Julatsiens mettaient à profit leur connaissance supérieure du terrain. Pour le moment, ni le silo à grains ni le Collège n'étaient l'objet d'un assaut direct.

Mais au sud-ouest, une colonne ordonnée de trois mille hommes avançait vers la place. Bientôt, ils déferleraient sur les Ravens et leurs protégés.

En contrebas, les prisonniers continuaient à franchir les portes du silo à grains. Hirad, Ilkar et l'Inconnu gesticulaient pour les canaliser.

Denser se laissa descendre et s'immobilisa, s'excusant auprès des Julatsiens que son apparition avait effrayés.

— Hirad, d'un instant à l'autre, cette place se remplira d'Ouestiens déterminés à se faire un collier avec vos entrailles. Ils ne sont plus qu'à une rue des entrées sud et ouest, et nous ne sommes pas assez nombreux pour les arrêter en terrain découvert.

Le barbare haussa les épaules et désigna Erienne qui reposait dans les bras de Denser, les yeux clos, le visage tendu par la concentration.

— Dans ce cas, il faudra que vous les retardiez pour nous. Nous ne partirons pas avant que ce bâtiment soit vide. (Il regarda par-dessus son épaule.) Il reste quelques centaines de personnes.

— Ça va être juste, gémit Denser.

— Encore plus si vous ne commencez pas à les bombarder tout de suite ! lança Hirad. Qu'est-ce que tu attends ? Rends-toi un peu utile, pour une fois !

Le Xetesk le foudroya du regard et reprit de l'altitude avant de filer vers le sud-ouest.

— Dépêchez-vous ! brailla Ilkar.

Malgré les aboiements des Ouestiens qu'il commençait à entendre, Hirad sourit.

— Calme-toi, Ilkar. Ça va bien se passer.

— Que je me calme ? Une armée ouestienne est sur le point de nous massacrer pendant que nous traînons à la queue d'une colonne d'escargots, et tout ce que tu trouves à faire, c'est ouvrir ta grande gueule de barbare pour asticoter le seul homme capable de les motiver. Ne me dis pas de me calmer !

— Ilkar, dit l'Inconnu avec un froncement de sourcils désapprobateur, tes cris sèmeront la panique. Presser l'allure, c'est bien. Pas fuir à l'aveuglette... (Il tapota l'épaule d'un vieillard qui venait de le dépasser.) C'est bien, l'ami. Continuez comme ça. Le temps presse. (Puis il se retourna vers l'elfe.) N'oublie pas que nous sommes les Ravens. Tant que nous garderons notre calme, ils garderont le leur.

— Je pense seulement que Denser a raison..., marmonna Ilkar. Pour une fois...

— Nous sommes tous d'accord avec lui, fit l'Inconnu, un ton plus bas. Mais comme l'a dit Hirad, nous n'abandonnerons personne.

Le silo était presque vide. Un homme en sortit au pas de course, une fillette sur les épaules et un bébé dans les bras. Derrière lui, deux jeunes femmes portaient une grand-mère qui semblait évanouie.

— Où en sommes-nous, Lallan ? lança Ilkar.

— C'est bientôt fini.

Derrière eux, une explosion de lumière fit pleuvoir des étincelles sur la place pavée. Hirad se retourna. Au sud de la zone découverte, une averse de gouttes de feu tombait du ciel. Erienne dans les bras, Denser fila vers le haut, poursuivi par les hampes noires des flèches ouestiennes. Pour ce qu'Hirad en vit, aucun des projectiles ne toucha les deux mages. Mais le bruit que firent ces flèches en retombant sur le sol fut couvert par un tumulte assourdissant quand la BrûlePluie d'Erienne atteignit sa cible.

Des cors de guerre poussèrent des lamentations derrière les bâtiments qui bordaient la place. Des hommes hurlèrent de douleur ou de surprise. Le grondement de milliers de pieds retentit tandis que les flammes se propageaient, montaient à l'assaut des murs de bois et s'élançaient vers le ciel, ajoutant à la clarté naissante de l'aube.

Sous le regard d'Hirad, Denser et Erienne virèrent et piquèrent de nouveau vers les Ouestiens. Une longue ligne de BrûlePluie matérialisa leur trajectoire et resta un instant en suspension dans les airs avant de s'abattre sur la colonne ennemie. Une seconde volée de flèches déchira le ciel, mais trop lentement pour atteindre les deux mages qui filaient vers le silo à grains.

Denser se posa au moment où les derniers Julatsiens jaillissaient du bâtiment, stimulés par la voix pressante de Lallan. Le Xetesk lâcha Erienne et secoua ses bras engourdis pour rétablir sa circulation sanguine.

— Nous les avons ralentis, mais pas arrêtés. Je...

Les premiers Ouestiens déboulèrent sur la place. Tel le flot d'une rivière en crue, ils s'engouffrèrent dans la zone découverte et hurlèrent quand ils aperçurent enfin leurs proies.

Les prisonniers paniquèrent. En queue de colonne, tout semblant d'ordre disparut tandis qu'ils trébuchaient et se bousculaient les uns les autres pour gagner la sortie nord de la place.

— Avancez le plus vite possible, mais calmement. Aidez vos amis, ne les poussez pas !

La voix de Lallan dominait le vacarme, mais les conseils qu'elle prodiguait furent unanimement ignorés.

L'Inconnu se tourna vers lui.

— Fichez le camp d'ici sans vous retourner ! ordonna-t-il. Hirad, à nous de jouer !

Le barbare évalua la vitesse d'approche des Ouestiens, et estima qu'ils pouvaient atteindre l'avenue un peu avant eux.

— Vous trois, il nous faut des gravats pour les ralentir. Navré, Ilkar, mais on va sacrifier quelques-uns de vos bâtiments.

Il désigna les bureaux de l'administration julatsienne et les baraquements qui bordaient le côté nord de la place.

— Pas de problème, fit l'elfe. Venez, tous les deux.

Il contourna la foule qui se dispersait. Erienne et Denser, qui avait dissipé ses OmbresAiles, lui emboîtèrent le pas sans hésitation.

— Toi et moi comme arrière-garde, c'est pas un peu juste ? demanda Hirad en se tournant vers l'Inconnu.

— J'avais déjà fait le calcul... Viens !

Ils se lancèrent sur les traces des prisonniers et les rabattirent vers l'entrée du couloir d'évacuation.

— Continuez à avancer. Inutile de paniquer, nous protégeons vos arrières.

La voix d'Hirad stimulait et cajolait les Julatsiens. Sur sa gauche, l'Inconnu se pencha pour ramasser une fillette et la posa sur les épaules d'une jeune femme. Il tourna la tête vers les Ouestiens, croisa le regard d'Hirad et hurla :

— À terre !

Des flèches volèrent au-dessus du barbare et s'enfoncèrent dans les rangs des civils sans défense. Une dizaine s'écroulèrent. La ligne se désintégra, les prisonniers s'éparpillant pour éviter les traits meurtriers.

— Non ! s'époumona Hirad. Continuez à avancer !

Mais sa voix se perdit dans le tumulte. Derrière lui, les rugissements des Ouestiens se faisaient plus forts, et il sentait les pavés vibrer sous le martèlement de leurs bottes.

— Ilkar ! (Le barbare vit le mage elfe se tourner vers lui.) Un BouclierDéfensif ! Un BouclierDéfensif ! Protège la sortie !

Une flèche siffla près de l'oreille droite d'Hirad et se planta dans l'épaule d'un vieil homme, qui s'écroula. Deux de ses compagnons s'arrêtèrent pour le relever.

— Non ! cria Hirad. Ne restez pas là ! Vous ne pouvez plus rien pour lui ! Courez !

Épaule contre épaule avec l'Inconnu, il guida les Julatsiens vers l'avenue principale. À chaque pas, il s'attendait à sentir une flèche lui transpercer le dos. Les projectiles continuaient à pleuvoir, mais les Ouestiens visaient le cœur de la foule pour provoquer une panique fatale. Heureusement, les prisonniers qui ne s'étaient pas déjà écartés de la colonne avaient décidé de foncer droit devant eux et de s'en remettre à la chance, un choix dont Hirad leur fut très reconnaissant.

Devant lui, le barbare vit qu'Ilkar avait incanté, et que Denser et Erienne se concentraient pour modeler le sort qui ferait s'écrouler les bâtiments sous le nez des Ouestiens. Plus loin, les soldats aidaient les prisonniers à gagner la relative sécurité de leur double cordon, qui devait pourtant être déjà assailli sur quasiment toute sa longueur.

— On y est presque ! cria Hirad. Encore un petit effort !

Les flèches ne tombaient plus au milieu de la foule, mais rebondissaient sur le bouclier d'Ilkar. L'Inconnu atteignit la ligne de soldats, s'immobilisa et fit volte-face. Les Ouestiens étaient à moins de cent mètres d'eux.

— Erienne, Denser… Maintenant ! cria le barbare.

L'Inconnu et lui écartèrent les bras et reculèrent, poussant les soldats derrière eux.

Assoiffés de sang, les Ouestiens se ruèrent à l'assaut.

— GeyserRocheux, dirent ensemble Erienne et Denser.

Sous leurs pieds, le sol trembla. Hirad sentit une vibration se diriger vers la place, son intensité augmentant à chaque seconde.

Alors qu'il battait en retraite, le barbare vit la première ligne d'Ouestiens hésiter et ralentir à une quarantaine de mètres de l'avenue. La terre tremblait de plus en plus violemment, et des fissures commençaient à s'ouvrir entre les pavés. Déséquilibrés, les soldats furent forcés d'interrompre leur charge. Derrière eux, les autres continuèrent à avancer, piétinant sans vergogne leurs camarades, jusqu'à ce que les cors de guerre et les cris d'avertissement les incitent à s'arrêter aussi.

Sur la gauche et la droite d'Hirad, les bâtiments frémirent. Des fragments de pierre s'en détachèrent, un nuage de poussière brouillant leurs contours. Puis les toiles de leurs toits glissèrent et tombèrent dans le vide. Il y eut une brève pause quand Erienne et Denser levèrent les bras vers le ciel avant de les baisser sur leurs flancs.

Puis ils se détournèrent et prirent leurs jambes à leur cou.

Hirad n'attendit pas de voir le résultat.

— On ferait mieux de les imiter ! cria-t-il dans l'oreille d'Ilkar. Maintiens ton bouclier, si possible.

L'elfe fit signe qu'il avait compris. Hirad le prit par le bras, l'entraîna et regarda par-dessus son épaule pour voir ce qu'il advenait des Ouestiens.

Des colonnes de roche deux fois plus hautes qu'un homme jaillirent du sol. Éventrant l'avenue en une vingtaine d'endroits, elles firent pleuvoir des graviers et de la boue dans toutes les directions. Elles percèrent le sol sous les bâtiments et les pieds des Ouestiens, semant la destruction, pendant que les ondes de choc gagnaient en puissance et se focalisaient sur leurs cibles.

Avec un craquement sec, les bâtiments administratifs s'inclinèrent sur la gauche. Des milliers de blocs de pierre s'abattirent dans l'avenue et rebondirent avant de s'immobiliser pour couvrir la fuite des prisonniers. Quelques instants plus tard, les baraquements situés sur leur droite s'effondrèrent aussi sous la pression des plaques rocheuses qui émergeaient du sol, forçant les Ouestiens à se disperser pour ne pas être ensevelis. Une fissure s'ouvrit en travers de l'avenue, qu'elle fendit de part en part sur une largeur d'un mètre.

— Profitons-en ! rugit Hirad. Foncez tous vers le Collège !

La milice julatsienne battit en retraite. Elle resserra les rangs pour dégager le couloir d'évacuation tout en le défendant. Ces hommes connaissaient la manœuvre par cœur. Pendant des années, ils s'étaient entraînés à se battre dans les rues de leur cité, à se replier vers un goulet d'étranglement et à organiser des frappes brèves et féroces pour affaiblir et démoraliser l'envahisseur.

Dans leur double cordon, les Ravens parcouraient la colonne de prisonniers en prodiguant des exhortations et des encouragements. Le BouclierDéfensif mobile d'Ilkar, Erienne et Denser ajoutant désormais les leurs, fournissait une protection amplement suffisante contre les flèches qui s'abattaient sporadiquement sur la foule.

Hirad savait que les éboulis ne retiendraient pas les Ouestiens très longtemps. Comme l'indiquait la reprise des tirs, ils se frayaient un chemin dans les rues parallèles à l'avenue principale. Mais ils étaient en nombre insuffisant pour submerger les miliciens dont l'efficacité, jusque-là, avait déjoué toutes leurs tentatives. Hélas, le tracé du couloir comportait un point faible, où ils auraient du mal à tenir. Voyant que les prisonniers avançaient désormais en ordre, le barbare prit sa décision.

— Inconnu ! cria-t-il, pour couvrir les aboiements des capitaines et les glapissements apeurés de la foule. Le marché sud !

Le colosse hocha la tête.

— Ravens ! Ravens, avec moi !

Renonçant à maintenir leurs boucliers, les trois mages se mirent en formation derrière les deux guerriers et coururent vers la place du marché, où les Julatsiens achetaient leurs fruits et leurs légumes en temps de paix. Pour l'instant, elle grouillait de soldats, de prisonniers et d'Ouestiens qui tentaient de les massacrer sans se soucier des sorts qui faisaient pleuvoir la mort sur eux.

Hirad fonça vers la gauche, où la ligne de défense risquait d'être repoussée. Il ne se donna même pas la peine de vérifier si les autres le suivaient. Devant lui, il vit des centaines d'Ouestiens jaillir d'une rue pour charger les Julatsiens. Face à eux se dressaient une vingtaine de miliciens et deux mages. Le plus vieux se concentrait sur son BouclierDéfensif et les flèches rebondissaient au-dessus de leurs têtes.

— Denser, il nous faudra des OrbesFlammes. Ilkar, soulage le mage qui protège les autres. Erienne, expédie-leur tout ce qui sera susceptible de les arrêter. Inconnu, avec moi !

Le barbare gagna le milieu de la ligne, écarta un soldat blessé de la main gauche et abattit son épée sur l'épaule de l'Ouestien le plus proche. Alors qu'il dégageait son arme, il entendit l'Inconnu donner des instructions au chef d'escouade julatsien.

— Prenez la moitié de vos hommes et couvrez la retraite des prisonniers vers le Collège. Laissez-nous vos mages. Surtout, que la colonne ne s'arrête pas ! Nous nous en sommes bien sortis pour le moment, mais nous restons loin d'être tirés d'affaire.

— Oui, messire, répondit le chef d'escouade.

Quelques instants plus tard, l'Inconnu eut rejoint Hirad et se ménagea une place dans la mêlée à grands coups d'épée. Un Ouestien tenta désespérément de dévier sa lame, mais l'impact le souleva de terre et le projeta en arrière. Il s'écroula au milieu de ses compagnons, le manche de sa hache brisé et les mains ensanglantées. Hirad propulsa son poing dans la figure de son nouvel adversaire, puis lui plongea son épée dans le ventre.

— Messire ? répéta-t-il, incrédule, en secouant la tête. Es-tu certain qu'il savait à qui il avait affaire ?

Il brandit sa lame sous le nez d'un autre Ouestien, qui recula en levant sa hache pour parer le coup.

L'Inconnu jeta un coup d'œil au barbare pendant que son épée décrivait un arc-de-cercle défensif – sans toucher personne, mais sans laisser âme qui vive l'approcher. Hirad le vit grimacer en haussant les épaules.

— Il ignorait peut-être à qui il avait affaire, mais il était assez intelligent pour reconnaître un vrai chef !

— Ça va, les chevilles ? lança Hirad.

L'Inconnu lui fit un clin d'œil.

— J'ai une grosse épée, dit-il en l'abattant sur le crâne d'un Ouestien. En général, ça prouve mon autorité.

Sur la ligne julatsienne, la pression s'était légèrement relâchée. L'arrivée des Ravens avait ragaillardi les défenseurs et semé le doute dans l'esprit de leurs adversaires. À présent, ils ne semblaient plus aussi déterminés à tenter une percée. Et leurs flèches ne parvenaient toujours pas à faire mouche.

Le combat était presque au point mort quand les OrbesFlammes de Denser volèrent par-dessus la tête des Ouestiens et atterrirent entre eux, provoquant un maximum de dégâts, de panique et de chaos.

Bien qu'il ait déjà contemplé ce spectacle répugnant des dizaines de fois, Hirad ne put s'empêcher de frémir à la vue du feu magique qui dévorait le cuir et la chair comme de l'acide. Il avait la violence de celui d'une forge et semblait tout aussi difficile à éteindre. Les Ouestiens qui le purent s'éparpillèrent, laissant leurs camarades arracher leurs vêtements, gifler en vain les flammes qui consumaient leur peau et pousser des hurlements qui eurent le mérite de ne pas durer bien longtemps.

Hirad et l'Inconnu s'étaient préparés au contrecoup. Les Ouestiens s'écartant instinctivement de la zone d'effet du sort, beaucoup furent poussés en avant. Pour montrer l'exemple aux défenseurs julatsiens, les Ravens coupèrent en deux les envahisseurs qui venaient se jeter sur leur lame.

Avant que le sort de Denser s'éteigne, une BrûlePluie s'abattit sur les Ouestiens. La goutte de feu qui fit déborder le vase ! Les guerriers tournèrent les talons, abandonnant sans un regard leurs camarades blessés ou morts.

Hirad éclata de rire.

— Rentrez chez vous, Ouestiens ! lança-t-il dans leur dos. Vous ne réussirez jamais à prendre l'est !

L'Inconnu et lui dégainèrent leur dague pour achever les soldats qui respiraient encore. Puis ils essuyèrent leurs lames sur leurs fourrures noircies et leurs vêtements calcinés et s'emparèrent des haches, des épées et des couteaux ennemis. Deux ou trois fois, ils furent forcés de trancher des doigts raidis sur leur manche.

— Nous avons gagné un peu de temps, dit l'Inconnu en regardant par-dessus son épaule, tandis qu'il reformait la ligne avec Hirad et faisait passer sa cargaison d'armes aux soldats les plus proches. Mais juste un peu. Regarde ce qui arrive là-bas.

Il pointa son épée sans plus d'effort que s'il s'était agi d'un bâton.

Les Ouestiens s'étaient regroupés une trentaine de mètres plus loin, au croisement de l'avenue principale et d'une ruelle. Derrière leur ligne défensive, d'autres couraient en direction du nord, vers le Collège. Ils n'étaient pas vraiment nombreux, mais il fallait supposer que la même manœuvre se déroulait de l'autre côté du marché.

— On ne peut pas subir une attaque massive avant de s'être repliés dans l'enceinte du Collège, dit l'Inconnu. Il faut renforcer la défense en amont du couloir d'évacuation.

Hirad regarda derrière lui. La place du marché se vidait rapidement. Il n'y restait plus que des miliciens et des soldats.

— Il faut filer d'ici ! Sinon, nous ne tarderons pas à être submergés, et nous ne pourrons plus aider personne.

— Tout à fait d'accord. (L'Inconnu haussa la voix.) À mon signal, on se replie. Denser, Erienne, je vous charge de veiller sur Ilkar.

Obéissant aux ordres que les Ravens leur donnaient calmement, les Julatsiens reculèrent vers le centre de la place. Aussitôt, les Ouestiens avancèrent et se massèrent dans la ruelle.

— Bouclier baissé, annonça Ilkar. Attendez ! Ça ne va pas du tout. S'ils chargent, ils nous balayeront. Nous devons les repousser. Il faut une ForceConique statique devant chaque accès à la place. Que tous les mages qui connaissent le sort s'en chargent. Hirad, fais-moi confiance.

— Toujours, affirma le barbare. (Ilkar ferma les yeux et incanta.) Je reste avec lui. Les autres, allez chercher des mages.

Erienne fit mine de s'éloigner, mais Denser la retint. L'Inconnu se tourna vers le chef d'escouade.

— Vous l'avez entendu ! Nous devons encore gagner du temps. Courez ! (Puis il se plaça à côté d'Ilkar, Erienne et Denser se campant derrière l'elfe.) Ce n'est pas le moment de nous séparer. Nous sommes les Ravens.

Il baissa son épée et, de la pointe, martela rythmiquement les pavés. Un calme profond envahit aussitôt Hirad. Souriant, il fit face à l'ennemi. Près de lui, il entendit Ilkar achever son incantation et prononcer le mot de pouvoir. Une ForceConique, invisible et impénétrable, vola vers les Ouestiens qui avançaient.

— BouclierDéfensif dressé ! annonça Erienne.

Leur supériorité numérique ayant enfin eu raison de la peur de la magie, les Ouestiens chargèrent.

Ils avaient à peine fait trois pas quand les guerriers de tête percutèrent le champ d'énergie d'Ilkar. Ils rebondirent dessus, reculèrent en titubant et s'écroulèrent. Refusant d'en croire leurs yeux, les autres coururent aussi et s'assommèrent à leur tour.

Dans les rangs ennemis, la colère céda la place à la confusion. Les hommes se relevèrent, ramassèrent leurs armes et avancèrent de nouveau, les mains prudemment tendues – jusqu'à ce que la barrière d'Ilkar les arrête.

Hirad les observait avec un amusement détaché, car il avait entièrement confiance en son ami. Il sentit que l'Inconnu surveillait la place derrière eux, évaluant les progrès de la défense sur les autres accès et calculant le meilleur moment pour tenter de fuir.

Les Ouestiens comprirent très vite à quoi ils avaient affaire. Tous les coups portés à la ForceConique leur avaient valu des poignets foulés et les flèches qu'ils décochaient se brisaient dessus ou rebondissaient vers eux.

Les archers entreprirent de découvrir les limites du sort en décochant leurs projectiles de plus en plus haut, jusqu'à ce qu'ils retombent enfin de l'autre côté… pour atterrir sur le BouclierDéfensif d'Erienne. Des cris de victoire étranglés dans leur gorge, ils reculèrent de quelques pas. Ils savaient qu'ils affrontaient une magie impénétrable, mais ils détenaient une arme imparable : le temps. Aucun sort ne durait éternellement.

Hirad regarda ce que faisaient les autres Ravens. Les yeux clos, Ilkar et Erienne se concentraient sur le maintien de leurs sorts. Une main sur l'épaule de la jeune femme, le regard perdu dans le vide, Denser supervisait les incantations. L'Inconnu s'était éloigné pour avoir une vue d'ensemble de la place. Il fronçait les sourcils, mais ne semblait pas trop alarmé. La situation n'était pas encore critique.

Hirad se concentra sur l'ennemi, dont la frustration était visible. Son regard croisa celui d'un Ouestien. Il sourit de toutes ses dents en voyant que l'homme avait du sang sous le nez, et que les jointures de ses doigts étaient écorchées. Sous ses épais sourcils, ses yeux étaient enfoncés dans un visage carré à la peau burinée et couverte de cicatrices. Il avait des lèvres minces, de grandes oreilles et une masse de cheveux indisciplinés.

Hirad se redressa de toute sa hauteur.

— Tu crois que tu pourrais me battre ? lança-t-il. (L'Ouestien, qui devait avoir des notions du dialecte de l'est, hocha la tête.) Tu sais qui je suis ? Qui nous sommes ? (Pas de réponse.) Les Ravens ! Votre pire cauchemar ! Votre mort !

Ces mots n'étaient pas du barbare, mais l'Ouestien ne pouvait pas le savoir. Hirad le vit se dandiner d'un pied sur l'autre, sa main serrant le manche de sa hache.

— Tu es vraiment obligé de les provoquer ? lança l'Inconnu. Ils vont nous courir après encore plus vite !

— Mais pas *assez* vite ! répondit Hirad. (Le colosse se mordilla la lèvre.) Qu'est-ce qui te tracasse ?

— Nous manquons de mages. Les Ouestiens tirent des flèches vers les zones où ils savent que nous n'avons pas de boucliers. Et les ForcesConiques se dissiperont bientôt.

— Les prisonniers ?

— Ils sont dans l'avenue, mais ils progressent lentement, et les Ouestiens harcèlent les miliciens qui les protègent le long du couloir d'évacuation.

— Combien de temps avons-nous ? demanda le barbare.

— Selon toi, quel est le niveau des archers ouestiens ? répliqua l'Inconnu.

À vrai dire, ils étaient plutôt bons…

Un rugissement retentit sur la place. Quelques instants plus tard, le premier soldat julatsien dépassa les Ravens, courant vers le nord.

— Si nous restons, nous crèverons, dit Hirad.

Devant lui, les Ouestiens se tendirent, prêts à bondir dès que le champ de force magique disparaîtrait.

L'Inconnu se pencha vers Ilkar.

— Il faut partir ! Quand je te taperai sur l'épaule, abandonne ton sort et cours sans regarder derrière toi.

L'elfe hocha la tête pour indiquer qu'il avait compris. Denser transmit le même message à Erienne.

— Hirad, Denser, vous êtes prêts ?

Les deux hommes firent signe que oui. Alors, l'Inconnu tapa sur l'épaule d'Ilkar. Le mage tendit les bras comme s'il poussait quelque chose. Sa ForceConique percuta les Ouestiens de plein fouet avant de se dissiper, provoquant une diversion momentanée.

Tout ce dont les Ravens avaient besoin !

— Courez ! hurla Hirad.

Ses compagnons obéirent, à l'exception de Denser qui prit Erienne dans ses bras et s'envola, porté par des OmbresAiles étudiées pour soutenir leur poids. Hirad regarda par-dessus son épaule. Derrière eux, les Ouestiens s'étaient engouffrés dans la brèche. Devant, une poignée de soldats et de mages julatsiens tournaient les talons pour échapper au déluge de flèches qui s'abattait sur eux.

Plus loin, la colonne de prisonniers fonçait vers le Collège, la discipline et l'ordre envolés. Sur ses flancs, les miliciens se battaient contre les Ouestiens déterminés à les prendre en tenailles.

Protégés par le BouclierDéfensif mobile d'Ilkar, les trois Ravens formèrent l'arrière-garde. Au-dessus d'eux, Denser piquait et redressait alternativement pour permettre à Erienne de lancer ses BrûlePluies sur les Ouestiens, histoire de gagner un peu de temps supplémentaire.

Alors qu'ils approchaient de l'extrémité du couloir d'évacuation, Hirad et l'Inconnu donnèrent aux soldats l'ordre de rompre le combat. Devant eux, les murs du Collège grandissaient. Les rideaux de feu magique qui délimitaient le chemin menant jusqu'à la porte Sud, à travers l'anneau pavé, dissimulaient miséricordieusement les montagnes de cadavres en décomposition.

Ils avaient presque atteint leur sanctuaire quand les défenseurs postés à l'entrée de la dernière ruelle reculèrent sous la pression des Ouestiens, qui se ruèrent dans l'avenue en faisant tourner leurs armes sous le nez des citoyens terrifiés.

— Denser, bloque l'accès ! rugit l'Inconnu en fonçant vers la brèche qui compromettait leur retraite.

Hirad jura et plongea dans la mêlée. Son épée trancha la colonne vertébrale d'un Ouestien dont la hache venait de fendre le crâne d'un vieillard – à quelques dizaines de mètres du refuge qui lui ouvrait ses portes.

Denser et Erienne survolèrent le barbare. Une nouvelle BrûlePluie éclaboussa de feu la pierre, la brique et les corps alentour. À gauche d'Hirad, l'Inconnu profita de son élan pour saisir un Ouestien par le cou et le projeter loin de la foule paniquée.

— Courez ! Tous dans le Collège, vite !

Derrière eux, l'armée ennemie envahissait l'avenue. Des volées de flèches rebondissaient sur les murs ou se plantaient dans le dos des Julatsiens. Hirad sectionna les tendons d'Achille d'un autre Ouestien, se baissa pour ramasser un enfant tombé à ses pieds et fonça vers la porte Sud, les cris de ses adversaires résonnant à ses oreilles.

— Allez ! Allez ! hurla-t-il.

Ilkar relâcha son BouclierDéfensif et prit ses jambes à son cou, l'Inconnu le précédant d'une foulée. Au-dessus d'eux, les sorts des Julatsiens faisaient pleuvoir du feu, de la glace et de la grêle sur les Ouestiens.

— Fermez les portes ! cria Hirad alors qu'ils s'en rapprochaient.

Les sentinelles obéirent. Les Ravens se faufilèrent entre les battants bardés de fer juste avant qu'ils se rejoignent. Des GlyphesVerrous coururent en crépitant à leur surface, où les dernières flèches se plantèrent avec un bruit assourdi par l'épaisseur du bois.

Hirad reposa l'enfant qui s'accrocha à sa jambe en hurlant, les yeux ruisselants de larmes. Le barbare essuya puis rengaina son épée. Il sentit le regard de ses amis peser sur lui, et devina que les autres Ravens souriaient. Haussant les épaules, il tapota maladroitement la tête du petit garçon, qui s'époumona de plus belle.

— Tu es en sécurité, grogna le barbare. Calme-toi, bon sang !

Denser se posa près d'eux. Erienne sauta à terre et prit l'enfant dans ses bras. Il se blottit contre sa poitrine et lui passa les bras autour du cou pendant qu'elle lui tapotait le dos et murmurait des paroles apaisantes.

— Tu ne connais vraiment rien aux enfants, pas vrai ? lança-t-elle au barbare sur un ton plus admiratif que railleur.

— On ne peut pas être bon en tout…

Hirad étudia la cour du Collège. Elle grouillait de citoyens hébétés, mais soulagés. Certains eurent la présence d'esprit de remercier leurs sauveurs avant que les gardes les poussent vers les baraquements. Il aurait été dommage qu'ils échappent aux Ouestiens pour finir embrochés par les flèches de leurs propres archers, dans l'enceinte du Collège.

Sur les remparts, les mages avaient interrompu leur barrage de sorts. Dehors, les Ouestiens donnaient de la voix, mais ils n'osaient pas encore approcher. Les réfugiés savaient que ça ne durerait pas : bientôt, ils lanceraient une attaque.

Beaucoup de soldats étaient blessés, les mages avaient largement puisé dans leurs réserves de mana, et le soleil se levait à peine.

Avant de pouvoir s'impliquer dans la défense du Collège, les Ravens avaient des textes à lire et un devoir sacré à remplir.

Un devoir qui ne pouvait pas attendre.

Hirad désigna l'infirmerie.

— Venez. Nous avons une veillée à organiser.

Les mercenaires traversèrent lentement la cour du Collège.

De Thraun, ils ne virent pas la moindre trace.

Chapitre 26

Styliann eut presque des remords à l'idée du piège qu'il avait tendu aux Ouestiens. Les Protecteurs avaient continué à courir, infatigables. Se reposant uniquement quand leurs poursuivants étaient forcés de faire halte, ils se remettaient en route bien avant eux. Néanmoins, ils n'avaient pas réussi à prendre plus de quelques heures d'avance.

Styliann était impressionné par l'endurance et la détermination des hommes de Tessaya.

Au troisième jour de la traque, alors que le soleil atteignait son zénith, la force armée qu'il avait convoquée à distance l'avait rejoint sur la route. Depuis, il attendait. Ses éclaireurs estimaient que les Ouestiens étaient quatre ou cinq mille. Bien qu'il disposât à peine du dixième de leurs forces, il savait qu'il gagnerait, et que sa victoire ne lui coûterait pas plus de quarante guerriers.

Styliann étudia le champ de bataille qu'il avait choisi. Sur son cheval, il se tenait au sommet d'une butte surplombant le gros de son armée. Devant lui, le sol montait progressivement vers un petit plateau. De l'autre côté, il y avait une pente plus abrupte que les Ouestiens graviraient bientôt.

Sur sa gauche et sa droite, une dizaine de Protecteurs battaient les fourrés en quête d'éclaireurs ennemis. Plus loin, deux groupes de quarante se tenaient prêts à foncer sur les flancs des Ouestiens. Cela laissait encore quatre cents guerriers pour la charge frontale. En attendant, ils se dissimulaient à l'ombre de la crête, attendant que Cil leur relaie mentalement l'ordre de passer à l'attaque. Si tout se déroulait comme prévu, la bataille s'engagerait avant que les archers adverses aient le temps de bander leurs arcs.

Styliann entendit approcher les Ouestiens longtemps avant qu'un ordre muet incite ses Protecteurs à se mettre en position, une hache dans une main et une épée dans l'autre. Des chants résonnaient entre les collines, filtraient à travers les branches des arbres et, portés par la brise, montaient vers le ciel bleu sans nuages.

La dizaine de guerriers qui composait l'avant-garde ouestienne franchit la crête au pas de course et mourut sous les coups des Protecteurs avant de pouvoir crier des avertissements. À entendre la cadence des voix qui scandaient leurs chants de guerre, Styliann devina que l'armée ennemie approchait à toute allure, sûre de sa victoire.

L'ironie de la situation lui arracha un petit sourire.

L'ancien Seigneur du Mont ne se réjouissait pas de devoir livrer bataille, mais ses poursuivants ne lui laissaient pas le choix. Pas question de les entraîner jusqu'aux portes de Xetesk ! Il n'était pas certain de pouvoir obtenir un accès immédiat à la cité, et tout retard risquait d'être fatal s'il avait encore les Ouestiens aux trousses. Les champs qui entouraient Xetesk formaient un terrain beaucoup trop découvert où ses Protecteurs auraient eu du mal à tenir contre quatre mille guerriers. Il fallait que ça se passe ici et maintenant !

Styliann se tourna vers Cil.

— Engagez le combat dès que vous estimerez le moment venu.

Cil fit face à ses frères, tenant toujours d'une main les rênes du cheval de son Protégé. Un rien de nervosité ébranla un instant l'assurance de Styliann, mais il la réprima très vite en observant son armée.

Aucun ordre ne fut lancé. Pas un signal ne parcourut les rangs et aucune tête ne se tourna pour demander des instructions. Le grondement des pas de l'ennemi s'amplifiait, faisant vibrer le sol de plus en plus fort. Dans le vacarme des chants de guerre dont l'intensité ne faiblissait pas, Styliann distingua des voix individuelles. Quatre mille Ouestiens promettaient la mort à leurs ennemis, le martèlement de leur hache sur leurs cuisses formant un contrepoint sinistre à leurs chants. Tel un raz-de-marée, ils s'apprêtaient à déferler sur leurs adversaires. Ils étaient les guerriers des Tribus, et cette terre leur appartiendrait bientôt !

En contrebas, les Protecteurs restaient immobiles et muets comme des statues. Quand les Ouestiens franchirent la crête, ils coururent vers eux, assez écartés les uns des autres pour pouvoir manier aisément leurs deux armes. Les chants des Ouestiens s'étranglèrent dans leur gorge quand les premiers s'écroulèrent, morts avant d'avoir touché le sol. Les guerriers xetesks les massacrèrent avec une extraordinaire brutalité, infranchissable barrage d'épées longues et de haches.

Styliann regarda ses Protecteurs détruire les premiers rangs ennemis avant qu'ils aient une chance de reculer. La forme de mana d'une BrûlePluie envahit son esprit. Alors qu'il avançait vers la bataille, il vit les deux groupes de quarante Protecteurs rejoindre la mêlée par la gauche et la droite. Telle la lame d'une faux, ils fendirent les rangs ouestiens, isolant trois cents de leurs ennemis. Encerclés, ils se firent tailler en pièces sans réagir. Alors, les guerriers du Collège Noir formèrent une nouvelle ligne d'attaque frontale – légèrement concave afin d'attirer leurs ennemis à eux.

Le commandant ouestien parvint à rétablir l'ordre dans ses rangs. La colonne se déploya pour attaquer sur un front aussi large que celui des Protecteurs, histoire de ne plus être prise en tenailles. À l'arrière, les archers se détachèrent du gros des forces ennemies. Styliann ajusta rapidement sa forme de mana. Il remodela la dentelle de la BrûlePluie pour créer la sphère compacte qui produirait un OrbeFlamme.

Avant que les archers aient pu encocher leurs flèches, un quatuor de boules de feu orange striées de blanc, chacune faisant la taille d'un crâne humain, vola par-dessus la mêlée pour s'abattre sur eux. Ceux qui ne furent pas immédiatement consumés s'éparpillèrent, alors que les hurlements de douleur des victimes couvraient les ordres les pressant de reformer les rangs.

Cette fois, les Ouestiens avaient peur. Styliann le devinait à leurs gestes. En un sens, il les comprenait. Face à eux se dressait un mur de masques et d'acier poli ! Une mort dont ils ne verraient jamais le visage !

Les Protecteurs ne faisaient pas un bruit. Ils ne hurlaient pas quand ils frappaient, ne poussaient pas de cris de guerre, et les rares blessés s'écroulaient stoïquement. Le tintement de leurs armes évoquait une douce musique aux oreilles de Styliann, leur charge lui rappelant une danse macabre.

Les haches et les épées s'abattaient de plus en plus vite. Rien ni personne n'aurait pu leur résister.

Le fracas des armes s'écrasant sur les boucliers, le bruit mou des lames s'enfonçant dans les corps, la vibration des épées qui s'entrechoquaient...

Tous ces sons parvinrent aux oreilles de Styliann...

À la requête de Cil, il lança de nouveaux OrbesFlammes sur les archers ennemis. À chaque fois, le feu embrasa le ciel, et une fumée âcre vint se mêler à la poussière soulevée par la bataille.

Les Ouestiens étaient courageux et déterminés. Même s'il déplorait leur bêtise, Styliann ne pouvait s'empêcher d'admirer leur esprit indomptable. Ils ne se contentaient pas de faire la queue pour tomber sous les coups des Protecteurs. Plus de cinq cents sortirent des derniers rangs et entreprirent de contourner le champ de bataille pour les prendre à revers.

Mais les éclaireurs dissimulés à gauche et à droite avertirent leurs frères. Certains s'éloignèrent du gros de la troupe pour intercepter les Ouestiens avant qu'ils menacent Styliann.

Cet échec ne parvint pas décourager les soldats ennemis. La défense des Protecteurs eut pourtant vite raison de leur moral.

La bataille faisait rage depuis une heure. Pendant ce temps, les guerriers xetesks avaient continué à avancer régulièrement et en silence, enjambant les cadavres de leurs ennemis sans jamais regarder où ils mettaient les pieds, comme s'ils connaissaient instinctivement le terrain qui les entourait. Ceux qui se tenaient derrière la ligne de combat dirigeaient le mouvement et donnaient à leurs frères toute liberté de se concentrer sur l'attaque.

D'autres se baissaient pour ramasser leurs morts et les éloigner du carnage.

Pour les Ouestiens, c'était sans espoir. Quand l'un d'eux réussissait à abattre un Protecteur, ils ne parvenaient pas pour autant à ouvrir une brèche dans les rangs adverses. Car un autre guerrier prenait aussitôt sa place, complétant le filet défensif.

Chaque Protecteur attaquait en regardant droit devant lui. Pendant que son épée ou sa hache étripait un adversaire, sa deuxième arme parait les coups portés à son flanc découvert et à celui du frère debout près de lui.

Tous étaient animés par l'esprit collectif qui gisait dans les entrailles de Xetesk. Rien ne leur échappait. Ils n'offraient aucun point faible aux coups des

Ouestiens. Chaque fois qu'une lueur d'espoir renaissait dans leur cœur, elle était étouffée par la parade d'une lame adverse.

Styliann vit venir la fin. À droite de la ligne de combat, les Ouestiens tentèrent une percée désespérée. Leurs lanciers frappèrent entre les guerriers armés de haches ou d'épées.

Les Protecteurs réagirent instantanément.

Ils resserrèrent à peine leurs rangs et accélérèrent un peu le rythme de leurs attaques et de leurs parades. Les épées et les haches adverses rencontrèrent un mur d'acier. En quelques instants, la tentative des Ouestiens se retourna contre eux, les Protecteurs enfonçant leurs défenses et pulvérisant leur formation.

Leur foi et leur courage envolés, ils tournèrent les talons et s'enfuirent malgré les ordres de leurs capitaines.

Les Protecteurs ne firent pas mine de les poursuivre.

Styliann posa une main sur l'épaule de Cil.

— Vous pouvez enlever les masques des morts. Mais que vos rituels ne se prolongent pas trop longtemps ! Nous devons atteindre Xetesk avant demain soir. Il nous reste encore beaucoup à faire…

Ils avaient trouvé Thraun recroquevillé au pied du lit de Will. Le personnel de l'infirmerie, n'osant pas déplacer le grand guerrier blond, s'était contenté de jeter une couverture sur son corps nu afin de lui fournir un peu de chaleur et de dignité.

Même s'ils l'avaient voulu, les guérisseurs n'auraient pas pu faire davantage pour lui, car les blessés et les mourants de Julatsa ne cessaient d'affluer. Tous les lits étaient occupés et les gémissements de douleur se mêlaient au fracas des seaux, aux chuchotements des mages et aux aboiements des guérisseurs.

À l'arrivée des Ravens, Will gisait sur son lit, le visage couvert par un drap, attendant que ses amis l'emmènent pour lui rendre un dernier hommage. Autour de Thraun et du défunt, un îlot de calme et de tristesse s'était formé dans le brouhaha de l'infirmerie. Les Ravens avaient procédé à la veillée, mais ils n'avaient pas pu enterrer le corps du petit homme. Par souci d'hygiène, les victimes du siège devaient être descendues dans les caves, sous la Cuve à Mana, où l'air était frais, sec et chargé d'une lourde odeur d'encens.

À présent, Thraun occupait l'ancien lit de son ami. Il dormait. Les yeux cernés, des larmes s'échappant de ses paupières closes, sa bouche remuait pour exprimer muettement son chagrin et son désespoir. Les Ravens le laissèrent à un sommeil qu'ils espéraient réparateur et gagnèrent une salle vide de la Tour pour parler au calme. Dehors, les Ouestiens rassemblaient leurs forces, amenaient leurs catapultes et se préparaient à attaquer.

Le soleil descendait vers l'horizon, répandant une tiédeur fort peu appropriée aux circonstances.

Hirad regarda ses compagnons. Le bon sens aurait voulu qu'ils dorment une journée entière pour récupérer. Depuis l'arrivée de Sha-Kaan, ils n'avaient pas pris de repos et s'étaient battus constamment. Le barbare était certain qu'Ilkar et Erienne avaient épuisé leurs réserves de mana. Denser, qui semblait relativement frais et dispos, était occupé à mâchonner le tuyau de sa pipe – pour changer un peu. Mais son visage affichait le dédain qu'Hirad avait appris à redouter. Comme s'il pensait à des choses trop importantes pour être partagées avec ses compagnons. Cela dit, c'était toujours mieux que le détachement maussade dont il avait fait preuve depuis leur départ de Parve.

— Je présume que c'est la mort de Will qui a provoqué sa transformation, avança Ilkar.

Erienne hocha la tête.

— Sans doute, dit l'Inconnu. Hélas, ce n'est pas le moment de nous perdre en conjectures…

— Nous devons essayer de comprendre, sinon, nous ne pourrons pas l'aider, argumenta Erienne.

— Certes, mais nous avons beaucoup d'autres problèmes sur les bras, et je crains que nous ne les ayons un peu oubliés ces dernières heures, insista fermement l'Inconnu.

Hirad réprima un sourire. Denser et Erienne ne l'avaient jamais vu ainsi. L'Inconnu dont il avait besoin. Celui qui pouvait évaluer calmement une situation et utiliser son sens pratique pour planifier les événements.

— Nous sommes venus chercher les textes de Septern, mais nous ignorons jusqu'à quand le Collège tiendra face aux Ouestiens. Notre mission est encore plus compliquée, puisqu'une partie de la bibliothèque est désormais dans le Cœur. Nous n'avons pas idée du temps qu'il nous faudra, et Barras a besoin de ses mages sur les remparts. Il ne pourra pas nous en prêter pour nous donner un coup de main.

« De plus, nous avons un rôle à jouer dans la défense du Collège, au moins pour gagner le temps nécessaire à nos recherches. Nous devons également nous occuper de Thraun jusqu'à ce qu'il soit de nouveau en état de voyager. Quand nous aurons trouvé ce qui nous intéresse, il faudra sortir de Julatsa, que le siège soit terminé ou non. La fissure s'agrandit chaque jour. Elle n'attendra pas que nous soyons prêts. Si les évaluations sont correctes, nous disposons d'une semaine pour la refermer, et le seul portail dont nous connaissons l'existence est à trois jours de cheval au moins.

L'Inconnu se radossa à sa chaise et sirota son café.

— Regarde-nous ! fit Hirad. Nous ne sommes pas en état de nous battre ou de lancer des sorts. Il nous faut du repos.

— Nous avons fourni le bâton pour nous faire battre, pas vrai ? intervint Denser en rallumant sa pipe. C'était un sauvetage héroïque. Mais ça signifie que les Julatsiens attendront d'autres exploits de notre part.

— Merci pour cette contribution brillante ! grogna Ilkar. As-tu d'autres perles de sagesse à partager avec nous ?

— Je pensais que ça méritait d'être dit, fit Denser en haussant les épaules.

— Peu importe ce que les gens attendent de nous, affirma Hirad. Les Ravens feront ce qu'ils ont à faire. Et pour le moment, ils doivent se reposer. Je ne veux voir aucun d'entre nous sur les remparts aujourd'hui, sauf si les Ouestiens parviennent à ouvrir une brèche dans les défenses julatsiennes… Ce dont je doute fort.

— Tu ne crois pas qu'ils ont besoin de nos conseils, ou au moins de notre présence, pour remonter le moral de leurs troupes ? insista Denser.

— Nous avons dit à Kard tout ce qu'il avait besoin de savoir, déclara l'Inconnu. Pour le moment, nous devons nous soucier de nous-mêmes. Ilkar, dans quel état es-tu ?

— Pas trop mauvais… Ici, je peux facilement reconstituer mes réserves. Denser et Erienne aussi, même s'ils devront moduler le flot du mana qu'ils accepteront. C'est Thraun, Hirad et toi qui avez le plus besoin de repos. Je rejoindrai immédiatement le Cœur pour commencer les recherches. Et si les Ouestiens m'y autorisent, je dormirai cette nuit. Si Denser et Erienne veulent m'aider, les portes de la bibliothèque leur sont ouvertes. (Les deux mages hochèrent la tête.) Parfait.

— Une dernière chose avant que nous nous quittions, dit Hirad. Les Ravens ne se battent pas séparément. Pas question qu'un seul d'entre nous dégaine une épée ou incante sans le soutien des autres. Je n'ai pas l'intention de monter sur les remparts, à moins que vous m'accompagniez. Nous sommes les Ravens, souvenez-vous-en.

— Il serait difficile de l'oublier, puisque tu n'arrêtes pas de nous le rappeler, marmonna Denser.

— Tu es toujours vivant, pas vrai ? répliqua Hirad. Demande-toi pourquoi !

Styliann avait perdu vingt-trois Protecteurs seulement. Une preuve flagrante, s'il en fallait, de la puissance et du talent de ces guerriers. Il estimait que la moitié de leurs poursuivants gisaient sur le sol, les yeux rivés sur un ciel qu'ils ne pouvaient plus voir. Quand il avait quitté le champ de bataille, des charognards marchaient déjà parmi les cadavres, un festin gracieusement offert par les Protecteurs. Les autres allaient rejoindre Tessaya pour lui faire leur rapport. À long terme, leur terreur ferait plus de dégâts que n'importe quelle lame.

Quand l'ancien Seigneur du Mont arriva à Xetesk, il ne fut pas surpris de découvrir que ses portes lui étaient fermées. Dystran n'avait plus beaucoup de défenses à lui opposer – et encore moins d'amis, soupçonnait Styliann. Alors qu'il chevauchait vers l'entrée de la cité, il renforça le bouclier qui protégeait son esprit et sourit en sentant les tentacules d'un sort éprouver sa résistance. Ses adversaires n'avaient aucune chance de réussir à enfoncer la barrière magique, mais il aurait été déçu qu'ils n'essaient pas.

Il mit pied à terre et s'assit sur une petite butte couverte d'herbe, à une cinquantaine de pas des portes et à un jet de pierre de la route principale. Son pouls s'accéléra devant la sombre puissance de sa cité bien-aimée.

De chaque côté de la tour de la porte Est aux fenêtres en arche, les murs grisâtres s'étendaient sur plus d'un kilomètre et demi. Derrière eux, dans le lointain, Styliann devinait la masse imposante des monts Noirépine.

Munis de fondations profondes, de contreforts internes et de tourelles destinées aux mages ou aux archers, ces murs mesuraient une quinzaine de mètres au point le plus bas. Ils s'inclinaient très légèrement vers l'extérieur, surplombant une prairie semée d'herbe et de buissons. Autour d'eux, le terrain avait été dégagé sur une centaine de mètres dans toutes les directions, afin de fournir aux mages défenseurs un champ de vision maximal.

À l'intérieur, Styliann vit les lumières s'allumer les unes après les autres dans les Tours de Xetesk. Ce spectacle l'attrista plus qu'il ne voulait l'admettre, et penser à son exil involontaire lui serra le cœur.

Alors qu'une centaine d'yeux l'observaient sur les murs et les poternes, il étudia les problèmes qu'il allait devoir résoudre pour accéder à Xetesk. Voir le Seigneur du Mont accompagné par les Protecteurs avait dû semer la confusion dans l'esprit des gardes. Les plus éclairés penseraient sûrement à des troubles politiques, mais aucun ne devait avoir eu vent de son renversement. Dystran n'était pas assez stupide pour se vanter d'être le nouvel Intendant de Xetesk avant de pouvoir exhiber le cadavre de son prédécesseur.

Dans le Mont, les quelques mages restés loyaux à Styliann devaient chercher un moyen de lui permettre de regagner le Collège, conscients qu'il ne pourrait pas le faire par la voie des airs sans affaiblir son bouclier mental – une manœuvre qui serait certainement fatale. Ils allaient sans doute négocier avec Dystran et ses conseillers, et réclamer pour lui une audience dans des conditions contrôlées : probablement une Chambre Froide.

Parce qu'il était un imbécile incapable de gouverner, Dystran espérerait en vain une provocation de Styliann et de ses Protecteurs – n'importe quel prétexte qui lui permette de lancer une offensive magique avec la bénédiction de la population xetesk. Mais même ainsi, il devrait se montrer prudent. Toute attaque contre Styliann déclencherait une réaction immédiate des Protecteurs, et ils pouvaient coûter cher à la cité et au Collège avant que quelqu'un réussisse à les arrêter.

Styliann n'avait plus qu'à attendre. Comme prévu, Dystran ne le laissa pas mariner longtemps.

Une heure après son arrivée, alors que le clair de lune baignait son campement d'une lueur spectrale, la tour de la porte Est se remplit d'archers et de mages. Puis la porte s'entrouvrit furtivement pour laisser sortir un homme. Styliann se leva et, avec Cil, approcha de son visiteur.

— Ça alors ! Dystran. Je suis très honoré.

Aucun des deux hommes ne tendit la main à l'autre. Mais pour avoir eu le courage de venir en personne à sa rencontre, Dystran remonta d'un cran dans l'estime de Styliann.

— Que voulez-vous ? demanda-t-il sur un ton qui se voulait détaché, même s'il ne cessait de cligner des yeux nerveusement.

— Oh, juste un lit pour la nuit. Je suis un humble voyageur fatigué… Par tous les enfers, qu'est-ce que je pourrais vouloir, à votre avis ?

— Je ne peux pas vous laisser revenir ! La décision a été entérinée. Je suis le nouveau Seigneur du Mont.

— Je suis *déjà* revenu ! Et vous saviez que je ne manquerais pas de le faire.

— Dès que j'ai appris que vous étiez toujours vivant et de nouveau dans l'est…, admit Dystran.

— Une situation regrettable pour vous, n'est-ce pas ? lança Styliann.

— Un peu…

— Pour le moment, vous ne régnez pas sur grand-chose, dit Styliann après un long silence. Une fissure instable dévore le ciel de Balaia. Bientôt, elle nous vaudra une invasion par des créatures venues d'une autre dimension. Seuls les Ravens et moi avons les connaissances nécessaires pour trouver à y remédier. Les Ouestiens assiègent Julatsa. Ils tiennent la passe de Sousroc, et des dizaines de milliers de guerriers s'apprêtent à déferler sur Korina.

« Qu'avez-vous fait pendant mon absence ? Au lieu de lancer les recherches selon mes instructions, ou d'organiser une défense digne de ce nom et d'envoyer des renforts à Julatsa, vous avez assouvi vos ambitions personnelles. Elles auront l'air bien pitoyables quand des dragons démantèleront pierre après pierre les tours de Xetesk !

« Si vous étiez la moitié d'un homme, vous comprendriez qu'il faut mettre notre querelle de côté jusqu'à ce que la menace soit écartée. Pour l'instant, je dois accéder à la bibliothèque. L'identité de l'Intendant n'aura aucune importance tant que le portail dimensionnel sera ouvert.

— La bibliothèque ? Vous voulez faire ici ce que les Ravens tentent de faire à Julatsa ?

Styliann planta son regard dans celui de Dystran comme s'il voulait le foudroyer sur place.

— Les Ravens ont atteint Julatsa ?

— Oui. Nous avons pu rétablir le contact avec Julatsa après la dissipation du LinceulDémoniaque. Elle a coïncidé avec l'arrivée en fanfare des Ravens, qui ont libéré des milliers de prisonniers au cœur d'une ville grouillante d'Ouestiens, avant de se mettre au travail dans la bibliothèque.

Styliann éclata de rire : une réaction que Dystran n'attendait visiblement pas.

— Par les dieux déchus, ils sont vraiment bons ! Je suis forcé de le reconnaître. Depuis combien de temps sont-ils à Julatsa ?

— Ils y sont arrivés un peu avant l'aube.

Styliann se mordit la lèvre. S'il ne se dépêchait pas, les mercenaires passeraient dans la dimension draconique sans lui – un événement qu'il ne pouvait pas autoriser.

Soudain, le voile qui embrumait son esprit se déchira, et la solution à tous ses problèmes lui apparut clairement.

— Laissez-moi vous faire une proposition. (Dystran fronça les sourcils et recula.) Il y va de notre intérêt à tous les deux.

— Je vous écoute.

— Naturellement.

Chapitre 27

Sur les remparts de Julatsa, la bataille faisait rage. Des sorts martelaient l'anneau pavé qui entourait le Collège, leurs détonations faisant trembler les fondations. Le fracas du métal, les hurlements des hommes et des femmes, la morne vibration des catapultes et le ressac du flot de mana filtraient à travers les murs du Cœur où Ilkar était assis.

L'oreille tendue pour capter les bruits de la bataille, prêt à réagir instantanément au cas où ils se modifieraient de manière alarmante, l'elfe feuilletait les manuscrits, à la recherche de références sur les travaux de Septern.

Non loin de là, dans la bibliothèque, Denser et Erienne supervisaient les archivistes que Barras avait mis à leur disposition, espérant une découverte qui semblait de plus en plus improbable alors que la journée touchait à sa fin.

Dans la chambre la plus protégée du vacarme que le Collège pouvait leur fournir, Hirad et l'Inconnu dormaient. Non qu'ils aient vraiment besoin de calme. L'aptitude à se reposer derrière une ligne de combat faisait partie de l'arsenal de tout guerrier. Le barbare était particulièrement doué pour se reposer alors que du sang lui éclaboussait la figure, son sens du danger le réveillant toujours avant que sa vie soit menacée.

Non, ils n'avaient pas besoin de calme, mais il leur faudrait toutes leurs forces pendant les jours à venir – et Ilkar était déterminé à ce qu'ils dorment le plus profondément possible.

L'elfe se frotta les yeux et regarda, l'air sombre, la masse de livres et de parchemins qu'il lui restait à examiner, près de la petite pile de ceux qu'il avait déjà passés au crible. Il s'était douté que ce serait une tâche ardue. Les textes complets de Septern étaient rares. Julatsa en possédait cinq volumes reliés, qui comptaient parmi les premiers transportés dans le Cœur et reposaient désormais près de son coude droit.

Mais les trois mages savaient qu'une grande partie de l'œuvre de Septern, griffonnée sur des bouts de papier, sur d'autres textes ou rédigée au dos de parchemins divers, serait incroyablement difficile à reconstituer. Ils disposaient seulement de références croisées et des connaissances incomplètes des archivistes. Alors qu'il suivait la vague piste offerte par le dernier parchemin qu'il avait parcouru, Ilkar fronça les sourcils, soupira et continua sa lecture.

Dans la bibliothèque de Julatsa, les heures passaient lentement malgré l'échéance terriblement proche qu'ils ne parvenaient pas à oublier. En dépit des promesses de bonne foi et d'assistance de Barras, Denser et Erienne avaient été accueillis avec une méfiance évidente par les archivistes : trois vieillards et un étudiant, dotés du même nez long et pointu qu'ils plissaient à chacune de leurs requêtes.

— Il faut un certain type de personnalité pour travailler dans une bibliothèque, dirait-on ? avait lancé Denser peu après leur arrivée.

— Ne m'en parle pas ! Les jumeaux des archivistes de Dordover !

— Une seule magie, un seul mage, avait dit Denser en lui prenant la main.

La jeune femme avait souri, puis posé sa main libre sur son ventre, imaginant que son enfant bougeait en elle, même si elle ne sentait encore rien.

— Je l'espère…

Les quatre hommes s'étaient peu à peu détendus au fil des heures, quand il était devenu évident que les mages des Ravens n'avaient aucune intention de piller les secrets julatsiens. Leurs réponses sèches, les livres qu'ils laissaient tomber devant eux et les parchemins qu'ils leur jetaient presque à la figure avaient cédé la place à des sourires, puis à une aide directe.

L'étudiant assis face à eux feuilletait un recueil d'annales. Parfois, il levait la tête, alarmé par les échos de la bataille.

— Nous ne courons pas de danger immédiat, Thérus, affirma Denser.

— Comment le savez-vous ? demanda l'étudiant, son visage trahissant le respect vaguement craintif qu'il portait au mage d'AubeMort.

— Parce qu'Hirad Cœurfroid n'est pas venu nous ordonner de monter sur les remparts. Restez calme. Vos soldats sont courageux. Ils ne céderont pas face aux Ouestiens.

Rassuré, Thérus se remit au travail. Erienne sourit en voyant Denser se radosser à sa chaise et balayer du regard les piles de textes magiques, de recherche théorique, d'analyse incantatoire et d'annales julatsiennes. Ces dernières lui étant incompréhensibles, il les faisait porter à Ilkar quand elles pouvaient contenir quelque chose d'intéressant.

Ils s'étaient installés à un bureau, près de la porte de la bibliothèque, face à une allée flanquée de cinq rangées d'étagères longue de plus de soixante mètres. Cinq allées semblables composaient le niveau inférieur. D'autres meubles de rangement s'alignaient contre les murs, si grands qu'il fallait une échelle pour prendre les livres sur les rayonnages supérieurs. En hauteur, leurs balustrades de métal poli reflétant le doux éclat des GlobesLumières statiques, deux galeries abritaient une partie de la sagesse accumulée par Julatsa et ses alliés. Denser savait – même s'il ne les avait pas vus – que les textes les plus anciens étaient stockés à l'étage du dessous pour une meilleure conservation.

Comme celle de Xetesk, la bibliothèque de Julatsa était un monument à la gloire de l'âge et de l'histoire. Il y régnait une odeur de renfermé et de poussière qui devait ravir le nez des archivistes. Curieusement pour un bâtiment qui contenait tant de pouvoir, on n'y sentait pas la pression du mana. Denser s'en réjouit en se massant la nuque.

— Où en sommes-nous ? demanda-t-il à la cantonade.

— Pas très loin pour le moment, répondit Erienne en remerciant d'un signe de tête l'archiviste qui venait de poser devant elle une pile de parchemins. Nous avons établi un lien entre la fissure contrôlée du manoir de Septern et la ConnexionDimensionnelle utilisée à Sousroc. Mais jusqu'à présent, nous n'avons rien trouvé dans les annales qui permette de combiner les deux pour obtenir un protocole de fermeture.

« Thérus se souvient d'avoir vu en marge d'un texte julatsien une note sur le flux de mana et les perturbations dimensionnelles provoquées par la construction d'un portail. Mais il n'arrive pas à remettre la main dessus. Et toi, tu as découvert un moyen de maintenir le culot de ta pipe à une température constante qui permet de mieux brûler le tabac.

— Une avancée capitale, dit gravement Denser, une lueur malicieuse dans le regard.

Erienne pinça les lèvres.

— Fumer est une habitude répugnante.

— Mais c'est mon seul vice, se défendit le Xetesk.

— Ah bon ? Je n'en avais pas l'impression !

Thérus se racla la gorge.

— Désolé de vous interrompre, mais j'ai trouvé quelque chose.

— Et c'est bon pour nous ? demanda Denser.

— Pas entièrement…

— Nous vous écoutons.

Dans l'esprit de Thraun, les rêves défilaient avec une clarté qu'il serait incapable d'oublier à son réveil. Les sentiments, les pensées, les pulsions et les odeurs de sa moitié animale envahissaient sa moitié humaine, et pour la première fois, il allait se souvenir de tout.

Sa conscience luttait pour refaire surface. Un abîme s'était ouvert dans son cœur, et les protestations de ses muscles douloureux se mêlaient à la symphonie de son chagrin.

Il ouvrit les paupières sur une réalité qu'il avait seulement vue, jusque-là, à travers d'autres yeux. Il se rappelait le blanc : la couleur des murs, des draps et des bandages. Il se rappelait aussi les gens, ceux qui gisaient immobiles et ceux qui s'affairaient parmi eux. Tout comme il se souvenait de l'étrange atmosphère de confort et de mort.

Thraun marmonna la première d'un millier d'excuses adressées à l'ami qu'il n'avait pas pu sauver. Le chuchotement qui montait de sa gorge se transforma en grognement. Presque aussitôt, il sentit une main se poser sur son front, puis le contact frais d'un chiffon humide. Ouvrant les yeux, il découvrit le visage d'une femme âgée, deux yeux d'un bleu clair étonnamment vif se détachant sur sa peau ridée.

Elle lui sourit.

— Ici, vous n'avez pas à craindre qu'on vous persécute, dit-elle gentiment. Avec nous, vous êtes en sécurité.

Thraun n'avait pas compris que ces gens savaient tout sur lui, mais les paroles de la femme le calmèrent quand même. Il ne trouva pas assez d'énergie pour la remercier, mais elle sembla deviner qu'il lui était reconnaissant.

— Ne dissimulez pas votre chagrin, lui recommanda-t-elle. Il est humain de pleurer. Vos amis lui ont rendu l'hommage qu'il méritait. Il a trouvé la paix... Reposez-vous. Il y a de l'eau près de votre lit, si vous avez soif. Je suis Salthea. Appelez-moi si vous avez besoin de quelque chose.

Thraun détourna la tête, car il ne voulait pas qu'elle voie couler ses larmes.

En attendant l'arrivée d'Ilkar, Denser lut et relut le passage que Thérus avait déniché. Sa signification était limpide. Il existait d'autres archives, très importantes, qui détaillaient le construct des fissures interdimensionnelles, la façon dont elles résistaient à l'assaut du vide qu'elles traversaient, la manière dont elles affectaient l'espace qui les entourait et les conséquences du jumelage de deux dimensions, plus celles de la dissolution de leur lien. S'ils voulaient trouver rapidement une solution au problème qui polluait le ciel de Parve, les Ravens devaient se procurer ces textes.

Selon un rapport remis au Conseil Julatsien plus de trois cent cinquante ans auparavant, Septern avait donné, au lac de Triverne, une série de conférences qui dévoilaient une grande partie de sa théorie de la magie dimensionnelle. Ses notes avaient été léguées au Collège en charge de l'événement. Un geste typique de Septern, qui n'avait jamais éprouvé de loyauté envers aucun Collège malgré sa naissance dordovane.

Dommage que le Collège organisateur ait été celui de Xetesk !

— Je n'arrive pas à y croire ! s'exclama Erienne en secouant la tête.

— Moi, si, répliqua Denser, considérant le désir pressant qu'a manifesté Styliann de rentrer chez lui seul et sans escorte.

— Tu penses qu'il connaît l'existence de ces textes ?

— Sans l'ombre d'un doute. Et Dystran aussi.

La porte de la bibliothèque s'ouvrit sur Ilkar. Denser résuma leur découverte à l'elfe.

— Alors, on fait quoi ? demanda le Julatsien. À ton avis, que mijote Styliann ?

— Il connaît notre mission, et aussi l'importance de ces archives, répondit Denser. Qu'il ne les ait pas mentionnées pendant notre séjour à Parve laisse penser qu'il veut nous accompagner dans la dimension draconique.

— Pour quoi faire ?

— Il nous croit peut-être incapables de refermer le portail seuls. Mais étant donné nos talents respectifs, j'en doute fort. Je pense qu'il est curieux, ce qui ne m'ennuie pas du tout, et qu'il veut en profiter pour asseoir son pouvoir et celui de Xetesk – ce qui me dérange beaucoup.

— Comment veut-il s'y prendre ? demanda Erienne.

— Je ne sais pas… Mais s'il a une chance de conclure un accord avec les dragons, ou d'obtenir des garanties susceptibles d'aider Xetesk, il le fera.

— Au moins, il ne peut pas y aller sans nous ! lança Ilkar.

— Qu'est-ce qui l'en empêche ? demanda Erienne.

— Nous avons les deux clés de l'atelier de Septern, révéla l'elfe. Il a besoin de nous pour rejoindre la dimension draconique. Et il m'étonnerait beaucoup que les Kaans s'inclinent obligeamment devant ses exigences. Je ne suis pas sûr qu'il mesure l'étendue de leur puissance.

— L'arrogance du Seigneur du Mont est sans limites, rappela Erienne.

Denser lui jeta un regard noir, mais il ne dit rien.

— Donc, nous l'emmènerons avec nous ?

Ilkar haussa les épaules.

— Pour être honnête, nous n'avons pas le choix. Et je suis certain qu'Hirad et l'Inconnu penseront comme moi. Il faut d'abord refermer la fissure. Ensuite, nous nous soucierons des motivations de Styliann.

— Dans ce cas, dit Denser, et pour en revenir à ta question originelle, notre prochaine action – ou en tout cas, la mienne – consistera à communier avec Styliann. Puisque nous dépendons les uns des autres, autant connaître la position de chacun.

— Très bien. Après, il faudra réveiller nos amis et réfléchir à un moyen de sortir d'ici.

— Comment se déroule la bataille ? demanda Erienne.

— Comme on pouvait s'y attendre… Chaque fois que les Ouestiens tentent de s'approcher du mur d'enceinte, ils sont refoulés par nos flèches et nos sorts. Nos boucliers empêchent les boulets des catapultes d'abattre les remparts, et ils ne cherchent pas vraiment à les expédier derrière. Ils savent ce qu'ils font, et nous le savons aussi, mais nous n'avons aucun moyen de les en empêcher. Quand ils auront réussi à épuiser nos mages, ils monteront une offensive sérieuse et ils finiront par s'emparer du Collège.

Même Ilkar resta impassible, Denser devina ses tourments. L'elfe devait se résoudre à la défaite des siens, et il serait forcé de s'éclipser au lieu de leur prêter main-forte jusqu'à la fin.

— Et les Dordovans ?

— Ils sont notre seul espoir. D'après nos estimations, ils arriveront demain matin. Mais il faudra encore qu'ils attaquent au bon endroit. Ce qui pourrait nous donner une occasion de filer en douce. (Ilkar marqua une pause et se gratta la tête.) Bon, je retourne au Cœur maintenant. Erienne, tu as des nouvelles de Thraun ?

— Il s'est réveillé et rendormi presque aussitôt. Physiquement, il est simplement épuisé. Émotionnellement… Qui peut le savoir ?

— Tiens-moi au courant, d'accord ? À plus tard.

Denser regarda la porte se refermer sur Ilkar.

— Je vais me reposer… Après la tombée de la nuit, je lancerai ma Communion. (Il se pencha vers la jeune femme pour l'embrasser.) N'oublie pas de reconstituer tes réserves de mana. Nous aurons besoin de toi.

Erienne tendit une main et lui ébouriffa les cheveux.

— Ne t'inquiète pas pour moi. Une bonne nuit de sommeil me suffira. Mais sois prudent : une Communion avec Styliann risque d'être dangereuse.

Flanqué des autres membres du Conseil, Barras se tenait sur les remparts nord du Collège. Il y avait passé une bonne partie de la journée, sous la protection d'un BouclierDéfensif statique et de sorts de renforcement destinés à empêcher les catapultes et les béliers de détruire le mur d'enceinte. Même si les Ouestiens n'avaient pas encore réussi à le toucher, le vieil elfe suivait le déroulement de la bataille avec un désespoir croissant.

La journée avait commencé par un inqualifiable outrage. Avec des arbalètes lourdes, leurs ennemis avaient projeté de l'huile sur les cadavres julatsiens, qu'ils avaient ensuite criblés de flèches enflammées. Les corps, déjà desséchés, avaient brûlé rapidement, privant leurs proches de tout espoir de leur rendre un dernier hommage et de leur offrir des funérailles. Alors que l'immonde fumée noire montait à l'assaut des murs, des cendres et de la suie obscurcissant le ciel matinal autour du Collège, les Ouestiens avaient lancé leur première attaque sous le couvert du brouillard qu'ils venaient de créer.

Bien que prévisible, ce mouvement avait été le plus difficile à repousser. Les mages avaient dû s'éloigner des remparts pour ne pas s'étouffer, et faire pleuvoir les OrbesFlammes, la BrûlePluie et la GrêleMortelle sur une zone qu'ils ne pouvaient plus voir. Du coup, une partie avait été forcée de déployer un BouclierMagique sur le mur d'enceinte pour le protéger du manque de précision de leurs camarades. Ce barrage leur avait coûté cher et ne leur avait pas rapporté grand-chose. Mais ils avaient quand même dû le maintenir jusqu'à ce que des soldats, un mouchoir plaqué sur le bas du visage pour pouvoir respirer, leur signalent la retraite ouestienne.

Quand la fumée se dissipa, le ton de la journée était donné. Les Ouestiens avaient lancé des attaques sporadiques en une vingtaine d'endroits autour du Collège : trop faibles pour menacer l'intégrité du mur d'enceinte, mais assez sérieuses pour nécessiter un déploiement de sorts continu. Senedai savait ce qu'il faisait, et il agissait en limitant au maximum ses pertes.

Si Barras avait entendu l'évaluation d'Ilkar, il l'aurait approuvée en tous points. Le temps jouait en faveur des Ouestiens et les Julatsiens finiraient par s'épuiser comme ils l'avaient déjà fait dans la cité. Les envahisseurs n'avaient besoin que d'une brèche…

Barras se frotta les yeux. Contrairement à leurs habitudes, il aurait parié que les Ouestiens continueraient à attaquer pendant la nuit, sans doute avec une férocité accrue, pour forcer une moitié des défenseurs à rester sur les remparts et empêcher l'autre de se reposer vraiment.

Avec le calme relatif qui régnait dans la cour et sur l'escalier conduisant aux remparts, il était possible d'oublier la sinistre réalité du siège. Un seul coup d'œil dehors suffisait à tout changer. Des milliers d'Ouestiens se tenaient hors de portée de sorts, dans les décombres des bâtiments qu'ils avaient démolis pour construire leurs engins de guerre. Ils attendaient en silence, en rugissant leurs chants de haine et de victoire ou en braillant des provocations à leurs adversaires. Comme une mer bouillonnante, il ne leur manquait plus qu'une tempête pour les métamorphoser en raz-de-marée. Comme une nuée de sauterelles prête à s'abattre sur des champs pour les ravager !

Et pourtant, ils craignaient la magie des Julatsiens. Leur peur les rendait prudents, et elle restait le dernier espoir de Barras. Sans elle, la première attaque aurait suffi à faire tomber le Collège. Mais Senedai n'avait pas osé y engager tous ses hommes.

Malgré tout, les défenseurs étaient forcés de repousser un assaut après l'autre, et ils faiblissaient peu à peu en assistant, impuissants, au viol et à la destruction de leur cité. Des feux brûlaient en des dizaines d'endroits. Le bruit des pierres qui tombaient et des poutres qui s'effondraient emplissait l'air chaque fois que les Ouestiens se taisaient...

Aucune échappatoire en vue... Et pourtant, Barras nourrissait encore quelque espoir. Les Ravens étaient avec eux, même si cela ne durerait plus, et dehors...

— Quand les Dordovans arriveront-ils ? demanda-t-il à Seldane, de retour d'une Communion.

— Ils avancent lentement, répondit sa collègue. Maintenant que les Ouestiens croient le siège presque terminé, ils ont envoyé des éclaireurs un peu partout autour de Julatsa. Nos alliés ont été forcés de se réfugier dans les bois, à trois heures de marche d'ici. S'ils arrivent à couvrir la distance sous le couvert de l'obscurité, ils attaqueront juste après l'aube. Sinon... Je n'en sais pas plus que vous.

— Je me ferai réveiller de bonne heure..., marmonna Kerela.

— Votre dernière estimation de nos forces magiques ? demanda le général Kard.

Toute la journée, entre deux patrouilles sur les remparts, il avait parlé avec les membres du Conseil. Kerela fit signe à Vilif de lui répondre. Le vieux secrétaire au dos voûté et au crâne chauve fronça les sourcils.

— Elle n'est pas bonne. Pas bonne du tout ! Bien que très efficaces, les BrûlePluies et les OrbesFlammes pompent les forces de nos mages, surtout quand il faut les lancer aussi loin et à une telle fréquence. Si l'intensité des attaques se maintient dans la nuit, nous aurons épuisé nos réserves de mana demain après-midi. Alors, cher ami, notre sort à tous reposera entre vos mains.

La nuit était tombée sur Julatsa. Comme Barras l'avait prévu, les Ouestiens ne faisaient pas mine de cesser leurs assauts. Les boulets de catapulte continuaient à s'écraser sur les boucliers du mur d'enceinte ou à retomber dans la cour du Collège, frappant les bâtiments et les réfugiés assez fous pour traîner à découvert.

Assis près d'Erienne dans une chambre nue, Denser n'arrêtait plus de bâiller. Il se sentait épuisé. La jeune femme venait de terminer sa Communion avec Pheone, qui avait rejoint la force dordovane.

Hirad et l'Inconnu, de nouveau frais et dispos, engloutissaient de grandes assiettes de viande et de légumes et envisageaient de s'entraîner une heure ou deux avant de se recoucher en même temps que les autres Ravens. Quant à Thraun, il dormait toujours.

— Nous pourrions continuer à chercher pendant des jours, dit Ilkar, mais je doute que nous découvririons grand-chose d'intéressant. Inutile de nous voiler la face : les textes cruciaux sont à Xetesk.

Il était furieux, mais pas vraiment surpris par la roublardise de Styliann.

— Pour être honnête, ce sera peut-être une bénédiction, dit l'Inconnu. (Il but une gorgée de bière et s'essuya la bouche d'un revers de la main.) Nous pensons tous que l'arrivée des Dordovans nous fournira la meilleure chance de sortir d'ici. De toute façon, s'ils ne parviennent pas à briser le siège, le Collège finira par tomber. Et je suis navré de le dire, Ilkar, mais nous ne pouvons pas rester pour aider tes collègues à le sauver.

— Je sais, dit l'elfe. Nous le savons tous. Et nous nous y sommes préparés.

Il y eut un court silence.

— Nous devons informer Kard et le Conseil, ajouta l'Inconnu. Il nous faudra des chevaux, de l'équipement, quelqu'un pour nous ouvrir la porte Nord au bon moment, et si possible, un soutien pour réussir notre percée dans les rangs ouestiens.

— Ils nous les donneront, affirma Ilkar. Kerela n'est pas une imbécile. Elle voit le tableau dans son ensemble. Je vais lui en parler.

— Denser, des nouvelles de Styliann ?

— Ça n'a pas été une Communion facile. (Malgré l'atmosphère sinistre, un gloussement général salua cette remarque.) Il est déterminé à nous accompagner, même s'il ne l'a pas dit clairement. Il sait que nous avons besoin des textes qu'il détient, et il propose de nous retrouver au manoir de Septern pour en parler. Inutile que je vous fasse un dessin.

— Quand se mettra-t-il en route ? demanda Hirad, que le plan de Styliann irritait moins qu'il l'aurait cru.

Après avoir assisté au lancement d'AubeMort et s'être trouvé face à un dragon, plus grand-chose ne pouvait le surprendre.

— Demain. Il sera sans doute sur place avant nous.

— Avec des Protecteurs ?

— À ton avis ?

— Combien ?

— Il ne me l'a pas précisé.

— Je vous le dirai avant qu'on le rejoigne, coupa l'Inconnu. Erienne, parle-nous des Dordovans.

— Je n'ai pas grand-chose de nouveau à vous apprendre. Ils avancent lentement vers la porte Nord, et ils ont été rejoints en route par des groupes de Julatsiens qui se cachaient dans la campagne environnante. J'ai pris la liberté d'informer Pheone de notre intention de quitter Julatsa. Elle fera passer le message au commandant dordovan. Mais elle m'a précisé que leur objectif est la libération du Collège. C'est tout.

— T'a-t-elle donné des indications sur leur stratégie ? insista Hirad.

— Quoi, par exemple ?

— Prévoient-ils d'attaquer sur un grand front, ou d'adopter une formation en tête de lance pour perforer les rangs ouestiens ?

— Elle ne me l'a pas dit. Je doute qu'elle le sache.

— Ça n'a pas vraiment d'importance, conclut l'Inconnu. Dans un cas comme dans l'autre, nous savons ce que nous avons à faire. Pour l'instant, allez vous reposer tous les trois. Hirad, viens avec moi à l'infirmerie. Il faut nous assurer que Thraun sera prêt à partir à l'aube.

Dans la Tour du Seigneur du Mont, Styliann était abasourdi par le désordre que Dystran avait réussi à semer en si peu de temps. L'ordre était une valeur importante, le jeune mage l'apprendrait peut-être un jour. Cela dit, l'époque de sa formation semblait bel et bien révolue.

En sirotant son verre de rouge de Noirépine, pas un grand cru, mais il se laissait quand même boire, Styliann regarda autour de lui.

Dystran lui faisait face, assis près du feu mourant dont la chaleur s'était communiquée à la pierre de l'âtre. Derrière leur nouveau seigneur, deux guerriers et deux mages surveillaient Styliann avec une méfiance non dissimulée.

Styliann lui-même avait emmené le seul Cil pour le protéger. Et il estimait néanmoins avoir l'avantage en termes de force.

— Quelle est votre réponse ? demanda-t-il en posant son verre.

— Cette proposition est tout bonnement incroyable ! répondit Dystran. Et puisque vous refusez de vous soumettre à un RévèleVérité, je me permets de douter de votre sincérité.

— Allons, vous savez bien que mon refus n'a rien à voir avec l'affaire qui nous occupe. Je vous offre tout ce que vous désirez en échange de documents que les Ravens doivent absolument avoir pour sauver notre monde.

— Mais vous exigez également l'armée de Protecteurs.

— Pour assurer ma sécurité ! Au cas où ça vous aurait échappé, les Ouestiens nous ont envahis. Or, il faut que j'atteigne le manoir de Septern. Dans sept jours, vous serez libre d'établir l'Acte de Renonciation, et ils repasseront sous votre contrôle. N'oubliez pas : quand j'aurai quitté le Collège, il sera en votre pouvoir de m'empêcher d'y revenir.

— Vous promettez de ne pas contester ma nomination au poste d'Intendant ? insista Dystran, incrédule.

— Oui ! Je signerai les actes de confirmation ! (Styliann se versa un nouveau verre de vin.) Vous n'avez aucune raison de refuser.

— C'est ce qui m'inquiète, avoua Dystran.

— Ravi de voir que votre esprit ne s'est pas émoussé. Mais cet accord vous apporterait tout ce que vous désirez, sans rien vous enlever...

— Mais pourquoi ? Pourquoi renoncez-vous aussi facilement à tout ce qui vous est cher ?

— Je me doutais que vous ne comprendriez pas... (Bien que peu flatteur, le manque de lucidité de Dystran jouait en sa faveur.) Parfois, il arrive que s'ouvrent devant nous des chemins dont nous n'osons pas nous détourner.

— Et le NoirZénith est du lot ?

— D'une certaine façon, oui.

Styliann vit les flammes de l'âtre se refléter dans les yeux de Dystran, des pensées contradictoires se bousculant dans sa tête. Il était sans doute en Communion avec ses conseillers, qui avaient sagement choisi de ne pas révéler leur identité à l'ancien Seigneur du Mont.

Le silence fut bref.

— Mon secrétaire va préparer les actes de confirmation. Après les avoir signés, vous quitterez immédiatement Xetesk, pour revenir avec ma seule permission *et* les travaux de Septern que j'accepte de vous prêter pour sauver Balaia. Cela vous paraît-il acceptable ?

— Absolument… (Styliann se leva.) À présent, je vous laisse à votre travail. Je sais que le Seigneur du Mont n'a guère droit au repos. J'attendrai les papiers dans la salle des banquets.

— Une collation vous y sera servie.

— Je vous en remercie. (Styliann tendit une main, que Dystran serra à contrecœur.) Au plaisir de vous revoir.

Les textes de Septern contre sa poitrine, il sortit de la Tour.

Plus tard, alors qu'il rejoignait les Protecteurs devant les portes de la ville, suivi par Cil et une demi-douzaine de chevaux de bât très chargés, Styliann baissa les yeux sur les manuscrits qu'il tenait et se demanda si la stupidité de Dystran était sans limites. Il ne s'était pas donné la peine de regarder les textes que son prédécesseur avait choisis. Pourtant, c'était les clés d'un pouvoir absolu.

Un jour, ce crétin s'en apercevrait ! Styliann avait déjà hâte d'y être.

Ce n'était plus vraiment la nuit – au moins, pas au sens où Hirad l'entendait. Il attendait sous les remparts du mur nord, près de six chevaux sellés et magiquement apaisés, pendant que la bataille continuait à faire rage hors du Collège.

Le feu et la grêle harcelaient les assaillants ouestiens, dont les hurlements se mêlaient aux ordres des mages qui dirigeaient le barrage de sorts. Les vibrations de cordes d'arc s'ajoutaient au vacarme, mais le sifflement des épées manquait à l'appel. Aucun envahisseur n'avait atteint les remparts. Hélas, ils s'en approchaient de plus en plus.

Hirad était ravi de rester immobile dans l'ombre. Il ne pouvait rien pour le Collège, et il devait se préparer à fuir. La matinée s'annonçait difficile. Dangereuse même. Et ils ne pouvaient pas se permettre de courir des risques inutiles.

Alors qu'il s'adossait au mur, une main flattant distraitement l'encolure de son étalon, la porte de la Tour s'ouvrit. Une silhouette massive en sortit, suivie par une autre, plus frêle. L'Inconnu et Ilkar. Hirad sourit en les voyant bavarder comme deux amis qui font une promenade digestive. Mais il devinait leurs sujets de conversation, et la douceur exceptionnelle de la saison n'en faisait sans doute pas partie.

Peu après, de la lumière jaillit dans la cour. Elle venait de l'infirmerie, d'où émergèrent trois autres personnes. Au centre, un grand homme marchait courbé en deux, traînant tant la patte que ses compagnons avaient toujours un pas d'avance sur lui.

Aucun d'eux ne pipait mot.

— Tu attends depuis longtemps ? demanda Ilkar en rejoignant le barbare.

— Assez longtemps pour avoir constaté que les défenseurs faiblissent. Tu te sens bien ?

— Aussi bien que possible à cette heure oubliée des dieux.

— Des nouvelles des Dordovans ?

— Ils nous demandent de nous tenir prêts.

— C'est tout ?

— Ils ne m'ont pas communiqué de plan de bataille précis, si c'est à ça que tu fais allusion. (Les oreilles de l'elfe frémirent.) C'était une Communion, pas une table ronde.

— Et vous osez prétendre être des mages seniors ?

La grimace moqueuse d'Hirad disparut quand Thraun approcha de lui. Ses yeux rougis et hagards, sur son visage aux traits tirés, témoignaient de chaque larme qu'il avait déjà versée... et de toutes celles qui suivraient. Le cœur du barbare se serra. Il se rappelait trop bien ce qu'il avait éprouvé après l'assassinat de Sirendor Larn.

Il n'y avait rien à dire, et pourtant, le silence n'était pas une option.

— La douleur diminuera, dit-il.

Thraun le regarda un moment avant de secouer la tête et de baisser les yeux.

— Non. Je l'ai laissé mourir.

— Tu sais bien que c'est faux ! lança l'Inconnu.

— Sous ma forme humaine, j'aurais pu arrêter les démons. Mais le loup comprenait seulement sa propre peur. Je l'ai laissé mourir !

— Tu es en état de monter à cheval ? demanda Hirad, conscient qu'il ne parviendrait pas à consoler son ami.

Thraun hocha la tête.

— Tant mieux. Nous avons besoin de toi, mon vieux ! Ta force nous est indispensable. Tu es un Raven et nous te soutiendrons toujours !

— Comme j'ai soutenu Will en le laissant mourir ?

— Parfois, le meilleur de ce que nous pouvons donner ne suffit pas, dit Hirad.

— Je ne lui ai pas donné le meilleur de moi-même ! J'étais perdu, et il est mort à cause de ça.

— Tu n'en sais rien, intervint Erienne.

Thraun lui jeta un regard éteint.

— Si, je le sais, murmura-t-il. Je le sais...

Toute la matinée, les Ouestiens lancèrent assaut sur assaut. Comme s'ils avaient perçu un changement dans l'atmosphère du Collège, ils se jetaient contre les murs avec une fureur et une férocité inouïes. Leurs échelles et leurs tours de siège venaient heurter la pierre julatsienne pour être aussitôt détruites par le feu, le vent et la grêle. Mais ils continuaient à affluer. Les mages s'affaiblissant, la menace d'un combat sur les remparts se précisa.

Lors d'un bref répit, tandis que les Ouestiens se regroupaient hors de portée de sorts, les Ravens montèrent sur les remparts de la porte Nord pour évaluer la situation. Les envahisseurs détruisaient systématiquement Julatsa. Recyclant les matériaux qui pouvaient leur être utiles, ils brisaient ou incendiaient le reste. Des feux brûlaient partout, et la zone dégagée, autour du Collège, s'élargissait d'heure en heure.

Hirad se tourna vers l'Inconnu alors que des boulets de catapultes sifflaient au-dessus de leurs têtes avant d'aller s'écraser sur les bâtiments ou dans la cour déserte. Impassible, le colosse calculait leurs chances d'évasion et évaluait l'efficacité des tactiques qui drainaient peu à peu les défenseurs de leurs forces.

— À quoi penses-tu ? demanda le barbare.

— Nous nous en remettons trop aux Dordovans... Si nous ne frappons pas également, nous n'arriverons pas à passer.

— D'humeur optimiste, à ce que je vois ?

— Non, simplement réaliste.

— Alors, que suggères-tu ?

— Supposons que les Dordovans attaquent sur un front allant de l'étendard à tête d'ours à celui à tête de taureau. (Il désigna deux drapeaux ennemis distants d'environ soixante-dix mètres.) Nous pouvons espérer que la ligne soit enfoncée – des deux côtés – sur une largeur de huit à dix mètres, quand les hommes quitteront le front pour se battre en arrière. Si nous arrivons à élargir ces brèches grâce à une attaque lancée à partir du Collège, nous améliorerons nos chances de passer. C'est aussi simple que ça.

— Nous avons déjà fait ce coup-là ! (L'Inconnu fronça les sourcils.) Mais tu n'étais pas avec nous à l'époque. Fais-moi confiance !

Le colosse hocha la tête et se concentra sur les Ouestiens.

L'attaque se déchaîna sans avertissement, au moment où le soleil dépassait son zénith. Les mages julatsiens se préparaient à repousser un nouvel assaut ennemi quand, à la lisière nord de la cité, une immense fleur de flammes déplia ses pétales, accompagnée d'un grondement de bâtiment qui s'effondre. Puis une série d'éclairs emplit le ciel de rouge, d'orange et de bleu vif.

Des vivats retentirent sur les remparts nord.

Les Dordovans étaient arrivés !

Le temps parut suspendre son vol. Un moment, les Ouestiens ne réagirent pas. Puis des ordres montèrent des forces qui faisaient face au Collège. Des sections entières de la ligne d'attaque battirent en retraite, les envahisseurs organisant leur défense par tribu et par étendard. Ceux qui furent envoyés à l'arrière s'engouffrèrent dans les rues de la cité.

Les expressions tendues des Julatsiens furent remplacées par des sourires pleins d'espoir. Puis ils rugirent pour accueillir leurs sauveurs.

Quand il entendit des bruits de combat monter de l'autre bout de la cité, Hirad décida que le moment était venu.

— C'est maintenant ou jamais !

L'Inconnu, Ilkar et lui dévalèrent l'escalier pour rejoindre leurs compagnons qui les attendaient à l'ombre de la porte Nord. Les Ravens chevaucheraient derrière un quintet de mages sous BouclierDéfensif, et à la tête de deux cents fantassins.

Le barbare sauta en selle et se tourna vers leur escorte.

— Vous êtes prêts ?

Quelques hochements de tête lui confirmèrent que oui. Au signal de l'Inconnu, la porte Nord s'ouvrit.

— Faites vite, ordonna-t-il sur un ton pressant. Les Ouestiens ne nous attendront pas.

La petite force se lança au galop vers les envahisseurs qui, désarçonnés par l'attaque des Dordovans, ne réagirent pas tout de suite.

Les deux mages du centre lancèrent les ForcesConiques qu'ils avaient préparées. Les sorts jumeaux enfoncèrent les lignes ennemies, projetant des guerriers en l'air et précipitant les moins chanceux contre les bâtiments et les piles de gravats. L'instant d'après, des OrbesFlammes jaillirent des paumes des deux mages placés à l'avant pour éparpiller les Ouestiens encore présents sur les côtés du passage ainsi dégagé. Les quatre mages qui venaient d'incanter firent demi-tour, suivis par le cinquième, dont le bouclier ne leur servit finalement à rien.

— Ravens ! rugit Hirad. Ravens, avec moi !

En formation serrée, les mercenaires s'engouffrèrent dans la brèche. Les épées du barbare et de l'Inconnu maintenaient les Ouestiens à distance, le BouclierDéfensif d'Ilkar les protégeant des projectiles ennemis. En même temps, les OrbesFlammes d'Erienne et de Denser arrosaient leurs flancs d'un feu meurtrier. Seul Thraun s'abstint de participer à l'attaque. Recroquevillé sur sa selle, la tête baissée, il se contenta de laisser son cheval suivre ses camarades.

Hirad trancha le bras d'un Ouestien en braillant son excitation. Des flammes montaient partout autour d'eux. Leurs ennemis s'enfuyaient dans le plus grand désordre, et Thraun avait beaucoup de mal à maîtriser sa monture affolée. Pourtant, il semblait bien que les Ravens réussiraient à passer. Les pierres, les haches et les morceaux de poutres brisées rebondissaient sur le champ protecteur d'Ilkar sans leur faire de mal. Lançant des éclairs de sang et de lumière, l'épée de l'Inconnu leur ouvrit une trouée dans les rangs ouestiens, et les Ravens galopaient au milieu du chaos. Sur les remparts du Collège, des vivats que les hurlements des envahisseurs ne purent couvrir saluèrent leur percée.

Sur leur gauche, les Dordovans avançaient, colonne disciplinée protégée par le feu et la glace des mages. Le Collège d'Erienne avait envoyé une force d'élite. Voyant une occasion de faire très mal aux Ouestiens, Hirad voulut se jeter dans la mêlée. Mais l'Inconnu le retint.

— Pas cette fois ! cria-t-il. Cette bataille-là devra se dérouler sans nous.

Alors que les Ouestiens les ignoraient ou les évitaient, pressés de rejoindre la bataille finale pour la prise du Collège, les Ravens laissèrent derrière eux les rues désertes de la périphérie de Julatsa pour foncer dans la plaine boueuse qui entourait la cité.

Midi. Sur les remparts qui surplombaient les salles d'essai, la défense céda, et les Ouestiens s'engouffrèrent dans la brèche.

Un peloton de soutien se précipita dans l'escalier pour que les gardes en difficulté puissent se regrouper.

Dans la cour, les hommes, les femmes et les enfants évacuaient les blessés, apportaient du bois et des armes aux combattants ou charriaient de l'eau vers les feux qui crépitaient partout où s'étaient abattues les flèches enflammées des Ouestiens.

Sur la Tour, les porteurs de drapeaux de Kard transmettaient des ordres aux capitaines, pendant que le général arpentait les remparts en lançant des paroles d'encouragement à ses hommes et des coups meurtriers aux envahisseurs. Un membre du Conseil, posté à chacun des six points stratégiques, dirigeait les offensives magiques. Seul Endorr, conscient mais toujours invalide, manquait à l'appel.

Hors du Collège, les Dordovans continuaient à occuper une partie importante des forces ouestiennes, mais ils n'avaient pas encore atteint le mur d'enceinte. Depuis trois heures, ils n'avaient guère progressé. Chaque seconde passée rapprochait inexorablement le Collège de sa chute.

La fuite des Ravens, survenue le matin même, avait augmenté les espoirs de survie de Balaia. Mais c'était Julatsa qui en payait le prix.

Barras fit lancer un barrage de BrûlePluie qui s'abattit sur les attaquants de la porte Nord. Ceux qui n'étaient pas trop mal en point pour s'enfuir s'éparpillèrent sans demander leur reste. Le vieil elfe avait désespérément besoin d'un répit, mais sous le ciel sans nuages, le chaos de la bataille saturait tous ses sens.

Le fracas des armes, la vibration des catapultes, les ordres hurlés à pleins poumons et les hurlements des civils terrifiés ou des mourants lui martelaient les tympans.

Les cendres qui planaient dans l'air lui brûlaient le nez.

Le sang qui ruisselait sur les remparts, les flammes qui jaillissaient du sol et l'éclat des sorts d'attaque lui blessaient les yeux.

Il sentait sur sa langue le goût de la peur et du pouvoir, de la sueur et du sang. Pire, il captait la douleur de chaque Julatsien qui succombait, et le désespoir de ceux qui ne tarderaient pas à périr aussi. Les défenseurs n'arrivaient pas à arrêter les Ouestiens. Même s'ils les abattaient par centaines, les survivants continuaient à avancer vers eux.

Malgré leur courage, leur magie et leur détermination, les Julatsiens n'étaient pas assez nombreux. Et l'échec des Dordovans, qui n'étaient pas parvenus à enfoncer les lignes ennemies, pour venir leur prêter main-forte, leur serait certainement fatal.

Un cri retentit sur la droite de Barras, alors que des milliers d'Ouestiens déboulaient sur la place, en face de la porte Nord. Au-delà, la poussière soulevée par l'assaut des Dordovans emplissait encore l'air, mais quelque chose clochait. Près de son supérieur, une magicienne s'assit à l'abri des créneaux pour recevoir une Communion. Quand elle eut fini, elle leva vers Barras des yeux pleins de larmes qui lui apprirent tout ce qu'il avait besoin de savoir.

— Les Dordovans sont vaincus, annonça-t-elle. Ils battent en retraite.

Le vieil elfe lutta pour ne pas laisser le désespoir s'afficher sur son visage.

Tendant la main, il aida la femme à se relever.

— Venez. N'abandonnez pas. Nous pouvons encore vaincre.

Mais il savait que Julatsa était fichue.

Alerté par les cris qui montaient autour du mur d'enceinte, Kard courut vers la porte Nord. Il s'immobilisa près de Barras, évalua la situation d'un coup d'œil et se pencha vers le vieil elfe.

— Cette fois, c'est la fin, mon ami. Le moment venu, je vous conduirai dans le Cœur.

Barras hocha la tête.

— Mais essayons de repousser cet instant autant que possible, voulez-vous ?

Kard sourit, cria des ordres à ses hommes et resta à leurs côtés pendant qu'ils luttaient pour repousser la marée ouestienne. Hélas, quand les guerriers stimulés par leur victoire sur les Dordovans arrivèrent en renfort, ils amenèrent avec eux une nouvelle série d'échelles et un second bélier. Très vite, ils réussirent à prendre pied sur les remparts en quatre endroits, leur férocité forçant les défenseurs à reculer. La mêlée s'était engagée. Les mages ne pouvaient plus lancer de sorts sans risquer de toucher leurs propres soldats...

En hurlant pour appeler les pelotons de réserve, Kard se battait comme un beau diable. Sa silhouette et sa voix, reconnaissables entre toutes, servaient de point de ralliement à ses hommes. Barras et les mages qu'il commandait lançaient des OrbesFlammes et des BrûlePluies sur les soldats qui se pressaient encore au pied du mur d'enceinte. Mais malgré leur efficacité, leurs ennemis ne cessaient de se regrouper et de revenir à l'assaut.

— La porte ! brailla Kard. Tenez la porte !

Pour souligner l'urgence de cet ordre, l'impact d'un bélier fit vibrer le battant de la porte Nord. Aussitôt, des sorts volèrent vers les attaquants. Mais leurs flammes s'étaient à peine éteintes quand les Ouestiens, humant le parfum de la victoire, avancèrent de nouveau pour récupérer leur bélier.

Au sud, les rugissements se firent plus forts tandis que les Ouestiens enjambaient les remparts. Une femme cria en voyant un soldat dévaler l'escalier et courir vers elle... avant d'être abattu par un réfugié.

La défense céda. Des boulets de catapulte s'écrasèrent dans le Collège. Les poutres de la porte Nord craquèrent. Ses GlyphesVerrous crépitèrent à la surface du bois pendant que des équipes de réparation tentaient désespérément de la renforcer.

Kard essuya le sang qui lui maculait le visage et se tourna vers Barras.

— Le moment est venu.

— Non, nous pouvons encore les retenir ! dit le vieil elfe.

— C'est faux, vous le savez bien ! Filez ! Je vous couvrirai.

Barras serra les deux mains du général dans les siennes.

— Adieu, mon ami.

— Faites ce que vous avez à faire, grogna Kard. Vous avoir connu m'aura rendu meilleur.

Et bientôt, vous serez mort, pensa Barras.

Alors qu'il courait vers l'escalier, cinq mages abandonnèrent la mêlée pour le rejoindre. C'étaient les élus chargés d'une mission qui les conduirait à la mort, mais préserverait leur souvenir à jamais.

Alors qu'il courait vers la Tour, le vacarme qui l'entourait devenant un rugissement assourdi, Barras sonda les remparts sud à la recherche de Kerela. Il sourit en la voyant gesticuler pour diriger les mages et les soldats. Comme si elle avait senti un regard peser sur son dos, la Prime Magicienne se tourna vers lui. Barras s'immobilisa. Un instant, les deux elfes se regardèrent, et le souvenir de tout ce qu'ils avaient partagé passa dans leurs yeux.

Barras sentit une douce ManaPulsion caresser son corps. Kerela sourit, lui fit un signe de tête et agita la main pour le saluer une dernière fois.

Barras lui rendit son adieu.

Puis il courut de nouveau vers la Tour en contemplant tout ce qui l'entourait, conscient qu'il ne reverrait plus jamais ces merveilles.

Chapitre 28

Alors que ses guerriers se préparaient à une marche forcée vers le sud, le seigneur Senedai déambulait dans les ruines du Collège. Il s'était douté que le jeune mage parlerait. Sa magie était puissante, mais la torture était vite venue à bout de sa volonté. Une chance qu'ils l'aient trouvé affaibli à l'infirmerie. Les autres membres du Conseil – ce ramassis de vieillards entêtés – avaient été exécutés. Le seul moyen d'éliminer le danger qu'ils représentaient. Seul Barras avait réussi à leur échapper. Mais les sous-sols du Collège étaient grands. N'importe quel lâche aurait pu s'y enfuir et s'y dissimuler.

Senedai n'avait pas l'intention de quitter Julatsa sans avoir tenu sa promesse. Il aurait la tête du vieux négociateur. Ensuite, il se lancerait à la poursuite des Ravens, qui détenaient l'arme capable d'amener des dragons en Balaia.

Déjà, un pigeon voyageur volait vers Tessaya pour l'avertir.

— Barras, où vous cachez-vous ? appela Senedai en se plantant au pied de la Tour.

Autour de lui, ses hommes fouillaient le Collège. Les pavés de la cour étaient gluants du sang des mages. Leurs cadavres jonchaient les remparts, le sol et les couloirs de leurs bâtiments en flammes. Les civils étaient sous bonne garde à la porte Sud. Pour ceux qui venaient d'échapper à la captivité dans le silo à grains, c'était un coup du sort insoutenable. Leurs sanglots exprimaient l'humeur des Julatsiens survivants : brisés, sans aucun espoir de libération. Plus personne ne viendrait les sauver, et les hommes comme les femmes inclinaient la tête.

Pour honorer les soldats, si braves malgré leur écrasante infériorité numérique, Senedai leur laisserait le choix entre une mort de guerrier ou une existence d'esclave. Les civils, en revanche, seraient contraints de reconstruire leur cité pour leurs nouveaux maîtres.

Senedai leva les yeux vers la Tour, la seule structure épargnée par les Ouestiens. Tous les Julatsiens survivants qui n'étaient pas en fuite dans les catacombes – et il ne doutait pas qu'il y en eût – espéraient sans doute que la peur de la magie tiendrait les envahisseurs à l'écart du centre de leur pouvoir. Mais ils se trompaient. Le Collège était brisé, et la Tour devenait simplement un bâtiment de plus en attente de pillage.

Senedai sourit. Ça, c'était la théorie. La pratique se révélait très différente, comme en attestaient les pierres intactes de la Tour. Mais son pouvoir avait sûrement été affaibli par la mort de la plupart des mages. Le commandant ouestien appela six de ses hommes, chassant leur anxiété d'un geste qui visait au moins autant à renforcer sa propre assurance.

— Le Collège est à nous, affirma-t-il. Les occupants de la Tour sont déjà vaincus et effrayés. Suivez-moi, et nous confirmerons notre victoire.

Ils avaient à peine franchi le seuil quand ils sentirent une chape de plomb s'abattre sur leurs épaules. L'atmosphère oppressante leur serrait la gorge et ralentissait leurs mouvements.

Senedai lutta pour ne pas vaciller et perdre le fil de ses pensées.

Il craignait d'être obligé de fouiller la Tour pour trouver ses proies, mais ce ne fut pas nécessaire. Dès qu'il s'approcha de la colonne centrale, il entendit des voix monter des niveaux inférieurs. Précédant ses hommes, il s'engagea dans l'escalier qui longeait le mur extérieur.

Au pied des marches, il découvrit une porte défendue par un soldat qu'il reconnut instantanément. Il avança vers lui, l'épée à la main.

— La dernière ligne de défense, lâcha-t-il, méprisant. Plutôt sénile et pitoyable, non ?

— Sénile et pitoyable ou pas, j'ai tenu vos hordes à distance pendant douze jours, répliqua le général Kard. Et je veillerai personnellement à ce que vous n'alliez pas plus loin.

Il avait dégainé, mais ne faisait pas mine d'attaquer.

— La bataille est terminée. Optez donc pour une reddition honorable…

— Votre ignorance me stupéfiera toujours.

Derrière la porte close, le volume des incantations augmentait, et leur rythme s'accélérait. Soudain, elles s'interrompirent, remplacées par une voix unique, forte, confiante et déterminée.

Celle de Barras !

— Écartez-vous de mon chemin ou je vous taillerai en pièces ! cria Senedai.

— Qu'il en soit ainsi.

Kard bondit en avant. Il était rapide, mais l'âge et l'épuisement jouaient contre lui. Senedai parvint à parer le coup et à lancer une riposte que Kard esquiva d'un bond en arrière. Les six Ouestiens se déployèrent de chaque côté de leur commandant pour lui prêter main-forte. L'épée de Kard réussit à dévier une hache, mais la suivante s'enfonça dans son épaule.

Il tomba à genoux, lâcha son épée et s'affaissa contre la porte. Du sang ruisselant le long de son bras et sur sa poitrine, il porta sa main valide à la plaie. Puis son regard se voila. Senedai s'accroupit devant lui.

— Vous êtes un homme courageux, général Kard. Mais stupide ! Rien ne vous obligeait à mourir.

Kard secoua la tête, incapable de la relever pour regarder son interlocuteur.

— Au contraire, tout m'y obligeait, murmura-t-il d'une voix rauque avant que son dernier souffle ne quitte ses poumons.

Sur l'ordre de Senedai, un des Ouestien déplaça son cadavre. Derrière la porte, un grand silence se fit.

Une vibration parcourut la Tour, déclenchant une avalanche de poussière.

— La porte ! cria Senedai. Vite !

Elle était verrouillée, mais un coup de pied bien placé la fit céder.

Derrière, six mages étaient agenouillés en cercle, au centre d'une pièce pleine de livres et de parchemins. La Tour trembla de nouveau. Un bruit de poterie se cassant contre de la pierre se répercuta dans tout le bâtiment. Senedai recula d'un pas – et ses hommes de beaucoup plus.

L'air de plus en plus épais engourdissait leurs muscles et leurs pensées.

Une troisième secousse fit tomber les lampes accrochées aux murs. Les Ouestiens titubèrent. L'un d'eux s'écroula et se cogna la tête. Les autres échangèrent des coups d'œil inquiets.

— Seigneur ? lança un guerrier, suppliant.

— Je sais, répondit Senedai, les dents serrées.

Son regard se riva dans celui de Barras.

Le vieil elfe sourit.

— Vous pouvez prendre notre Collège et nos vies, mais vous n'aurez pas notre Cœur.

— Vous me devez votre tête, Barras !

— Considérez notre marché comme nul et non avenu. Je vous suggère de quitter ma Tour avant qu'elle devienne votre tombe.

Levant les bras, il cria des mots incompréhensibles pour le seigneur ouestien.

La Tour vibra. Ses poutres se fendirent, puis ses plafonds et ses planchers se fissurèrent. Devant les yeux écarquillés de Senedai, la pièce commença à s'enfoncer dans le sol.

— Partez, Senedai ! Quittez mon Collège.

La porte claqua, refermée par une main invisible. À l'instant où elle entra en contact avec le chambranle, des étincelles d'énergie crépitèrent sur le bois. Senedai se tourna vers ses guerriers terrifiés.

— Vous attendez quoi ? Remuez-vous !

Comme pour ponctuer ses propos, un roulement de tonnerre monta du Cœur. Les Ouestiens tournèrent les talons et coururent vers l'escalier. Autour d'eux, les murs vibraient et l'air s'emplissait de poussière. Les ténèbres se lancèrent à leur poursuite, les lampes s'éteignant une à une derrière eux.

Ils déboulèrent dans la cour où un petit groupe de guerriers fixait la Tour agonisante. Des craquelures se répandaient sur la pierre telles des toiles d'araignée, et de petits tas de gravats jonchaient déjà le sol. Cette vision éveilla chez les soldats une crainte respectueuse qui céda très vite la place à des vivats quand la Tour de Julatsa s'effondra dans une avalanche de pierre, de bois et de verre brisés.

Quand la poussière se dissipa, Senedai comprit que le spectacle auquel il venait d'assister était loin de marquer la fin de la magie julatsienne.

Leur marche avait été aussi rapide que fière. La cavalerie de Darrick avait ouvert le chemin, Noirépine et Gresse chevauchant en tête en compagnie du jeune général. Après avoir envoyé trois mille hommes à Gyernath pour aider à reconstruire et défendre la cité portuaire, Darrick avait organisé les huit milles hommes restants en centuries, chacune sous le commandement d'un capitaine. Avec ces centuries, il avait formé huit régiments, chacun sous la supervision d'un officier plus gradé.

Il régnait dans les rangs une détermination et une confiance stimulantes. Chaque division de cette armée avait déjà connu de grandes victoires : les miliciens de Gyernath avaient repoussé les Ouestiens, Noirépine et Gresse avaient empêché une force quatre fois plus nombreuse que la leur d'atteindre Sousroc, et Darrick avait participé à la mise à sac de Parve.

À présent, l'heure n'était plus à la défense ni au harcèlement. Les Balaiens de l'est passaient à l'offensive. Ils ne visaient plus simplement la survie, mais la libération des cités prises par les envahisseurs. Il leur avait fallu deux heures pour atteindre les collines qui entouraient la ville et le château de Noirépine. Ils s'attendaient à trouver les Ouestiens barricadés dans la cité, leurs étendards flottant au sommet des tours et des remparts meurtris. Ils pensaient semer la terreur parmi leurs ennemis impuissants, et prévoyaient une victoire facile.

Mais le spectacle qui s'offrit à eux étouffa toute joie dans leur cœur. Noirépine avait été détruite. Un linceul de cendres, projetées par des feux éteints depuis longtemps, planait dans la vallée où se dressait naguère la cité. Sous ce nuage sinistre, quelques poutres noircies se dressaient encore parmi les gravats. Mais il ne restait pas un mur debout. Des rues, des maisons, des auberges et des commerces, plus la moindre trace. Du château, demeure ancestrale de la famille Noirépine, pas davantage. Une vision de cauchemar qui coupait littéralement le souffle.

Gresse mit pied à terre et s'approcha de son ami. Noirépine, livide, était muet de chagrin. Une larme roula sur sa joue gauche, ouvrant un sillon dans la suie qui la maculait. Gresse savait que ses paroles ne lui auraient apporté aucun réconfort. Il se contenta donc de le soutenir avec sa présence et sa force.

Alors que leur armée atteignait le sommet de la crête, un silence à peine troublé par quelques jurons se répandit dans ses rangs. Les hommes de Noirépine tombèrent à genoux, toute volonté envolée, leurs rêves de retour victorieux soufflés comme la flamme d'une chandelle. Leur cité n'était plus.

Le baron balaya les ruines du regard. Gresse vit ses sentiments se refléter sur son visage. Très vite, la colère succéda à la douleur. Derrière eux, les hommes attendaient : les natifs de Noirépine en état de choc, ceux de Gyernath respectueux de leur désespoir. Finalement, le baron se tourna pour s'adresser à eux.

— Je serai bref, dit-il d'une voix forte. Les vestiges de ma ville gisent au pied de ces collines. Les Ouestiens l'ont détruite. Certains d'entre nous, dont je fais partie, ne voient plus que des ruines à l'endroit où leur foyer se dressait. Voilà pourquoi nous devons poursuivre les envahisseurs et les chasser de nos terres ! Oui, je veux venger Noirépine. Mais surtout, j'entends que plus personne n'ait jamais à connaître la tristesse que j'éprouve en ce moment.

« Remettons-nous en route ! Général, à votre commandement.

La brume était telle qu'Hirad s'en souvenait. Comme un voile de poussière à la surface du soleil, mais cette fois, par une journée ponctuée d'averses et de bourrasques glaciales. La lumière blafarde ajoutait au malaise généré par le mana statique du portail de Septern.

Le climat n'était pas la seule chose à avoir changé depuis leur dernier passage. Face aux ruines du manoir, Styliann et l'armée de Protecteurs formaient une masse noire compacte.

Sur la gauche du barbare, chevauchant si lentement que c'était à peine s'il avançait encore, le Guerrier Inconnu avait serré les poings.

Pendant les quatre jours de voyage, son humeur était passée de la détermination inébranlable à l'introspection maussade, puis à l'irritation. Alors que les Ravens approchaient de la grange où il était mort, son manque de concentration et sa nervosité, exacerbée par la proximité des Protecteurs, déclenchèrent une nouvelle dispute avec Hirad.

— Tu devrais passer à côté sans regarder, dit le barbare. Laisser ça derrière toi une bonne fois pour toutes.

— Cette remarque prouve que tu n'as rien compris, répliqua l'Inconnu en tendant un doigt vers les Protecteurs. Eux, ils savent. Ils comprennent, mais ils ne peuvent rien dire.

— Ça t'aiderait s'ils en avaient le droit ? demanda le barbare, un peu trop sèchement.

— Bien sûr que oui ! cria l'Inconnu en tirant sur les rênes de son cheval. Réfléchis avant de parler. N'as-tu aucune idée de ce que je ressens ?

Hirad haussa les épaules.

— Mais tu es là avec nous ! Tu parles, tu marches, tu respires. Ce qui gît sous la terre, ce n'est pas toi. Juste un corps qui ne contient pas ton âme.

L'Inconnu frémit comme s'il l'avait frappé.

— Mon âme ? répéta-t-il. Par les dieux du sol, ta grande gueule finira par te perdre. Tu ne sais rien de mon âme. Normalement, elle devrait avoir rejoint celles de mes ancêtres et être en paix. Pas forcée d'habiter un corps qui n'est pas l'original et qu'on expose à... à toute cette merde !

Il désigna les Protecteurs, le manoir de Septern et les Ravens.

— Si tu veux t'en aller, ne te gênes surtout pas, grogna le barbare. Abandonne tes seuls véritables amis. Je ne t'en empêcherai pas.

— Pour l'amour du ciel, Hirad, écoute ce qu'il essaie de te dire, intervint Ilkar avant que l'Inconnu puisse réagir. Mon ami, tu as besoin de t'isoler. La grange me paraît un endroit tout indiqué. Hirad, nous devons nous occuper de Styliann.

Le barbare sentit la moutarde lui monter au nez, mais il étouffa sa colère.

L'expression d'Ilkar s'était durcie. L'Inconnu se contenta de hocher la tête, foudroya Hirad du regard et guida son cheval vers la tombe qu'il n'aurait jamais dû pouvoir contempler.

— Hirad, il faut qu'on parle ! lança l'elfe.

— Maintenant ?

— Si Denser et Erienne acceptent d'aller négocier avec Styliann au nom des Ravens, oui, maintenant !

— Tu trouves que j'ai manqué de sensibilité, sur ce coup ?

— Je vois que tu n'as rien perdu de ton talent pour les euphémismes. Viens avec moi, Hirad Cœurfroid. Viens avec moi, et écoute.

L'Inconnu sauta à terre un peu avant d'avoir atteint la grange, et laissa son cheval rejoindre les autres, près des ruines du manoir.

Son cœur cognait à tout rompre dans sa poitrine ; il sentait ses pulsations jusque dans son cou et ses oreilles. Des souvenirs affluèrent dans son esprit. Il revit les Destranas courir vers lui, leurs crocs dégoulinant de salive. Il sentit son épée mordre leur chair, leurs mâchoires se refermer sur son épaule et le sang couler de sa gorge lacérée.

Il porta une main gantée à son cou. Sa vision se brouilla de nouveau, un goût de mort envahit sa bouche et les bruits moururent autour de lui. Il tomba à genoux, luttant pour respirer. Des larmes lui montèrent aux yeux. Pris de nausées, il baissa les yeux sur sa main et se força à l'examiner. Il n'y avait pas de sang.

Pas de sang, pas de molosses de guerre, pas de mort imminente. Relevant la tête, il aperçut la grange devant lui, mais son regard ne put se détacher du monticule de terre battue qui se dressait à côté des portes.

— Dieux bien-aimés, sauvez-moi !

Mais il savait qu'il n'y aurait pas de salut pour lui. Car s'il vivait et respirait de nouveau, son corps était toujours enfoui ici. Gagné par la nausée, il cracha un long jet de bile sur le sol craquelé.

— Pourquoi m'avez-vous privé de ma mort ? grogna-t-il en se relevant péniblement.

Il maudit Xetesk : l'endroit où il avait grandi, mais aussi celui qui l'avait privé de son âme, l'arrachant au repos pour l'obliger à mener une grotesque parodie d'existence derrière un masque. Il maudit la cité et ses maîtres, les mages qui continuaient à commettre des abominations sur ses frères.

Avec l'impression de patauger dans de la boue, l'Inconnu marcha lentement vers sa tombe, le regard rivé sur le monticule de terre. Il n'y avait pas d'inscription : seulement la marque des Ravens, à demi effacée par la brise.

Quand il se tint enfin devant sa propre sépulture, les larmes roulèrent sur ses joues. Il s'agenouilla pour l'effleurer de la main. Il lui aurait suffi de creuser un peu pour toucher ses os. Pour voir son corps et son visage et contempler le véritable Guerrier Inconnu, dont le cadavre gisait là où son âme aurait voulu reposer. En paix. Libre.

Il prit une profonde inspiration et ferma les yeux. Posant ses deux mains sur le monticule, il inclina la tête.

— Par le nord, par l'est, par le sud et par l'ouest. Bien que disparu, Raven toujours tu seras, et je ne t'oublierai pas. Aie pitié de moi, qui continue à respirer alors que tu ne le peux plus.

Puis il se tut, incapable de bouger. Il savait qu'il venait de réciter son mantra à un simple tas d'ossements, mais cette veillée lui avait apporté un semblant de paix.

Il se leva à regret et recula de deux pas avant de se tourner vers le manoir. Devant lui, il vit le Protecteur nommé Cil – et derrière lui, tous les autres.

En rangs silencieux, pleins de compréhension et de respect, impassibles derrière leurs masques, mais pourtant révoltés contre le mal qu'on lui avait fait.

Incapable de parler, Cil lui posa une main sur l'épaule et inclina imperceptiblement la tête. Un instant, le regard de l'Inconnu soutint le sien avant de dériver vers les autres Protecteurs. Un frisson courut le long de son échine quand il prit conscience de leur pouvoir immobile et muet. Ses yeux s'embuèrent de nouveau. Cette fois, c'était de gratitude.

— Vous pouvez échapper à votre esclavage, dit-il. Mais croyez-moi, le prix à payer est très élevé, et la douleur de la séparation sera immense. Bien que je ne puisse plus être avec vous, je vous sens encore. L'heure du choix viendra aussi pour vous.

Il fendit les rangs des Protecteurs, qui se retournèrent et le suivirent jusqu'au manoir.

L'Inconnu avait fait son choix. Mais alors qu'il s'éloignait de sa tombe sans se retourner, il comprit qu'un autre l'attendait. Et il ignorait s'il aurait le courage de le faire. Comme toujours, seul le temps le dirait.

— Si vous espérez emmener des centaines de Protecteurs de l'autre côté de la fissure, vous vous gourez, dit Hirad après que Denser lui eut résumé sa conversation avec Styliann.

L'ancien Seigneur du Mont avait catégoriquement refusé de laisser les mages des Ravens consulter les textes de Septern. Selon le barbare, il finirait par décider qu'il pouvait incanter sans leur aide. Comme ses compagnons, Hirad avait conscience de leur regrettable infériorité numérique.

— Je serais curieux de savoir comment vous comptez m'en empêcher ! railla Styliann.

— Peu importe de quoi je suis capable ou non en ce moment, répliqua le barbare. Tout ce qui compte, c'est ce que les Kaans feront à votre arrivée. Ils n'ont pas besoin de vos Protecteurs, et ils ont tendance à détruire tout ce qui ne leur est d'aucune utilité.

Styliann désigna son armée.

— Détruire cinq cents Protecteurs ne sera pas facile.

Hirad le dévisagea en serrant les poings. Une main apaisante se posa sur son épaule. Celle d'Ilkar. Il hocha la tête et prit une grande inspiration avant de répondre.

— Styliann, vous avez vu la taille de Sha-Kaan. Il pourrait y arriver seul, et vous le savez. J'essaie d'épargner leur vie, si on peut appeler ça comme ça…

Sans crier gare, les Protecteurs s'éloignèrent lentement. Bouche bée, Denser et Styliann les suivirent des yeux. Hirad comprit très vite où ils allaient.

— De toute façon, il est possible qu'ils ne vous écoutent même pas ! lâcha-t-il.

— Revenez ! cria Styliann. Cil, vous connaissez votre devoir. Revenez à mes côtés, ou affrontez votre destin.

— Vous ne devriez pas faire ça, murmura Denser.

— Vous voulez bien répéter ? lança Styliann sans détacher le regard du dos des Protecteurs.

— Vous m'avez très bien entendu. Ça mettrait l'Inconnu en colère. Et pour l'instant, vous êtes seul avec nous. Mais ils seront bientôt de retour.

De fait, les Protecteurs revinrent sur les talons de l'Inconnu.

— Je suppose que nous sommes prêts à partir, déclara le colosse. Styliann, vous pouvez emmener six Protecteurs. Les autres monteront la garde ici.

Les lèvres de Styliann remuèrent, mais aucun son n'en sortit. Empourpré, il tremblait de rage.

— Ils monteront la garde contre quoi ? voulut savoir Hirad.

— Je *peux*... ? répéta Styliann, fou de colère. Par les dieux qui saignent, qui êtes-vous pour me dire ce que je peux faire ou ne pas faire avec mes Protecteurs ?

— Vous comprendrez très bientôt, répondit l'Inconnu.

— Ils monteront la garde contre quoi ? insista Hirad.

— Les Ouestiens arrivent, répondit son ami. Il ne faut pas qu'ils ensevelissent l'entrée de l'atelier. Sinon, nous ne pourrons jamais revenir.

— Pourquoi feraient-ils ça ? demanda Ilkar.

— Julatsa est tombée, annonça Cil, rompant le silence qui lui était imposé. Nos ennemis savent tout.

— Comment pouvez-vous dire ça ? demanda Ilkar à Cil. Je n'ai rien senti.

Le désespoir faisant trembler sa voix, il sondait le masque du Protecteur.

— Ce n'est pas si étonnant, affirma Styliann. Vos mages sont tombés un par un sous les coups des Ouestiens. Leurs ondes de mana n'ont donc pas pu se combiner. Il faut supposer que votre Conseil aura réussi à enfouir le Cœur. Je suis désolé de ce qui est arrivé, mais vous avez peut-être eu de la chance. Après tout, vous êtes sur le point de quitter cette dimension.

— De la chance ? cracha Ilkar. Ces salauds ont détruit le foyer des Julatsiens. De la chance, mon cul !

Denser se racla la gorge.

— Les propos de Styliann manquaient de diplomatie, mais pas de logique. Il est peu probable que les ondes de votre spectre de mana aient autant de force à l'endroit où nous allons.

— Tu ferais mieux d'espérer qu'elles en auront au moins un peu, sinon, ce sort... (Ilkar désigna les documents que tenait Styliann.)... ne sera jamais lancé, quoi qu'il puisse être.

— Plaît-il ? marmonna Hirad, les sourcils froncés.

— Pas d'ondes, pas de mana, expliqua brièvement Erienne.

— Assez de conjectures ! coupa l'Inconnu. Nous ne le saurons jamais si nous n'y allons pas. Alors, en route !

— Pas avant que j'apprenne comment vous savez que Julatsa est tombée, dit Ilkar.

— Cil, vous pouvez parler librement, fit Styliann.

Le Protecteur réfléchit un instant à sa réponse. Quand elle vint enfin, elle fut courte et efficace.

— Les démons nous observent. Quand nous sommes ensemble, nous ne faisons plus qu'un, et nous pouvons voir ce qu'ils voient.

— Fascinant, murmura Styliann. Les effets secondaires de votre mode de « naissance » ne cesseront jamais de me surprendre.

— Profitez-en tant que vous le pouvez, dit l'Inconnu, le visage aussi vide d'expression que les masques de ses anciens compagnons.

— Me menaceriez-vous ?

— Considérez ça comme un conseil d'ami.

— Ce n'est pas le moment de se disputer..., grogna soudain Hirad. Ilkar et Denser exceptés, il faut que je vous explique deux ou trois choses sur ce qui se passera quand nous entrerons dans la fissure.

Il leur parla de la douleur qui accompagnait la transition, de la chute qui les attendait en émergeant de l'autre côté, et de la dévastation qu'ils découvriraient dans la dimension avienne. Il leur décrivit les morts-vivants, au cas où ils se relèveraient, puis le silence qui les envelopperait malgré les éclairs dans le ciel. Il finit par l'altitude déconcertante de la plate-forme rocheuse où ils atterriraient. Puis il leur rappela que les Kaans avaient ravagé cette dimension. S'ils échouaient, d'autres dragons infligeraient le même sort à Balaia.

Enfin, il demanda à ses compagnons de se rappeler qu'ils étaient les Ravens. Aussi étrange que cela puisse paraître, conclut-il, la survie d'une couvée draconique dépendait également de leur réussite.

— Maintenant, on peut y aller.

Mais un nouveau problème les attendait dans les ruines du manoir.

— Que s'est-il passé ici ? s'exclama Ilkar en foudroyant Styliann du regard.

— Ça n'a pas toujours été ainsi ?

— Non.

L'elfe s'accroupit près de l'entrée de l'atelier de Septern – un trou au milieu du plancher.

Denser et Erienne l'imitèrent.

— Je doute que Styliann soit responsable, chuchota le Xetesk.

— Alors, que s'est-il passé ? demanda Erienne.

Ilkar se gratta la tête.

— L'entrée n'a pas été ouverte avec une clé, ni forcée. Ça laisse une possibilité : le sort de Septern s'est effondré.

— À cause de la fissure ? demanda Denser.

— Tu vois une autre explication ?

— Qui se soucie d'explications ? lança l'Inconnu. (Irrités par cette interruption, les mages se tournèrent vers lui.) Désormais, plus question de refermer l'atelier derrière nous pour empêcher les Ouestiens de nous suivre dans la fissure. Et ils le feront certainement s'ils arrivent à vaincre les Protecteurs.

— Nous ne pouvons pas laisser entrer une armée dans la dimension draconique, dit Hirad. Quel que soit le pouvoir des Kaans, les Ouestiens risqueraient de nous trouver et de nous capturer… ou pire encore !

Ilkar se releva et s'épousseta les genoux.

— Alors, que proposes-tu ?

— Des renforts ! dit le barbare. C'est notre seule option. Darrick doit marcher vers le nord. (Il se tourna vers Denser.) Désolé, mais il faut que tu lances une Communion.

Le Xetesk soupira.

— Que veux-tu que je dise ?

Sous un ciel orageux, les Ravens avançaient au milieu des ruines du village avien dévasté, face au portail qui conduisait à la dimension draconique. Loin en contrebas, des éclairs rouges déchiraient le vide entre les pics rocheux.

Denser était le seul à avoir franchi cette fissure-là. Il en était revenu terrifié en marmonnant des paroles incohérentes au sujet des dragons. Pourtant, Hirad éprouvait un sentiment de déjà-vu. Le lien qu'il partageait avec Sha-Kaan lui donnait une vision très claire de ce qui les attendait, et réveillait une idée tapie dans son subconscient depuis l'incursion mal avisée du Xetesk. À l'époque, comprit-il, il se doutait déjà qu'il aurait un jour à franchir aussi ce portail. Pour affronter ses cauchemars et vaincre ses démons intimes !

Il se tourna vers ses compagnons.

— Prêts ?

Cette question, en réalité, s'adressait à deux d'entre eux. À Ilkar, doté d'un courage extraordinaire, mais qui chancelait face à la perte de son Collège. Et à Styliann, dont le désir d'explorer la dimension avienne avait déclenché l'exaspération générale pendant la courte marche entre les deux portails.

L'ancien Seigneur du Mont hocha la tête.

Ilkar se força à sourire.

— Aussi prêt que je peux l'être.

— J'aimerais pouvoir en dire autant, soupira Hirad. Denser, tu as un conseil à nous donner ?

— Attendez-vous au pire ! La dernière fois, j'ai débouché dans un paysage ravagé, et je doute que ça se soit amélioré.

Mais le spectacle qui s'offrit à eux de l'autre côté du portail était très différent de la description du Xetesk. Il avait parlé de terre brûlée, d'un ciel grouillant de dragons et d'une pluie de feu.

Cette fois, ils arrivèrent dans une caverne. Et bien qu'il y fît noir, une douce lumière gris vert filtrait d'une courbe du tunnel, quelques mètres devant eux.

— Par tous les enfers, marmonna Denser en regardant autour de lui. La fissure a dû être déplacée.

— Je doute que ce soit possible sans la participation du mage qui l'a créée, objecta Erienne.

— Pourtant, je te certifie que ces cailloux n'étaient pas là la dernière fois.

— Quelqu'un a une torche ? demanda Hirad.

— Pourquoi en veux-tu une ? lança l'Inconnu.

— Les dragons sont peut-être peints au plafond, ou un truc dans le genre.

— Très drôle, Cœurfroid ! cria Denser. Mais je sais ce que j'ai vu !

— Dans ce cas, dit Styliann, quelqu'un a dû construire cette caverne récemment.

Hirad lui jeta un regard interrogateur. Avant qu'il puisse lui poser des questions, le pouvoir mental de Sha-Kaan se referma sur son esprit comme un étau.

— Bienvenue dans mon monde, Hirad Cœurfroid. À présent, tu vas contempler les conséquences de ton insouciance. Jatha vous guidera jusqu'à moi.

Le pouvoir se dissipa aussitôt.

Le barbare vit que l'Inconnu le regardait, l'air inquiet.

— Tu vas bien ?

Hirad hocha la tête.

— C'était Sha-Kaan. Il sait que nous sommes ici. Il…

Il fut interrompu par un mouvement, devant eux. Une ombre avança vers la lumière. D'instinct, les Ravens se mirent en formation. Hirad, l'Inconnu et Thraun dégainèrent leurs épées et s'écartèrent les uns des autres pour se laisser la place de les manier. Ilkar, Denser et Erienne se placèrent derrière eux. Une seconde plus tard, les Protecteurs se déployèrent sur leurs flancs.

Vêtu très simplement, un fourreau à la ceinture, un petit homme apparut au détour du passage. Il ne frémit pas en découvrant les guerriers qui l'attendaient. Au contraire, un grand sourire éclaira son visage au-dessus de sa longue barbe tressée.

Hirad se détendit et rengaina son épée.

— Jatha ? demanda-t-il, bien qu'il connût déjà la réponse à cette question.

L'homme hocha la tête. D'une voix rauque, parce qu'il devait utiliser ses cordes vocales très rarement, il souffla :

— Hirad Cœurfroid. Et les Ravens…

Chapitre 29

Au milieu de la journée, des pigeons voyageurs apportèrent au seigneur Tessaya deux messages qui l'incitèrent à ordonner le massacre qu'il avait espéré éviter.

Le premier venait des survivants de l'armée de Taomi, qui marchait vers Sousroc. Il confirma ses pires craintes sur l'invasion de Gyernath et la résistance opposée par le baron dont il appréciait tant le vin. Mais surtout, il l'informa de la destruction de la base de ravitaillement sud. Non content d'être toujours vivant, Darrick n'avait pas renoncé à se battre !

Quant au second, bien qu'il lui apportât la nouvelle tant attendue de la chute de Julatsa, il raviva ses doutes. Car il parlait d'un petit groupe qui avait réussi à s'enfuir du Collège quelques heures avant sa prise. Il mentionnait une mission dans le royaume des dragons et un cataclysme issu du ciel plus meurtrier que tout ce que les Seigneurs Sorcyers auraient pu provoquer. Succédant à la déroute des hommes qu'il avait lancés à la poursuite du mage xetesk, cette révélation remplit Tessaya d'incertitude.

À contrecœur, il convoqua Arnoan. Les deux hommes s'installèrent à l'auberge pour manger et parler, les yeux du vieux chamane pétillant de bonne humeur. Il croyait sans doute que Tessaya avait enfin reconnu sa valeur et tentait de se racheter. Le seigneur ne fit rien pour dissiper cette méprise.

— Vous devez garder votre calme, conseilla Arnoan en rompant un morceau de pain pour le tremper dans sa soupe.

— Plus facile à dire qu'à faire, grommela Tessaya. Les Ravens – maudits soient-ils ! – ont réussi à s'enfuir d'une cité assiégée, et ils s'apprêtent à contacter des dragons pour former une alliance contre moi. Styliann et sa redoutable escorte, qui compte désormais cinq cents guerriers, ont massacré des milliers de mes hommes. Et si mes éclaireurs ne se sont pas trompés, ils sont en route pour rejoindre les Ravens.

« Maintenant, j'apprends que nos forces ont dû évacuer une ville dont elles s'étaient emparées, et la détruire pour empêcher nos ennemis de la reprendre. Leur moral est en miettes. Les survivants viennent vers nous quémander ma compassion.

Et ils ne l'obtiendront certainement pas ! Vraiment, je ne vois aucune raison de garder mon calme !

Il vida son gobelet de vin – du rouge de Noirépine, ironiquement – et le remplit de nouveau.

Arnoan eut un sourire indulgent.

— Êtes-vous certain que c'est la vérité, seigneur ? En ce qui concerne Darrick et Noirépine, je n'en doute pas. Mais des dragons ? Un cataclysme venu du ciel ? Ne sommes-nous pas trop évolués pour avaler ces fables ? Je soupçonne que le rapport de Senedai repose sur les affirmations d'un mage hystérique. Se sachant sur le point de mourir, il aura voulu semer la terreur dans le cœur de ses bourreaux.

— Eh bien, il a réussi !

Par-dessus le bord de son gobelet, Tessaya dévisagea le chamane.

— Nous ne pouvons pas ajouter foi à ces affabulations, dit Arnoan. Les dragons sont des créatures de légende. Ils n'existent pas dans le monde réel.

— Supposons que vous ayez raison. Dans ce cas, pourquoi les Ravens sont-ils partis, et où vont-ils ? Pourquoi Styliann n'est-il pas resté à Xetesk pour défendre sa cité, au lieu d'emmener avec lui tous ses guerriers d'élite ?

Tessaya pianota nerveusement sur la table.

— Ça me semble pourtant clair. Comprenant que le Collège de Julatsa était condamné, les Ravens ont préféré s'enfuir. Ce sont des mercenaires et ils ne doivent allégeance à personne !

Tessaya faillit sourire malgré son irritation devant le manque de clairvoyance du chamane.

— Avant de gober que les Ravens se sont détournés d'un combat, je croirais plutôt à l'existence des dragons. Ne vous bercez pas d'illusions ! Le message de Senedai était très clair : les Ravens ont quitté la cité avec l'aide – et, je présume, la bénédiction – des Julatsiens. (Il leva une main pour empêcher Arnoan de protester.) Il se passe quelque chose. Je le sens. Et je refuse de rester assis les bras croisés en attendant le début de la tempête.

— Nous les faisons déjà surveiller, lui rappela le chamane. Sousroc est importante pour nous. Nous ne pouvons pas l'abandonner.

— Vous avez sans doute perdu votre appétit de bataille en même temps que vos dents, mais ce n'est pas mon cas, répliqua Tessaya. Voilà la situation telle que je la perçois. Les Ravens sont en route pour négocier avec des dragons, ou au moins avec une force qu'ils croient assez puissante pour nous arrêter. Styliann et ses créatures de cauchemar leur prêteront main-forte. Dans le meilleur des cas, si nous ne les traquons pas pour les tuer, ils renforceront la défense de Korina, ce que je ne souhaite pas. Dans le pire, ils trouveront effectivement des alliés que nous ne pourrons pas vaincre.

« Le seigneur Senedai a pris cette menace suffisamment au sérieux pour se lancer à leur poursuite avec le gros de son armée. Le seigneur Taomi avance vers nous avec le baron Noirépine – et peut-être le général Darrick – à ses trousses. Notre objectif est de contrôler Balaia en nous emparant de la capitale de l'est. Nous n'y parviendrons pas en restant ici et en attendant que Taomi nous amène des problèmes supplémentaires.

« Informez Riasu que je le charge de garnir les fortifications est de la passe de Sousroc. Aucun mage ne doit pouvoir approcher pour lancer le sort aquatique. Il dispose de suffisamment d'hommes, et il peut faire appel aux réservistes en cas de besoin. Quant à nous, il faudra nous occuper des Ravens avant de marcher sur Korina. Le temps joue contre nous, mon vieil ami, et nous devons saisir cette occasion tant qu'elle se présente !

Arnoan réfléchit en se mordillant la lèvre supérieure.

— Une stratégie très audacieuse, seigneur, dit-il enfin. Mais qu'adviendra-t-il de Sousroc ? Nous nous sommes donné tant de mal pour la prendre...

Tessaya jeta un coup d'œil aux barricades presque achevées.

— Et elle nous a bien servis en nous abritant et en occupant nos hommes. Nous ne courons aucun risque de perdre la passe. Les Collèges ne tenteront rien contre nous, à présent que Julatsa est tombée et que Styliann n'est plus à Xetesk. Nous allons donc l'abandonner.

— À Riasu ?

— Non. Nous ne laisserons pas un seul bâtiment debout.

— Et nos prisonniers ? demanda Arnoan.

Tessaya soupira.

— Nous sommes des guerriers, pas des gardiens de prison. Et ils ne doivent pas être autorisés à rejoindre l'armée de Darrick.

— Seigneur ?

— Ces gens n'ont aucune valeur pour nous. Ils nous encombrent. Je ne peux pas me permettre de traîner un poids mort.

Tessaya se leva, sortit de l'auberge et descendit la rue vers la passe de Sousroc. Même s'il s'était exprimé d'une voix dure et froide, il avait le cœur lourd. Jamais il n'avait voulu ça. Mais trop d'événements indésirables s'étaient déjà produits, et la conquête à tout prix restait la seule voie qui s'offrait à lui. Il s'arrêta et se tourna vers les baraquements des prisonniers. Puis il marcha vers les gardes pour leur donner ses ordres.

Qu'il eût senti leur impatience ou qu'il la partageât, Jatha entraîna rapidement les Ravens et leurs compagnons à l'écart du portail. Après avoir pris plusieurs intersections dans le passage, il s'immobilisa devant un mur, regarda par-dessus son épaule et leur fit signe de le suivre. Puis il disparut à travers la paroi rocheuse.

Les Ravens s'arrêtèrent net.

— Ilkar ? appela l'Inconnu.

L'elfe fit un pas en avant.

— Je suppose que c'est une illusion. (Il posa sa main sur le mur, qui se révéla solide.) D'une qualité exceptionnelle ! Je ne suis pas sûr que... (Il poussa un peu. Cette fois, sa main s'enfonça jusqu'au poignet.) Extraordinaire !

Denser s'approcha de lui.

— Intéressant, dit-il. Ce n'est pas un construct de mana.

Erienne et Styliann les rejoignirent pour examiner le mur.

— Qu'en pensez-vous ? demanda Denser.

— C'est vraiment de la pierre, répondit Styliann. Mais modifiée.

— Elle reconnaît peut-être certaines personnes seulement, avança Denser. (Il passa son bras à travers, et remua les doigts dans le vide, de l'autre côté.) Elle oppose une résistance superficielle.

— Comment pourrait-elle me reconnaître ? demanda Styliann. Mon arrivée n'a pas été annoncée.

— Bonne remarque, dit Erienne. Elle me semble fluide, même si je ne peux pas nier que c'est de la roche. Toute la question est de savoir comment elle maintient une apparence et une forme solides.

— Je soupçonne une magie contenue, un peu comme celle du portail, dit Ilkar. Il est clair qu'elle a été placée ici délibérément, afin de le dissimuler.

— Comme toute la caverne, fit Denser. Bien que le reste soit on ne peut plus tangible.

Adossé à un mur, Hirad les observait en se grattant le menton. Il fit un clin d'œil à l'Inconnu et avança, un sourire sur les lèvres.

— Toute cette intelligence, et pas un seul d'entre vous n'est fichu de comprendre comment ça fonctionne ?

Les quatre mages se tournèrent vers lui, l'air hautain.

— Hirad, dit Ilkar, si ça ne t'ennuie pas, nous essayons de résoudre ce mystère avant de foncer tête la première. C'est comme ça que les Ravens ont toujours procédé.

— Certes, fit le barbare. (Il posa une main sur la paroi magique et s'y appuya de tout son poids.) Mais dans le cas présent, ça ne vous servira à rien.

Il recula avant de se pencher plus doucement en avant. Cette fois, sa main traversa la pierre sans difficulté.

— Oh, non ! gémit Ilkar. Tu sais de quoi il s'agit, n'est-ce pas ? (Hirad fit oui de la tête. L'elfe soupira et se tourna vers ses collègues.) Il faut nous résigner : il sait quelque chose que nous ignorons. Ça n'arrive pas souvent, et il ne nous laissera jamais l'oublier !

— Alors ? s'impatienta Denser.

— Ce n'est pas de la magie au sens où vous l'entendez, révéla Hirad. Il s'agit d'un fragment de matière interdimensionnelle qui porte la signature des Kaans et celle de Balaia. Aucune créature étrangère à ces deux groupes ne peut la traverser. Pour un intrus, ce serait de la roche solide. Malins, ces dragons, vous ne trouvez pas ?

Sur cette pique, il traversa le mur.

Ce qui les attendait de l'autre côté confirma les souvenirs de Denser. Ils débouchèrent dans une vallée au sol noirci et aux arbres calcinés, dont les branches nues se tendaient vers le ciel comme pour le supplier. Seuls des buissons très tenaces poussaient encore sur la terre ravagée, et une odeur de brûlé planait dans l'air.

Derrière eux se dressait un amas de rochers impossible à distinguer des dizaines d'éboulis qui jonchaient la pente. Au-dessus de leurs têtes, des nuages s'effilochaient dans le ciel d'un bleu profond. Autour d'eux, rien ne bougeait. Aucun animal ne furetait au pied des arbres, pas un oiseau ne pépiait dans les buissons. Ici, l'atmosphère était pesante, épaisse et humide. Ils ne parvinrent pas à identifier les odeurs. L'air qui emplissait leurs poumons n'avait pas la même qualité que celui de Balaia, même s'ils pouvaient le respirer normalement.

— Tout est si calme, souffla Erienne.

Les Ravens se tenaient à quelques pas de Styliann et de ses Protecteurs, qui paraissaient un peu distraits. Un détail qui n'échappa pas à l'Inconnu.

Sur leur gauche, Jatha avait rejoint une vingtaine de ses semblables, tous assez petits selon les critères balaiens. Ils faisaient environ la même taille que le pauvre Will, mais leurs épaules larges et leurs jambes robustes témoignaient d'une grande habitude des travaux physiques. Il n'y avait pas de femmes dans le groupe, et tous arboraient une barbe tressée de longueur variable.

Pendant que les Ravens observaient le spectacle de cauchemar qui les entourait, leurs guides sondaient le ciel ou collaient une oreille sur le sol, comme s'ils guettaient les signes avant-coureurs d'une attaque. Leurs mains ne s'écartaient jamais de leurs armes : des épées larges et des massues idéales pour se battre en puissance plutôt qu'en finesse.

— Et maintenant ? demanda Ilkar.

— Maintenant, dit Hirad, nous allons rejoindre Tiredaile. Au Foyer Couvelien des Kaans.

Jatha s'approcha de lui.

— Venez, dit-il. Endroit mauvais.

D'un geste du bras gauche, il désigna la vallée. Au loin, l'air brûlant ondulait au-dessus des collines.

— On dirait que nous sommes bons pour marcher ! soupira le barbare.

— Les dragons ne pourraient pas nous porter ? avança Denser.

— Jamais ! répondit Hirad.

Ils suivirent Jatha et ses semblables. Les serviteurs des Kaans se déplaçaient à vive allure. Sous leurs pieds, la terre était comme cuite par le soleil et le feu. Alors qu'ils traversaient la vallée, ils aperçurent des ossements dont la blancheur étincelante se détachait sur le sol noirci.

— C'est loin d'ici ? demanda Erienne, une main sur son ventre.

Hirad haussa les épaules.

— Nous avons très peu de temps, rappela Ilkar. Et il reste beaucoup à étudier et à assimiler si nous voulons lancer un sort efficace.

— Ou même un sort tout court, grommela Denser. (Il passa un bras autour des épaules d'Erienne.) Tu vas bien ?

— Je suis un peu fatiguée, c'est tout, répondit la jeune femme. Ne t'en fais pas pour moi.

Ils marchèrent en ligne droite pendant une heure, jusqu'à ce que Jatha tourne vers la gauche et s'engage dans le lit asséché d'une rivière qui remontait la pente en serpentant. Arrivés au sommet, ses semblables et lui s'immobilisèrent à l'endroit où les troncs calcinés se raréfiaient.

Le spectacle qui accueillit les Ravens leur coupa le souffle. Une plaine couverte de hautes herbes agitées par la brise s'étendait devant eux à perte de vue.

Le vent jouait sur sa surface jaune paille tachetée de rouge et de bleu, formant des motifs en spirale semblables aux remous d'un océan. Çà et là, des cicatrices sombres balafraient ce tableau fluctuant. Le sol s'élevait en douces ondulations qui allaient mourir au pied d'une chaîne de montagnes. Les pics barraient l'horizon d'un bout à l'autre, si hauts que leurs sommets se perdaient dans la brume.

Pourtant, ce ne fut pas la terre, mais le ciel, qui fit battre plus fort les cœurs des Ravens. Souillant l'azur, telle une traînée de boue sur de la soie, la fissure béait dans le ciel. Des nuages tourbillonnaient autour de ses bords déchiquetés et des éclairs rouges zébraient sa surface torturée.

Comme si ça ne suffisait pas, il y avait les dragons. Une quarantaine décrivaient devant la fissure des motifs complexes mais ordonnés. À distance, une vingtaine d'autres patrouillaient par groupes de trois.

Jatha tendit un doigt.

— Kaans !

— Avons-nous une chance de réussir ? demanda l'Inconnu en regardant les Protecteurs.

Au lieu de se tenir prêts à défendre Styliann, ils regardaient la fissure et ses gardiens.

— La magie a réponse à tout, répondit le Xetesk.

— À terme, oui, dit Ilkar. Mais le temps est ce qui nous fait le plus défaut. Nous n'avons pas intérêt à chômer. Regardez-moi la taille de cette monstruosité !

Hirad leva les yeux et frémit. Il avait l'impression de voir grandir la fissure sous ses yeux. Ce qui était peut-être le cas.

— Hirad ? appela l'Inconnu.

— Mouais ? (Le barbare s'arracha à la contemplation de la fissure.) Quoi ?

— Il faut y aller.

L'Inconnu désigna Jatha, qui couvait Hirad d'un regard profondément respectueux. Le barbare hocha la tête.

— Jatha. Tiredaile ?

Le serviteur de Sha-Kaan fronça les sourcils. Puis un sourire éclaira son visage.

— Tiredaile, répéta-t-il en pointant un index vers les montagnes. (Son sourire s'effaça.) Prudence. (Il désigna le ciel en gesticulant comme s'il voulait s'envoler.) Prudence.

— C'est compris, les Ravens ? demanda Hirad.

Le silence de ses compagnons lui apportant la confirmation qu'il attendait, ils se remirent en chemin vers l'étrange plaine qui ondulait devant eux.

L'herbe était plus haute que Cil et l'Inconnu, et sa densité ralentissait les voyageurs. Il s'en dégageait une odeur douce et enivrante, comme celle des fruits mûrs par une journée ensoleillée. Bien qu'elle leur conférât une certaine protection contre les menaces terrestres, ils ne doutaient pas d'y laisser une piste très visible depuis les airs.

Jatha avait tenté d'apaiser leurs craintes en leur montrant la façon dont les brins d'herbe se redressaient derrière lui. Mais son optimisme s'était envolé à la vue des dégâts que les Balaiens, beaucoup plus lourds, causaient sur leur passage.

Il les avait fait avancer aussi rapidement que possible, marquant seulement une courte halte pour avaler une rapide collation. Alors que la soirée approchait, ses semblables et lui commencèrent à chercher quelque chose. Pourtant, aux yeux d'Hirad, rien n'était venu rompre la monotonie de la végétation qui les entourait.

Réagissant au signal d'un de ses hommes, Jatha s'immobilisa. Il se tourna vers Hirad et, courbé en deux, fit mine d'avancer sur la pointe des pieds avec des précautions exagérées. Le barbare comprit le message.

— Essayez de ne pas écraser trop d'herbe ! dit-il à ses compagnons.

Jatha repartit très lentement et écarta les tiges d'un revers de la main en prenant garde à ne pas les briser. Ses semblables l'imitèrent. Hirad haussa les épaules et en fit autant, certain que les Ravens calqueraient leur attitude sur la sienne. Du coup, il faudrait un pisteur de la classe de Thraun pour réussir à les suivre.

Ils progressèrent ainsi pendant une demi-heure et aperçurent leur destination seulement quand ils l'atteignirent. Hirad marchait sur les talons du dernier homme de Jatha et faillit lui rentrer dedans lorsqu'il s'immobilisa brusquement. Devant lui, quatre serviteurs des Kaans se déployèrent en demi-cercle et s'accroupirent. Chacun empoigna et souleva un assemblage de bois et de toile de jute couvert de terre et d'herbe pour un meilleur camouflage. Sans marquer de temps d'arrêt, Jatha s'enfonça dans les ténèbres ainsi révélées.

— Joli travail, commenta Ilkar.

— Je suis étonné qu'ils aient pu retrouver cette entrée, dit le barbare.

— Il n'y a pas de quoi, lâcha Thraun d'une voix lasse. Le chemin est bien indiqué.

L'Inconnu lui tapota l'épaule.

— Dépêchons-nous de nous mettre à l'abri et d'allumer le poêle ! Je pourrais tuer pour un café.

Après avoir refermé la trappe et allumé des lanternes, ils s'engagèrent dans un escalier de pierre qui les conduisit jusqu'à une caverne naturelle. Son plafond culminant à dix mètres de haut, elle devait mesurer une quinzaine de mètres de côté. Face à l'escalier se dressait une étroite alcôve où soufflait un fort courant d'air, preuve qu'il existait un passage vers la surface.

Le sol était couvert de feuilles séchées. Plusieurs piles de bois, des gamelles et quatre grosses outres pleines d'eau reposaient sur la gauche. Un tapis d'herbe tressée, déroulé et étendu, fournirait une bonne isolation contre le froid diffusé par la pierre.

Les hommes de Jatha posèrent leurs lanternes dans des cavités creusées à même la roche. Elles illuminèrent les corniches aux bords irréguliers qui saillaient au-dessus de leur tête et les enchevêtrements de lianes qui se balançaient doucement au plafond. Dans cet espace confiné régnaient une humidité glaciale et une désagréable odeur de pourriture. Mais les Ravens pensèrent qu'ils y seraient au moins en sécurité.

Au milieu de la caverne s'étendait une fosse peu profonde où les hommes de Jatha jetèrent des branches pour allumer un feu. La chaleur se répandit rapidement, la fumée disparaissant par le plafond poreux. Tous les membres du groupe purent enfin se détendre, étirer leurs membres endoloris et s'allonger sur le tapis.

— Choul ! dit Jatha en écartant les bras.

— Choul, répéta Hirad.

Jatha et ses hommes s'étaient installés du côté opposé à l'escalier, où ils s'affairaient à préparer le repas. Après avoir sorti de leur paquetage des tubercules et de la viande séchée, ils déplièrent au-dessus du feu des trépieds métalliques munis de crochets, puis y pendirent des casseroles pleines d'eau.

Pendant ce temps, Thraun avait installé le poêle près de l'escalier. Rien ne s'interposerait plus entre les Ravens et leur café. Les mercenaires se rassemblèrent autour du poêle, l'unique objet familier dans un environnement inconnu.

Un peu à l'écart des deux autres groupes, Styliann et ses Protecteurs s'étaient assis contre le mur de droite. Silencieux, ils semblaient méditer. L'ancien Seigneur du Mont échangea quelques mots avec Cil, puis il se leva et s'approcha des Ravens, des documents à la main.

— Il y a beaucoup à faire, dit-il.

— En effet, convint Hirad. Du café à boire, de la nourriture à manger et une conversation à tenir ! Uniquement entre Ravens. Ensuite, vous pourrez vous mettre au travail tous les quatre.

— N'avons-nous pas dépassé le stade des querelles de paroisses ?

— Je n'en ai pas la moindre idée, dit le barbare, impassible. Tout ce que je sais, c'est que vous nous gênez. Pendant une mission, chaque soir, nous passons en revue ce qui s'est produit et nous planifions la suite. Les Ravens fonctionnent ainsi.

— Bien sûr, et je détesterais contrevenir à vos précieuses règles. Après tout, nous n'avons jamais que deux dimensions à sauver !

Hirad secoua la tête. Avant qu'il puisse parler, la voix lasse de Denser résonna dans la caverne.

— Styliann, pour l'amour des dieux, allez vous rasseoir avant qu'il n'enchaîne sur son fameux discours : « Et c'est pour ça que nous sommes toujours en vie ».

Ilkar éclata de rire. Hirad le foudroya du regard.

Styliann haussa les épaules et retourna près de ses Protecteurs.

— Merci de m'avoir soutenu, maugréa le barbare.

Ilkar sourit.

— La dernière fois, j'ai tenté de t'inculquer quelques notions de délicatesse. Le tact sera le sujet de notre prochaine conversation.

Une odeur de ragoût chassa peu à peu celle de la pourriture. Les hommes de Jatha communiquaient par gestes et par une variante de télépathie très évoluée. Ainsi, seul les bruits de vaisselle et le crépitement du feu troublaient le silence de la caverne.

La réunion des Ravens fut brève. Ils n'avaient pas grand-chose à se dire, mais le respect de leur coutume leur valut un sentiment de normalité réconfortant.

Plus tard, après que les hommes de Jatha eurent ajouté du bois dans le feu et que tout le monde eut rangé les gamelles, les quatre mages examinèrent les manuscrits rapportés de Xetesk et de Julatsa. Des heures durant, on n'entendit plus que les pages qu'ils tournaient, et les soupirs qu'ils poussaient. Parfois, même si très peu de textes étaient rédigés en langue annalytique, l'un ou l'autre avait besoin d'aide pour traduire un terme, et des murmures emplissaient alors la caverne.

Intrigués, Jatha et ses hommes avaient commencé par observer attentivement les Balaiens. Mais la curiosité céda bientôt la place à l'ennui, et la plupart finirent par s'endormir, à l'exception des deux sentinelles assises sous la trappe, au sommet de l'escalier.

Hirad et l'Inconnu s'étaient adossés à un mur, les jambes tendues. Ils avaient essayé de bavarder pour tromper leur attente, mais étaient vite tombés à court de sujets de conversation. Thraun, qui n'avait pas prononcé un mot depuis leur arrivée au Choul, restait perdu dans ses pensées.

Quand ils eurent fini d'examiner les textes, les mages réclamèrent une nouvelle tournée de café. Puis ils parlèrent.

— Styliann, depuis quand saviez-vous que ces informations étaient à Xetesk ? demanda Erienne.

— Depuis le début… Si je n'ai rien dit, c'est parce que je craignais d'avoir du mal à les récupérer.

— Les aviez-vous déjà étudiées ?

— Pas en détail, je suis au regret de l'avouer. Ces textes étaient dans les caves du Collège.

— Et qu'en pensez-vous ?

— Une minute, coupa Ilkar. Échanger nos opinions ne nous mènera à rien. Penchons-nous plutôt sur les différentes étapes de l'incantation, et tentons de déterminer ce que nous allons devoir faire. C'est d'accord ?

Les trois autres approuvèrent, un sourire flottant sur les lèvres de Styliann.

— Toujours aussi diplomate, Ilkar.

L'elfe haussa les épaules.

— Nous n'avons pas de temps à perdre, c'est tout. Bien. Qui veut résumer les données de base ?

— Moi, dit Erienne. Nous sommes confrontés à une fissure non-contenue qui relie deux dimensions et puise de l'énergie dans l'espace interdimensionnel pour grandir à un rythme exponentiel. Parce qu'elle a été créée par une magie conventionnelle, nous postulons qu'elle peut être refermée de la même façon. Mais il n'existe pas dans nos annales de sort défini permettant de démanteler cette fissure. Donc nous devons en générer un à partir des fragments des travaux de Septern et de nos connaissances. Nous n'aurons pas le temps de le tester avant de le lancer. Les risques sont inimaginables, la réussite plus qu'incertaine, et la quantité de pouvoir nécessaire totalement inconnue. Ça vous va ?

— Tu y réfléchissais depuis un moment, n'est-ce pas ? demanda Denser en lui passant une main dans les cheveux.

Ilkar gloussa à cause de la lueur qui dansait dans les yeux du Xetesk plutôt que de ses paroles. Le bon vieux Denser était enfin de retour. L'elfe s'interrogea sur le motif de son revirement. Erienne y était sans doute pour beaucoup, même s'il soupçonnait que Denser avait toujours eu en lui la force de se reprendre. Il lui avait simplement fallu un coup de pouce extérieur…

— Ce résumé de la situation me paraît tout à fait pertinent, déclara Styliann. Si je puis me permettre, je pense que la priorité est de déterminer si nous pouvons construire une forme de mana susceptible d'établir un lien avec l'espace interdimensionnel. Si nous ne parvenons pas à l'affecter dans la région de la fissure, nous n'aurons aucun espoir de recoudre le ciel, pour utiliser une expression imagée.

— Recoudre. Recoudre, marmonna Ilkar. (Il se pencha pour fouiller dans la pile de textes.) Septern a utilisé le même terme pour décrire quelque chose en rapport avec les portails contenus. Ah, le voilà. (Il s'empara d'un petit volume relié de cuir que les Ravens avaient ramené de Julatsa et le feuilleta rapidement.) J'y suis. Écoutez ça. C'est un extrait de la retranscription d'un des discours de Septern sur le processus de pensée.

« Quand on a affaire à des forces dimensionnelles, comprendre la théorie d'un construct de mana ne suffit pas. Il faut tenter d'inclure dans ce construct une trace d'une activité matérielle, un élément banal et quotidien qui permette de focaliser la pensée pendant la formation du sort et au cours de son déploiement. »

« Les forces interdimensionnelles affectent le mana d'une manière très différente de celle de l'espace balaien. Tout sort visant à apprivoiser ou à modeler leur pouvoir développera ce qu'on doit décrire comme une volonté propre. Si bien qu'un construct conçu par exemple pour ouvrir un portail contenu, risque d'échapper rapidement à tout contrôle. Le problème consiste à trouver un moyen de rester concentré et maître de sa forme de mana. Le meilleur est de la rattacher à quelque chose de très terre à terre. »

« Pour reprendre l'exemple du portail contenu, le déploiement du sort d'ouverture utilise la matière de l'espace balaien et celle de la dimension ciblée, qu'il rapproche l'une de l'autre avant de les lier. Pourquoi ne pas imaginer qu'on a affaire à deux morceaux de tissu, dont on superpose les bords avant de les coudre ? Nous avons tous vu un tailleur tirer l'aiguille. Pensez à lui pendant que vous construisez votre forme de mana. »

Ilkar tendit le volume à Denser.

— Ensuite, Septern décrit un exercice pratique, mais la signification du passage que je viens de lire semble très claire. Après tout, nous allons repriser un trou dans le ciel de notre dimension et de celle des dragons, avant de les séparer l'une de l'autre pour fermer le couloir qui les relie.

— Qu'en pensez-vous, Denser ? demanda Styliann.

— Tout ça est bien beau, mais ça ne nous dit pas comment créer une « aiguille » et l'utiliser dans le construct. J'imagine que ça risque d'y introduire une certaine instabilité.

— C'est possible, mais nous n'en sommes pas encore là, rappela Erienne. Le passage sur la théorie de la construction est incomplet. Nous ignorons si la forme que nous créerons aura le pouvoir de s'ancrer aux bords de la fissure. Après tout, Septern était tout près de l'endroit que visait son sort. Nous, nous devrons incanter par-delà une distance que je n'arrive pas à évaluer.

— Une bonne remarque, dit Styliann, mais dont nous n'avons pas à nous soucier. Le sort de ConnexionDimensionnelle que nous avons utilisé à la passe de

Sousroc implique une notion de portée que je maîtrise à la perfection. À nous quatre, nous avons assez de puissance pour lancer un construct d'ancrage. Probablement pas une once de plus, mais ça devrait suffire.

Assis près de l'Inconnu, Hirad bâilla et s'étira. La nuit promettait d'être longue.

Il s'appelait Aeb, mais son nom était sa seule marque d'individualité. Il ne pensait jamais au singulier, qu'il ait reçu une mission solitaire ou qu'il se tienne en compagnie de ses frères, comme c'était le cas. Il sentait que tous se préparaient à défendre le manoir, comme le leur avait ordonné leur Protégé, le mage Styliann. Les raisons n'avaient pas d'importance : seul l'ordre comptait.

Aeb était un homme robuste qui se souvenait très vaguement d'avoir été *appelé* à l'âge de vingt-trois ans. Vêtu comme tous ses frères d'une épaisse cuirasse et d'une cotte de mailles, le visage dissimulé par un masque d'ébène et les flancs ceints d'une épée et d'une hache, il observait le terrain qui lui faisait face avec un calme que seul un Protecteur pouvait éprouver quand l'horizon grouillait d'Ouestiens.

Depuis des heures, ils surveillaient l'approche de l'armée ennemie : d'abord à travers les pensées d'une dizaine d'éclaireurs, puis à travers les yeux de chacun, alors que la force venue de Julatsa se déployait pour les encercler. Mais tandis que tombait le crépuscule, Aeb sentit qu'aucun de ses frères ne croyait à l'éventualité d'une attaque avant l'aube.

Nous nous reposerons à tour de rôle, pensa-t-il. Son message toucha instantanément l'ensemble des Protecteurs. Dos au manoir, il regarda sur sa droite et sur sa gauche. Dans la formation défensive serrée, un guerrier sur trois recula et marcha vers la rangée de feux où attendaient de la nourriture et des outres. Chaque tiers du contingent dormirait trois heures. Ou jusqu'à ce que la menace se précise et qu'ils se rassemblent tous pour combattre...

Les Ouestiens n'auraient donc pas l'occasion de lancer une attaque surprise. La nuit était toujours un moment dangereux, et elle le serait encore plus pour leurs ennemis, qui avaient besoin de lumière pour bien se battre. Ce n'était pas le cas des Protecteurs...

Des sentiments et des pensées venant de ses frères tourbillonnaient dans l'esprit d'Aeb. À tout instant, il savait ce que les autres voyaient et entendaient. Il sentait chacune de leurs inspirations et connaissait toutes leurs faiblesses. Les Protecteurs indemnes couvraient leurs frères blessés et aucun ne perdait jamais la vie à cause d'un manque de préparation.

Une seule inquiétude flottait à la surface de leur conscience collective. Bien que leurs âmes fussent dans le réservoir, ils ne pouvaient plus sentir Cil et les cinq autres Protecteurs partis avec Styliann. Comme s'ils étaient en sommeil : toujours vivants, mais séparés de leurs frères. Leur retour renforcerait l'unité du tout.

Nous n'arrivons pas à établir un contact avec les absents, annonça Ayl, le Protecteur affecté à leur recherche.

Tant pis. Quand tu rejoindras les rangs, ne pense plus à eux et concentre-toi sur la bataille.

Aeb regarda l'armée ennemie massée devant eux. D'après leurs estimations, les Ouestiens étaient environ quinze mille : tous des guerriers endurcis, déjà vainqueurs de la magie et de l'acier. Ils devaient être confiants en leur puissance – et en leur aptitude à détruire la force très réduite qui s'interposait entre eux et leur objectif.

Les Protecteurs ne pouvaient pas les y autoriser. Styliann comptait sur eux ! Tout comme Celui Qui Les Connaissait, même s'il ne faisait plus partie du groupe.

Aeb communiqua ses souvenirs de Sol à ses frères, et sentit une impulsion protectrice l'envelopper.

Ils n'échoueraient pas !

Chapitre 30

Le seigneur Senedai ordonna à ses hommes de faire halte pour dresser le camp et prendre un repos bien mérité après trois jours de marche forcée. Ce serait pour eux l'occasion de se préparer mentalement à la bataille. Il n'était pas pressé d'attaquer les guerriers qui entouraient les ruines du manoir, devenu pour les Ouestiens le symbole de tous les maux générés par la magie. Beaucoup d'hommes assis autour des feux n'auraient jamais cru venir ici un jour. Les Esprits les avaient guidés et ils leur donneraient la force de vaincre. Bien que privés de leurs pouvoirs destructeurs, les chamanes étaient redevenus une source de respect et d'attention pour toutes les tribus.

Senedai aurait dû vibrer d'une inébranlable confiance. Les défenseurs du manoir, encerclés, étaient vingt fois moins nombreux qu'eux. L'aube préluderait à un massacre, puis au début de la poursuite des Ravens, où qu'elle puisse les entraîner. Ils finiraient par rejoindre les mercenaires. Alors, ils mettraient un terme à leur tentative de s'allier avec des créatures mythiques. De plus, ce qui ne gâchait rien, ils les élimineraient à jamais de l'échiquier de la guerre.

C'était ce que Senedai avait raconté à ses capitaines, avec le sourire brutal d'un commandant ouestien en pleine possession de ses moyens. À présent qu'il était seul, des doutes qu'il n'avait jamais connus, même devant les portes du Collège, commençaient à l'assaillir. Il se demanda si les huit mille hommes laissés à Julatsa pour occuper la cité, garder les prisonniers et veiller au rétablissement des blessés, n'étaient pas les plus chanceux de tous. Ils avaient tenu pour une offense, voire comme un déshonneur, qu'on les prive d'une occasion supplémentaire de se couvrir de gloire. Mais Senedai regrettait presque de ne pas être resté avec eux. Étant un seigneur tribal victorieux, il en aurait eu le droit. Julatsa lui appartenait !

Debout à la lisière du campement ouestien, il se tourna vers les ruines du manoir pour observer un véritable cauchemar vivant. Quatre cent soixante-seize guerriers – il avait envoyé un éclaireur les compter ! Tous portaient une cuirasse, des armes identiques et un masque sinistre.

À présent, ils les attendaient. Sans un bruit. Sans un geste.

Senedai frissonna puis regarda derrière lui pour s'assurer que personne ne l'avait vu trembler.

L'immobilité et la raideur de ces guerriers avaient quelque chose de perturbant.

Des adversaires formidables... Senedai était sûr qu'ils se mettraient en mouvement dès qu'il ordonnerait à ses archers de tirer. Alors, il aurait une occasion d'ouvrir une brèche dans leurs rangs. Mais malgré leur nombre limité, l'idée de voir ces étranges guerriers foncer sur lui ne l'enchantait guère. Il s'efforça de chasser son anxiété. De toute façon, rien ne se produirait avant l'aube.

Il tourna le dos au manoir et, à la lueur rougeâtre des derniers rayons du soleil, imagina la souillure qui surplombait Parve. Le Trou dans le Ciel. Le jeune mage n'avait pas cessé de parler des dragons qui s'y engouffreraient bientôt pour les détruire tous. Senedai n'avait pas suffisamment foi en leur non-existence pour rejeter cette éventualité. Après tout, c'était pour ça que le seigneur Tessaya lui avait ordonné de raser les fondations du manoir et de poursuivre les Ravens jusqu'à ce que mort s'ensuive. Tessaya était certain de la présence d'un portail dans les ruines. Et il n'avait laissé planer aucun doute sur les responsabilités de Senedai. Il devait réussir à tout prix !

Réprimant un frisson, il regagna sa tente. Cet endroit empestait le mal et la magie. Il les sentait grouiller sous sa peau comme d'immondes vers. Avec un peu de chance, Tessaya le rejoindrait avant l'aube, et il ne serait pas forcé d'attaquer seul.

Accompagnés par le général Darrick, les barons Noirépine et Gresse se déplaçaient lentement dans les ruines de Sousroc. Une escorte de trente cavaliers les accompagnait, même si un simple coup d'œil avait suffi pour comprendre qu'aucune protection ne serait nécessaire.

L'armée avait continué sa marche vers Korina en faisant un grand détour pour éviter la passe de Sousroc. La résistance qu'elle s'attendait à rencontrer en rejoignant la piste principale ne s'était jamais manifestée. Visiblement, les hommes qu'elle poursuivait n'avaient pas repris la direction de leurs contrées natales, dans l'ouest.

Alors qu'ils franchissaient les fortifications fraîchement incendiées sous le regard vide de deux tours de garde noircies, Darrick avait été le premier à apercevoir des traînées rouges.

Il s'était tourné vers ses hommes :

— Il faudra garder pour vous ce que vous allez voir ici. Ça risque de ne pas être joli.

À présent, alors qu'ils s'immobilisaient au centre de la ville – enfin, ce qui avait dû l'être, selon leurs estimations – l'énormité de cet euphémisme faillit le faire éclater de rire. *Pas joli*... Mais il se retint pour ne pas insulter les victimes.

La guerre était une affaire sale et hideuse. Au cours d'une carrière bien remplie, Darrick pensait avoir tout vu. Des chevaux broyant sous leurs sabots des blessés qui appelaient à l'aide. Des jeunes gens se tenant le ventre à deux mains, leurs entrailles entre leurs doigts, tandis que leurs yeux écarquillés cherchaient en vain un peu d'espoir sur le visage de leurs camarades. Des membres sectionnés, des mâchoires tranchées, des yeux transpercés par des flèches et des haches plantées dans le crâne d'hommes qui continuaient à marcher, trop surpris pour s'apercevoir qu'ils étaient déjà morts. Les brûlures atroces du feu et du froid que la magie pouvait déchaîner d'un simple mot. Et plus récemment, le carnage provoqué par l'inondation de la passe de Sousroc.

Chacun de ces actes avait été justifié – d'une certaine façon. Car la guerre était un choix que les deux camps faisaient en toute connaissance de cause.

Ici, il s'agissait de tout autre chose. La ville de Noirépine avait été détruite, mais pas avant que ses habitants aient fui dans la campagne ou rejoint l'armée du baron. Ceux de Sousroc avaient été délibérément massacrés.

Darrick secoua la tête. Quelque chose clochait. À en juger par les ruines calcinées, les hommes de Tessaya s'étaient donné beaucoup de mal pour fortifier Sousroc. Ils avaient construit une palissade, érigé des tours de garde et creusé des tranchées. Bref, ils s'étaient préparés à une longue occupation.

Un événement inattendu avait dû modifier leur stratégie. Chaque bâtiment avait été brûlé jusqu'aux fondations, chaque mur démantelé pierre par pierre, et même leurs propres fortifications n'avaient pas été épargnées par les Ouestiens.

Le pire, c'était les corps. Ils jonchaient le sol de toute la ville, comme si chaque prisonnier avait été conduit dans un endroit précis après la fin des incendies. Leurs bourreaux leur avaient tranché la gorge et arraché les yeux, avant de les éventrer et de les abandonner étendus sur le dos, les membres en étoile, dans la direction du soleil levant.

Cette tuerie rituelle avait fait plus de trois cents victimes : la garnison de Sousroc et les soldats envoyés en renfort par l'armée des quatre Collèges. Darrick reconnut des collègues qu'il estimait. Partout, des nuages de mouches emplissaient l'air de leur bourdonnement sinistre, les charognards attendant le départ des cavaliers pour se jeter de nouveau sur ce festin inattendu. Une odeur de putréfaction montait du sol.

— Par tous les dieux qui nous observent, que s'est-il passé ici ? souffla Gresse.

Il se laissa glisser à terre et baissa la tête pour honorer les morts. Les autres cavaliers l'imitèrent.

— C'est un avertissement, dit un soldat, faisant écho aux pensées de Darrick. Ils veulent que nous les craignions.

— Non, fit Noirépine. Ce sont eux qui ont peur !

— Vous avez déjà vu ce genre de chose ? demanda Gresse, incrédule.

— On en parle dans certains des ouvrages de ma bibliothèque – ou devrais-je dire « parlait » ? N'oubliez pas que nous avons déjà combattu les Ouestiens.

— Alors, pourquoi Tessaya a-t-il fait ça ? demanda Darrick.

— Le feu avait pour objectif d'empêcher quiconque de profiter des barricades érigées par ses hommes. À présent, je m'attends à ce que la passe soit lourdement défendue. Les sacrifices... C'est une autre histoire. Quand les Ouestiens partent au combat, leurs chamanes demandent aux Esprits de s'aligner derrière eux et de les bénir pour leur donner la force de vaincre. Mais quand ils pensent que leurs ennemis risquent d'être plus forts qu'eux, ils sacrifient leurs prisonniers pour éloigner le mal qu'ils croient lancé à leurs trousses. Au terme d'un rituel barbare, ils les disposent face au soleil levant. Selon leur mythologie, l'aube redonne la vue aux dieux de leurs ennemis. Ils espèrent ainsi les priver de leur courage.

Noirépine haussa les épaules pour souligner à quel point il trouvait cette idée stupide.

— Ils ont peur de nous ? lâcha Gresse, les sourcils froncés.

— Pas de cette armée, dit Darrick. Mais je pense que quelque chose a dû foutre une sacrée trouille à Tessaya. Je le connais bien : en temps normal, c'est un homme très prudent. Il doit craindre que l'invasion ouestienne n'échoue. Où qu'il soit parti, c'est pour frapper un coup décisif susceptible de renverser la situation en sa faveur.

— Et où qu'il aille, ses laquais le suivent, ajouta Gresse, lugubre.

— Voilà pourquoi il est capital que nous l'arrêtions dans les plus brefs délais, affirma Noirépine.

— Avant de nous remettre en route, dit Darrick, nous devons honorer ces hommes en leur offrant un brasier funéraire.

— Le temps presse, rappela Noirépine, un peu trop sèchement. Ils ne nous remercieraient pas de laisser échapper leurs meurtriers pour brûler leurs cadavres.

— Ne vous inquiétez pas : Tessaya n'ira nulle part ! Huit mille soldats à nous marchent vers l'est. Rejoignez-les et renvoyez-moi ma cavalerie. Nous ferons en sorte que les victimes soient traitées avec tout le respect qu'elles méritent, et nous vous rattraperons avant la tombée de la nuit.

— Toutes mes excuses, général. Je ne voulais pas…

— Je comprends, baron, et je ne vous en tiens pas rigueur. Mais je ne peux laisser pourrir mes hommes au milieu de l'abattoir qu'est devenu Sousroc. À ma place, vous diriez la même chose.

Noirépine sourit et remonta en selle.

— En effet, général. Vous êtes un homme de bien. Prenez tout le temps qu'il vous faudra.

— Hélas, nous n'en avons pas beaucoup, comme vous venez de me le rappeler. Mais il nous en reste encore un peu, et on ne peut pas en dire autant pour ces malheureux.

Flanqués de leur escorte et du contingent xetesk, les Ravens quittèrent le Choul bien avant l'aube. Les mages avaient débattu très tard dans la nuit. Hirad les avait entendus chuchoter alors qu'il s'agitait dans son sommeil. Et quand Jatha les avait réveillés, il avait vu le reflet de son irritation et de son épuisement dans les yeux de tous ses amis.

Même si le soleil ne s'était pas encore levé, et si les ombres enveloppaient toujours la plaine, il y avait assez de lumière pour que les Ravens puissent voir où ils mettaient les pieds. Cette pénombre leur donnait donc une réconfortante impression de sécurité. Hirad savait pourtant qu'ils ne devaient pas s'y fier. Elle pouvait tromper d'autres humains, mais les semblables de Jatha et les dragons n'avaient aucun mal à voir dans le noir. Ce déplacement nocturne jouait contre les Ravens. Le barbare fit part de sa réflexion à l'Inconnu, qui hocha la tête et haussa les épaules en signe d'impuissance.

Les voyageurs avaient adopté une formation un peu différente de celle de la veille. Jatha et ses hommes ouvraient toujours la marche, mais les mages s'étaient placés un peu en retrait pour parler avec Styliann, laissant les Protecteurs couvrir leurs arrières. Hirad, Thraun et l'Inconnu surveillaient leurs flancs.

Le métamorphe ne semblait pas aller mieux. Enfermé dans un monde de chagrin et de culpabilité depuis la mort de Will, il pouvait marcher, et sans doute se battre, si les circonstances l'y obligeaient, mais ça s'arrêtait là. Il mangeait ce qu'on posait devant lui, dormait, montait la garde quand on le lui demandait et répondait aux questions pratiques. Le reste du temps, il était replié sur lui-même.

En milieu de matinée, le sol commença à monter : d'abord en pente douce, puis de plus en plus abrupte. Ses dénivelés atteignaient rarement plus de cinq ou six mètres, mais ils sapèrent vite les forces des Ravens. La densité de l'herbe n'avait pas diminué, et même Jatha brisait désormais des tiges sur son passage tant il avait hâte d'arriver. Hirad remarqua qu'il jetait de fréquents coups d'œil à la fissure, ses hommes balayant la plaine du regard en fronçant les sourcils.

— Tu n'as pas le sentiment que les choses ne vont pas très bien ? demanda le barbare à l'Inconnu.

— Si. Nous devrions envisager la possibilité d'une attaque…

— Je vais dire deux mots à Jatha.

Hirad pressa le pas pour rattraper le serviteur du Grand Kaan, qui lui fit un sourire forcé. Mais ses yeux trahissaient son inquiétude.

— Quelque chose cloche ? demanda le barbare. (Jatha le regarda sans comprendre.) Il y a du danger ?

Hirad pointa un index vers le ciel avant d'agiter les bras pour mimer le vol d'un dragon.

— Bataille dans ciel bientôt. Prudence. Autre bataille ailleurs.

Hirad rejoignit les Ravens.

— Les amis, nous allons avoir de la compagnie venue des airs et de la terre. Préparons-nous. Thraun, tu prends le flanc gauche. Inconnu, le droit. Ilkar, ton bouclier ! Denser et Erienne, des sorts offensifs !

Devant eux, quatre hommes de Jatha se détachèrent de la colonne et, épée à la main, disparurent par paires dans l'herbe qui les entourait. Jatha continua à avancer. Hirad jeta un bref coup d'œil à Styliann.

— Je peux vous charger d'organiser notre défense arrière ?

Le Xetesk hocha la tête.

— Personne ne nous prendra à revers ! promit-il.

Dans le ciel, la défense de la fissure s'était renforcée. Hirad estima que soixante-dix Kaans volaient à présent en décrivant des motifs serrés. Leurs cris se répercutaient dans la plaine. Des aboiements sourds et des grondements étouffés dont l'écho lugubre ne tarda pas à taper sur les nerfs du barbare. Comme sa nuque le picotait, il bougea les épaules pour chasser cette déplaisante sensation et regarda involontairement derrière lui. Alors, il aperçut les silhouettes.

Au début, ce fut seulement un nuage de points noirs, dans le ciel, qui survolait l'autre côté de la vallée traversée la veille. Mais quand ils se rapprochèrent, Hirad distingua leurs formes longues, minces et rapides. Plus d'une vingtaine de créatures avançaient en formation en chevron et filaient vers la fissure. Les appels des Kaans se firent plus urgents. La moitié formèrent des groupes pour se porter à la rencontre de l'ennemi.

La voix de Jatha arracha les Ravens à leur contemplation.

— Continuez ! Prudence…

Le serviteur du Grand Kaan allait repartir quand un mouvement attira son attention. Suivant son regard, Hirad vit qu'un des dragons s'était détaché du chevron d'attaque et piquait vers la plaine.

— Ravens, rengainez vos épées et oubliez vos sorts. Il va falloir courir. Protecteurs, croyez-moi et faites de même. Sinon, mourez !

Le dragon serait sur eux en un rien de temps.

— Hirad ! cria Jatha, en tirant le barbare par la manche.

Derrière lui, ses semblables s'agitaient, au bord de la panique. Hirad baissa les yeux sur le petit homme, qui écarta les doigts, puis les bras.

— Partez ! dit-il.

Il cria un ordre à ses compagnons, qui s'éparpillèrent instantanément dans les hautes herbes.

Hirad avait compris l'idée.

— Ravens ! Déployez-vous sur une seule ligne. Trois mètres minimum entre un homme et ses voisins. Ravens, avec moi !

Sans attendre de voir si Styliann les imitait, il courut entre les tiges géantes. Sur sa gauche, il aperçut l'Inconnu, et sur sa droite, Ilkar. Il ne distingua pas les autres, mais il les entendit trébucher et lutter pour avancer.

Alors qu'il fonçait à l'aveuglette, Hirad imagina le dragon qui plongeait vers eux, choisissant déjà ses premières victimes. Ils n'avaient pas la moindre chance. La créature pouvait cracher du feu à volonté. Bientôt, ils ne seraient plus qu'un petit nuage de cendres flottant dans l'air de ce monde.

Fou de colère contre Sha-Kaan, qui les avait laissés sans protection, le barbare hurla mentalement son nom et le supplia de venir à leur aide. Il buta sur une racine, faillit s'étaler et frémit en comprenant que son cauchemar était en train de se réaliser. Au château du pic de Taran, il avait rêvé qu'il fuyait sur un sol nu et craquelé. Malgré la végétation qui l'entourait, le résultat serait le même. Le dragon le rattraperait, calcinerait sa chair, et il ne pourrait rien faire pour se défendre.

Une vague de chaleur balaya la plaine sur sa droite, accompagnée par la lueur rougeâtre des flammes qui dévoraient l'herbe. La cible du dragon ne cria même pas. Priant que ça ne soit pas Jatha, Hirad accéléra.

Un crépitement de mauvais augure emplit l'air. À travers la fumée, le barbare aperçut le dragon à moins d'une dizaine de pas de lui. La créature longue de plus de vingt mètres redressa son vol pour préparer l'attaque suivante. Quand une ombre monstrueuse s'abattit sur lui, le barbare comprit qu'il serait la prochaine proie.

La tête dans les épaules, les bras levés pour se protéger, il continua à courir. Une dizaine de pas devant lui, le sol s'inclinait. C'était leur seule chance.

— Ravens ! rugit-il pour couvrir le grondement des flammes, les cris des autres hommes et les appels des dragons. Pente droit devant ! On se retrouve en bas. Gardez la tête baissée !

Derrière eux, il sentit le dragon virer sur l'aile. Alors qu'il atteignait le sommet de la pente, il plongea et la dévala en roulant sur lui-même.

La déclivité étant plus importante qu'il ne l'avait prévu, il dut lutter pour contrôler sa vitesse. Une langue de flammes passa au-dessus de sa tête. Incinérant l'herbe, sur la crête, elle alluma un nouveau feu qui consuma rapidement la végétation alentour. Sa chaleur enveloppa le barbare au moment où l'ombre du dragon passait sur lui. Il tendit les membres pour ralentir sa chute, atteignit le bas de la pente et s'immobilisa en heurtant l'Inconnu.

Les deux hommes s'aidèrent mutuellement à se relever. Ilkar gisait quelques mètres plus loin. Sonné, il secoua la tête et se redressa. Une nappe de fumée âcre planait au-dessus d'eux, et le rugissement des flammes se rapprochait.

— Ravens ! appela Hirad. Répondez si vous m'entendez. Essayez de vous diriger vers moi.

Denser et Erienne signalèrent qu'ils allaient bien. Thraun apparut aux côtés du barbare et hocha la tête.

— Évaluation ! cria Hirad.

— La fumée nous dissimulera, mais le feu nous tuera si nous traînons dans les parages, dit l'Inconnu. Nous devons continuer droit devant et remonter de l'autre côté. Le vent souffle d'est en ouest. Je propose que nous nous avancions vers l'est.

Denser et Erienne les rejoignirent. Le Xetesk soutenait sa compagne, qui portait une coupure au menton.

— Pas vraiment le genre d'exercice recommandé pour une femme enceinte, se lamenta-t-elle. (L'inquiétude d'Hirad dut se lire sur son visage, car elle ajouta très vite :) Mais il faudrait davantage qu'une malheureuse glissade dans l'herbe pour blesser un enfant-mage.

— Tant mieux, dit le barbare. Fichons le camp d'ici ! Couvrez-vous la bouche si vous pouvez.

Il repartit, tira un mouchoir de sa poche et le noua sur son nez et sa bouche pour ne pas être gêné par la fumée qui envahissait le ciel. Le feu brûlait de deux côtés. Il dévala la pente, derrière eux et sur leur droite, tandis qu'ils s'éloignaient au pas de course vers le fond du goulet.

Hirad tendit l'oreille, essayant de repérer le dragon ou un signe de vie émis par leurs compagnons de voyage. En vain. Pourtant, il semblait peu probable que leur agresseur ait renoncé à les poursuivre. Se fiant à son instinct, le barbare dégaina son épée et demanda à l'Inconnu d'en faire autant.

Soudain, il entendit un sifflement caractéristique.

Il eut à peine le temps de réclamer un BouclierDéfensif à Ilkar avant qu'une flèche se plante dans l'épaule gauche de Thraun.

— Bouclier dressé ! annonça l'elfe, une seconde trop tard.

— Ravens, surveillez nos flancs. Denser, je crois que ton épée nous servira davantage que tes sorts. Thraun, comment vas-tu ?

Une deuxième flèche, puis une troisième, rebondirent sur le champ de force invisible.

— Je saigne, mais je peux encore me battre.

La voix atone du métamorphe n'exprimait pas la douleur qu'il devait pourtant éprouver.

Hirad courut vers la pente d'en face, l'Inconnu deux pas sur sa droite. Denser vint prendre la place de Thraun sur sa gauche, ce dernier ralentissant pour couvrir les arrières d'Ilkar et d'Erienne. Le barbare entendit la jeune femme marmonner, et espéra que la forme de mana qu'elle modelait n'était pas un sort de feu.

Une nouvelle volée de flèches s'écrasa sur le bouclier de l'elfe. L'instant d'après, des cris retentirent devant eux. Hirad s'arrêta net et décapita les hautes herbes qui l'empêchaient d'y voir.

— Ils arrivent ! Attendez-vous à ce qu'ils aient des épées courtes, comme celle de Jatha.

Trois hommes au crâne rasé jaillirent de la végétation. Aucun ne mesurait plus d'un mètre cinquante, et tous brandissaient à deux mains une grosse massue cloutée. Derrière eux, d'autres montaient à l'assaut.

Le barbare dévia un coup d'une puissance surprenante, qui le fit tituber mais exposa le flanc droit de son adversaire. Reprenant son équilibre, il contre-attaqua. Le petit homme ne réussit pas totalement à esquiver sa lame, qui lui trancha une oreille. Il cria de douleur, et Hirad en profita pour lui abattre son épée sur l'épaule. Le bras sectionné, le type s'effondra.

Le barbare recula et attendit. Sur sa gauche, il vit Denser plonger son épée dans la poitrine d'un second homme. Sur sa droite, l'Inconnu avait déjà fait une victime. Du coup, les autres agresseurs hésitèrent. La haine qui les avait poussés en avant devint moins aveugle quand ils virent mieux leurs ennemis et découvrirent leur taille, leur force et la longueur de leurs lames.

— Avancez, ordonna Hirad. Gardez un œil sur nos flancs. Erienne, une démonstration serait la bienvenue, si tu es prête.

La dizaine d'hommes qui leur faisaient face reculèrent sous le regard vigilant du barbare, qui capta un mouvement sur les côtés.

— Ils vont attaquer de nouveau, mais pas par devant. Erienne, tu es chargée de notre couverture frontale.

La jeune femme dépassa Hirad, ouvrit les mains et prononça un mot de pouvoir. Un GlaceVent se répandit dans l'herbe et détruisit les hommes et la végétation sur plus d'une vingtaine de mètres. Les guerriers Ravens avancèrent rapidement dans la brèche ouverte par leur camarade. Des cris de terreur retentirent autour d'eux, vite couverts par un bruit de course, car leurs ennemis tournaient les talons et s'enfuyaient.

— Excellent, approuva Hirad.

Il traversa la zone dévastée par Erienne, enjamba une demi-douzaine de cadavres congelés et brisa les tiges d'herbe sur son passage. Bientôt, il atteignit le sommet de la pente. Sur sa droite, le nuage de fumée couvrait la plaine. Mais où étaient donc Jatha et Styliann ?

Le barbare fit signe à ses compagnons de marquer une pause. Pendant qu'Erienne pansait la blessure de Thraun, il sonda le ciel. Une bataille acharnée faisait rage autour de la fissure. Des flammes embrasaient les cieux grouillants de dragons qui plongeaient, viraient sur l'aile ou reprenaient de l'altitude. Deux créatures, à en juger par leur taille, ce devaient être des Kaans, poursuivaient un ennemi solitaire. La plus proche lui souffla un jet de flammes sur les ailes et l'autre piqua pour refermer les mâchoires sur son cou. Elle lui imprima une violente secousse avant de le lâcher, le dragon mort tombant en vrille vers le sol.

De plus en plus de créatures arrivaient de toutes les directions pour se jeter dans la bataille. Mais de l'assaillant des Ravens, plus le moindre signe. Un moment, ils fixèrent le ciel, fascinés par la violence qui se déchaînait au-dessus de leur tête. Tant de force, de vitesse et d'agilité…

Un spectacle sans égal, qui rappela à Hirad leur position mineure dans ce conflit. Jusque-là, les Ravens avaient eu de la chance. Mais pour la première fois depuis qu'ils avaient affronté les Seigneurs Sorcyers, le barbare eut le sentiment que leur destinée n'était plus entre leurs mains. Si un dragon voulait leur mort, ils mourraient.

— Et maintenant ? demanda Denser en regardant Erienne s'occuper de Thraun.

— On reste vigilants, répondit Hirad. Et on surveille ce qui se passe autour et au-dessus de nous. Ilkar, il faut que tu maintiennes ton bouclier jusqu'à nouvel ordre. Erienne leur a flanqué la trouille, mais ils pourraient revenir. Entre-temps, je suggère que nous cherchions les autres.

— En supposant qu'ils soient toujours vivants, dit Erienne.

Elle enveloppa l'épaule de Thraun avec un chiffon. Le métamorphe saisit la hampe de la flèche de la main droite. À son signal, il tira de toutes ses forces pour arracher le projectile. Puis il grogna de douleur. Du sang imbiba le chiffon et coula sur les mains d'Erienne.

— Continue à appuyer dessus, recommanda-t-elle à Thraun en posant le chiffon sur la plaie. J'ai ressoudé la chair, mais ça ne tiendra pas si tu fais un trop gros effort. Essaie de ne pas utiliser ce bras jusqu'à la fin de la journée…

Le métamorphe hocha la tête.

— Merci.

Erienne lui caressa la joue.

— Cher Thraun, murmura-t-elle tendrement, son expression disant clairement tout ce que les mots n'auraient pu exprimer.

Les Ravens s'étaient arrêtés au-dessous de la crête. Ils avaient des ennemis dans l'herbe, des ennemis dans le ciel, et aucune idée de l'endroit où ils étaient.

— On fait quoi ? demanda Hirad à la cantonade.

— Il faut nous éloigner d'ici, dit l'Inconnu. Nous savons que Tiredaile est quelque part du côté des montagnes. Rien ne nous empêche de continuer à marcher dans cette direction.

— Je pourrais m'envoler, histoire de repérer nos compagnons et nos agresseurs, dit Denser.

— C'est risqué ! fit Ilkar, la voix voilée par la concentration nécessaire au maintien du BouclierDéfensif.

— Pas plus risqué que de rester ici tout seuls, sans savoir où nous sommes, insista le Xetesk. Et nous avons besoin de Styliann. C'est lui qui a les textes.

— Fais-le ! dit Hirad.

— Mais sois prudent, ajouta Erienne.

— Je n'en ai pas pour longtemps...

Denser modela des OmbresAiles conçues pour la vitesse et s'éleva dans les airs. Aussitôt, il prit conscience de sa vulnérabilité dans un élément dominé par les dragons. Ils étaient très loin, autour de la fissure, mais il eut l'impression de sentir leur regard peser sur lui. Frissonnant, il baissa les yeux vers la plaine.

Aucun danger immédiat ne menaçait les Ravens. Leurs agresseurs continuaient à s'éloigner en direction de l'est, comme en témoignaient les ondulations de l'herbe. Denser n'aurait pas su dire combien ils étaient, mais ça n'avait plus d'importance.

Le seul risque visible était le feu qui brûlait en trois endroits. Projetant de la fumée grise dans le ciel, il dévorait rapidement la plaine. Le foyer d'incendie le plus proche des Ravens dévorait désormais une grande partie du ravin qu'ils venaient de traverser, et continuait à s'étendre dans toutes les directions. La brise ralentissait sa progression sans parvenir à l'arrêter.

Deux autres foyers plus importants crépitaient sur sa droite. Denser comprit pourquoi les dragons avaient pu dévaster si facilement leur monde. Il aurait fallu une pluie torrentielle pour empêcher cet incendie de calciner la plaine, qui devait pourtant couvrir des centaines de kilomètres carrés. Regardant autour de lui, le mage vit un ciel désespérément bleu.

Il survola le terrain en direction des montagnes, partant du principe que les survivants de leur groupe avaient dû tenir le même raisonnement qu'eux. Bientôt, il fut récompensé par la vue d'une piste qui fendait l'herbe sans se soucier de l'aplatir.

— Styliann ! souffla-t-il.

Il piqua et lui demanda de s'arrêter. Alors qu'il s'approchait, il distingua trois Protecteurs déployés en demi-cercle pour protéger quelqu'un. Bien que Denser ne vît personne, le mouvement de la végétation, devant eux, lui apprit que Styliann se déplaçait sous MarcheVoilée. Une bonne idée, si on ne se souciait pas de la sécurité de ses compagnons.

— Styliann, arrêtez-vous ! Nous devons nous regrouper ! insista-t-il en s'immobilisant au-dessus de son ancien supérieur.

— Non, dit une voix désincarnée à bout de souffle. Il faut nous éloigner d'ici. J'ai perdu Jatha, et trois de mes Protecteurs ont été tués !

— Calmez-vous. Le dragon est parti.

— Ne vous réjouissez pas trop vite !

Comme pour ponctuer les paroles de Styliann, un rugissement résonna sur la droite de Denser. Le dragon jaillit du nuage de fumée, piqua vers le sol et referma ses griffes sur les épaules d'un des hommes de Jatha – à moins que ce ne fût Jatha lui-même. Puis il reprit de l'altitude, déchiqueta le malheureux et enfourna dans sa gueule les morceaux de chair sanguinolente.

Le cœur de Denser battait la chamade. Il eut un mouvement de recul instinctif, et dut lutter pour garder sa concentration. Sa bouche était sèche ; il haletait comme s'il venait de courir.

— Redescendez, si vous ne voulez pas être sa prochaine cible, conseilla Styliann. Et dites à Hirad d'appeler ses foutus copains dragons. Sinon, nous allons tous crever ! Compris ? Et maintenant, cessez de trahir ma position.

L'ancien Seigneur du Mont et ses Protecteurs changèrent de direction pendant que Denser reprenait de l'altitude, plus conscient que jamais d'être exposé aux regards hostiles des dragons. Frôlant le sommet des herbes, il revint à toute allure vers les Ravens. Malgré sa vitesse, la distance qu'il avait parcourue le surprit.

Soudain, le Xetesk entendit le dragon lâcher un aboiement étonné. Regardant par-dessus son épaule, il le vit virer sur l'aile, les yeux déjà rivés sur sa proie.

— Par tous les dieux !

Le dragon fondait sur les Ravens.

Denser et ses compagnons n'auraient qu'une seule chance. Le mage entendait déjà les ailes de la créature gifler l'air. Il plongea dans le nuage de fumée qui avait envahi le ravin, retint son souffle et vira sur la gauche pour longer la ligne de flammes.

Quand il redressa son vol pour prendre une bouffée d'air frais, il vit que le dragon avait continué tout droit et manqué les Ravens en essayant de le poursuivre. Profitant du peu de temps qui lui restait, il rejoignit ses amis et se posa près d'eux à l'instant où le dragon comprenait qu'il avait été dupé.

— Vite ! haleta Denser quand ses pieds touchèrent le sol. Rebroussez chemin ! Le dragon revient. Erienne, il faut quelque chose pour repousser le feu. Peut-être un autre BouclierDéfensif. Je vais essayer un GlaceVent, on ne sait jamais !

Ils incantèrent tout en dévalant la pente.

Il ne leur fallut pas longtemps pour comprendre que c'était sans espoir. Ils couraient vers les flammes, et le dragon avait fait demi-tour pour fondre sur eux. Son ombre les recouvrit une fois encore. Les battements de ses ailes résonnèrent à leurs oreilles comme un glas quand il ouvrit la gueule pour souffler du feu.

Mais il ne les atteignit jamais. Jaillissant du nuage de fumée, deux mâchoires gigantesques se refermèrent sur son cou et le plaquèrent au sol.

Des flammes illuminèrent le ciel. Deux rugissements déchirèrent l'air en même temps. L'un d'eux s'interrompit presque aussitôt. Un battement d'ailes annonça que le vainqueur reprenait de l'altitude. L'ombre monstrueuse mais réconfortante de Sha-Kaan tomba sur les Ravens. La gueule dégoulinante de sang, il s'immobilisa au-dessus d'eux.

— J'ai entendu ton appel, Hirad Cœurfroid ! Mais j'étais loin de vous, et il m'a fallu du temps pour vous atteindre. Continuez à marcher vers les montagnes.

Je rabattrai Jatha et les autres vers vous. Vous devez être prêts à refermer le portail quand notre orbe atteindra son zénith pour la troisième fois à compter de cet instant.

Il s'éloigna sans attendre.

Denser se laissa glisser sur le sol.

— Laissez-moi... juste une seconde, haleta-t-il.

— Mais bien sûr, dit aimablement Hirad. Tu bougeras quand tu commenceras à avoir trop chaud. (Il désigna les flammes, à quelques mètres d'eux.) Au fait, belle manœuvre ! Dommage que notre poursuivant t'ait vu atterrir. Essaie d'éviter ça, la prochaine fois.

Denser le foudroya du regard, mais sa colère s'évanouit quand il vit le sourire du barbare.

— Très drôle, Cœurfroid. Tu es vraiment un type hilarant !

Hirad se baissa et lui tendit la main.

— Viens. Nous avons un long chemin à faire.

Chapitre 31

Senedai fut réveillé par l'odeur de la viande qui grillait sur les feux de camp et par les chants des chamanes qui appelaient les Esprits et les mannes des anciens seigneurs de guerre ouestiens à les accompagner. Il roula sur le dos. Les yeux rivés sur le toit de son pavillon, dont la toile ondulait légèrement, il écouta les voix de ses hommes et le chuchotement du vent entre les tentes. Puis il se leva avec un profond soupir.

— Serviteur ! cria-t-il.

Aussitôt, une main écarta le rabat du pavillon, dévoilant un jeune guerrier de haute taille à peine sorti de l'adolescence. Sa tunique grise sans manches révélait des biceps saillants et bronzés. Comme le voulait son rang, ses cheveux étaient rasés.

— Seigneur ?

— Mes fourrures de bataille et mon petit déjeuner !

— Tout de suite.

Le jeune homme s'inclina et sortit.

Senedai gagna d'une démarche raide l'entrée du pavillon et entrebâilla le rabat pour regarder dehors. Une pluie fine épaississait les ténèbres qui précèdent l'aube. Faisant jouer ses mâchoires, il battit en retraite dans la tiédeur relative de la tente.

— Au temps pour les invocations bénéfiques…, marmonna-t-il.

Il n'avait vraiment pas besoin d'un champ de bataille détrempé. D'ordinaire, le sang rendait le sol glissant au bout d'une demi-heure ou d'une heure de combat. Cette fois, il le serait dès le début. Or, malgré leur supériorité numérique écrasante, Senedai avait le pressentiment que ses hommes auraient besoin de toute l'aide possible pour vaincre.

Il n'avait quasiment pas fermé l'œil de la nuit. Le sommeil le fuyant, il avait passé en revue toutes ses options, et regretté que ses catapultes soient toujours à Julatsa, où elles attendaient d'être déplacées vers Dordover. Bien sûr, il pouvait tenter d'utiliser la masse de ses troupes pour renverser l'ennemi dans la boue et le piétiner. Mais il devrait conduire cette charge, et il n'avait aucun désir de mourir aujourd'hui.

Senedai mangea rapidement, s'habilla et sortit de son pavillon sous un ciel qui s'éclaircissait lentement. Un guerrier lui mit un message dans les mains.

— Qui l'a apporté ?

— Un cavalier venu de Sousroc, seigneur. Il est arrivé il y a quelques minutes.

Tessaya lui envoyait des nouvelles. Excellent ! Senedai fit sauter le sceau du parchemin tout en marchant vers le feu le plus proche.

Autour de lui, le camp se réveillait lentement. Des chiens aboyaient, des officiers hurlaient des ordres, des flammes crépitaient, des pans de toile claquaient au vent et des chants montaient de tous côtés. Difficile de ne pas se sentir confiant : leurs ennemis n'avaient nulle part où fuir, et même un novice dans l'art de la guerre aurait compris qu'ils étaient trop peu nombreux pour leur tenir tête.

Pourtant, Senedai doutait toujours. Et la lecture du message de Tessaya ne fit rien pour l'apaiser. Il avait espéré voir son supérieur le rejoindre pour assurer la victoire. Hélas, selon les survivants de l'armée de Taomi, une force importante avançait vers eux, venant du sud. Senedai serait forcé de se débrouiller seul, pendant que Tessaya rejoindrait les rescapés et les aiderait à écraser leurs poursuivants. Puis il se mettrait en route pour Korina, après avoir envoyé des renforts à la garnison de Julatsa.

La victoire était assurée, concluait le message. Les Esprits leur souriaient, et les dieux ennemis détourneraient le regard. Tessaya avait pris toutes les dispositions en ce sens.

Mais il n'était pas obligé d'affronter les redoutables guerriers qui attendaient Senedai. Quand le soleil embrasa le ciel, révélant les hommes masqués toujours immobiles devant les ruines du manoir, comme s'ils n'avaient pas bougé depuis la veille, le seigneur ouestien frémit. Il pria pour qu'un miracle se produise, et que l'humiliation suprême lui soit épargnée.

Derrière lui, un chien aboya, et une voix énervée lui intima de se taire. Senedai laissa tomber le message dans le feu et convoqua ses capitaines pour leur donner ses ordres de bataille.

À la lumière agonisante de la fin d'après-midi, le général Darrick, les barons Noirépine et Gresse et un mage de Communion épuisé avaient pris place autour d'une table pliante. Selon leurs éclaireurs, Tessaya était parvenu à rejoindre les survivants de la force ouestienne venue du sud.

— Quelqu'un voudrait m'expliquer ? demanda Gresse.

Le mage venait de faire son rapport, et les deux barons observaient Darrick, l'air incrédule.

— Il se passe des choses dont vous ignorez tout. Je suis navré de ne pas vous en avoir parlé plus tôt, mais je n'en voyais pas l'intérêt, et de toute façon, nous étions très occupés de notre côté.

— Maintenant, nous avons le temps.

Darrick regarda à la ronde pour s'assurer que personne ne pouvait les entendre.

— Je sais que ça vous semblera incroyable, commença-t-il, mais… il y a un trou dans le ciel, au-dessus de Parve. Il ne cesse de grandir. Quand son ombre recouvrira la cité, des dragons envahiront Balaia. Ne me demandez ni comment ni pourquoi. Les Ravens et Styliann sont partis chercher un moyen de refermer ce trou. Moi, j'ai prié pour qu'ils y arrivent sans encombres et les dieux m'ont entendu. À présent, il semble que nos ennemis menacent la survie de tous les habitants de Balaia, eux-mêmes compris. Il est plus impératif que jamais de les arrêter.

— Pourquoi les Ouestiens pourchassent-ils les Ravens ? insista Gresse. Plus de dix mille guerriers lancés sur les traces de six personnes, ça paraît un peu... excessif, non ?

— Ils pensent que les Ravens ramèneront des dragons pour nous aider à les renvoyer chez eux. Ils se trompent, mais ce n'est pas la question. Et ça explique pourquoi Tessaya a quitté Sousroc. Regardez.

Darrick désigna la carte déroulée devant eux.

— Le plan initial de Tessaya consistait à marcher sur Korina après que l'armée du sud eut pillé Gyernath et que celle du nord se fut emparée de Julatsa, anéantissant toute possibilité de ravitaillement sud-nord pour les deux Collèges les plus puissants : Xetesk et Dordover. Je suppose qu'il pensait s'occuper de Lystern plus tard. Disposant d'une réserve de plusieurs milliers d'hommes pour défendre la passe et les deux cités, il n'a rien à craindre de ce côté-là. Il sait également – ou il croit savoir – que l'est n'a aucune défense coordonnée. Donc, même si AubeMort a détruit les Seigneurs Sorcyers et privé les chamanes de leur magie, il pensait avoir une bonne chance de prendre Balaia. L'étape suivante de son plan devait sans doute consister à s'emparer de Korina, pour couper les lignes de ravitaillement ouest-est et porter un coup fatal à notre moral.

« Mais tout ne s'est pas passé comme prévu. D'abord, Gyernath a survécu à l'assaut ouestien. Pour ajouter l'insulte à la défaite, vous deux et votre bande de garçons de ferme... (Il n'y avait pas trace d'ironie dans le ton de Darrick, plutôt un grand respect.)... avez démantelé son armée du sud, une mésaventure qu'il vient juste d'apprendre. Et maintenant, il découvre que Styliann, les Ravens et moi sommes de retour dans l'est. À Julatsa, un de ses subordonnés a dû obtenir par la torture une explication de ces événements, mais j'imagine que ce n'était pas celle qu'il attendait.

« Tessaya a conscience qu'il doit agir vite. Il a donc commencé à tout détruire sur son passage. Sachant que nous ne pouvons pas reprendre la passe, et qu'il doit contrarier autant que possible nos efforts de ravitaillement, il a ordonné le massacre des prisonniers de Sousroc. À présent, il marche vers Korina, comme prévu. Mais il ne veut pas nous conduire droit au manoir de Septern, ni nous donner une occasion d'empêcher son autre armée – qui s'est mise en route pour le rejoindre à la capitale – de rattraper et de tuer les Ravens. J'en ferais autant si j'avais les mêmes superstitions que lui. À eux seuls, les Ravens ont souvent réussi à anéantir des forces réputées indestructibles, et Tessaya doit être sûr qu'ils peuvent recommencer. Il préfère ne pas courir de risques.

— Donc, il nous combattra pour nous empêcher d'atteindre Senedai ? demanda Gresse, sceptique.

— Pour ça, mais aussi parce que, selon lui, il vaut mieux nous affronter ailleurs que devant Korina, où nous pourrions recevoir des renforts suffisants pour vaincre ses troupes.

— Ce qu'il ne comprend pas, murmura Noirépine, c'est que si vous avez raison au sujet de ces dragons…

— … Notre seule chance de survie à tous, Ouestiens ou Balaiens de l'est, est d'empêcher Senedai de tuer les Ravens, acheva Darrick.

— Mais il ne voudra jamais nous croire, ajouta Gresse. Par les dieux, je ne suis pas certain d'y croire moi-même !

— À supposer que tout ça soit exact, dit Noirépine, combien de temps les Protecteurs peuvent-ils tenir ? Assez pour permettre aux Ravens d'accomplir leur mission ? Ou, à défaut, pour nous permettre d'esquiver Tessaya et d'attaquer Senedai ?

— Pour ce qui est des Ravens, je l'ignore, répondit Darrick. Tout ce que je sais, c'est que nous ne parviendrons pas à « esquiver » Tessaya. Son armée est trop importante. Ses éclaireurs nous ont déjà repérés.

— Donc, nous allons devoir le combattre ?

Gresse ne semblait pas si accablé que ça par cette perspective.

— Non. À supposer que nous vainquions, nous serions immobilisés ici deux jours au minimum. (Ce qu'il allait dire fit sourire Darrick.) Ça nous laisse une seule possibilité. Aussi improbable que ça semble, nous devons obtenir son aide.

— Comment ? demanda Noirépine.

Darrick vit que le baron connaissait la réponse à cette question. Et tout comme lui, il luttait pour oublier ses velléités de vengeance.

— Nous marcherons vers lui le plus vite possible, en nous donnant l'air très puissant, et nous le convaincrons d'envoyer un message à Senedai.

Hirad savait que ce serait magnifique, mais les sentiments qui avaient envahi son esprit en écoutant Sha-Kaan lui parler de cet endroit l'avaient très imparfaitement préparé à une vision d'une telle splendeur.

La fin de leur voyage s'était réduite à une course folle à travers la plaine ravagée par le feu. Les rescapés de leur groupe s'étaient rassemblés une heure après l'attaque du Veret. Les Ravens n'avaient aucune blessure sérieuse – à peine des égratignures –, mais Jatha avait perdu sept de ses hommes. Seuls Cil et deux de ses frères avaient survécu.

Styliann avait refusé d'évoquer la mort de ses trois autres Protecteurs, mais son sursaut, quand un Kaan les avait survolés, avait appris à Hirad tout ce qu'il devait savoir. Le maître xetesk était si pâle que, pour la première fois, le barbare eut un élan de compassion pour lui.

Les Kaans avaient remporté la bataille aérienne de justesse. Hirad avait senti le chagrin de Sha-Kaan quand il avait ordonné à ses semblables de concentrer leurs attaques sur une seule couvée, celle des Verets, afin de briser leur moral et de rompre leur alliance précaire avec les Naiks. Puis, révisant sa stratégie initiale, le Grand Kaan avait affecté quatre de ses semblables à la protection des voyageurs, malgré l'attention que cette escorte ne manquerait pas d'attirer sur eux.

Ils s'étaient remis en route, douloureusement conscients du pouvoir destructeur des habitants de cette dimension. Une journée de marche plus tard, alors qu'ils atteignaient enfin le pied des montagnes, ils avaient regardé derrière eux et contemplé les cicatrices qui balafraient la plaine et ne disparaîtraient sans doute jamais. Et cette désolation était l'œuvre d'un seul dragon.

À la place des tourbillons bleus et rouges aperçus à leur arrivée, s'étendait seulement un linceul de fumée et de cendres. Au-dessous, une lueur orangée trahissait l'avancée du feu. Quand il s'éteignit enfin, faute de combustible, il ne restait à perte de vue qu'une étendue de terre calcinée. L'herbe repousserait, mais cette idée ne consola personne.

— Un seul dragon, avait murmuré l'Inconnu pendant qu'ils observaient, comme hypnotisés, la nappe de fumée et de flammes. Un seul dragon !

Ses paroles ayant arraché les autres à leur immobilité, ils s'étaient lancés à l'assaut des montagnes avec une ardeur renouvelée.

À présent, ils se reposaient au sommet d'une falaise haute d'une centaine de mètres. Le ciel restait aussi bleu que depuis leur arrivée dans la dimension draconique. La pente abrupte qu'ils venaient d'escalader était couronnée par un plateau rocheux qui s'avançait en pointe au-dessus du Foyer Couvelien des Kaans. Les Ravens avaient avancé jusqu'au bord pour découvrir le monde inconnu qui s'étendait en contrebas.

Sur leur gauche et leur droite, un tapis vert ondulant couvrait une grande vallée encaissée, dont ils distinguaient à peine les falaises à travers ce voile où des feuilles gigantesques se balançaient doucement. Hirad fut pris de vertige quand il imagina la taille des troncs et des branches où elles devaient pousser. Les rayons orange foncé du soleil transperçaient les volutes de brume pâle. En face, les flancs austères des pics enneigés qui descendaient abruptement jusqu'à la vallée complétaient le tableau.

Comme pour ajouter à la beauté du paysage, des dragons s'ébattaient dans le ciel. Propulsés par des battements d'ailes paresseux, ils planaient, plongeaient, redressaient et décrivaient des cercles à l'aplomb de la vallée. De temps en temps, l'un d'eux piquait entre les arbres, les ailes contre le corps, et ses écailles dorées étincelaient une dernière fois avant que la brume l'engloutisse.

Ils s'appelaient les uns les autres, poussant des cris de bienvenue, d'adieu, de tristesse et d'amour. Des témoignages de dévouement pour la couvée, leurs frères et leur foyer…

Parfois, c'étaient des aboiements brefs ; parfois, un son prolongé, guttural et lugubre, qui se répercutait contre les parois de la vallée. Tous touchaient le cœur et les perceptions d'Hirad, l'emplissant de la chaleur de la solidarité *et* du vide de la guerre qui, chaque jour, arrachait de nouveaux Kaans aux cieux.

Les jambes du barbare flageolèrent. Il s'accroupit et posa la main droite sur le sol pour conserver son équilibre. Il aurait pu rester là toute la journée à se délecter de la majesté des Kaans et de leur Foyer Couvelien.

Une main tapota son épaule. C'était celle d'Ilkar.

— Incroyable, non ? murmura Hirad.

— Même si je vis cinq cents ans, aucun souvenir ne supplantera celui-là dans mon esprit, dit l'elfe d'une voix voilée par l'émotion.

— Le sort de Balaia importe peu pour les dragons et leurs serviteurs. Ils sont trop préoccupés par celui de leur monde. Nous, c'est tout ça que nous devons sauver. Et c'est pour ça que nous ne pouvons pas échouer.

Hirad essuya ses yeux embués. Sur sa gauche, Jatha contemplait la vallée avec un ravissement évident.

— Foyer, dit-il.

— Tu comprends ce que ça signifie pour eux ? Il a déjà dû voir ça des centaines de fois, et pourtant, regarde-le...

Ilkar hocha la tête.

— Nous voulons tous réussir, et ton mobile compte sans doute plus que tous les autres, mais il ne faut pas que tu te leurres sur nos chances.

— Tu m'en parleras en chemin. Je crois que Jatha est aussi impatient que moi d'arriver.

Le serviteur du Grand Kaan les conduisit jusqu'à un escalier taillé dans la pierre de la montagne. Les marches abruptes, couvertes de mousse, dessinaient une vrille sous la plate-forme, longeaient des ravins, se faufilaient derrière une cascade et contournaient les troncs monstrueux des arbres.

Alors qu'ils descendaient à travers les nuages striés de rayons orange, l'atmosphère s'alourdit autour d'eux. Ils y voyaient de moins en moins, et la pierre devint glissante sous leurs pieds. Devant eux, leur guide marchait d'un pas confiant qui contrastait avec la maladresse de sa voix quand il leur criait « Prudence ! ». Les Balaiens avaient du mal à ne pas se laisser distancer, car ils restaient collés au flanc de la montagne pour ne pas approcher du précipice qui promettait une mort certaine dans le fond de la vallée.

Hirad décida de garder ses questions pour lui jusqu'à ce qu'ils aient émergé du brouillard. Mais quand ils arrivèrent enfin sous la couche de feuilles, la nappe vert pâle s'éclaircissant pour leur offrir une première vision du Foyer Couvelien des Kaans, il mit un moment à retrouver l'usage de la parole.

Une étendue plane de roche, de végétation et d'eau se déroulait sous la brume qui la baignait d'une douce lumière, lui conférant un aspect serein et agréable à l'œil. Un fleuve d'un bleu étincelant serpentait au milieu de la vallée. Son murmure parvint aux oreilles du barbare malgré le roulement des cascades qui le nourrissaient en une dizaine d'endroits. L'herbe était d'un vert luxuriant, avec des pointes rouges et bleues, comme dans la plaine. À en juger par les carrés coupés à ras du sol qui alternaient avec des étendues de tiges montant jusqu'à la taille d'un homme, elle était cultivée par les habitants, même si Hirad ne comprenait pas pourquoi.

Les bâtiments qui piquetaient les flancs de la vallée – certains bas, plats et à demi enfouis, d'autres creusés à même la roche – semblaient purement fonctionnels. Mais une structure magnifique dominait le Foyer Couvelien. Avec sa pierre blanche polie qui scintillait à la lumière diffuse du soleil, son dôme et ses tours qui tutoyaient le ciel, et surtout ses extraordinaires ailes dont les pointes frôlaient la nappe de brume, Tiredaile était un véritable monument à la gloire de Sha-Kaan. Le visage sculpté du dragon veillait sur son domaine, ses yeux guettant pour l'éternité l'approche d'un danger. Il n'existait aucune construction semblable sur Balaia. Malgré leur magie, ses habitants auraient été incapables d'en créer une. C'était le témoignage du respect et de la vénération que le Grand Kaan avait su inspirer à sa couvée et à ses Vestares. L'expression d'une ferveur que les peuples de Balaia n'auraient pas su librement éprouver pour leurs chefs.

Les Ravens s'étaient immobilisés. Regardant autour de lui, Hirad vit de l'émerveillement sur le visage de Denser et un sourire charmé sur les lèvres d'Erienne.

Le barbare, lui, avait l'impression de rentrer à la maison. Il ferma les yeux et savoura les émotions que Sha-Kaan laissait dériver dans son esprit.

— Dites-moi que nous ne permettrons à personne de détruire tout ça, lâcha-t-il enfin.

— Nous sauverons le Foyer Couvelien des Kaans, ou nous mourrons en essayant, promit Ilkar.

Hirad vit que la détermination qui liait l'elfe aux Ravens depuis dix ans n'avait en rien diminué.

— Je n'ai aucune intention de mourir, affirma-t-il. Parle-moi plutôt de nos chances.

Il fit signe aux autres de continuer à suivre leurs guides, qui avaient atteint le pied de l'escalier et couraient vers le fleuve.

Des cris de bienvenue résonnèrent dans la vallée. Des Vestares émergèrent des petites habitations de pierre et de chaume qui formaient un hameau sur la berge du fleuve. Des enfants hurlèrent de joie, pendant que les hommes de Jatha s'élançaient vers leurs femmes pour les prendre dans leurs bras. Après une trop longue absence, ils étaient enfin de retour dans leur sanctuaire. Des rires se mêlèrent aux lamentations et aux sanglots des familles qui venaient d'apprendre la mort d'un de leurs membres.

Très rapidement, l'atmosphère redevint solennelle. Tous les visages se tournèrent vers les Ravens qui approchaient en compagnie de Styliann et de ses Protecteurs.

— Ravens, bienvenue, dit Jatha. Hirad, foyer.

— Foyer, fit le barbare. (Il tendit un doigt vers Tiredaile.) Sha-Kaan ?

Jatha secoua la tête en souriant.

— Attendez. Manger ? Boire ?

Il frappa dans ses mains. Quelques Vestares regagnèrent leurs maisons. Alors, le serviteur du Grand Kaan s'assit dans l'herbe rase et fit signe à ses invités de l'imiter. Ses semblables revinrent, porteurs de plateaux de fruits et de viande séchée, de pichets d'eau fraîche et de nectar, ainsi que de tasses en bois sculpté. Les notes guillerettes d'une flûte résonnèrent non loin de là.

Une scène idyllique qui ne fit pas oublier à Hirad la raison de leur présence. Des dragons étaient assis sur le sol, hors du hameau, leurs corps reposant à moitié dans le fleuve, leurs mâchoires paresseusement ouvertes pour engloutir les balles d'Herbeflamme et les carcasses que leur apportaient les Vestares.

Ils ne prêtaient aucune attention aux étrangers.

Hirad présuma que la plupart de leurs frères étaient occupés à protéger la fissure ou à récupérer dans leur couloir de jumelage. En revanche, il ne doutait pas que Sha-Kaan les attendît à Tiredaile, et il se demanda pourquoi il n'était pas venu les accueillir en personne. Mais comme toujours, il devait avoir ses raisons.

— Hirad, commença Ilkar, avant que tu parles à Sha-Kaan...

— Nous devions discuter de nos chances, rappela le barbare.

— Ou de leur absence. Ne fais pas cette tête : je suis réaliste, un point c'est tout. Tu dois savoir où nous en sommes exactement.

Le barbare avala un morceau de viande, qu'il fit descendre avec une gorgée de jus de fruit vert pâle.

— Tu ne vas rien m'annoncer de bon, pas vrai ?

— Eh bien... La situation n'est pas désespérée, mais beaucoup d'éléments restent dans le flou. Il faut extrapoler sur tant de points que ce sera un miracle si nous tombons juste à chaque fois. Inconnu, tu devrais écouter aussi.

— J'écoute, dit le colosse. Thraun ?

Le métamorphe approcha d'Ilkar. Il tenait un gobelet, mais n'avait pas touché à la nourriture.

— Commençons par le commencement, dit l'elfe. La théorie est assez simple, mais faute de paramètres définis, il est impossible de déterminer avec exactitude la puissance du sort à lancer. D'après les textes de Septern, nous devons former une gangue de mana connectée aux bords de la fissure, afin de la contenir et d'enrayer sa croissance. À nous quatre, nous avons assez de pouvoir pour le faire du sol, à condition de nous tenir directement sous la fissure. Ensuite, il faudra la refermer. Ce serait assez facile si nous avions à nous soucier d'une seule extrémité. Mais ce n'est pas le cas : nous avons affaire à un couloir, avec une autre extrémité, tout aussi importante. Tu arrives à suivre, Hirad ?

— Si je loupe quelque chose, je me le ferai expliquer par l'Inconnu quand tu seras parti.

— Parti où ?

— Là où tu ne m'entendras pas maudire ton incapacité à présenter les choses simplement, lâcha le barbare, ravi de voir les oreilles de l'elfe frémir.

— Très bien. Nous sommes sûrs que Septern a dû ouvrir et fermer des couloirs dimensionnels, et nous détenons des textes qui traitent du motif nécessaire pour réparer un trou dans l'espace interdimensionnel. En principe, la procédure consiste à modeler une sorte de navette de mana, que nous ancrerons de ce côté de la fissure pour l'envoyer faire des allers-retours entre les deux extrémités, afin de les rapprocher et de sceller la fissure.

— Tu crois que c'est possible ? demanda l'Inconnu. (Il prit un fruit sur un plateau et remercia d'un sourire la femme qui le lui avait tendu.) Je trouve ça un peu tiré par les cheveux.

— Ça l'est... J'ignore encore si nous réussirons ou pas. La théorie annalytique figure dans les textes de Septern. Styliann et Denser essaient de la faire coïncider avec la théorie dimensionnelle xeteske, et nous connaissons un sort capable de fermer un portail.

— Le problème, c'est la navette ? devina Hirad.

— Oui. Il s'agit sûrement d'une extension de la gangue de mana que nous tisserons pour contenir la fissure de ce côté, mais nous n'en avons pas la certitude. Nous en sommes réduits aux suppositions, et c'est très dangereux.

— Je ne veux pas vous affoler, mais vous n'avez pas le temps d'essayer autre chose. Il faut lancer ce sort dans les vingt-quatre heures. Sinon, il sera trop tard pour les Kaans, et donc pour Balaia.

— Je sais, Hirad, mais nous avons toujours dit que nous ne pouvions pas garantir de résultat. Développer un nouveau sort n'est pas si facile, tu sais.

L'Inconnu leva les mains pour réclamer le calme.

— Et se disputer ne nous avancera à rien. Je vais peut-être poser une question idiote, mais… Pourquoi ne vous contentez-vous pas de refermer la fissure de ce côté, puis de rentrer à Balaia pour faire la même chose à Parve ?

— Une idée séduisante, admit Ilkar, mais que nous avons dû rejeter. En supposant que nous arrivions à regagner Parve, ça ne fonctionnerait quand même pas. Le pouvoir de l'espace interdimensionnel est trop grand. Même privé d'une extrémité, le couloir serait toujours là. Nous devons le refermer aussi. Or, la gangue est intrinsèquement instable, et elle ne tiendrait pas assez longtemps pour nous permettre d'atteindre Parve. Voilà pourquoi il fallait venir ici. Pour refermer la fissure dans le sens inverse de celui où elle a été créée. À contre-courant, si tu préfères.

— Ça ne t'ennuierait pas d'évaluer nos chances d'une manière que je puisse comprendre ? lança Hirad.

— Si Denser et Styliann ne trouvent rien dans la théorie dimensionnelle xeteske, elles sont presque nulles, parce que nous n'aurons aucune idée des forces qui agissent au-delà de la fissure. S'ils trouvent quelque chose, nous serons quand même forcés d'improviser un construct de mana. Jusqu'au dernier moment, nous ne saurons pas s'il remplira son office ou non. L'un dans l'autre, nos chances de refermer la fissure sont encore plus faibles que l'étaient celles de vaincre les Seigneurs Sorcyers.

— Sha-Kaan n'aimera pas ça du tout.

— Il faudra qu'il vive avec.

— Ou qu'il *meure* avec.

Le barbare se releva, épousseta son pantalon et se dirigea vers Tiredaile.

— Qui pourrait avoir envie d'être un Dragonen, pas vrai, Inconnu ? lança Ilkar avec un sourire forcé.

— Qui pourrait avoir envie d'être un Raven ? répliqua le colosse. Ouais : qui pourrait avoir envie d'être un Raven ?

Chapitre 32

Ils attaquent.

À la lumière de l'aube, le message mental fit le tour des Protecteurs. Les Questiens avançaient derrière leurs molosses de guerre et leurs archers. Mais ils ne chargeaient pas. Aeb et ses frères analysèrent rapidement leur tactique.

Les chiens pour semer le désordre dans nos rangs, et les archers pour nous affaiblir avant l'assaut.

Comme un seul homme, les Protecteurs dégainèrent leurs armes, chacun empoignant une épée à deux mains et une hache de guerre.

Nous sommes assez nombreux pour déployer un bouclier efficace. Notre concentration est la clé. Nous ne faisons qu'un.

Nous ne faisons qu'un. Le mantra se répercuta dans leurs esprits, leur transmettant la force du Réservoir d'Âmes et une absolue confiance en leur invincibilité. Ils étaient prêts.

Des flèches volèrent et les molosses s'élancèrent, leurs hurlements couverts par les rugissements de leurs maîtres.

Pensez au bouclier.

Les Protecteurs y pensèrent, et les projectiles rebondirent devant eux sans les atteindre.

Des bêtes monstrueuses de la taille d'un poulain nouveau-né se jetèrent sur eux en ouvrant leur gueule garnie de crocs acérés. Les archers décochèrent une nouvelle volée de flèches. Cinq seulement franchirent le bouclier, et aucune ne toucha sa cible. Puis les molosses arrivèrent au contact.

Les Protecteurs avaient compté soixante-dix Destranas, tous assoiffés de sang et sans esprit de groupe. Les premiers bondirent en visant le cou, les cuisses ou l'estomac de leurs adversaires, mais ils avaient prévu tous leurs angles d'attaque. D'un coup de hache, Aeb fendit le crâne d'un molosse qui tentait de renverser son frère de droite. Deux autres lames s'enfoncèrent dans la nuque et le dos de la créature, qui mourut sur le coup.

Aeb, en bas à gauche !

Il frappa sans regarder et sentit son épée crever le ventre d'un Destrana. L'injonction mentale lui était parvenue à l'instant où il percevait l'animal. Elle lui avait fourni seulement une direction, mais il n'avait pas besoin de plus que ça. D'un geste puissant, il dégagea sa hache pour l'abattre sur les mâchoires d'un troisième chien, pendant que son épée clouait le second au sol, sur sa gauche.

Il aurait fallu que les Destranas soient cinq ou six fois plus nombreux pour avoir une chance. Ceux qui ne battirent pas en retraite pour se dissimuler derrière les jambes de leurs maîtres moururent sans réussir à poser une patte ou un croc sur leurs proies. Ils étaient trop lents, trop directs et surtout trop désorganisés. Pour cette raison, aucun animal ne parviendrait jamais à vaincre un Protecteur.

Le calme retomba sur les rangs de l'armée ennemie, son commandant hésitant avant de crier un ordre à ses archers. De nouveau, le bouclier tint bon, et un seul frère d'Aeb reçut une flèche dans la cuisse. Il recula pour s'occuper de sa blessure et aider les autres à distance jusqu'à ce qu'il soit en état de les rejoindre.

Les cors de guerre sonnèrent. Au lieu de charger, les Ouestiens reprirent leur marche prudente, en rangs serrés. Aeb sentit leur nervosité et la signala à ses frères.

Le cœur de leur commandant n'y est pas. Il a peur de nous. Cherchez leurs officiers. Nous ne faisons qu'un.

Nous ne faisons qu'un.

De nouveau, le mantra retentit dans toutes leurs têtes. Unis comme toujours, ils n'eurent pas une seule pensée pour l'écrasante supériorité numérique de l'ennemi.

Les Destranas étaient morts. Le sol humide de rosée et de bruine buvait déjà leur sang. Et leurs maîtres prenaient conscience que les premiers guerriers qui arriveraient au contact subiraient le même sort. C'était inévitable.

Comme notre victoire ! Les Protecteurs ne peuvent pas échouer.

Le seigneur Senedai lutta pour ne pas crier quand il vit ses molosses succomber. Tous les hommes redoutaient les Destranas, dont la férocité et le désir de tuer étaient légendaires. Mais ces guerriers-là ne frémirent pas face à leur charge.

Ils semblaient savoir d'instinct où leurs adversaires allaient frapper. Même s'il ne pouvait en être sûr à cause de la distance qui les séparait d'eux, Senedai aurait juré que certains ripostaient sans regarder. Pourtant, chacun de leurs coups faisait mouche. Ils n'avaient jamais un geste superflu, désordonné ou imprécis. Un élément qui effrayait le commandant ouestien plus que tout le reste.

Les Destranas s'étaient précipités en meute. Et ils étaient morts en gémissant comme des chiots. Senedai s'arracha à sa funeste contemplation pour se concentrer sur ses problèmes immédiats.

Un silence anxieux tomba sur son armée. Les Ouestiens n'avaient pas encore vu périr un seul de leurs adversaires. Ils se tournèrent vers leur commandant, quêtant un ordre du regard.

— Seigneur ? appela un lieutenant. Il ne faudrait pas briser notre élan.

— Je sais ! cria Senedai. Je sais… Ralentissement de l'allure sur tous les fronts.

Nos ennemis nous verront pendant que nous nous masserons sous leur nez, et ils auront le temps de redouter les braves qui sont sur le point de les submerger.

Les cors sonnèrent et les Ouestiens avancèrent. Le cœur battant la chamade, Senedai suivit le mouvement en criant des encouragements à ses hommes et en les exhortant à modérer leur allure – comme si un seul était pressé de mourir !

La petite force qui protégeait les ruines du manoir ne réagit pas. Immobiles, leurs armes rouges de sang, les guerriers attendaient.

Derrière Senedai, un capitaine lança un ordre aux archers.

Encore une volée de flèches gaspillée, pensa le commandant ouestien quand une centaine de projectiles s'écrasèrent sur la maudite barrière invisible. Pourtant, il ne voyait aucun mage dans les rangs ennemis.

— Par tous les enfers, que se passe-t-il ? Qui sont ces hommes ?

Les Ouestiens étaient à quarante pas de leurs adversaires quand le chant des Esprits retentit. Tel un grondement de tonnerre montant de toutes les directions, il déferla dans les rangs de l'armée de Senedai, fit picoter la peau du commandant et raffermit son assurance vacillante. Il était destiné à saluer l'acier ennemi, à permettre aux hommes des tribus d'accueillir la mort en véritables guerriers et surtout à lier éternellement les Esprits à la nation ouestienne.

Cette vingtaine de mots, répétés par toutes les gorges, devint bientôt une cacophonie qui couvrit le fracas des armes et le piétinement de milliers de bottes. Alors que leur tempo poussait les Ouestiens en avant, leurs ennemis masqués avancèrent à leur rencontre. Haches brandies, épées pointées vers le sol, ils se préparèrent à repousser la horde qui fondait sur eux.

Une menace planait dans l'air matinal, aussi lourde que les nuages qui promettaient une averse pour très bientôt.

Darrick avait dirigé son armée vers la horde qui les attendait. Derrière la cavalerie, les fantassins avaient avancé d'un bon pas, sans jamais s'arrêter. Le jeune général savait que les Ouestiens les observaient, et il voulait que ses troupes leur semblent confiantes et déterminées.

Au terme d'une marche soutenue, il ordonna une halte en plein champ, à quinze cents mètres environ du camp de Tessaya. Une unique sonnerie de cor fut suivie par un tumulte d'ordres sortis d'une centaine de bouches. Chaque homme, chaque elfe et chaque mage connaissait sa mission. Des positions défensives furent érigées, un périmètre établi, un poste de commandement dressé et des lignes de régiments formées. Les mages étaient encadrés par des fantassins. Les elfes sondaient la forêt de Grethern au sud et la plaine nue au nord.

On creusa des fosses à feu et on monta les tentes. Une fois les animaux parqués, les chariots furent vidés de leur contenu. Moins d'une heure après leur arrivée, le repas cuisait déjà, et les forges étaient opérationnelles.

Darrick se détourna de ces préparatifs, un petit sourire au coin des lèvres.

— Pas mal, commenta-t-il, si on considère que moins d'un millier de nos hommes sont des soldats expérimentés.

— Les fermiers et les vignerons de Noirépine ont toujours eu un solide sens pratique, dit gravement le baron Gresse.

Darrick le dévisagea, ne sachant pas s'il plaisantait.

Gresse dissipa ses doutes en lançant :

— Et les défenseurs victorieux de Gyernath se contentent de se rouler les pouces en les admirant, pas vrai ?

— Oh, je les ai autorisés à assister mes experts, admit Noirépine, les yeux pétillant de malice.

— Ça devrait donner à réfléchir aux éclaireurs ouestiens, dit Darrick.

— Je ne doute pas que Tessaya mourra de peur quand il aura vent de l'efficacité des bonnes gens de Noirépine, gloussa Gresse. (Voyant Darrick froncer les sourcils, il se reprit.) Désolé, général... Quand avez-vous l'intention d'aller parlementer avec Tessaya ?

Darrick s'assit sur une des six chaises pliantes installées autour de la table, sous la tente de commandement.

— Dès que nous aurons fini de déjeuner, je ferai lever le drapeau de négociation et je me mettrai en route avec une escorte d'une dizaine de cavaliers.

— Et nous deux, ajouta Noirépine.

— Je vous demande pardon ?

Darrick se rembrunit et dévisagea le grand baron. Mais cette fois, il ne vit pas trace d'humour dans son regard.

— Je connais Tessaya. Il achète – ou plutôt, il achetait – mes meilleurs vins. Il m'écoutera peut-être.

— Et vous, baron Gresse ?

— Je viendrai pour vous soutenir et conférer une allure plus officielle à votre délégation. Tessaya ne doit pas penser que nous essayons de le bluffer. Trois personnages importants auront plus de chances de l'en convaincre que deux.

— Très bien. Je sais que votre soutien pourrait m'être précieux. Tessaya risque de se montrer peu conciliant, après avoir réussi à pénétrer si loin dans nos terres.

Darrick savait qu'il n'aurait pas dû se sentir aussi soulagé. Mais quelque chose, chez les deux barons, lui inspirait confiance. Peut-être leur détermination à réussir, ou leur refus d'envisager la défaite. Leurs hommes devaient le voir aussi. C'était sûrement pour ça qu'une poignée de soldats et une armée de fermiers avaient eu une influence décisive sur le cours de cette guerre.

— Croyez-vous qu'il respectera le drapeau de négociation ? demanda Darrick.

— Oui, répondit Noirépine sans hésiter. Pas parce qu'il est particulièrement loyal, mais parce qu'il est intelligent. Il ne sacrifiera pas ses guerriers s'il pense s'assurer la victoire en marchandant notre reddition.

— Il est peut-être intelligent, mais ça ne l'empêche pas de commettre de grossières erreurs de jugement, rappela Darrick. Par exemple, il aurait pu nous affronter à Sousroc, où il était en position de force. Je crois qu'il a paniqué.

— C'est possible, dit Noirépine. Mais ne comptez tout de même pas trop sur ses défaillances.

Deux heures plus tard, les trois hommes sortirent de leur campement avec leur escorte. Le cavalier solitaire qui les précédait agitait un drapeau vert et blanc pour réclamer une entrevue avec le commandant ennemi.

Arrivés à cinq cents mètres du campement ouestien, ils furent rejoints par trente porteurs de haches qui, sans un mot, les encadrèrent et coururent près de leurs chevaux. Une garde d'honneur ! Paradoxalement, sa présence rassura Darrick. Mais ça ne l'empêcha pas de signaler aux deux mages de maintenir leurs boucliers.

Peu après, ils atteignirent le sommet d'une butte, et découvrirent le campement ennemi. Couvrant un carré de cinq cents mètres de côté, il s'étendait à travers champs et pâturages. Des dizaines de feux projetaient leurs flammes vers le ciel humide et maussade. Les étendards et les bannières pendaient mollement au bout de leurs hampes, et les tentes étaient soigneusement espacées les unes des autres. Au lieu d'ériger leurs barricades habituelles, faute de temps, les Ouestiens s'étaient contentés de poster force sentinelles à la périphérie de leur camp. Personne ne pourrait les attaquer par surprise, et Tessaya voulait que ses visiteurs le sachent.

Alors qu'ils traversaient le campement, la belle assurance de Darrick s'envola. Des milliers d'yeux malveillants se tournèrent vers eux. Les travaux et les conversations s'interrompirent abruptement.

Des guerriers ouestiens affluèrent de partout pour observer de plus près l'ennemi qui marchait parmi eux. Çà et là, des chamanes au visage peinturluré avancèrent et braquèrent sur les négociateurs un regard malveillant.

Personne ne tenta d'entraver la progression de la garde d'honneur qui se frayait un chemin dans la foule vers un pavillon de toile brune semblable aux autres, bien qu'entouré de beaucoup de sentinelles. Des deux côtés de l'entrée, une dizaine d'étendards plantés dans le sol formaient un étroit chemin d'accès.

Les porteurs de hache s'arrêtèrent et firent signe aux cavaliers de mettre pied à terre.

— Restez avec les chevaux, ordonna Darrick au mage elfe qui commandait son escorte. Ne regardez pas les Ouestiens dans les yeux, et maintenez vos boucliers.

— Oui, messire.

Par-dessus l'épaule de l'elfe, dont le hochement de tête confiant ne trahissait pas la peur qui devait lui nouer l'estomac, Darrick vit la foule des guerriers et des chamanes se presser autour du pavillon de commandement. Si la négociation tournait mal, ils n'auraient aucun moyen de battre en retraite.

— Gardez confiance, lui souffla Noirépine comme s'il avait lu ses pensées. Même si nous ne ressortons jamais d'ici, votre armée aurait encore tous les hommes nécessaires pour remporter cette bataille.

— Je trouve très réconfortant de savoir qu'ils n'ont pas besoin de moi ! railla Darrick.

— Vous voyez ce que je veux dire…

Une main souleva un rabat de toile brune, et un vieux chamane leur fit signe d'entrer.

Le pavillon était meublé sobrement. Sur la gauche, un lit de camp aux couvertures soigneusement rabattues. Sur la droite, une table de service où reposaient des plateaux de viande, des miches de pain, quelques pichets et un assortiment de gobelets. De chaque côté de la porte, un garde ouestien, et devant eux, une seconde table où leur hôte était en train de déjeuner. Le chamane, vêtu d'une simple robe brune, vint se placer derrière son seigneur.

— Bienvenue sur mes terres ! lança Tessaya, un sourire froid sur son visage bronzé.

— Je vous remercie de nous avoir accordé une audience, dit Darrick, ignorant cette provocation grossière. Nous devons parler d'un événement crucial qui risque d'affecter nos deux peuples.

— En effet : votre reddition, qui confirmera la domination ouestienne sur l'ensemble de Balaia et mettra un terme à ces massacres inutiles. (Tessaya se retourna vers les compagnons du général.) Baron Noirépine, c'est toujours un plaisir.

— J'espère que nous partagerons bientôt les meilleures bouteilles de ma cave, seigneur, répondit Noirépine. À supposer que vos forces ne l'aient pas vidée avant d'incendier ma ville. Mais si vous refusez d'écouter le général Darrick, aucun de nous n'en aura plus jamais l'occasion.

Le chamane se pencha et murmura quelque chose à l'oreille de Tessaya, qui hocha la tête.

— Je suis au courant de votre quête désespérée d'alliés venus d'un autre monde. Même si vous me retardez avec vos discours, le seigneur Senedai détruira le manoir, puis vos précieux Ravens. Tôt ou tard, il aura raison des non-hommes de Xetesk. Alors, mon armée de conquérants déferlera sur Balaia et sur l'autre monde que vous m'aurez si gentiment offert sur un plateau. Parlez, général Darrick. Voyons si vous êtes aussi bon orateur que soldat.

Tessaya se radossa à sa chaise, prit le gobelet posé sur sa droite et but. Puis il claqua des doigts. Un garde, posté à l'entrée du pavillon, courut vers la table de service et empoigna un pichet pour remplir de nouveau son gobelet.

— Balaia est menacée. Un trou s'est ouvert dans le ciel au-dessus de Parve. Il relie notre dimension à celle des dragons, et doit absolument être refermé pour que ces monstres ne nous envahissent pas. Cette mission a été confiée aux Ravens. Si le seigneur Senedai les empêche de la mener à bien, nous mourrons tous. Je suis venu vous demander de l'arrêter avant qu'il commette un crime horrible au nom de la nation ouestienne.

Darrick dévisagea Tessaya pour voir s'il l'écoutait vraiment. Son sang se glaça dans ses veines quand il vit du mépris s'afficher sur les traits du commandant.

— Vous me croyez assez stupide pour avaler ces balivernes ? cracha Tessaya. Au lieu de respecter mes exploits, vous inventez une histoire qu'un enfant attardé refuserait de gober.

— Il dit la vérité, intervint Noirépine. Vous savez que je suis un homme d'honneur, et que je ne vous mentirais pas.

— Tout ce que je sais, c'est que le désespoir pousse les gens à renier leurs principes. La vérité, c'est que des dragons envahiront effectivement Balaia, conformément à une prophétie de nos anciens. À moins que je parvienne à les en empêcher. Et faites-moi confiance, j'y arriverai !

« La souillure du ciel n'est pas une menace. D'après mes messagers, ce n'est qu'un résidu de la destruction de Parve par vos soins. Je refuse de vous écouter pendant que vos alliés cherchent à contacter une puissance capable d'entraver la marche des Ouestiens vers Korina.

« Pourtant, je vous témoignerai davantage de respect que vous ne m'en avez manifesté. Si vous refusez la reddition honorable que je vous offre, c'est sur le champ de bataille que vous devrez tenter de m'arrêter. Préparez-vous à m'affronter, si vous en avez le courage ! Je vous donne cinq minutes pour quitter mon campement. Et le compte à rebours commence tout de suite !

Tessaya se concentra sur son assiette.

Derrière Darrick, quelqu'un écarta le rabat pour les laisser sortir. Mais il l'ignora et abattit ses deux poings sur la table, faisant vibrer l'assiette et renversant le gobelet.

— Et si je dis la vérité, et que vos hommes empêchent les Ravens de refermer la fissure ? Il sera trop tard pour implorer le pardon de vos dieux quand les dragons ravageront Balaia, en commençant par les contrées ouestiennes. (Le général entendit quelqu'un dégainer une arme, mais il ne se retourna pas.) Que ferez-vous alors ?

Tessaya soutint son regard en faisant signe aux gardes de ne pas intervenir.

— Si c'est vraiment ce que vous croyez, priez pour que les Ravens échappent à mon armée du nord. Le compte à rebours continue.

Noirépine et Gresse encadrèrent Darrick et le tirèrent doucement en arrière.

— Je comprends votre scepticisme, dit Noirépine. Mais ça ne change rien aux faits. Pour vous prouver notre bonne foi, le baron Gresse et moi-même resterons ici. S'il s'avérait que nous avons menti, nous serions à votre merci.

Tessaya avala une bouchée de viande et pointa sa fourchette vers son interlocuteur.

— Vous êtes un homme courageux, baron, et j'admire la manière dont vous avez vaincu mon armée du sud. Je déplore la destruction de votre ville, mais ce sont les nécessités de la guerre. C'est une offre généreuse que vous me faites. Cela dit, planter deux nobles têtes sur des piques ne compenserait pas le massacre de mon peuple par vos alliés les dragons.

« Ne comprenez-vous pas ? Une fois que je vous aurai vaincus, je marcherai sur Korina. Alors, je régnerai sur tout Balaia. Donc, vous êtes déjà à ma merci. (Il se tourna vers son chamane, qui hocha la tête et gagna rapidement la porte.) Arnoan vous raccompagnera jusqu'à la lisière de notre camp. Je vous reverrai sur le champ de bataille.

Les trois négociateurs se regardèrent. Désespéré, Darrick envisagea un instant de se parjurer en tuant Tessaya. Mais il savait que Noirépine et Gresse feraient tout pour l'en empêcher. Bien que prévisible, le refus de Tessaya laisserait les Ravens sans défense si Senedai parvenait à vaincre les Protecteurs.

En quittant le pavillon, Darrick pria pour que les monstrueux guerriers xetesks soient à la hauteur de leur réputation.

Sha-Kaan s'envola de Tiredaile au moment où l'orbe commençait sa descente dans le ciel. Épuisé par les combats qu'il avait livrés, et privé d'accès à son couloir de jumelage, puisque Hirad Cœurfroid était dans son domaine, il étendit ses ailes endolories pour profiter du vent qui soufflait en altitude. Puis il vola une nouvelle fois vers l'océan de Shedara pour s'entretenir avec Tanis-Veret – si son Haut-Jumel était toujours vivant.

L'air froid lui éclaircissait les idées, et la vitesse emplissait ses poumons de glace quand il ouvrait la gueule pour respirer, étouffant la colère qu'avaient éveillée en lui les révélations du barbare.

Sha-Kaan avait l'habitude qu'on exécute ses ordres sans faillir. Pourtant, selon le Raven, la réussite de leur mission n'était pas certaine. Hirad Cœurfroid avait tenté de lui faire comprendre une notion *balaienne*, donc complètement étrangère pour lui : il fallait se contenter du meilleur qu'un homme pouvait donner, même si cela ne suffisait pas à empêcher un échec ou une mort. Sha-Kaan n'avait pas cherché à dissimuler son mépris pour cette idée. Il aurait dû tuer le misérable humain sur place, mais une fois encore, Hirad était parvenu à le désarmer avec son irréfutable logique.

— Tuez-moi, et vous ne saurez jamais si nous aurions pu réussir. De plus, vous mourrez avec toute votre couvée. En revanche, si nous échouons, nous péririons tous, moi comme les autres, et de ce côté-là, vous aurez obtenu ce que vous voulez...

Sur le coup, le bon sens du Dragonen n'avait pas suffi à apaiser la colère du Grand Kaan. À présent qu'il volait vers une rencontre qui devait impérativement porter ses fruits, il prenait conscience des efforts déployés par les Ravens. Il sentait leur désir de réussir, et savait qu'ils mesuraient les conséquences d'un échec, pour eux comme pour Balaia ou pour les Kaans.

Une autre émotion, inédite jusque-là, le fit frissonner. Sha-Kaan connaissait la peur : l'angoisse d'être blessé, d'affronter la fureur de ses semblables et de voir les rejetons de la couvée périr avant d'atteindre la maturité. Mais cette fois, c'était une véritable *terreur* : celle de l'extinction des Kaans. Et ils ne détenaient plus les armes susceptibles de l'empêcher, puisqu'elles étaient entre les mains des Ravens.

Les Balaiens devaient être protégés à tout prix, ce qui impliquait d'alléger la défense du portail. Sha-Kaan avait trop peu de dragons valides. Faute de Dragonen, Elu-Kaan était aux portes de la mort. Tous les couloirs de jumelage étaient déjà utilisés. Les Kaans avaient besoin d'aide, et une seule autre couvée pouvait la leur apporter.

Le problème, c'était qu'ils avaient délibérément visé les Verets au cours de la dernière bataille, conscients qu'en les repoussant, ils briseraient l'étranglement dont les Naiks les menaçaient. Cette tactique avait fonctionné, mais si les Verets refusaient la demande de Sha-Kaan, toutes ces morts n'auraient servi à rien.

Alors qu'il émergeait des couches supérieures de l'atmosphère pour plonger dans le ciel nocturne de Shedara, Sha-Kaan craignit que ses Kaans aient fait du trop bon travail. Aucune sentinelle ne vint à sa rencontre. Pas un Veret ne fondit sur lui pour venger ses frères. Les frontières aériennes étaient ouvertes, et rien ne troublait la surface calme de l'océan en contrebas.

Sha-Kaan se posa sur l'îlot rocheux, plongea la tête dans l'eau et rugit.

Il sonda mentalement les profondeurs à la recherche de Tanis-Veret, puis projeta vers lui le chagrin et le désespoir qu'avait éveillés en son cœur la bataille dans le ciel de Teras.

Enfin, après avoir demandé une audience à son Haut-Jumel, il pria les Cieux d'avoir été entendu.

Sha-Kaan sortit la tête de l'eau et s'allongea sur la pierre, le cou tendu pour que ses muscles ne refroidissent pas et pour présenter une attitude déférente vu du dessus. Mais surtout pour permettre à ses capteurs corporels de couvrir toute la surface de l'îlot sombre et humide.

Il attendit une éternité sur le territoire d'une autre couvée, exposé et vulnérable en cas d'attaque. Mais sa patience finit par être récompensée. Une vibration de la pierre lui signala qu'un dragon de bonne taille remontait des profondeurs de l'océan. Il se redressa, le cou en S, à l'instant où Tanis-Veret jaillissait dans un geyser d'eau salée.

Alors qu'il s'élevait dans le ciel, ses écailles noircies dégoulinantes d'eau, le dragon rugit de mécontentement et cracha une langue de flammes. Puis il décrivit un cercle autour de l'îlot avant de s'y poser lourdement et d'essuyer avec sa queue le bas de son dos couvert de cicatrices.

Se redressant de toute sa hauteur, il jeta sur Sha-Kaan un regard haineux.

— Tu es venu présider à la destruction finale des Verets ? demanda-t-il en sondant le ciel comme s'il s'attendait à le voir se remplir de dragons ennemis.

— Non, dit Sha-Kaan. Je suis là pour offrir une chance de salut à ta couvée.

Il inclina légèrement la tête : une expression mitigée d'humilité.

— Comment oses-tu ? cracha Tanis-Veret. As-tu la moindre idée des ravages que tu as causés ?

— Tu ne m'as pas laissé le choix. Mais maintenant...

— Sous nos pieds, les survivants de ma couvée s'accrochent à l'espoir que les Naiks tiendront leur promesse et nous laisseront en paix après vous avoir détruits. Nous ne sommes plus que soixante-dix, dont beaucoup agonisent dans leurs couloirs de jumelage. Parmi ceux qui peuvent encore voler, je suis le moins mal en point, et les écailles de mon dos ne guériront jamais à cause de la férocité du feu, des griffes et des crocs des Kaans. (Le regard de Tanis-Veret croisa encore celui de son interlocuteur, et sa voix se brisa.) Je n'ai même plus assez de frères valides pour défendre nos frontières. Va-t'en, Sha-Kaan. Tu as déjà fait assez de mal.

Sha-Kaan ne bougea pas. Tanis-Veret aurait pu considérer cela comme un acte agressif, mais il se contenta de secouer la tête.

— Je vois..., soupira-t-il.

— Non, tu ne vois pas ! cria Sha-Kaan. Je suis venu ici et je t'ai supplié de ne pas t'allier avec les Naiks. Mais tu n'as pas voulu m'écouter. Nous avons été obligés de combattre, et vous étiez le maillon faible. Je sais que ça ne te consolera pas, mais les Kaans n'ont pris aucun plaisir à vous détruire. À présent, nous avons une occasion de vous aider à survivre.

— Comment pourrais-tu nous aider ? Les Kaans sont condamnés. Cette conversation oppose deux morts en sursis. Le portail est trop grand pour que vous puissiez continuer à le défendre. Nous le savons tous. La prochaine fois que les Naiks rassembleront leurs alliés, vous serez détruits, et votre dimension jumelée avec vous.

Sha-Kaan inclina la tête. Tanis-Veret ne savait pas tout.

— Mon ami, nous avons un moyen de refermer le portail. Et nous avons besoin de vous pour nous donner le temps de lui permettre d'agir.

— Je ne vois aucune raison de te faire confiance.

— Voilà mon offre. À toi de voir si tu l'acceptes ou non. Je n'essaierai pas de t'influencer. J'ai voyagé seul, et en prenant de grands risques, pour venir te parler. Et je suis honoré que tu m'aies accordé une audience. Des natifs de ma dimension jumelée sont ici. Ils utiliseront leurs compétences pour fermer le portail. Il a été forgé par leur magie, et peut être détruit de la même façon. Mais pendant qu'ils travailleront, ils seront à terre, donc vulnérables. Si vous participez à la bataille dans notre camp, nous aurons une chance de les défendre. Et si nous vainquons, les Kaans recouvreront rapidement leurs forces.

« Je doute que les Naiks vous laissent en paix, même s'ils triomphaient. Ce que je peux promettre – et tu sais que je tiens toujours parole –, c'est de protéger la couvée Veret en tenant vos ennemis à distance jusqu'à ce que vous soyez redevenus assez nombreux pour veiller sur les vôtres. Après, les Kaans et les Verets ne s'affronteront jamais plus. Nos territoires ne se chevauchent pas. Ami, nous n'avons aucune raison d'être en conflit.

« Je n'attends pas de réponse immédiate. Le sort de ta couvée dépend de ta décision, et je comprends qu'il te faille du temps pour réfléchir. En ce qui me concerne, je dois repartir. Comme toi, j'ai une bataille à préparer. J'aurai peut-être la chance de te voir plonger sur les Naiks.

— Que les Cieux t'accompagnent, Sha-Kaan, dit Tanis-Veret. Je répondrai à l'appel des Naiks, comme je le dois. Mais c'est ma seule obligation.

— Qu'il en soit ainsi.

Sha-Kaan étendit ses ailes, cria un adieu et reprit le chemin de son Foyer Couvelien, le cœur un peu plus léger, mais l'esprit déjà mobilisé par la bataille à venir.

Chapitre 33

À l'approche du crépuscule, la brume descendit sur la vallée, et le rythme des activités, déjà paresseux, ralentit encore dans le Foyer Couvelien des Kaans. Aucun dragon n'y resta ; tous se retirèrent dans leur Choul, leur couloir de jumelage ou leur antre privé, pour ceux qui avaient un rang suffisant.

Les Ravens s'assirent au bord du fleuve. Personne ne leur ayant attribué de quartiers, il semblait entendu qu'ils passeraient la nuit dehors. Mais ça ne les dérangeait pas, car elle s'annonçait tiède et plaisante. Le vrai problème, c'était le moral des mages. Hirad sentait leur incertitude dans le regard anxieux d'Ilkar et dans la façon dont les lèvres de Denser frémissaient nerveusement sur le tuyau de sa pipe.

Le barbare trouvait extraordinaire de les voir discuter et s'entraîner à quelques pas de lui, assis en tailleur sur une pierre plate, leurs livres ouverts devant eux et maintenus en place par des cailloux. Quatre mages parmi les plus talentueux de Balaia, dont l'ancien Seigneur du Mont de Xetesk, se débattaient avec un problème alors qu'ils détenaient pourtant tous les éléments de la réponse.

Au fond, ce spectacle n'avait rien de si surprenant. On exigeait d'eux qu'ils referment dans le ciel un trou de la taille d'une ville qui béait à des centaines de mètres au-dessus de leurs têtes. Hirad pouvait à peine imaginer les compétences nécessaires pour réussir cet exploit. Une fois encore, il se sentait inutile. Bien sûr, c'était en partie grâce à ses talents de guerrier que les quatre mages étaient arrivés jusque-là. Mais le plus gros du travail restait à faire, et il ne pouvait plus les aider, sinon en évitant de traîner dans leurs pattes. Rien d'étonnant qu'il trouve ça frustrant.

Face à lui, Thraun, maussade et silencieux, était assis près du poêle. Ses longs cheveux blonds, que l'humidité plaquait à son crâne, pendaient autour de son visage. Depuis la mort de Will, il semblait absent, s'animant uniquement lorsqu'un danger menaçait ses camarades. Mais comme pour beaucoup de Ravens, dans un passé récent, l'homme qu'il était autrefois avait disparu.

— Thraun ? lança Hirad.

Le métamorphe s'arracha à la contemplation de l'herbe pour lever le nez vers lui. Dans ses yeux, Hirad ne lut qu'un chagrin inconsolable. À présent qu'il avait attiré son attention, le barbare ignorait que faire. Il savait simplement qu'il devait franchir les défenses de Thraun et réussir à l'atteindre. Ce silence ne pouvait pas continuer.

— Comment te sens-tu ? lança-t-il.

L'inanité de sa question le fit frémir intérieurement. D'ailleurs, Thraun ne répondit pas.

— Will aurait adoré cet endroit, dit-il. Il était très nerveux de nature. J'ai toujours trouvé ça bizarre, chez un voleur si doué. Ce lieu est si tranquille… Je suis sûr qu'il l'aurait calmé.

— Bien qu'il soit infesté d'énormes dragons ? plaisanta Hirad.

Il fut récompensé de ses efforts par l'ombre d'un sourire.

— Oui. C'est drôle, n'est-ce pas ? Le Familier de Denser, qui n'était pourtant pas très grand, le terrorisait, mais il n'a jamais eu peur de Sha-Kaan.

— C'est vrai, dit Hirad, mais les dragons – ou au moins, les Kaans – peuvent se montrer bienveillants avec les humains. Alors que le Familier n'était pas animé des meilleures intentions du monde.

— Je suppose. (De nouveau, Thraun s'abîma dans la contemplation du sol.) Je ne peux plus le supporter, lâcha-t-il soudain, à la grande surprise d'Hirad.

— Supporter quoi ?

— C'est le seul qui puisse comprendre. (Thraun désigna l'Inconnu, assis près des mages en compagnie des trois Protecteurs survivants.) Le seul qui sache ce que c'est d'avoir en lui une chose qu'il hait autant qu'il l'aime. Une malédiction dont il regrette d'être affligé, mais sans laquelle il ne pourrait pas vivre. À la différence que ses amis ne sont pas morts pendant qu'il était un Protecteur.

— Tu oublies Richmond.

— Mais l'Inconnu n'était pas près de lui au moment où il est tombé, pas vrai ? Vous pensiez qu'il était mort, et personne n'aurait rien pu faire pour Richmond.

— Personne n'aurait rien pu pour Will non plus, rappela Hirad. (Il se pencha vers le métamorphe.) Quand Sirendor Larn a été assassiné, j'ai éprouvé la même chose. L'impression que je l'avais trahi parce que je n'étais pas près de lui au moment de l'attaque. Mais il était trop tard pour se lamenter. Mes regrets et ma culpabilité ne servaient à rien. Certes, je l'ai vengé, et tu sais quoi ? Ça n'atténue pas le chagrin. La seule solution, c'est de continuer à vivre, même si rien ne sera jamais comme avant. De profiter de ce qu'il te reste, sans te lamenter sur la disparition de ce que tu n'as plus.

Thraun le regarda, les yeux brillants de larmes.

— Je sais que tu essaies de m'aider, Hirad, et je t'en remercie. Mais Will était mon unique lien avec le monde humain quand j'évoluais sous ma forme de loup. Le seul sur qui je pouvais compter pour me ramener. Et le seul assez courageux pour ne pas s'enfuir quand je devenais une bête sauvage. Et je l'ai laissé tomber ! Je me suis réfugié derrière mon invulnérabilité parce que j'avais peur, et ça lui a coûté la vie. Ça, tu ne peux pas le comprendre. Il était ma famille, et je l'aimais parce qu'il refusait de me juger. À présent, la seule fratrie qui me reste sont les membres de la meute. Quand nous regagnerons Balaia, je me lancerai à leur recherche.

— Les Ravens sont ta famille à présent, dit Hirad. Nous sommes forts, et nous voulons ton bien. Reste avec nous !

Les paroles du métamorphe l'avaient ébranlé. Il sentait Thraun lui échapper à chaque seconde.

De nouveau, l'ombre d'un sourire flotta sur les lèvres de son interlocuteur.

— Une proposition dont je te suis plus reconnaissant que tu ne peux l'imaginer... Ma place n'est pas parmi vous. Pas sans Will. (Un instant, il soutint le regard du barbare.) Mais jusqu'à mon départ, vous pourrez compter sur moi.

— Je sais.

Très curieux, cette force qui le poussait vers les Protecteurs... Mais l'Inconnu sentait leur solitude et leur anxiété. Être séparés de leurs frères les torturait et il savait ce qu'ils ressentaient.

Il se tenait donc près d'eux, leur apportant le réconfort de sa présence.

Au début, ils gardèrent le silence. Le manque de concentration que l'Inconnu avait remarqué chez les guerriers pendant le voyage ne cessait de s'aggraver.

— Cil, Ile, Rya, dit-il, brisant le silence, je suis Sol. Vous me connaissiez. Et vous êtes troublés.

Cil inclina la tête.

— Nous ne sentons plus nos frères. Ni la chaîne qui nous relie. Nos âmes sont si loin... Nous craignons de les perdre.

— La chaîne serait-elle brisée ? demanda l'Inconnu.

En principe, la dissipation de la ChaîneDémoniaque qui liait les Protecteurs au Réservoir d'Âmes entraînait forcément la mort de leur corps et la perte de leur âme. Mais aucun Protecteur ne s'était jamais aventuré dans une autre dimension, et ceux-là semblaient bien vivants.

— Nous ne la sentons plus, répondit Rya. Elle n'est plus là.

— Et vos âmes ?

— Nous les sentons, mais très loin de nous, dit Cil.

— Dans ce cas..., commença l'Inconnu.

— ... Peut-être que nous sommes libres, acheva Cil. Nous le saurons en enlevant nos masques. Et en cas d'erreur, nous serons condamnés à un tourment éternel. Mais comment pourrions-nous être vraiment libres alors que notre âme ne réside plus dans notre corps ?

— Styliann est-il au courant ? lança l'Inconnu en se demandant s'il était lui-même *vraiment libre.*

Car si les trois guerriers avaient recouvré leur indépendance, être séparés de leurs frères serait pour eux une torture...

— Nous sommes toujours ses Protecteurs. Donc, nous ne lui fournirons aucun sujet d'inquiétude.

— Quel que soit votre choix, je vous soutiendrai, dit l'Inconnu.

Cil, Rya et Ile hochèrent la tête de concert.

— Nous ne faisons qu'un. Comme toujours.

Darrick avait mis son plan au point avant que l'équipe de négociateurs ait regagné son campement au galop, poursuivie par les insultes et les railleries des Ouestiens. Donnant de la voix pour appeler ses officiers, il se laissa glisser à terre et rejoignit d'un pas vif son poste de commandement, Noirépine et Gresse sur les talons.

Debout derrière la table où étaient déroulées les cartes, ses officiers face à lui, il distribua ses ordres avec assurance. Un général ne devait jamais montrer ni faiblesse ni hésitation. Il pouvait écouter les commentaires de ses hommes et en tenir compte, mais sans changer la structure fondamentale de sa stratégie.

— Tessaya refuse de céder. Bien que ce ne soit guère étonnant, ça m'a surpris de la part d'un homme aussi éduqué et intelligent. Il pense nous avoir à sa merci. Nous ne pouvons pas enfoncer les lignes de son armée pour atteindre le manoir, ni l'empêcher de marcher sur Korina. Par conséquent, nous n'essaierons pas.

« Nous nous mettrons en mouvement pour l'affronter : pas dans le but de vaincre, mais pour l'occuper. Car nous ne l'attaquerons pas avec la totalité de nos forces. J'estime que huit à dix mille Ouestiens sont massés autour du manoir, dont les Protecteurs assurent seuls la défense. Voilà ce que nous allons faire.

« Le commandant Izack partira immédiatement à la tête des deuxième, troisième et quatrième régiments. Il avancera vers le sud avant de tourner vers l'est dans la forêt de Grethern, afin d'attaquer les Ouestiens du manoir demain, aux premières lueurs de l'aube.

« Naturellement, Tessaya aura prévu ce mouvement. Il n'est pas stupide. Voilà pourquoi le reste de notre armée se portera à sa rencontre et tentera de l'attirer dans la forêt, où notre infériorité numérique nous désavantagera moins. Plus spécifiquement, nous diviserons les régiments en fonction des centuries qui les composent, et chaque capitaine recevra une zone définie à protéger. Une stratégie risquée, mais qui nous permettra de couvrir un front assez large. Le but est de convaincre Tessaya qu'il nous a immobilisés dans la forêt. Des commentaires ?

— Messire, dit Izack, un officier entre deux âges aux cheveux noirs et aux petits yeux marron. (Darrick lui fit signe de parler.) La progression en terrain boisé est toujours assez lente. Si vous devez créer une diversion à Grethern, ne vaudrait-il pas mieux partir vers le nord, et tourner vers l'est au-delà des premières falaises ?

— Non, car si les Ouestiens menaçaient de nous submerger, vous ne pourriez pas rebrousser chemin pour venir à notre aide. Le temps que vous vous soyez suffisamment éloignés en direction du sud pour pouvoir tourner vers l'est sans être repérés, nous saurons si nous pouvons ou non les retenir sans vous. Quinze cents mètres après leur campement, rejoignez la route principale. Vous récupérerez ainsi le temps perdu dans la forêt, et vous vous déplacerez plus vite qu'en terrain montagneux.

Darrick avait déjà envisagé et rejeté l'objection soulevée par Izack. Il apprécia que son officier ait eu le courage de lui en faire part.

— Général, pensez-vous vraiment que l'absence d'un si grand nombre d'hommes passera inaperçue ? demanda Gresse.

— Oui, à condition que nous nous donnions l'air d'être plus nombreux que nous ne le serons réellement. Nous ferons appel à nos mages pour couvrir les brèches. C'est pour ça que nous avons besoin d'eux dans la forêt, et c'est pour ça qu'Izack devra parcourir cinq kilomètres vers le sud avant de tourner vers l'est.

— Et si nous ne parvenons pas à les retenir ? demanda Noirépine.

Darrick haussa les épaules.

— Demandez plutôt à Izack, parce que je ne serai plus là pour donner d'ordres.

Il n'envisageait pas la défaite, parce qu'il ne l'avait jamais connue. Et il ne pensait pas que la chance y soit pour grand-chose.

— D'autres commentaires ?

Ses officiers firent signe que non.

— Dans ce cas, venez me voir un par un pour recevoir votre affectation. Barons, je vous saurais gré d'ordonner à vos fermiers et à vos vignerons, qui ont construit ce camp avec tant d'expertise, de le défendre de la même façon.

Le rire de Gresse continua à résonner longtemps après que Noirépine et lui eurent quitté la tente.

La nuit était déjà très avancée quand les Ravens se rassemblèrent autour de leur poêle pour converser brièvement avant de prendre un repos bien mérité. Le lendemain, le sort de deux dimensions reposerait entre leurs mains. Autour d'eux, le calme régnait dans le Foyer Couvelien. De la lumière brillait derrière les fenêtres d'une ou deux maisons, mais les Balaiens étaient les seuls à traîner encore dehors.

— Alors, vous pouvez le faire ? demanda Hirad en se réchauffant les mains sur une énième chope de café.

— En théorie, répondit Erienne. Nous savons modeler les formes…

— Je sens qu'il y a un « mais », soupira l'Inconnu. Un gros « mais ».

— Et même plusieurs, dit la jeune femme. Nous n'avons aucune idée de la quantité de mana nécessaire pour refermer la fissure de ce côté. La seule certitude c'est que nous pouvons lancer le sort à partir du sol. Mais si l'aspiration est trop forte et qu'elle vide nos réserves, nous n'aurons plus assez d'énergie pour sceller le couloir. Nous avons dû estimer l'influence aléatoire de l'espace interdimensionnel sur le construct, et la force nécessaire pour le consolider afin de sceller le couloir plutôt que de provoquer son effondrement. La liste des problèmes techniques s'allonge à l'infini…

— Tu veux dire que ceux-là étaient les plus évidents ? demanda sèchement Hirad.

Ilkar gloussa et lui tapota la cuisse.

— Pauvre vieil Hirad ! La magie sera toujours un livre fermé pour toi.

— Tu ne vas pas recommencer avec ça, grogna le barbare. Tout ce que j'attendais, c'était un « oui » ou un « non ».

— Nous y arriverons, affirma Denser. Comme d'habitude.

— On dirait qu'Hirad a réussi à t'endoctriner, dit Ilkar.

Denser haussa les épaules.

— Il faut croire en nous.

Erienne lui passa un bras autour du cou et l'embrassa sur la joue.

— Ouais… Il a réussi, marmonna l'elfe.

— Et lui ? demanda Hirad en désignant Styliann assis le dos contre le mur d'une hutte, les textes de Septern serrés contre sa poitrine. Il y croit ?

— Avec un zèle presque suspect, répondit Denser. Franchement, c'est inquiétant. Il a le regard fou. Je ne sais pas si c'est à cause de la peur ou de l'excitation.

— Nous avons besoin de lui, rappela Erienne. Alors, n'allez surtout pas le contrarier.

— Et lui a besoin de nous, rappela Hirad. Ne l'oublie pas. Si nous échouons, il mourra comme les autres.

Le silence retomba sur la vallée. Les Kaans se reposaient. Mais alors qu'ils récupéraient de leur dernière bataille, ils savaient que la prochaine déciderait de leur prospérité ou de leur extinction. Ils savaient que les Naiks reviendraient. Leurs flammes et leurs griffes les feraient encore beaucoup souffrir. Malgré le courage dont ils feraient preuve, leur destinée n'était plus entre leurs… pattes.

Les responsabilités des Ravens pesaient très lourd sur les épaules d'Hirad. Sha-Kaan, revenu de sa mission chez les Verets, exigerait de lui une réponse plus précise que lors de leur précédent entretien. Malgré la confiance apparente de Denser, Hirad n'arrivait pas à étouffer son anxiété. Il devait remédier à ça avant d'affronter le Grand Kaan.

— Une nouvelle fois, tu espères que les mots te permettront d'échapper à la destruction. Comme toujours, tu utilises ta gueule pour parler plutôt que pour souffler le feu. Les vrais dragons seront peu nombreux à déplorer l'extinction des Kaans. Aucune autre couvée n'a envie d'entendre ce que tu prêches.

Sha-Kaan continua à décrire des cercles paresseux dans le ciel. Yasal-Naik et les deux dragons qui l'escortaient l'avaient intercepté pendant son voyage de retour. Le chef des Naiks n'était pas venu pour se battre. Mais pas non plus pour négocier la paix. Sha-Kaan n'avait pas été surpris par son arrivée : seulement par son propre manque de clairvoyance. Il aurait dû emprunter un autre chemin que celui qu'il prenait d'habitude pour regagner Teras.

Très haut au-dessus des nuages, dans les courants froids sur lesquels il pouvait compter pour le ramener plus vite chez lui, il avait aperçu le trio d'ennemis à la lueur des étoiles, et avait décidé de ne pas chercher à s'enfuir. Malgré sa lassitude, il se pensait encore capable de vaincre les trois dragons couleur de rouille, plus petits et moins puissants que lui.

Pendant qu'ils approchaient, il avait identifié Yasal-Naik à la coupure en forme de V qui incisait ses écailles au niveau de la nuque. Une centaine de cycles plus tôt, il lui avait infligé cette blessure lors d'une bataille dans le ciel de Beshara. Yasal-Naik avait une seule raison de venir à sa rencontre : se vanter de sa victoire imminente.

Les deux anciens se tournèrent l'un autour de l'autre pour dialoguer mentalement, l'escorte du Naik demeurant à l'écart.

— Les Naiks sont la seule couvée dont l'esprit reste fermé aux ravages que nous infligeons à notre monde. Nous ne pouvons pas nous battre éternellement. Sinon, il n'y aura plus de terres sur lesquelles établir notre domination. Un jour viendra où tout dragon, même aussi obtus que toi, sera forcé de le reconnaître.

Yasal-Naik grogna, amusé.

— Nous avons déjà remporté la bataille ! Quand les Kaans auront disparu, votre dimension jumelée n'étant plus que ruines fumantes, les autres couvées s'inclineront devant les Naiks. Nous avons déjà asservi les Verets. Les Gosts et les Staras ne tarderont pas à suivre. Bientôt, il ne restera plus un seul dragon pour s'opposer à nous.

— Ton arrogance provoquera ta perte, répliqua Sha-Kaan, bien qu'il sût que son interlocuteur avait raison. Tu ne devrais pas fonder votre hégémonie sur une victoire qui ne vous est pas encore acquise.

— Elle l'est ! rugit Yasal-Naik. Les Kaans ne sont-ils pas désespérés au point de réclamer l'aide des Balaiens et des pitoyables dragons aquatiques ? Crois-tu vraiment qu'ils réussiront là où tu as échoué ? Nous réduirons leurs os en cendres sous tes yeux. Pendant que tu agoniseras, je conduirai ma couvée à la victoire à travers le portail que tu n'as pas su défendre. Nous assécherons leurs océans, nous ferons tomber leurs ridicules tours et éventrerons leurs montagnes. Tous ceux qui survivront serviront de nourriture à mes petits. Je ne m'arrêterai pas tant qu'il restera un insecte vivant sur Balaia. Quand j'en aurai terminé avec ta dimension jumelée, rien n'y poussera, n'y marchera ou n'y volera plus.

— Tant de haine..., dit Sha-Kaan sur un ton soigneusement mesuré. Tant de venin qui t'aveugle ! Puisque tu es venu à moi, je te fais mon offre une dernière fois. Cesse tes attaques, et quand le portail se refermera, nous nous abstiendrons de poursuivre les Naiks.

Yasak-Naik vira sur l'aile pour se placer parallèlement à Sha-Kaan, ses yeux verts brûlants de mépris.

— Le portail ne se refermera jamais. (Cette pensée résonna comme un glas dans l'esprit de Sha-Kaan.) L'âge a peut-être eu raison de ton intellect. Nous avons gagné, Grand Kaan. Je suis venu te rappeler que tu présides à la défaite de toute ta couvée. Et pour contempler le visage même de l'échec.

— Dans ce cas, vole jusqu'à l'océan et regarde ton reflet à la surface. Demain, le portail se refermera, et les Naiks subiront le courroux des Kaans jusqu'à ce que le dernier d'entre eux ait péri. Emmène ton escorte et va-t'en ! Malgré toute ta puissance, tu n'as pas le courage de m'affronter seul. Tu es minuscule ! Ta mort signalera le moment où les couvées commenceront à respecter les terres qu'elles ont imprudemment détruites jusqu'ici.

— Je me repaîtrai de ta chair ! cria Yasal-Naik.

Sha-Kaan ouvrit la gueule et rugit. D'un battement d'ailes rageur, il prit de l'altitude pour se placer au-dessus de son ennemi.

— Va-t'en, Yasal-Naik ! cria-t-il. Va-t'en, avant que je nous fasse tous les deux plonger vers l'oubli. Et quand l'orbe éclairera à nouveau le monde, abstiens-toi de voler dans l'espace aérien des Kaans... ou meurs !

Yasal-Naik rappela son escorte.

— Tu es un vieil imbécile, Sha-Kaan. Implore les Cieux d'avoir pitié de ta couvée et de ta dimension jumelée. Avant que l'orbe disparaisse à l'horizon, vous serez tous morts et les Naiks régneront sur ce monde. À demain.

Puis il se détourna et s'éloigna, flanqué par ses deux gardes.

Un instant, Sha-Kaan envisagea de les poursuivre. Tuer le chef de la couvée ennemie avant le début de la bataille leur donnerait une chance supplémentaire de vaincre. Mais s'il mourait en essayant, il scellerait la défaite des Kaans. Alors, il se laissa tomber parmi les nuages et prit la direction de Teras.

Feinte à gauche, frappe à droite avec ta hache. Plat de l'épée en défense devant ton ventre, ta hache au-dessus de la tête. Attaque verticale avec ta hache, l'épée à hauteur de visage. Un demi-pas en avant, attaque en pointe avec ton épée, ramène ta hache dans le cadran droit. Recule, panse ta blessure, repose-toi.

Les Protecteurs se battaient avec une férocité terrifiante. Leurs âmes communiquaient et leurs regards se croisaient, ne laissant rien échapper. Tous leurs gestes étaient d'une précision meurtrière. Ils accueillaient le tonnerre de l'assaut ouestien à coups de poing et d'acier. Et les rugissements de leurs ennemis par le fracas des armes et le bruit mou des lames s'enfonçant dans la chair.

Un frère vient de tomber. Pleurez pour son corps, réconfortez son âme.

L'une après l'autre, les vagues de guerriers venaient se briser contre la barrière de métal étincelant et de masques noirs. Les Ouestiens étaient beaucoup plus nombreux, mais leur assurance diminuait à mesure que les tas de cadavres augmentaient. Bientôt, chaque soldat qui tomba sous les coups des Protecteurs sapa le moral de l'armée entière.

Déployés sur trois rangs, bien espacés pour pouvoir faire un usage optimal de leurs armes, les défenseurs du manoir repoussaient attaque après attaque, se reposant ou intervertissant leurs positions pendant que les lignes ennemies se fracturaient et se reformaient grâce à l'intervention de leurs officiers. Le sol était tellement jonché de cadavres que les Ouestiens n'arrivaient plus à se déplacer. Ils attendaient donc que leurs camarades les dégagent, laissant derrière eux des traînées de sang et de cervelle.

Aeb respectait l'énergie déployée par leurs adversaires, mais pas le désordre qui régnait dans leurs rangs. Ces soldats se battaient seuls ou flanqués d'un ou deux compagnons, laissant des brèches que les Protecteurs exploitaient pour les forcer à reculer.

Aeb ignorait combien de temps ils devraient tenir. Il savait simplement que leur Protégé leur avait demandé de le faire. Lui, et Sol, qu'ils respectaient tous profondément. Le seul de leurs frères qui fût jamais redevenu un homme libre.

Des messages, des conseils, des ordres et des avertissements résonnaient dans son esprit, filtrés quand ils ne s'adressaient pas à lui, amplifiés quand c'était le cas. Aeb abattit son épée sur le bras d'un Ouestien, bloqua l'attaque d'un autre et prévint Fyn, placé cinq Protecteurs plus loin sur sa gauche, que Jal venait d'être assommé et qu'il ne couvrait plus son flanc droit.

Aeb, ta hache dans le cadran inférieur !

Le Protecteur réagit automatiquement. Il sentit son arme percuter celle d'un Ouestien et tourna la tête vers son adversaire, qui n'avait aucune chance de le prendre de vitesse. Alors il se pencha, lui flanqua son coude dans le nez, puis lui porta un coup d'épée qui le cueillit au ventre et le souleva de terre.

Aeb dégagea son arme, l'attention déjà mobilisée vers le guerrier placé sur son flanc gauche.

Premier rang, retrait. Troisième rang, alignez-vous ! Armes au clair !

Aeb abattit son épée sur le cou exposé d'un Ouestien.

On en était au milieu de l'après-midi…

— En avant ! rugit Darrick.

Bien qu'il eût renoncé à chevaucher à la tête de son armée de fantassins, le jeune général se rendit aussi visible que possible. Il savait que les éclaireurs ouestiens iraient aussitôt faire leur rapport à Tessaya, et il voulait que leur attention soit rivée sur lui.

Darrick avait eu du mal à faire comprendre à ses capitaines qu'une attaque pouvait survenir à n'importe quel moment, et qu'ils devraient alors se disperser dans la forêt avec les hommes de leur centurie pour gagner la position qui leur avait été affectée. À moins d'une nécessité absolue, il ne fallait pas engager le combat en terrain découvert.

Si les Ouestiens hésitaient à les suivre dans la forêt, Darrick serait ravi de camper sur ses positions. Il avait mis ses hommes en garde contre les dangers d'une bataille sur un terrain aussi accidenté, et souligné l'importance de maintenir une communication constante entre les différents segments de la ligne de front.

Darrick aurait aimé s'adresser à toute son armée, mais les impératifs de temps et d'organisation l'avaient privé de ce luxe. Au lieu de cela, il avait rappelé à ses officiers l'importance de la mission. Ils ne pouvaient pas se permettre d'échouer, car le sort de Balaia dépendait d'eux. Les Ravens méritaient qu'ils puisent dans leurs réserves de courage et d'énergie. Inutile d'économiser leurs forces en prévision du prochain combat, parce que s'ils perdaient celui-là, il n'y en aurait plus jamais d'autre. Ni pour eux, ni pour les Ouestiens.

L'armée se mit en marche en formation serrée, précédée par des duos de mages assassins sous MarcheVoilée. Darrick se doutait qu'ils ne serviraient pas à grand-chose, mais les retenir aurait été stupide. Au moins, ils pourraient les prévenir de l'approche ouestienne.

Plus qu'une heure avant le chaos total dans la forêt de Grethern ! Le jeune général voulait tirer parti de chaque détail susceptible de jouer en sa faveur, aussi minuscule soit-il.

Le long de la piste principale, ses régiments progressaient à bonne allure vers le campement ennemi distant de quinze cents mètres. Ils avaient à peine couvert la moitié de cette distance quand un rugissement retentit devant eux. Il se répercuta contre les falaises et resta suspendu au-dessus de la crête dont les hommes approchaient.

Darrick entendit un bruit de pas. Deux duos de mages assassins dissipèrent leur MarcheVoilée et apparurent à ses côtés.

— Ouestiens à sept cents mètres devant. Ils chargent, général, dit un elfe chauve très grand et très mince dont la silhouette évoquait une baguette de saule.

— Déploiement ? demanda Darrick.

— Trois cents à trois cent cinquante mètres, des premières collines, au nord, jusqu'à la lisière des arbres, au sud.

— Merci.

Un front très large, mais pas plus que Darrick ne l'avait prévu. Il balaya le terrain du regard. Sur sa gauche et au nord, la piste suivait des buttes rocheuses qui montaient vers les falaises, un kilomètre et demi plus loin. Au sud s'étendait la forêt de Grethern, sombre et dense. Les premiers arbres se dressaient à moins de cent mètres d'eux. Mais Darrick avait choisi comme champ de bataille l'épais sous-bois qui commençait à bourgeonner deux cents mètres après. De là où il était, il distinguait sa pénombre et imaginait comment ses branches entraveraient les mouvements des intrus. Il pria tous les dieux d'avoir pris la bonne décision.

Derrière le gros de l'armée, Izack et les renforts se mettraient en route vers le manoir. Ce serait l'instant le plus risqué. Si un éclaireur rapportait à Tessaya que les forces de Darrick s'étaient séparées, son plan échouerait. Le commandant ouestien devait croire qu'il affrontait tous les défenseurs de l'est.

Des mages assassins patrouillaient dans la forêt, sur les falaises et au milieu des collines au nord. Le moment du déploiement était venu.

Darrick leva une main, et l'ordre de faire halte se répercuta le long de la colonne. Puis il ferma son poing levé avant d'écarter les doigts.

— Centuries, formation en croissant par numéros ! Au pas de course. Maintenant !

Les centuries se déployèrent de part et d'autre de la piste principale. Darrick avait baptisé cette formation « croissant », car c'était ce qu'elle évoquait sur ses schémas. En pratique, elle ressemblait plutôt à une sorte de cascade inégale. Sachant qu'ils n'avaient pas eu le temps de répéter la manœuvre, il était déjà beau que ses hommes aient réussi à l'exécuter, fût-ce imparfaitement.

Darrick exprima son approbation d'un signe de tête et longea la piste en compagnie de la double centurie dont il s'était réservé le commandement. Sa fonction principale serait de servir d'appât. En se plaçant à l'avant-garde, il espérait attirer l'armée de Tessaya dans la forêt. Il savait que ses hommes risquaient d'être encerclés très vite, mais il comptait sur la soif de bataille de leurs ennemis. Et même si Tessaya était un excellent tacticien, il avait la certitude de pouvoir faire passer leur déplacement pour une tentative de contourner les Ouestiens afin d'atteindre le manoir de Septern.

Derrière lui, son armée courait vers la forêt. Quand elle atteignit la lisière des arbres, les centuries modifièrent leur trajectoire, et un ordre parfait émergea du chaos alors que chaque détachement prenait position par rapport aux groupes adjacents. Vus de loin, ils devaient ressembler à un mur de briques inachevé, une tentation que leurs ennemis ne pourraient ignorer.

Darrick n'allait pas être déçu.

Devant lui, les Ouestiens franchirent une crête et découvrirent l'armée qui s'était déployée en contrebas. Ils se rassemblèrent, telle une tache sombre sur l'horizon. Puis le son d'une centaine de cors les poussa en avant et ils chargèrent en braillant leurs chants tribaux.

Darrick vit Tessaya au milieu de la ligne de front. Il pensa à l'attaquer. Mais le seigneur ouestien serait bien défendu, et lui-même avait mieux à faire que de se suicider. À la tête de sa double centurie, il s'enfonça dans la forêt au moment où les premières flèches ennemies s'abattaient sur eux.

— À mon commandement ! Trois pas en arrière. Brisez leur élan. Mages, comblez les brèches.

Ses ordres furent relayés d'une extrémité à l'autre du croissant. Les Ouestiens ne mettraient pas plus de trente secondes à les atteindre.

Darrick se retourna. De la pointe de l'épée, il traça une ligne dans l'humus, à ses pieds, alors que ses hommes se rassemblaient derrière lui.

La pluie se mêla de la partie. Sous les nuages bas, un vent cinglant s'engouffra entre les arbres. Quelque part, Izack et ses hommes volaient au secours des Protecteurs. Darrick regarda les Ouestiens approcher. Ils avaient mordu à l'hameçon. Mais les défenseurs étaient en infériorité numérique, et ils devraient batailler dur pour que leurs ennemis n'enfoncent pas leur ligne.

L'après-midi allait être long.

Chapitre 34

Senedai réfléchissait aux rapports de ses messagers. Son armée avait encerclé sans difficulté la petite troupe de guerriers masqués qui protégeait le manoir de Septern et son portail. Mais plus ses hommes s'épuisaient, plus leurs adversaires semblaient puissants. Leurs gestes étaient fluides et ils se battaient avec une discipline incroyable. Senedai se doutait qu'il y avait de la magie là-dessous, mais il ne voyait pas où. Sa seule certitude ? Il n'y avait pas de jeteurs de sorts dans les rangs ennemis !

Non que cela eût la moindre importance. Tout ce qui comptait, c'était le spectacle qui s'offrait à lui. Les corps de ses hommes jonchaient le sol, si nombreux, par endroits, que les morts et les blessés devaient être dégagés pour laisser aux vivants la place de manœuvrer.

Alors que l'après-midi avançait, la pluie redoublant d'intensité, le désespoir de Senedai augmentait. Leurs adversaires ne leur laissaient aucune brèche. Et leurs pertes pouvaient se compter sur les doigts et les orteils d'un seul homme. Même si ses guerriers en avaient blessé beaucoup, leurs ennemis se contentaient de se retirer de la ligne de front pour panser leurs plaies pendant que d'autres prenaient leur place.

Leur force et leur endurance étaient extraordinaires, et Senedai admirait leur courage. Mais cette résistance sapait sa confiance et celle de ses hommes. La victoire aurait dû leur être rapidement acquise. Pourtant, à l'approche du crépuscule, Senedai devait affronter la perspective de se replier vers son campement pour subir une nouvelle journée d'humiliation le lendemain. Il aurait pu forcer ses guerriers à se battre au clair de lune, mais les masques de leurs adversaires auraient paru encore plus terrifiants dans la pénombre. Bien qu'ils l'aient fait à Julatsa, combattre la nuit n'était pas dans les habitudes des Ouestiens. Ce blasphème mécontentait les Esprits.

Senedai grogna. Maudissant Tessaya qui n'était pas venu le soutenir, il fit appeler ses réserves et lança une nouvelle vague d'assaut.

Des flammes jaillirent sur la droite de Darrick. Les Ouestiens blessés hurlèrent de douleur sous la lumière crue des arbres en feu.

Comme il l'espérait, la densité de la végétation avait forcé leurs adversaires à ralentir et à se disperser. Les premiers combats s'étaient déroulés comme prévu. Puis ses mages avaient commencé à lancer des OrbesFlammes, du FeuInfernal et du GlaceVent, cassant définitivement la charge des Ouestiens.

À présent, leurs ennemis avaient changé de tactique. Renonçant à une attaque frontale, Tessaya avait envoyé une partie de son armée vers le campement adverse, et concentré les efforts de l'autre sur une zone de soixante-dix mètres de large – comme pour mettre les Balaiens de l'est au défi de resserrer leurs rangs. Jusque-là, Darrick avait résisté à la tentation. Il avait rapidement réorganisé ses équipes de mages pour empêcher les Ouestiens de les prendre en tenailles, conservé quatre centuries en réserve pour fournir une couverture à leurs camarades en cas de besoin, et envoyé tous ses mages assassins en maraude sur les flancs de l'armée ennemie.

Un barrage de métal le poussa à avancer. Devant lui, les Ouestiens avaient forcé une triple centurie à reculer, et ils tentaient d'ouvrir une brèche dans ses rangs. Darrick appela des renforts. Au lieu de se contenter de diriger ses hommes à distance, il fonça dans la mêlée. Mais il arriva trop tard pour sauver un groupe de mages et de guerriers que les Ouestiens avaient acculés contre des arbres pour les tailler en pièces.

— Je veux du feu derrière la ligne de front ! Première centurie sur le flanc droit, attaque à volonté ! rugit Darrick.

Flanqué de vétérans et suivi par un trio de mages, il se fraya un chemin sanglant parmi les centaines d'Ouestiens qui lui faisaient face.

— Deuxième centurie, protection des mages !

Sur sa gauche et sa droite, le général vit des Ouestiens tomber avant que les autres réagissent. Il dévia une lance qui le menaçait et propulsa son coude libre dans le visage de son agresseur, lui brisant le nez. L'homme lâcha son arme. Darrick posa un pied dessus avant qu'il puisse la ramasser et lui plongea son épée dans le ventre.

Derrière la ligne de combat, des hurlements vite étranglés et le son reconnaissable entre tous de la glace qui se brise signala le lancement d'un nouveau GlaceVent. Plus loin, des colonnes de FeuInfernal tombèrent du ciel.

Des corps volèrent dans les airs au moment où l'onde de choc du sort – qui visait l'âme de ses victimes – résonnait aux oreilles de Darrick. Puis un bras arraché s'écrasa à ses pieds.

Son adversaire frémit et hésita un instant. Darrick lui enfonça son épée dans le flanc. Il sentit sa lame racler contre les os, et du sang dégoulina sur l'herbe.

Les Ouestiens commencèrent à reculer. Darrick retint ses hommes. Il était inutile de poursuivre ces vaincus ! Alors que les dernières lueurs du jour s'évanouissaient, tous comprirent qu'ils n'avaient plus longtemps à tenir.

Nous nous fatiguons et nous en sommes conscients. La lumière baisse. Cadran inférieur droit, bloque avec ta hache. Ils ne continueront pas leur attaque après la tombée de la nuit. Soyez forts ! Frappe à gauche, un pas en arrière. Respire. Tiens ta position. Notre Protégé l'exige. Nous ne saurions le décevoir.

Les membres d'Aeb le faisaient souffrir, mais il refusa de montrer son épuisement. Les Ouestiens étaient plus mal en point que lui ! La journée avait été très dure pour eux : ils manquaient d'organisation et d'entraînement. Pourtant, il en restait des milliers. Même si la victoire ne cessait de se dérober à eux, ils continuaient à avancer.

Il restait moins de deux heures jusqu'à l'obscurité totale, mais la lumière déclinait déjà dans le ciel gris.

La pénombre ne faisait aucune différence pour Aeb et ses frères ! Il abattit sa hache sur l'épaule d'un Ouestien, sa lame déjà en place pour parer le coup qu'il sentait venir sur sa gauche.

Près de lui, un guerrier ennemi passa sous la garde d'Oln. Le Protecteur en fut quitte pour une plaie profonde à la cuisse droite. En se retirant, la hache ennemie emporta un morceau de chair. Oln vacilla, incapable de garder son équilibre.

Accroupis-toi !

La hache d'Aeb s'abattit dans l'espace dégagé, et l'adversaire d'Oln goûta la mort à la place de la victoire.

Retire-toi. Aeb te couvre.

Oln tituba. Il ne pourrait plus jamais se battre, à moins que ses frères survivent pour lui en donner la force. Aeb fit éclater un crâne ouestien avec le pommeau de son épée et se tourna vers son nouvel adversaire, les paroles de ses frères résonnant dans sa tête. Ils avaient déjà perdu trente compagnons et cinquante autres n'étaient plus en état de lutter. Ils survivraient à cette journée, mais pas à une deuxième.

Aeb espéra que ça suffirait.

La hache dégoulinante de sang, Tessaya, seigneur des Tribus Paléon, sortit de la forêt pour entendre les rapports de ses messagers. Il ne comprenait pas pourquoi les Balaiens de l'est utilisaient des tactiques de guérilla. Ils étaient pourtant assez nombreux pour les affronter en terrain découvert.

Le combat s'était engagé sur un front imposant, entre les arbres et en travers de la piste. Les Balaiens de l'est avaient rapidement pris l'avantage, mais ils n'avaient pas cherché à en profiter pour poursuivre et harceler leurs adversaires. Comme s'ils attendaient quelque chose, même si Tessaya ne voyait pas quoi, à part qu'il ne pouvait pas s'agir de renforts.

Secouant la tête, il leva les yeux vers le ciel qui s'assombrissait. La pluie martelait toujours le sol. Au loin dans la forêt, des feux brûlaient en une demi-douzaine d'endroits. Tessaya sentait la chaleur du plus proche. Mais il ne durerait pas sous un déluge pareil.

Tout l'après-midi, ses braves avaient attaqué les Balaiens de l'est, sans réussir à briser leurs lignes ni à les attirer en terrain découvert. Aidé par sa maudite magie, l'ennemi leur avait opposé une résistance farouche.

— Mais que protègent-ils donc ?

Arnoan, qui n'avait pas quitté Tessaya depuis le début de la bataille, posa enfin la question qui n'était jamais venue à l'esprit de son seigneur.

— Protègent… ? (Tessaya se rembrunit ; un frisson glacé courut le long de son échine quand il comprit.) Depuis combien de temps nous battons-nous ?

— Environ trois heures, seigneur.

— Je suis un imbécile ! Paléon, désengagez ! Revion, tenez la position ! Taranon, poussez sur le flanc est ! (Se tournant vers Arnoan, il le prit par le col et le tira à lui.) Trouvez Adesellere ! Je lui laisse le commandement ici. Qu'il empêche les ennemis de nous suivre.

— Que se passe-t-il, seigneur ? souffla le chamane.

— Ne le voyez-vous pas ? Darrick a envoyé une partie de ses hommes dans le sud pour nous contourner pendant qu'il nous occupe. Il protège une armée qui avance sur Senedai ! Et maintenant, filez !

Tessaya regagna son camp et appela à lui les hommes de ses tribus. Les seuls en qui il pouvait avoir confiance. Taomi avait échoué, et laissé Noirépine briser ses Tribus Liandon. Il n'était même pas digne d'un commandement *défensif.* Une fois encore, les Paléon tenaient entre leurs mains l'avenir des Ouestiens. Et s'ils devaient courir toute la nuit pour rattraper les Balaiens de l'est, ils le feraient.

Darrick flanqua un coup de pied dans le genou d'un Ouestien, sentit sa rotule sauter, repoussa l'homme qui avait laissé échapper sa hache et se lança à la poursuite de ses ennemis.

Les Ouestiens qui affrontaient sa double centurie avaient fui le combat pour se replier vers leur camp. Un instant, Darrick avait cru qu'ils battaient en retraite. Mais la pression que les Ouestiens exerçaient toujours au centre de la ligne de front et en travers de la forêt, comme pour interdire une poursuite, le fit rapidement déchanter.

Darrick s'arrêta et ordonna à sa double centurie – enfin, à ce qu'il en restait – de l'imiter.

— Il a compris, dit-il à un lieutenant. Donnez le signal de la retraite jusqu'à notre camp. Je doute que les Ouestiens tentent de nous barrer le chemin. Trouvez notre meilleur mage de Communion. Je dois avertir Izack.

— Messire…

Le lieutenant s'éloigna en courant dans les profondeurs de la forêt.

Autour de Darrick, le combat continuait à faire rage. Sur sa gauche, des OrbesFlammes dispersaient les attaquants. Des deux côtés du feu, les soldats de l'est chargeaient vers l'ennemi hébété. Sur sa droite, une vague d'assaut ouestienne avait acculé une centurie isolée. Il vit une flèche abattre un mage, privant ses collègues d'un pouvoir offensif capital.

— À moi ! rugit le général en bondissant par-dessus une branche enflammée tombée à terre, ses hommes sur les talons. OrbesFlammes à l'arrière de la ligne ! Nous prendrons le flanc.

Les Ouestiens les virent et les entendirent venir. Des flèches traversèrent la végétation. L'une d'elles frôla les cheveux de Darrick avant d'aller se planter dans l'œil du soldat qui le suivait.

— Il faut éliminer leurs archers !

Darrick se jeta dans la mêlée. Son épée percuta une hache ouestienne, faisant jaillir des étincelles dans l'air humide. Il empoigna son arme à deux mains et força pour lui imprimer un mouvement de rotation. Dès qu'il eut réussi à baisser la hache de son adversaire, il lui flanqua un coup de tête dans la figure. Du sang jaillit du nez de l'homme. Darrick redressa sa lame, dévia un blocage maladroit et enchaîna par un coup mortel à la gorge.

Au-dessus de sa tête, des OrbesFlammes volaient vers l'arrière de la ligne. Elles s'écrasèrent au milieu des Ouestiens, détruisant sans distinction les humains et la végétation. Leurs flammes orange surnaturelles ravageaient tout. Léchant les vêtements, elles les dévoraient jusqu'à ce qu'elles soient étouffées par le plat d'une lame ou le cuir d'un gant.

Ragaillardi, la centurie isolée marcha sur ses adversaires en déroute. À gauche et à droite de Darrick, les frappes continuaient avec une férocité terrifiante, forçant les Ouestiens à adopter une défense désespérée. Un autre OrbeFlamme tomba parmi eux. Darrick fendit un crâne. Le sang et la cervelle de sa victime éclaboussèrent ses camarades. Paniqués, ils tournèrent les talons et s'enfuirent.

— Laissez-les ! ordonna Darrick. (Il se tourna vers le capitaine de sa centurie.) Restez ici. Gardez ce flanc dégagé, puis retirez-vous lentement de la façon que vous estimerez la plus sûre. Ne pourchassez personne, et conservez un BouclierDéfensif.

— Général !

L'homme se tourna vers ses subordonnés pour leur donner des ordres. Darrick courut vers le cœur de la bataille qui se délitait rapidement.

— Lieutenant ! Où est mon mage ?

Hirad ne dormit pas d'un sommeil paisible. Il se réveilla plusieurs fois en sursaut avec l'impression de tomber, le cœur cognant douloureusement dans la poitrine.

À la dérive dans un océan de néant. Sous lui, le feu ravageait la terre. Des cris de douleur et d'angoisse envahirent son esprit, et le désespoir qu'ils exprimaient se communiqua à son corps torturé.

Il était seul. Le dernier de tous. Perdu.

Autour de lui, l'air était vide. Aucune étoile ne brillait ; pas un nuage n'emplissait le ciel. La seule lumière venait des flammes qui ondulaient loin au-dessous de lui. En bas, tout était mort. Il n'avait nulle part où aller.

Rester en haut, c'était mourir à coup sûr.

Redescendre aussi.

Il tomba.

— Tu as encore fait un cauchemar ? demanda Ilkar tout près de lui.

Des ténèbres épaisses, tièdes et silencieuses les enveloppaient. Le barbare se redressa.

— J'avais l'impression de voler, mais à part moi, il ne restait plus personne de vivant.

— Espérons que ce n'est pas un rêve prémonitoire, soupira l'elfe. Nous sommes tous très anxieux. Tu n'es pas le seul à avoir du mal à dormir. Il vaudrait peut-être mieux que tu ne rêves pas…

— Plus facile à dire qu'à faire, bougonna Hirad. Et je ne crois pas que ce soit mon rêve, mais celui de Sha-Kaan.

Ilkar haussa les sourcils.

Réprimant un sourire, le barbare se rallongea.

Cette fois, le Grand Kaan apaisa son esprit et lui autorisa un sommeil paisible.

— Et merde ! jura Darrick. Je ne pensais pas qu'il comprendrait. Du moins, pas si vite !

Noirépine sourit et se radossa à sa chaise.

— Je vous avais dit qu'il n'était pas stupide.

La tente de commandement se dressait comme un phare dans leur campement obscur. Darrick avait interdit toute lumière, à l'exception des feux indispensables, pour que les Ouestiens ne puissent pas les espionner de loin. Le crépuscule était tombé. Les Balaiens de l'est avaient pu se retirer sans encombres, mais un silence inquiet régnait dans le camp.

Leurs ennemis avaient posté une force importante à une distance prudente de leur position. Visiblement, ils n'avaient pas l'intention d'attaquer sans leur seigneur pour les guider. Darrick avait envoyé des éclaireurs compter ces soldats. Des guerriers patrouillaient sur la piste principale, dans la forêt et les collines, mais ils avaient choisi de ne pas encercler leurs adversaires.

La seule bonne nouvelle, c'était qu'Izack n'avait pas prévu de s'arrêter avant d'être sur l'armée de Senedai. Mais il serait obligé d'adopter une approche différente de celle qu'il avait prévue, afin d'éviter Tessaya.

— Combien d'hommes a-t-il avec lui ? demanda Darrick.

— D'après les rapports de vos éclaireurs, dit Noirépine, il a divisé ses forces en fonction des tribus qui les composent. Les Paléon sont nombreux, bien qu'ils aient subi de lourdes pertes, d'abord pendant la bataille de Sousroc, puis aujourd'hui. Mais s'il les a tous emmenés, il doit disposer d'environ quatre mille guerriers.

Darrick hoqueta de stupeur.

— Izack se fera massacrer !

— Il faudra d'abord que Tessaya le trouve, dit Gresse.

— Il ne sera pas difficile à repérer une fois qu'il aura engagé le combat, dit Darrick, lugubre. (Il se passa une main sur le visage. Ses plans s'effondraient sous ses yeux.) Quel gâchis… Nous ne pouvons pas perdre de temps à affronter les Ouestiens qui sont restés ici, ça ne servirait à rien. (Il se tourna vers le duo de mages assassins qui attendait ses ordres.) La couverture est-elle très dense du côté des falaises ?

— Pas aussi dense que dans la forêt, répondit un des mages. (Il eut un petit sourire.) Nous pourrions la nettoyer un peu.

— Il faudrait la nettoyer *beaucoup* pour que ça fasse une différence.

— Nous sommes encore huit. Tout est possible. Les Ouestiens n'ont pas organisé de système de relais des informations. Ils se contentent de crier quand ils voient quelque chose.

— Vous pourriez faire en sorte qu'ils en soient incapables ? demanda Darrick.

L'assassin hocha la tête.

— Nous allons nous y mettre !

Son compagnon et lui sortirent de la tente. Darrick se tourna vers les deux barons et vers ses capitaines de centurie qui le regardaient, les yeux écarquillés.

Il haussa les épaules.

— Nous n'avons pas d'autre choix, se défendit-il.

— Ils nous verront, et ils nous suivront, affirma Gresse. Ça ne peut pas marcher.

— Si nous sommes tous ensemble, non, admit Darrick. Mais nous ne le serons pas. Voilà mon plan. Je veux que tous les hommes valides se massent au fond du camp. Nous n'emmènerons aucun blessé. Il faut qu'une partie de l'armée reste ici, bien en vue. La cavalerie me paraît le meilleur choix. Nous parcourrons quinze cents mètres sur la piste avant de tourner vers les falaises, en nous servant de nos mages comme éclaireurs. Nous marcherons toute la nuit si nécessaire, mais je ne laisserai pas Izack mourir pour rien.

— Et que deviendront les blessés et la cavalerie ? demanda Noirépine. Même si votre plan tiré par les cheveux portait ses fruits, à l'aube, les Ouestiens constateront qu'ils ne sont plus assez nombreux pour leur tenir tête. Et ils leur feront subir le sort que vous souhaitez tant épargner à Izack.

Darrick sourit.

— Je n'avais pas terminé. Après notre départ, des volontaires aideront les blessés à évacuer le camp et à se dissimuler.

— Et les gens qui seront restés ici « bien en vue », pour reprendre votre expression ? demanda Gresse.

— Quand les Ouestiens comprendront qu'ils ont été roulés et chargeront, vous n'aurez qu'à filer ! Contrairement à eux, vous avez des montures. (Le sourire de Darrick s'élargit quand il vit les yeux de Gresse pétiller de malice.) Alors, qu'en pensez-vous ? Si nous réussissons, nous aurons une chance de retourner la situation en notre faveur et de donner aux Ravens le temps dont ils ont besoin. (Il regarda ses officiers.) Êtes-vous avec moi ?

Les capitaines hochèrent la tête avec une unanimité digne des Protecteurs.

— Oui, messire, répondirent-ils à l'unisson.

— Baron Noirépine ?

— Vous voulez faire de moi un garde-malade ?

— Disons plutôt un défenseur des faibles. C'est plus glorieux ! Baron Gresse ?

— Jeune homme, c'est une manœuvre d'une audace folle. Assez folle pour réussir ! Les chevaux seront prêts aux premières lueurs de l'aube.

Darrick frappa dans ses mains. De nouveau, il sentait l'excitation chasser la fatigue et les meurtrissures de cet après-midi de combat.

— Dans ce cas, mettons-nous au travail tout de suite. Nous n'avons pas de temps à perdre.

Chapitre 35

Quand Hirad se réveilla, fatigué malgré ses quelques heures de repos, le Foyer Couvelien était illuminé comme par un incendie. Il se leva et rejoignit les autres Ravens, qui contemplaient la scène, l'air hébété. Une trentaine de feux brûlaient le long des berges du fleuve, projetant une lumière jaune fantomatique qui se reflétait sur la brume. À leur lumière, des milliers de Vestares s'étaient rassemblés. Certains examinaient leurs armes ou enfilaient leur cuirasse, mais la plupart étaient occupés à soigner des centaines de dragons. En leur appliquant un baume sur le cou, les ailes, la tête et les pattes, ils récitaient des prières pour la victoire de la couvée.

Ils semblaient minuscules à côté des Kaans étendus de tout leur long. Beaucoup mesuraient une quarantaine de mètres du museau à la pointe de la queue. La tête posée sur le sol, ils ouvraient docilement la gueule pour permettre aux Vestares de s'y faufiler et d'enduire leurs conduits à combustible de crèmes protectrices.

Stupéfaits par la puissance massée devant eux, les Ravens ne pouvaient pas détacher leur regard des flancs massifs, des cous musclés et des ailes frémissantes plus immenses que les voiles d'un navire de guerre.

— Ça dure depuis combien de temps ? demanda Hirad.

— Une éternité, me semble-t-il, répondit Ilkar. Et je n'arrive pas à croire que tu aies dormi…

— Je crois que quelqu'un m'y a aidé, dit le barbare. (Il désigna Sha-Kaan qui venait d'apparaître devant Tiredaile.) Allons-y, il doit avoir des tas de choses à nous dire.

— Et j'en ai autant à son service, intervint Styliann en s'éloignant à grandes enjambées, ses trois Protecteurs sur les talons.

— Quelle mouche le pique ? s'étonna Ilkar.

— Depuis son réveil, il n'a pas arrêté de marmonner à propos d'une « meilleure organisation des choses, dans l'avenir », dit Denser.

— Et il a l'intention d'en parler à Sha-Kaan maintenant ? s'exclama Hirad, incrédule.

— Je suppose…

— Grosse erreur ! déclara Hirad en prenant à son tour la direction de Tiredaile. Très grosse erreur !

La posture de Styliann (épaules carrées, menton fièrement relevé) annonçait une confrontation ouverte avec le Grand Kaan. Hirad savait que le dragon accepterait de s'entretenir avec les Ravens à cause du rôle qu'ils auraient à tenir. À part ça, il n'aurait pas d'autre souci qu'être préparé à l'ultime bataille par ses serviteurs. Donc, il n'aurait ni le temps ni l'envie de négocier avec un humain.

Précédant ses compagnons, Hirad allongea le pas et rattrapa le Xetesk juste avant qu'il atteigne Tiredaile.

— Styliann, vous devriez me laisser parler…

Le mage ne ralentit pas, se contentant de lui jeter un bref coup d'œil.

— Hirad le Dragonen ! J'ai des questions très importantes à régler, et je juge le moment très bien choisi. Je pense me faire entendre sans votre aide…

— Vous ne comprenez pas ! cria le barbare.

Styliann s'arrêta net. Ses Protecteurs se déployèrent pour encercler Hirad.

— Au contraire, je comprends très bien. Jusqu'à maintenant, notre association était à sens unique. Mais ça va changer.

— Quoi ?

— Retenez-le ! ordonna Styliann, le regard fou.

Il repartit et les Protecteurs barrèrent la route à Hirad. Quand le barbare tenta de les repousser, ils refusèrent de céder.

— Écartez-vous de mon chemin !

Les trois guerriers ne bronchèrent pas.

— Vous êtes bouchés, ou quoi ? Qui croyez-vous protéger ? Si vous ne bougez pas, ce ne sera pas Styliann, sauf si vous voulez veiller sur un cadavre calciné.

De nouveau, il tenta de passer. Un des guerriers masqués le repoussa d'une bourrade. Hirad dégaina en un clin d'œil. Les Protecteurs se mirent en position de combat.

— Hirad, non ! cria l'Inconnu. Ils te tueront. (Le colosse vint se camper au côté de son ami.) Ile, Rya, Cil, il dit la vérité. Laissez-le passer.

Les Protecteurs baissèrent leurs armes et s'écartèrent. Hirad courut vers l'entrée de Tiredaile, les Ravens sur ses talons, et arriva à temps pour entendre le début de la tirade de Styliann.

Des Vestares s'affairaient autour de la tête de Sha-Kaan. Le vieux dragon, les yeux clos, avait le cou allongé sur le sol et le corps à moitié immergé dans le fleuve.

Styliann resta immobile un instant, serrant les textes de Septern contre sa poitrine comme s'il voulait y puiser le courage de parler.

— Sha-Kaan ! appela-t-il. (Pas de réaction.) Grand Kaan, vous devez m'écouter.

Le dragon remua la tête. De son regard bleu et froid, il étudia les Ravens qui approchaient au pas de course. Puis il riva son attention sur le Xetesk, et ses mâchoires remuèrent légèrement.

— Je ne t'ai pas accordé d'audience, lâcha-t-il d'une voix basse et caverneuse. Pars.

— Non !

Sha-Kaan avança brusquement la tête, renversant les deux Vestares qui oignaient son museau. Ses naseaux s'immobilisèrent à quelques centimètres de la taille du Xetesk.

— N'ose plus jamais me parler sur ce ton ! grogna-t-il. Tu n'es pas mon Dragonen.

— Je ne voulais pas vous offenser, s'excusa Styliann. Mais le temps presse et…

— Je dois me préparer, coupa Sha-Kaan. Pars.

— … Il y a un risque que le sort ne soit pas lancé, dit Styliann d'une voix doucereuse.

Les Ravens sursautèrent. Sha-Kaan retira sa tête comme si on l'avait frappé, cligna des yeux et prit une inspiration sifflante. Hirad se tourna vers Denser et Ilkar qui haussèrent les épaules, Erienne fronça les sourcils et remua les lèvres sans qu'un son n'en sorte. D'une impulsion mentale, Sha-Kaan attira l'attention de son Dragonen.

— Comment est-ce possible ? demanda-t-il.

— Grand Kaan, je n'en ai pas la moindre idée. Ce problème ne vient pas de mes mages.

— J'ai cru comprendre que vous étiez certains de pouvoir lancer l'incantation, à défaut de garantir son résultat.

Hirad frissonna.

Styliann répondit à sa place.

— En effet. Mais Balaia mérite d'être assurée que vous continuerez, après, à soutenir ses luttes légitimes.

La température sembla baisser de plusieurs degrés. Sha-Kaan approcha de nouveau la tête de Styliann.

— Tu exiges des garanties !

Hirad remarqua que les Vestares avaient prudemment battu en retraite. Il se tourna vers ses amis et murmura :

— Vous devriez reculer, juste au cas où… Inconnu, c'est également valable pour tes Protecteurs.

— Tu ne crois pas que…, commença Denser.

— J'en doute, mais on ne sait jamais. Laissez-moi essayer de régler le problème…

D'un pas assuré, il vint se placer à côté de Sha-Kaan et fit face à Styliann.

— Je crois qu'il y a un malentendu, Grand Kaan, dit-il, sentant la colère du dragon envahir son esprit.

— Espérons-le ! répondit Sha-Kaan.

Sa voix sous-entendait une menace qui échappa visiblement à Styliann.

— Non, aucun malentendu, dit-il avec un sourire.

— Styliann, je vous demande de reculer. Ce n'est pas le moment, fit Hirad en portant une main à son épée.

— Hum… (Le Xetesk leva un doigt comme s'il réfléchissait à ses prochaines paroles.) Je comprends que le temps presse, donc je me montrerai très clair. (Il regarda Sha-Kaan dans les yeux.) Je présume que vous avez un certain sens de l'honneur ?

— Je suis un Kaan.

— Exactement. Voilà ce qui va se passer. Au nom de votre couvée, vous allez vous engager à m'aider à reprendre mon Collège et à négocier des traités avec les Ouestiens et les autres Collèges. Si vous refusez, je crains d'être incapable de participer à l'incantation du sort, ce qui sabotera les chances de fermeture du portail.

— Mais si tu n'y participes pas, tu mourras, dit Sha-Kaan.

— Vous aussi ! Voilà pourquoi je vous suggère d'accepter mes conditions.

Dans les yeux de Styliann, Hirad lut une folie telle qu'il n'en avait jamais vu. Une exaltation poussée à l'extrême, comme s'il pensait vraiment obtenir ce qu'il réclamait. Croyait-il que le Grand Kaan et ses quarante mètres de puissance animale brute allaient céder à son chantage ? Les mains du Xetesk tremblaient, et sa langue humectait nerveusement ses lèvres pendant qu'il attendait la réponse du dragon.

Aucun mot n'aurait suffi à exprimer le sentiment d'Hirad. Le silence des autres Ravens lui apprit qu'ils le partageaient tous. « Dégoût » ne lui rendait pas justice, loin s'en fallait. « Mépris » ou « répulsion » effleuraient sa surface.

Sha-Kaan ne se contenta pas de foudroyer Styliann du regard faute d'un mot approprié.

— Misérable vermisseau ! Tu serais prêt à sacrifier ma couvée et tous les habitants de ton monde si je ne promets pas de t'aider à satisfaire tes ambitions personnelles ?

— Je préfère tenir ça pour une juste récompense en échange du sacrifice que je consens afin de sauver Balaia d'une mort certaine, répliqua Styliann. Mais je comprends que vous puissiez vous méprendre.

— Les Ravens ne demandent rien, dit Hirad. Nous agirons uniquement parce qu'il faut bien que quelqu'un s'en charge.

Le Xetesk fronça les sourcils.

— Ou parce que vous n'avez pas réfléchi autant que moi.

— Styliann, vous n'êtes pas sérieux ! lança Denser. Vous ne pouvez pas refuser de nous aider. Vous le savez.

— Vraiment ? (L'ancien Seigneur du Mont n'accorda pas un regard au mage.) J'ai déjà tout perdu. Au point où j'en suis, mourir m'importe peu.

— Mais si vous ne participez pas au lancement du sort, vous nous condamnez tous, insista Hirad.

— Il existe un moyen très simple de ne pas en arriver là. Persuadez votre dragon d'accéder à ma requête !

Le barbare aurait adoré effacer le sourire suffisant de Styliann d'un coup de poing, mais il savait que le mage aurait pu le tuer avant qu'il pose la main sur lui. Sha-Kaan poussa un grognement qui résonna comme le bruit d'une lointaine avalanche.

— Il semble que vous n'ayez pas le choix, dit Styliann. Mais faites-moi la courtoisie de confirmer oralement votre accord. Inutile de vous préciser que cela engagera votre honneur.

— Ma réponse, dit Sha-Kaan, sera celle que tu pouvais attendre…

Le sourire de Styliann s'élargit.

— Par les dieux ! souffla Hirad.

Sans réfléchir, il plongea en avant, arracha les textes de Septern à Styliann, heurta rudement le sol et roula sur lui-même.

Deux lances de flammes jumelles jaillirent de la gueule de Sha-Kaan. Plus tard, le barbare reverrait souvent le sourire de Styliann s'effacer alors que la mort fondait sur lui. Son corps déjà noirci fut projeté en arrière ; dans sa poitrine, il ne restait qu'un trou béant à l'endroit où auraient dû être ses organes.

Il atterrit trente mètres plus loin. Sous l'impact, son torse se sépara de ses jambes, relativement intactes, sa tête calcinée devenant un petit tas de cendres que la brise emporta aussitôt.

— Humain impudent ! cracha Sha-Kaan.

L'Inconnu aida Hirad à se relever. Le barbare tremblait de tous ses membres. Il l'avait échappée belle. À une seconde près, il aurait été incinéré avec Styliann.

Denser avait porté une main à sa bouche. De son bras libre, il soutenait Erienne, qui semblait avoir du mal à respirer. Hirad se tourna vers Ilkar. Les oreilles frémissantes, l'elfe le regarda en secouant la tête.

— J'espère que vous pourrez utiliser ces trucs, dit le barbare en lui tendant les manuscrits de Septern.

— Je vais continuer mes préparatifs, annonça Sha-Kaan d'une voix qui ne contenait plus aucune colère. J'attendrai que vous me présentiez votre nouvelle solution.

Ilkar ouvrit la bouche pour protester, mais Hirad le fit taire d'un geste.

— Pas maintenant ! Venez.

Il entraîna les Ravens un peu à l'écart. Les trois Protecteurs avancèrent jusqu'aux restes de Styliann, les contemplèrent un instant et tournèrent la tête vers l'Inconnu.

— Que vont-ils devenir ? demanda Hirad.

— Franchement, je n'en sais rien, répondit l'Inconnu. Mais nous avons sur les bras un problème plus pressant. Ilkar, Erienne, Denser, quelles sont nos options ?

— Il ne nous en reste qu'une, dit l'elfe après avoir consulté ses collègues du regard. Nous avons lu la théorie dans la bibliothèque de Julatsa, mais nous l'avions rejetée après que Styliann nous eut rejoints avec d'autres informations. (Il tapota les manuscrits de Septern.) Heureusement que tu les as sauvées.

— Donc, vous pouvez toujours fermer la fissure et le couloir ? demanda l'Inconnu.

— En théorie…, dit Erienne.

— Mais nous n'avons plus assez de puissance combinée pour procéder comme nous le voulions, ajouta Ilkar. Et nous ne pourrons pas maintenir notre sort assez longtemps pour recoudre l'espace interdimensionnel.

— Alors, que comptez-vous faire ? demanda Hirad.

— Provoquer un effondrement.

— Parfait, jubila Hirad. Tu vois, Inconnu : il n'y a pas de problème. (Le barbare frappa dans ses mains. Mais sa confiance fondit quand il vit Erienne secouer la tête.) Quoi ?

— Nous ne pouvons pas prévoir l'effet d'un effondrement sur ce monde, sur Balaia… ou entre les deux. Il provoquera des vagues dans l'espace interdimensionnel, et Septern s'est montré très clair sur les risques. Nous pourrions forcer un réalignement dimensionnel, déchirer la trame d'une ou plusieurs dimensions et les dieux seuls savent quoi d'autre.

Erienne se passa une main dans les cheveux.

— Mais nous n'avons pas le choix ? insista Hirad. Sha-Kaan y a veillé.

— En effet, dit Denser. Et ce n'est pas tout. Nous devrons être dans la fissure pour la faire s'effondrer.

Bien qu'ils fussent très loin de lui, l'onde de choc les frappa de plein fouet. Pour les hommes qui montaient la garde, ce fut comme si une tornade dévastait leur esprit, dévastant leur subconscient et semant le chaos dans leur conscience. Pour ceux qui dormaient, ce fut un cauchemar, la perte de toute sécurité et le réveil de l'anxiété.

Des gémissements s'échappèrent de deux cents bouches.

Les Ouestiens qui les observaient remarquèrent les symptômes physiques sans pouvoir deviner leur cause. Les sentinelles vacillèrent. Derrière, les autres Protecteurs jetèrent un regard affolé à la ronde, comme s'ils n'arrivaient pas à croire à la réalité qui s'imposait brutalement à eux.

Le choc se dissipa vite, mais son contrecoup devait durer à jamais. Aeb secoua la tête pour chasser la brume qui enveloppait son esprit. Il sentait toujours ses frères, mais plus leur Protégé.

Il est mort. Nous avons échoué. Cette pensée circula dans les rangs des Protecteurs, accompagnée par un sentiment de vide lancinant et par la disparition de leur résolution.

Non ! lança Aeb. *Nous n'avons pas failli. Le manoir tient toujours.*

En revanche, il s'avisa de l'absurdité de leur situation. Ses frères montaient la garde en l'attente du retour de leur Protégé. Comme il avait succombé, il ne leur restait plus qu'à regagner Xetesk.

Mais même s'ils n'avaient plus de raison d'affronter les Ouestiens, ils étaient toujours là et ils essaieraient de les empêcher de partir.

Aeb sentit la confusion se propager dans le Réservoir d'Âmes. Ils étaient coincés, sans motivation pour se battre. Pourtant, ils y seraient obligés. Ils ne pouvaient plus attendre que leur Protégé vienne les relever de leur mission.

Une pensée étrange explosa dans l'esprit d'Aeb.

Sol ! Nous pouvons nous battre pour Sol !

Notre objectif est de survivre jusqu'à ce que nous puissions retourner à Xetesk pour recevoir un autre Protégé, dit-il. Il prit conscience que le flot de pensées s'était interrompu. Désormais, il était le seul à communiquer avec ses frères. Et il les sentait tous.

Nous respectons Sol. C'était l'un d'entre nous. Parmi les humains, le seul capable de comprendre notre vocation. Mais sans Protégé, nous devons nous battre pour nous-mêmes. Chacun de vous luttera pour défendre ses frères. Accrochez-vous à cet idéal et nous triompherons. Reprenez vos positions. La nuit n'est pas terminée.

Mais Aeb s'interrogeait. Le lien que Styliann leur avait fourni s'était rompu.

Croiraient-ils assez à leur droit de survivre seuls pour remporter la victoire ? L'aube répondrait à cette question.

Darrick aperçut la lueur des feux ouestiens qui entouraient le manoir de Septern une bonne heure avant d'arriver à destination. Il envoya des mages éclaireurs évaluer les défenses de Senedai. À leur retour, ils rapportèrent qu'il n'y avait pas de sentinelle hors du périmètre du camp qui encerclait le manoir et ses farouches défenseurs.

Une brève Communion avec les forces d'Izack permit de fixer le moment de l'attaque. Les deux moitiés de l'armée se mettraient en mouvement une demi-heure après que les Ouestiens auraient repris le combat contre les Protecteurs. Darrick avait décidé que le fracas de la bataille serait leur meilleure couverture. À eux deux, Izack et lui commandaient un peu plus de six mille hommes. Vu la proximité des tribus de Tessaya, ils seraient en infériorité numérique. Mais ils ne comptaient pas livrer une bataille classique, et Darrick, qui était passé maître dans l'art de ruiner les stratégies ouestiennes, pensait que cela leur donnerait l'avantage.

Il avait du mal à croire que son plan ait fonctionné sans anicroche. Conformément à ses ordres, les éléments les plus robustes de son armée étaient sortis par l'arrière de leur campement, fourreaux attachés à leurs cuisses ou à leur dos pour ne pas faire de bruit. Ils avaient cheminé vers le nord pendant cinq kilomètres, avant de tourner vers l'est pour rejoindre le manoir.

Grâce à la vision acérée de leurs elfes et de leurs mages éclaireurs, ils avaient avancé sans être repérés par les Ouestiens. Leur connaissance du terrain leur avait permis de garder une allure rapide toute la nuit.

Enfin, ils s'étaient arrêtés à une heure de marche de leurs ennemis, dans une vallée peu profonde partiellement protégée du vent, mais pas des averses. Darrick avait rendu visite à chaque centurie pour remercier ses hommes de leurs efforts et leur en demander un dernier.

À présent, il était assis avec ses pensées pour seule compagnie. Il n'avait pas le temps de dormir, mais il était vital qu'il se repose en prévision d'une journée qui s'annonçait plus longue encore que la veille.

Jusque-là, il n'avait pas eu le loisir de réfléchir à l'énormité du pari. Si ses mages ne s'étaient pas trompés, le NoirZénith couvrirait totalement Parve aujourd'hui. Les Kaans cesseraient alors de défendre efficacement la fissure, et des dragons ennemis s'y engouffreraient pour ravager Balaia.

Darrick ignorait à quel moment les Ravens réapparaîtraient. S'ils ne revenaient pas, personne ne pourrait refermer le trou dans le ciel. Tôt ou tard, tous les habitants de leur monde périraient dans les flammes. Mais s'ils revenaient, que le portail de Septern soit toujours tenu par leurs alliés ferait-il une différence ? Aussi extraordinaires soient-ils, les mercenaires n'étaient que six. Si la bataille ne penchait pas déjà en leur faveur au moment de leur retour, ils auraient sauvé Balaia pour l'offrir en pâture aux Ouestiens.

Darrick avait toujours su qu'il ne s'agissait pas seulement d'empêcher leurs ennemis de s'emparer du portail et de poursuivre les Ravens. Ils se battaient pour le salut de Balaia ! Le général se demanda pourquoi il n'en avait pas encore parlé à ses troupes. Sans doute parce qu'il avait lui-même refusé d'y croire. Tant qu'ils étaient immobilisés par l'armée de Tessaya, il n'avait pas voulu donner à ses hommes une nouvelle raison de désespérer.

À présent qu'ils étaient là, ils méritaient de savoir toute la vérité. S'ils devaient se battre contre les Ouestiens et les vaincre malgré leur infériorité numérique, il fallait qu'ils connaissent les enjeux. Les hommes d'Izack aussi.

Darrick se releva et se mit en quête d'un mage.

Les yeux de Sha-Kaan flamboyèrent. Il les détourna d'Hirad, qui regardait anxieusement les Ravens massés derrière lui.

— Trouvez une autre solution ! Ce que vous suggérez ne se produira jamais.

— Grand Kaan, il n'y a pas d'autre solution. Nous sommes à court de temps. Il est trop tard pour faire des recherches. La fissure doit être refermée immédiatement. Sinon, selon votre propre estimation, elle deviendra trop large pour que votre couvée puisse la défendre.

L'aube s'était levée et l'atmosphère commençait à se réchauffer.

— Aucun humain ne chevauchera jamais un dragon Kaan. Ce serait de la soumission. C'est interdit !

— Ce n'est pas de la soumission, mais une nécessité ! lança Ilkar.

Sha-Kaan tourna la tête vers lui, ses longs crocs dégoulinants de combustible.

— Je ne me souviens pas de t'avoir invité à parler, elfe !

Hirad prit une profonde inspiration.

— Sha-Kaan, je suis votre Dragonen. Puis-je m'exprimer librement ?

— C'est ton droit.

— Bien. (Le barbare contourna Sha-Kaan pour se camper devant lui.) Je comprends ce que vous éprouvez, mais c'est notre seule chance. Ce n'était pas votre but, mais en tuant Styliann, vous nous avez privés d'une partie de nos forces magiques. Soyez honnête : c'est vous qui avez créé cette situation ! Mais peu importe...

« Pensez-vous que nous avons envie de nous asseoir sur le dos d'un dragon et de voler au milieu d'une bataille pour lancer un sort ? Je ne me suis jamais élevé dans les airs plus haut que ce que je peux sauter. Par les dieux déchus, Sha-Kaan, il n'est rien au monde dont j'aie moins envie ! Les mages volent grâce à leur pouvoir, mais les guerriers en sont incapables. Et croyez-moi, ils ne l'ont jamais regretté.

— Ce beau discours est censé me convaincre ?

— Il veut surtout vous faire comprendre que nous n'avons jamais voulu ça, les Ravens pas davantage que les Kaans. Mais c'est la seule solution, pour votre couvée et pour Balaia. Nous sommes prêts à faire ce sacrifice. Et vous ?

— La honte d'une telle soumission..., murmura Sha-Kaan.

— On se fiche de la honte ! Si ça ne fonctionne pas, vous serez mort, et vous n'éprouverez plus rien. Dans le cas contraire, vous serez assez puissant pour faire ravaler leur mépris aux dragons qui oseraient se moquer de vous. Par tous les enfers, je ne comprends pas ce qui vous inquiète !

— À mon avis, c'est une très longue histoire..., dit Denser pour calmer les deux parties.

— Enfin des paroles sages, et il faut qu'elles sortent de la bouche du voleur, gémit Sha-Kaan.

Denser eut un petit sourire.

— Oui, fit Hirad, et c'est nous qui deviendrons de l'histoire – ancienne ! – si nous ne pouvons pas atteindre la fissure. Sha-Kaan ?

Le dragon ferma les yeux puis les rouvrit pour répondre.

— Aucun dragon ne s'est jamais incliné devant un humain. Un symbole d'asservissement et d'ultime défaite. Mais les Kaans comprennent que ce n'est pas pour nous soumettre que vous voulez nous chevaucher. Pour cette seule raison, nous acceptons ce que vous proposez. Trois d'entre nous porteront chacun un mage : Nos-Kaan, Hyn-Kaan et moi-même. Elu-Kaan restera dans son Choul, et il me succédera à la tête de la couvée si je devais ne pas revenir.

Sha-Kaan s'était exprimé dans la langue des Balaiens de l'est, mais Hirad savait que son esprit avait envoyé le même message à chaque Vestare et à chaque Kaan. Le silence qui suivit souligna l'énormité de sa déclaration.

— Grand Kaan, les Ravens se montreront dignes de confiance en sauvant votre couvée de la destruction, dit-il gravement.

Derrière lui, il sentit l'Inconnu se détendre.

Il se tourna vers lui, un sourire aux lèvres.

— Tu te sens mieux ?

— Naturellement. (Le colosse se rembrunit.) Quelque chose m'aurait échappé ?

— Oh, rien de bien important, répondit Hirad, désinvolte. Nous savons tous que les mages devront monter dans le ciel. Mais à ton avis, qui les tiendra pendant qu'ils incanteront ?

Toute couleur déserta le visage de l'Inconnu.

Près de lui, la mâchoire de Thraun tomba lourdement sur sa poitrine.

— Par les dieux du ciel, marmonna le colosse. Je ne comprenais pas pourquoi tu parlais de ta peur de voler. N'y a-t-il pas d'autre moyen ?

Hirad secoua la tête et fit un clin d'œil à Ilkar.

— De plus, les Ravens ne se battent jamais séparément. L'aurais-tu oublié ?

L'Inconnu se racla la gorge.

— Je ferais mieux d'aller chercher des cordes...

Chapitre 36

Darrick et son armée s'étaient mis en marche dès que leurs mages éclaireurs avaient annoncé que Senedai s'apprêtait à attaquer de nouveau les Protecteurs. La lumière pâle de l'aube éclairait un paysage semé de pierres et de broussailles détrempées par une pluie battante. Le jeune général ordonna à ses hommes de s'arrêter sous la crête d'une petite butte. Alors que le vent charriait les chants entonnés par des milliers de gorges ouestiennes, il sauta sur un rocher pour réclamer l'attention générale.

— Vous savez tous pourquoi vous êtes ici. Avant tout, merci de la détermination et du courage dont vous avez fait preuve depuis que nous nous sommes rencontrés sur le rivage de la baie de Gyernath. Nous avons d'abord marché ensemble pour libérer Balaia, puis pour venger nos frères. Désormais, nous luttons pour la survie de notre monde. Pas seulement pour défendre le manoir de Septern et donner aux Ravens le temps dont ils ont besoin. Les enjeux sont plus importants que ça, et je veux que vous les connaissiez avant que nous nous remettions en route.

Tous les soldats se tendirent, attentifs à la suite. À présent, il devait leur insuffler l'envie de se battre pour la vie de chaque homme, de chaque femme et de chaque enfant de Balaia.

— Pensez à notre situation… Gyernath est toujours debout, mais elle n'a plus de défenseurs. Noirépine et Julatsa ne sont plus. Les Collèges intacts sont menacés et une armée ouestienne s'apprête à assaillir Korina. À moins que nous ne l'en empêchions ! Notre capitale est défendue par une milice ridicule et elle n'a pas de fortifications. Le baron Gresse aurait pu organiser sa résistance, mais il est ici avec nous. Les autres barons se tapissent dans leur château, concentrés sur la défense de leurs terres.

« Qui reste-t-il ? Vous, et seulement vous ! Le dernier espoir de victoire et de salut pour l'est de Balaia. Personne d'autre ne s'opposera aux envahisseurs. Mais si vous croyez en votre pays et en votre peuple, nous vaincrons ! Si les Ouestiens gardent la supériorité numérique, nous avons l'avantage du cœur. La flamme de la foi brûle en nous. L'avenir de Balaia ne se décidera pas aux portes de Korina, ni devant les murs de Xetesk. Il se réglera ici et maintenant, au manoir de Septern. Moi, je crois en vous. Et vous ?

Le rugissement qui lui répondit le remplit de fierté.

De belles paroles, mais seuls le mana et les épées les confirmeraient. Le moment était venu de croire. Et de se battre.

— Sol ?

L'Inconnu se retourna en entendant son nom de Protecteur. Derrière lui, Cil, Ile et Rya attendaient près du monticule de terre fraîchement retournée où gisait la dépouille calcinée de Styliann. Personne ne lui avait témoigné une once de respect, à part Denser, qui s'était senti obligé d'organiser l'enterrement de son ancien supérieur.

Pour Styliann, il n'y aurait pas de cérémonie dans les cryptes de Xetesk. Pas de veillée mortuaire, de lamentations, de sarcophage de pierre, ni de derniers honneurs rendus par ses pairs. Simplement une fosse creusée par ses Protecteurs dans le sol d'une dimension étrangère.

Des rouleaux de corde sur les deux épaules, l'Inconnu avança vers le trio.

— Qu'y a-t-il, Cil ?

— Notre décision est prise. Nous ne retournerons pas sur Balaia. Nous resterons ici, pour vivre parmi les Kaans.

— C'est bien ce que je pensais... Désormais, vous êtes sûrs de sentir votre âme.

— Et si la solitude devenait insupportable, nous pourrions toujours rentrer, ajouta Rya.

— Les masques ? demanda l'Inconnu, en portant instinctivement une main à sa joue.

— Nous voulons que tu sois le premier à nous voir. Les démons ne peuvent pas nous atteindre. Ils n'ont aucun contrôle sur cette dimension. Ici, nous sommes libres.

Sans hésitation, les Protecteurs défirent les lanières de leur masque et l'enlevèrent.

L'Inconnu retint son souffle, mais l'émerveillement qu'il lut dans leurs yeux lui apprit tout ce qu'il voulait savoir. Cil, Ile et Rya sentaient la caresse du vent sur leur visage pour la première fois depuis des années. Ils aspirèrent de délicieuses goulées d'air, secouèrent la tête et contemplèrent enfin un monde dont la vision n'était plus limitée par les trous de leur masque.

Cil, Ile et Rya étaient de jeunes hommes. Aucun ne devait avoir plus de vingt-cinq ans. Leur visage d'une blancheur de craie, à l'exception des zones bronzées qui entouraient leurs yeux et leur bouche, était couvert de cloques. Bien que traitées par les guérisseurs xetesks pour empêcher une infection, elles ne guérissaient jamais véritablement sous leur masque d'ébène. À présent, elles pourraient cicatriser, et toutes les femmes de Balaia auraient perdu à jamais le beau visage et les yeux verts de Cil. L'Inconnu ne put s'empêcher de sourire. Un concurrent de moins quand il rentrerait chez eux !

Aucun mot ne fut nécessaire pour exprimer leurs sentiments. Leurs yeux en disaient plus long qu'un parchemin entier de la bibliothèque de Xetesk. L'Inconnu – Sol – approcha de ces hommes qui seraient libres tant qu'ils resteraient dans la dimension draconique, et les étreignit tour à tour.

Plongeant son regard dans celui de Cil, il vit l'espoir des trois Protecteurs se refléter dans ses yeux.

— Un jour, nous serons tous libres, et vous pourrez revenir sans vos masques. Notre fraternité ne sera jamais oubliée. Et même après avoir récupéré nos âmes, nous ne serons jamais séparés. Croyez-moi, je vous sens encore !

— Tu ferais mieux d'y aller..., dit Cil. Nous participerons à la seconde vague de défense au sol, avec les Vestares.

— Bonne chance ! dit l'Inconnu.

— Bonne chance aux Ravens aussi.

Le colosse revint au pas de course vers ses compagnons debout à l'ombre des dragons qui les conduiraient jusqu'à la fissure. Ilkar et Hirad prendraient place sur le cou de Sha-Kaan, le barbare derrière le mage pour le stabiliser quand le sort mobiliserait toute sa concentration. L'Inconnu et Denser chevaucheraient Nos-Kaan. Erienne et Thraun iraient avec Hyn-Kaan.

— Vous êtes prêts ? demanda Hirad.

— Oui, répondit l'Inconnu en jetant par-dessus son épaule un dernier coup d'œil aux trois hommes désormais libres. Un sacré boulot nous attend sur Balaia ! On ferait mieux de partir.

La meilleure façon d'attacher les humains aux dragons avait fait l'objet d'un débat fiévreux. Sha-Kaan et Jatha s'en étaient mêlés. Pour finir, ils avaient opté pour une solution relativement simple. Chacun des Ravens nouerait une corde autour de sa taille, histoire de conserver l'usage de ses membres pour s'accrocher à son porteur. L'autre extrémité de la corde serait attachée à la base du cou du dragon.

L'idée était moins de maintenir les Ravens en place que de les empêcher de tomber au cas où ils perdraient l'équilibre. La base du cou était l'endroit qui remuerait le moins – et la seule partie d'un dragon assez étroite pour qu'un humain la chevauche. La masse du corps des reptiles les empêcherait de glisser en arrière quand leur porteur prendrait de l'altitude, et quand il plongerait...

— Il suffira de nous accrocher, dit Hirad. Maintenant, n'oubliez pas que nous aurons beaucoup de mal à communiquer. Sha-Kaan prendra la tête, et les autres tenteront de le suivre au plus près. Nos alliés nous fourniront une escorte composée d'autant de dragons qu'ils pourront en retirer du cordon de sécurité de la fissure. Denser, tu devrais diriger l'incantation ! Thraun, Inconnu, vous savez ce que vous avez à faire. Ne lâchez surtout pas vos mages.

— Et si nous sommes forcés de rompre la formation ? demanda Erienne.

— Je surveillerai Ilkar pour voir s'il a perdu sa concentration et déterminer si vous devez tout recommencer. Sha-Kaan sait qu'il devra reconstituer la formation aussi vite que possible. Nous devons faire confiance aux dragons. Ils voleront de la manière qu'ils jugeront la plus adéquate à notre protection. Que dire d'autre... ? Essayez de ne pas tomber.

Après avoir échangé des claques dans le dos, des poignées de main, quelques étreintes et, pour Denser et Erienne, un baiser passionné, les trois duos se dirigèrent vers leurs porteurs. Des Vestares se chargèrent de nouer les harnais.

Alors qu'ils montaient sur le dos des dragons, Hirad sentit leur colère.

— C'est très inconfortable, se plaignit Sha-Kaan.

— Oui, et pas seulement pour vous, répliqua Hirad.

Il se plaça derrière Ilkar et sentit les écailles rugueuses s'accrocher à son pantalon. L'entre-jambe en feu, il avait l'impression de monter un taureau.

— Je ne pourrai plus jamais avoir d'enfants, marmonna-t-il.

— Je ne comprends pas, dit Sha-Kaan.

— Peu importe.

Ilkar se tordit le cou pour dévisager le barbare.

— Tu es vraiment incroyable !

— Non, simplement effrayé…

Les Vestares nouèrent les cordes sous le cou des dragons, s'efforçant de les coincer entre leurs écailles pour les empêcher de glisser. Hirad constata qu'il pouvait bouger. Mais son harnais était néanmoins assez serré pour le retenir. Devant lui, une seconde boucle de corde lui donnait une prise où s'accrocher.

Maintenant qu'il chevauchait Sha-Kaan, il sentait son pouvoir d'une manière nouvelle. La gorge du dragon frémissait à chacune de ses inspirations. Sur toute la longueur de son corps, ses muscles se contractaient et se détendaient, faisant onduler ses écailles.

Par-dessus son épaule, Hirad vit le corps du dragon se dresser derrière lui, dissimulant tout le reste. Plus bas, assez près des pieds du barbare, ses ailes jaillissaient de son torse. Sha-Kaan était une montagne volante. Et Hirad, une fourmi ligotée dessus.

Mieux valait ne pas trop s'attarder sur cette comparaison…

— Qui a eu cette idée brillante ? grommela-t-il.

Il tourna la tête vers l'Inconnu. Pâle et silencieux, le colosse laissait les Vestares l'attacher à son porteur.

— Inconnu !

— Laisse tomber. Rien de ce que tu pourras dire ne me réconfortera !

— On se revoit de l'autre côté.

— Sur Balaia ou dans la mort !

— Hirad Cœurfroid ?

— Oui, Grand Kaan.

— Vous êtes prêts ?

— Oui !

— Dans ce cas, laissez-moi vous faire découvrir les Cieux.

Le rugissement de Sha-Kaan fit trembler le sol. Des corniches où ils s'étaient perchés pour assister au décollage, les Vestares firent des signes de la main aux Ravens, avant de s'éloigner vers les plaines.

Autour d'eux, les autres dragons répondirent au signal de Sha-Kaan et prirent leur envol. Quand le Grand Kaan se dressa sur ses pattes, Hirad sentit son estomac remonter dans sa gorge. Puis le dragon déploya ses ailes.

Hirad prit l'épaule d'Ilkar et la main de l'elfe couvrit la sienne.

D'un bond puissant, Sha-Kaan se propulsa dans les airs.

Debout près d'un des feux de surveillance, les barons Noirépine et Gresse regardaient l'aube se lever. Malgré les nuages bas, ils distinguaient les silhouettes des Ouestiens qui s'affairaient dans les parages. Après avoir porté les blessés dans une cachette sûre, au cœur des falaises qui se dressaient au nord-ouest, les cavaliers de Darrick s'éparpillèrent pour seller leurs chevaux et donner l'impression d'être plus nombreux qu'en réalité.

— Vous n'avez pas l'impression d'être hors du coup ? demanda Gresse en sirotant son café.

— J'ai déjà reçu des ordres plus excitants que ça, admit Noirépine. Mais Darrick a raison : je suis trop vieux pour courir une nuit entière.

— Que vont-ils faire ?

— Les Ouestiens ?

— Oui. Ils resteront où ils sont, ou ils attaqueront ?

Noirépine gratta sa barbe noire impeccablement entretenue.

— Ils sont trop loin du manoir pour espérer prendre part au combat. À leur place, avant de rejoindre mes camarades, je m'assurerais que nous n'irons nulle part.

— Donc, nous ferions mieux de nous mettre en selle, résuma Gresse.

Noirépine hocha la tête.

— Mais je doute qu'ils nous poursuivront. Il faudra être assez visibles pour qu'ils puissent nous compter, tout en restant hors de portée de flèches.

À cent cinquante mètres du campement, les Ouestiens s'étaient déployés sur une ligne qui courait des falaises jusqu'à la forêt. Et même s'ils n'en voyaient guère plus de trois cents, Noirépine savait que le gros de leur armée n'était pas très loin derrière. Darrick avait-il réussi à passer ? Il fallait supposer que oui. Aucune alarme n'avait retenti dans les rangs ennemis, et pas un éclaireur n'était revenu avec de mauvaises nouvelles.

Alors que la clarté augmentait, il comprit qu'ils ne maintiendraient pas plus longtemps l'illusion d'être nombreux et fut soulagé quand un capitaine leur annonça que les chevaux étaient sellés. Son cœur battit plus fort dans sa poitrine. La première moitié de la matinée promettait d'être intéressante.

Près de lui, le baron Gresse s'était assis sur un rocher pour finir son café. Les hommes et les mages étaient prêts à partir. Ils avaient attaché leur paquetage à leur selle, nettoyé leurs armes et mis leur cuirasse. Ils seraient contraints d'abandonner leur forge, leurs tentes et leurs provisions, mais ça n'avait plus d'importance. L'équipement pouvait être remplacé. Pas les défenseurs de l'est encore valides.

— Prêt ? demanda Noirépine.

— Absolument !

Gresse posa sa chope vide sur le sol et enleva une de ses bottes pour en extraire un caillou imaginaire.

— Vous savez que je n'hésiterais pas à vous laisser ici, menaça Noirépine.

Son vieil ami éclata de rire.

— Tous les participants à cette guerre éprouvent une tension et une peur comme ils n'en avaient jamais connu. Je ne voulais pas que vous vous sentiez tout seul...

Près d'eux, le capitaine au visage à moitié dissimulé par son heaume se racla la gorge.

— Oui ?

— Seigneurs, nous devrions partir sans attendre !

Il désigna la piste principale, qui se remplissait d'Ouestiens. Des cris résonnaient d'un bout à l'autre de la ligne de front, et même s'ils ne comprenaient pas les paroles de leurs ennemis, les deux barons reconnurent de l'anxiété dans leur voix.

Dans le campement, les cavaliers continuaient à patrouiller comme ils l'avaient fait toute la nuit, utilisant le couvert des tentes pour donner une impression d'activité frénétique.

— Gresse, remettez cette foutue botte ! s'impatienta Noirépine.

— Je n'arrive pas à refaire les lacets, dit le vieil homme.

— Gresse, les bottes n'ont pas de lacets ! Dépêchez-vous. Ce petit jeu a assez duré.

Noirépine vit son ami regarder l'armée adverse. Puis il glissa son pied dans sa botte et se leva.

Les Ouestiens avançaient.

— Cavalerie ! appela le capitaine. Préparez-vous à la retraite. Lentement. Gardez un œil sur vos arrières.

— J'ai une idée, dit Noirépine alors qu'ils reculaient, imitant l'allure de leurs ennemis, que la prudence empêchait de charger. Si un mage peut lancer un BouclierDéfensif, j'aimerais bien aller parler au suppléant de Tessaya.

— Par les dieux, pour quoi fiche ? s'exclama Gresse.

— Faites-moi confiance, d'accord ?

Hirad avait vomi tripes et boyaux bien avant que Sha-Kaan se stabilise à l'altitude de la fissure et mette le cap sur elle. Suivis par Nos-Kaan et Hyn-Kaan, et précédés par tous les dragons qui n'avaient pas été affectés à la protection du portail, ils se déplaçaient si vite qu'ils l'atteindraient en moins d'une heure.

Le rugissement du vent, dans les oreilles du barbare, l'empêchait de se concentrer, et il y avait longtemps qu'il n'avait pas pu ouvrir les yeux en grand. Au-dessous de lui, le sol défilait à une distance et une vitesse impossibles et les manœuvres de Sha-Kaan lui avaient fichu une telle nausée qu'il ne savait même plus d'où ils venaient. Seule la fissure monstrueuse lui permettait de se repérer. En tout cas quand elle n'était pas masquée par les nuages, qui inquiétaient Sha-Kaan plus que tout le reste.

Hirad sentit une impulsion apaisante se communiquer à son esprit.

— Calme-toi. Je ne te laisserai pas tomber.

— Ça me rassure beaucoup, grommela le barbare.

Il capta l'amusement de Sha-Kaan, qui redevint vite sérieux.

— Les nuages dissimuleront nos ennemis. Nous devrons être très prudents.

Ilkar se tourna vers Hirad, l'air ravi comme un gamin. Mais en cas de chute, il pourrait invoquer des OmbresAiles avant de s'écraser sur le sol.

— Ça va, Hirad ? hurla-t-il.

Le barbare secoua la tête et serra un peu plus fort la bride que les Vestares avaient eu l'amabilité de confectionner pour lui.

— Tu t'en sors très bien.

— Je n'en ai pas l'impression...

Hirad regarda derrière lui et vit les deux autres porteurs voler en formation rapprochée. Denser agita la main, mais l'Inconnu ne réagit pas. La tête dans les épaules, il s'accrochait désespérément à sa propre bride.

Tournant la tête, Hirad constata que les dragons qui protégeaient la fissure avaient modifié leur configuration.

Des appels retentirent dans le lointain. Alors, des trios de Kaans se formèrent et s'éloignèrent à toute allure. Le barbare les suivit du regard et frémit. Sur sa gauche, le ciel était noir de centaines de silhouettes dont les contours se précisaient rapidement. Des dragons ennemis ! Sha-Kaan rugit et accéléra.

— Accroche-toi, Hirad Cœurfroid. Ça va bientôt commencer.

Le battement de ses ailes perçait les tympans du barbare comme le grondement d'un orage. Ses jambes étaient dures à force de serrer le cou épais de Sha-Kaan. Malgré ses gants, il avait l'impression que ses mains gelées tenaient la bride avec une raideur cadavérique. Il pria d'être capable de les dégager quand viendrait le moment de stabiliser Ilkar.

Toute cohésion avait disparu. Les messages se succédaient dans leur esprit aussi vite que la veille, mais leurs pensées ne se traduisaient pas immédiatement en actes. Et cela leur coûtait des vies.

La demi-heure qui suivit l'aube, Aeb vit tomber deux fois plus de frères que la veille. Lui portait une profonde entaille au bras gauche. Il pouvait l'utiliser seulement pour se défendre, son autre bras redoublant d'effort pour le garder en vie.

Les Ouestiens avaient senti la faiblesse de leurs adversaires. Autour du cercle, la pression augmenta, et les premières brèches commencèrent à apparaître, car les réservistes qui avançaient pour prendre la place des morts étaient déjà blessés.

Pensez et agissez. Laissez-vous guider ! lança Aeb à ses frères.

Mais ils devaient voir la vérité en face. La disparition de leur Protégé les privait de l'unité qui leur avait valu leur réputation de combattants invincibles. Les victimes tombaient toujours, du côté adverse, mais à ce rythme-là, leurs ennemis s'empareraient du manoir vers le milieu de l'après-midi.

Quand les premiers incendies s'allumèrent dans le campement ouestien, Aeb méditait déjà sur un concept nouveau pour lui : la défaite !

Au moment où Izack engageait le combat, les mages de Darrick lancèrent un assaut féroce sur les réserves ouestiennes.

Les Balaiens de l'est s'élancèrent entre les chariots, les tentes et les barricades en feu. Leurs ennemis tentèrent de comprendre ce qui leur arrivait, mais ils moururent trop vite pour y parvenir.

Des OrbesFlammes volaient au-dessus de la tête de Darrick. Avec un grésillement sinistre, la BrûlePluie s'abattait du ciel et la GrêleMortelle rugissait dans les rangs ouestiens, déchiquetant les corps jusqu'à l'os.

— Centuries, déploiement ! hurla Darrick.

Ses capitaines transmirent l'ordre et leurs forces s'éparpillèrent dans le campement livré au chaos.

À la tête de sa double centurie, le général fondit sur la ligne défensive qui se formait à la hâte, taillant en pièces les Ouestiens encore désarmés et croisant le fer avec ceux qui avaient réagi un peu plus promptement. De l'autre côté du champ de bataille, au-delà du manoir, une série de détonations lui apprit qu'Izack avait entrepris d'incendier les positions ennemies. Darrick fit décrire un arc-de-cercle horizontal à son épée. Sa lame mordit l'estomac de son adversaire. L'homme s'écroula, trop surpris pour crier.

— Brisez-moi cette ligne ! beugla le général.

Autour de lui, ses soldats se battaient avec plus de détermination que jamais. Des giclées de sang volaient dans l'air chargé d'une fumée âcre. Une odeur de tissu, de bois et de chair brûlés flottait dans l'air. Les cris des blessés, les hurlements des attaquants et les appels paniqués des défenseurs lui emplissaient les oreilles.

Il para un coup de hache qui visait sa poitrine, déséquilibra son nouvel adversaire et lui planta son épée dans le cœur.

Darrick écarta le cadavre d'un coup de pied et fit un pas en avant. Un peu plus loin, il aperçut la ligne d'Ouestiens qui attaquait les Protecteurs.

Il réussirait à les atteindre, même si ce devait être le dernier acte de sa vie.

Abasourdi, Senedai fit volte-face. À une centaine de mètres de lui, sa tente venait de se consumer et sa seconde ligne engageait le combat contre un ennemi qui aurait dû avoir péri très loin de là. Titubant au bord d'un gouffre d'indécision, il appela un de ses capitaines.

— Par les Esprits, que se passe-t-il ?

— Seigneur, les Balaiens de l'est ont lancé une attaque surprise sur deux fronts.

— Je le vois bien ! cria Senedai en saisissant l'homme par les revers de ses fourrures. Dites-moi que nous pouvons les retenir ! Je dois prendre le contrôle du manoir avant que le soleil atteigne son zénith.

— Nous les retiendrons…

Une nouvelle série d'explosions retentit. Du côté opposé du manoir cette fois.

— Et merde ! brailla Senedai. Si un de ces chiens parvient jusqu'à moi, je vous arracherai le cœur pour le dévorer. Arrêtez-les !

Empoignant sa hache, il bondit en avant.

— Battez-vous ! éructa-t-il. Battez-vous ! Je ne tolérerai aucun échec.

Une brèche s'ouvrit devant lui et il se retrouva face à un guerrier masqué, qui semblait avoir du mal à manier sa hache, mais qui jouait de l'épée avec une rapidité inquiétante.

Les mains tremblantes, Senedai leva sa hache et frappa. L'épée bloqua facilement son coup et la hache vola vers lui. Il fit un bond en arrière et sentit le tranchant métallique siffler à quelques centimètres de son nez. L'épée s'abattit de nouveau. Cette fois, il était prêt à la recevoir. Il para avec sa hache, força et sentit la pointe fixée au bout du manche traverser la chair de son adversaire.

Le guerrier masqué recula d'un pas. Quand la pointe se détacha de sa chair, son sang jaillit. Senedai sourit et leva son arme pour finir le travail.

Soudain, il sentit son flanc s'embraser. Baissant les yeux, il vit l'épée de son adversaire plantée dans sa cage thoracique. Il n'avait pas vu venir le coup. Ne l'avait même pas envisagé ! Pourtant, c'était lui qui allait mourir.

Sa hache lui échappa des mains. Alors qu'il s'écroulait, il eut le temps d'entendre ses hommes scander triomphalement un nom.

Tessaya.

Ils auraient dû fuir depuis des jours. Mais leur esprit scientifique les en avait empêchés.

Voilà longtemps qu'ils n'avaient plus besoin de mesurer le NoirZénith ! Ils avaient quand même continué à noter sa progression vers la périphérie de la cité, la consignant avec l'espoir qu'il resterait quelqu'un pour prendre connaissance de leurs travaux.

Jayash leva les yeux vers la masse brunâtre qui souillait le ciel et accablait Parve d'une pénombre perpétuelle. Des nuages s'effilochaient sur ses bords, déversant une pluie d'une intensité sans précédent, et des éclairs déchiraient sa surface. L'un d'eux s'abattit sur le désert, loin du mage, mais avec assez de force pour faire vibrer le sol sous ses pieds.

Un événement de plus en plus fréquent…

Non que cela eût la moindre importance. Parce qu'aujourd'hui, le NoirZénith couvrirait totalement Parve.

Les Ravens avaient échoué, aucune aide ne viendrait et la fissure continuerait à dévorer le ciel.

Ils s'étaient donc rassemblés sur la grand-place, le regard rivé sur la fissure qui les surplombait.

Les ombres s'allongeaient autour d'eux.

Il ne leur restait rien à faire.

À part mourir.

Ils attendaient les dragons !

Chapitre 37

Hirad sentit Sha-Kaan se tendre à mesure qu'ils approchaient de la fissure. Le dragon mourait d'envie de se battre, mais il savait que c'était exclu. Nos-Kaan et Hyn-Kaan les avaient rattrapés. Volant en parallèle, ils entrèrent dans la zone de combat, qui s'étendait sur plus d'un kilomètre vers la gauche, vers la droite, au-dessus et au-dessous d'eux. Le barbare ne s'était jamais trouvé au cœur d'un conflit aussi terrifiant, où la mort pouvait surgir de n'importe où.

Selon Ilkar, les mages auraient besoin de deux cents secondes de concentration continue pour préparer le sort qu'ils déploieraient à la surface de la fissure. Après, ils s'enfonceraient dans le couloir, où ils utiliseraient le sort mis au point avec Styliann pour provoquer un effondrement pendant qu'ils voleraient vers Balaia. Ils avaient imaginé un moyen de contrôler cet effondrement : un risque de plus, mais la liste était si longue qu'Hirad se demandait si un coup de dés supplémentaire ferait la moindre différence.

Sous ses pieds, le barbare vit deux dragons se cracher du feu à la tête en essayant de se mordre ou de se lacérer avec leurs griffes. Sourds et aveugles à tout ce qui n'était pas leur affrontement, ils perdirent de l'altitude et rapetissèrent jusqu'à ce que l'un d'eux redresse enfin son vol.

Le Kaan continua à plonger vers la mort.

— Hirad ! hurla Ilkar. Nous allons commencer à incanter. Tiens-moi bien.

Le barbare transmit le message à Sha-Kaan, sachant qu'il suffisait de le formuler clairement dans sa tête pour que le dragon le capte et le relaie aux autres porteurs. Au prix d'un gros effort, il lâcha son harnais et saisit Ilkar par la taille. Puis il serra les cuisses, sentit les écailles du dragon lui rentrer dans la peau et se concentra pour ne pas bouger.

Soudain, l'elfe se raidit dans son étreinte. Puis il se détendit pendant qu'il commençait ses préparatifs de concert avec Denser et Erienne. Hirad se pencha en avant pour le soutenir, son regard inquiet sondant le ciel en quête d'une attaque. Jamais il ne s'était senti aussi vulnérable. L'altitude lui coupait le souffle et son épée, attachée dans son fourreau, ne lui servirait à rien en cas de problème.

Le ciel grouillait de dragons. Sha-Kaan, Nos-Kaan et Hyn-Kaan fonçaient vers la fissure. Sur leur dos, les mages modelaient le sort qui sauverait peut-être leur couvée. La masse bouillonnante, enveloppée de nuages, dominait le ciel et le dévorait avec une rapidité effrayante. Ses profondeurs brunâtres étaient zébrées d'éclairs. Autour, une partie des Kaans volait en formation défensive, l'autre patrouillant à bonne distance pour briser les vols ennemis avant qu'ils puissent attaquer.

Sans crier gare, Sha-Kaan vira sur l'aile et prit de l'altitude. Au même moment, une ombre s'abattit sur eux, et un Kaan traversa le champ de vision d'Hirad. Ouvrant les mâchoires, le dragon cracha un long jet de flammes. Voyant que le Naik qu'il avait pris pour cible esquivait et piquait vers le sol, il le poursuivit.

— Ça ne va pas être facile, cria Ilkar, dont la concentration avait été brisée par la brutalité de la manœuvre.

— On recommence ! dit Hirad, le front contre la nuque de l'elfe pour faciliter la communication.

Le trio de porteurs se reforma et prit de nouveau la direction de la fissure. S'il l'atteignait trop tôt, il tournerait autour jusqu'à ce que les mages soient prêts à déployer leur sort. Le genre de truc plus facile à dire qu'à faire !

La terreur d'Hirad avait disparu, remplacée par une fascination morbide et une incrédulité détachée. Selon les estimations de Sha-Kaan, plus de sept cents dragons luttaient dans le ciel. Les Kaans étaient en infériorité numérique, mais beaucoup mieux organisés. Face à eux combattaient les Naiks, les Gosts et les Staras – des couvées qui avaient décidé de s'allier contre les Kaans plutôt que de se massacrer entre elles.

Sha-Kaan traversa un banc de nuages. Une fois encore, la fissure apparut devant eux. De nouveau, Ilkar se raidit et se détendit. Hirad s'accrocha à lui et pria.

À cette distance, la cacophonie était ahurissante. Au rugissement du vent se mêlaient les appels des dragons, les battements de leurs ailes, le grondement de leurs flammes et les claquements de leurs mâchoires – tous horriblement proches et distincts pour les oreilles du barbare.

Des centaines de géants ailés se percutaient avec une violence extraordinaire ou s'évitaient en volant à une vitesse impossible. Des machines de guerre animales, avec une grâce de danseur ! Et le ciel était leur domaine.

Six Kaans dépassèrent les Ravens et leurs porteurs, passant si près qu'Hirad aurait pu les toucher en tendant un bras. Mais il était trop occupé à rentrer la tête dans ses épaules. Il les suivit du regard quand ils plongèrent sur leurs proies : un quatuor de Gosts qui volait vers la fissure.

Du feu se déversa de dix gueules, et les deux formations se débandèrent pour fuir les flammes. Un des Gosts ne fut pas assez vif. Les ailes embrasées, il tomba en vrille en poussant un glapissement déchirant.

Les Kaans se regroupèrent pour se lancer à la poursuite de deux des survivants. Mais le troisième fit demi-tour, et Hirad eut un haut-le-cœur en voyant qu'il fonçait droit sur eux. Il lança un avertissement mental à Sha-Kaan, et sentit les pensées sereines du dragon étouffer sa panique dans l'œuf.

Le Gost aux écailles vert émeraude approchait, de plus en plus énorme, la gueule béante et les yeux rivés sur sa proie.

Mais deux petits Kaans se jetèrent sur lui. Le premier referma les mâchoires sur sa nuque et l'autre lui enfonça ses griffes dans le dos. Les trois dragons disparurent et Sha-Kaan continua son vol.

Ilkar n'avait rien remarqué.

Tessaya tenait ses ennemis. Les Balaiens de l'est s'étaient précipités vers l'arrière mal défendu des forces de Senedai. Trop impatients d'enfoncer les lignes ouestiennes pour atteindre les défenseurs du manoir, ils n'avaient pas prêté attention à leurs propres arrières.

Le Seigneur des Tribus Paléon avait dû attendre qu'ils frappent pour être certain de leur position. À présent, il pouvait déployer ses troupes : deux colonnes sur les flancs pour prendre ses ennemis en tenaille, et, au milieu, une troisième dont il assumerait le commandement.

Sur sa gauche, il savait que le général Darrick avançait rapidement. Seul ce sacré Lysternien avait pu couvrir tant de terrain en une nuit ! Tessaya respectait ses compétences de tacticien et de meneur d'hommes. Il ne l'épargnerait pas pour autant, et il devrait détruire son armée très vite, avant que la pression supplémentaire sape le moral des guerriers de Senedai.

Tessaya claqua des doigts. Aussitôt, des porteurs de cor avancèrent. Une seule note puissante donna le signal de l'attaque. Empoignant sa hache, le seigneur ouestien prit la tête de ses tribus et chargea l'arrière-garde mal protégée de l'ennemi.

Son premier coup détacha à moitié la tête d'un homme de ses épaules. Le deuxième brisa les côtes d'un autre et le troisième fendit une cuisse jusqu'à l'os.

Les mages concentrant leurs efforts sur l'avant, Tessaya n'avait pas à redouter leurs sorts. Il se fraya un chemin dans la mêlée, écarta une épée qui le menaçait et abattit sa hache sur un crâne nu.

Rugissant de délice, il fit signe à ses guerriers d'avancer.

Sha-Kaan avait de nouveau viré pour échapper aux Naiks.

Avec tant de Kaans occupés à les couvrir, il en restait trop peu pour protéger la fissure. Hirad sentait l'anxiété de son porteur et celle d'Ilkar.

— Nous ne pouvons pas continuer comme ça ! hurla l'elfe. Nous gaspillons notre mana. Il faut que Sha-Kaan maintienne sa trajectoire coûte que coûte. Il doit nous laisser le temps d'agir !

— Il fera son possible, promit Hirad alors que Sha-Kaan faisait demi-tour pour rétablir leur trajectoire.

Pour la troisième fois, Ilkar se raidit et se détendit. Pour la troisième fois, le barbare le stabilisa. Et pour la troisième fois, il pria.

Sha-Kaan plongea dans les nuages de plus en plus épais, ignorant les deux Kaans et le Stara qui luttaient près de lui. Leurs têtes, leurs ailes et leurs griffes mêlées dans une étreinte mortelle, ils tombèrent en vrille sans se soucier du sol qui se rapprochait d'eux.

Devant la fissure, une dizaine de Kaans s'arrachèrent au réseau défensif et s'éloignèrent en lançant des appels pressants, le corps tendu pour obtenir une vitesse optimale.

Un vol d'une quinzaine de dragons ennemis approchait rapidement. Hirad reconnut les écailles couleur de rouille des Naiks.

Un mauvais pressentiment le fit frissonner.

Les Naiks se séparèrent en trois groupes de cinq, chacun adoptant une formation en chevron. L'un d'eux s'éleva dans les airs ; le deuxième piqua un peu et le dernier garda son altitude et visa le cœur de la défense des Kaans – pas assez nombreux pour les combattre tous.

Les Kaans choisirent de se séparer en deux groupes, pour barrer le chemin aux Naiks du dessus et du milieu. Avec un rugissement qui résonna dans le ciel, les reptiles volants se percutèrent. Du feu explosa dans toutes les directions ; des griffes et des crocs étincelèrent. Puis un Naik et un Kaan tombèrent. Le premier avait une aile déchiquetée et le second une blessure hideuse le long du ventre. D'autres suivirent en faisant claquer leurs mâchoires. Leur feu orange s'imprima sur les rétines d'Hirad.

Pendant ce temps, le troisième groupe de Naiks avait continué sur sa lancée. Au début, le barbare crut qu'ils visaient la fissure. Puis il les vit modifier leur trajectoire pour intercepter les trois porteurs Kaans. Du regard, il chercha les défenseurs qui les en empêcheraient. Mais tout n'était plus que confusion autour de lui. Les dragons obscurcissaient le ciel, l'or des Kaans se mêlant au rouille des Naiks, au vert émeraude des Gosts et au bordeaux des Staras. Hirad était sûr que personne n'avait repéré leurs agresseurs. Il envoya un message mental désespéré à Sha-Kaan, qui, en guise de réponse, accéléra encore.

— Il faut que ce soit cette fois. Nous ne tiendrons plus très longtemps.

S'ils atteignaient les bords de la fissure, les vestiges du filet défensif retiendraient les couvées ennemies, mais Hirad avait conscience qu'ils ne parviendraient pas à distancer les Naiks. Il regarda ses amis. Denser et Erienne, les bras tendus, les mains en coupe, les yeux fermés et la tête inclinée en arrière, modelaient la forme de mana qui refermerait la fissure et mettrait fin à la guerre dans le ciel. Les deux guerriers, terrifiés, s'agrippaient à leurs protégés autant pour se réconforter que pour les stabiliser.

La fissure n'était plus très loin, mais les Naiks gagnaient du terrain. Hirad entendait leurs aboiements confiants et agressifs. Sous ses yeux, ils s'écartèrent un peu les uns des autres pour couvrir une zone maximale avec leur souffle. Dans quelques secondes, les Ravens et leurs porteurs ne seraient plus que des cendres voletantes. Sha-Kaan avait commis une fatale erreur de jugement. Personne ne viendrait à leur secours.

Un peu au-dessus d'Hirad, sur sa gauche, une trentaine de dragons jaillirent des nuages. Le cœur du barbare bondit dans sa poitrine. Mais son soulagement fut de courte durée. C'était des Verets, pas des Kaans. Il ferma les yeux et attendit la fin, sachant qu'il sentirait la chaleur un court instant, mais ne voulant pas la voir venir.

Les Verets dépassèrent les trois porteurs Kaans et plongèrent sur les Naiks, qu'ils éparpillèrent sans coup férir. Les petits dragons aquatiques volaient avec une agilité incroyable, et ils étaient beaucoup plus nombreux que leurs adversaires.

Sha-Kaan exulta. D'un dernier battement d'ailes, il avala la courte distance qui le séparait de la fissure. Il lança aux défenseurs l'ordre de s'écarter de son chemin. Puis, imité par Nos-Kaan et Hyn-Kaan, il vira sur l'aile et tourna autour de la masse bouillonnante.

Devant Hirad, Ilkar marmonna des paroles incompréhensibles. Il tendit ses paumes vers la fissure et, avec un hurlement, déploya son sort. Trois rayons de mana, respectivement bleu foncé, orange et jaune, s'envolèrent des mains des mages et s'ancrèrent aux bords de la fissure. Ils ondulèrent et se tortillèrent pendant que les dragons continuaient leur mouvement, entremêlant les fils pour former une corde d'énergie crépitante dont Erienne, Denser et Ilkar tenaient toujours l'extrémité.

Sha-Kaan rugit. Nos-Kaan et Hyn-Kaan lui firent écho. Autour d'eux, l'air retentissait d'appels et d'aboiements.

— Tu es prêt, Hirad ? cria Ilkar.

— Pour quoi ?

— La cavalcade de ta vie !

Les trois dragons plongèrent dans la fissure.

Hirad hurla quand le gouffre les aspira. Derrière eux, les lignes de mana volaient dans le couloir, s'accrochant à tout ce qu'elles touchaient. Un bruit semblable à un grondement de tonnerre augmenta encore.

Soudain, Ilkar lâcha sa ligne. L'extrémité se cabra et se planta dans les parois brunes du couloir, qu'elle bombarda d'étincelles en ouvrant une grande déchirure. De l'autre côté s'étendait un vide noir où soufflait un vent cinglant.

Ilkar tourna la tête et cria quelque chose, mais le tumulte couvrit sa voix. Partout autour d'eux, le couloir se désintégrait. Derrière, les bords de la fissure s'effondraient sur eux-mêmes, générant des bourrasques qui ballottaient les dragons en tous sens comme des oiseaux pris dans un ouragan.

Hirad s'accrocha si fort au harnais qu'il crut qu'il allait lui rester dans les mains. Il aurait volontiers hurlé, mais l'air s'échappait de ses poumons compressés aussi vite qu'il arrivait à l'y faire entrer.

Sha-Kaan parvint à se stabiliser et recommença à battre des ailes. Regardant par-dessus son épaule, Hirad vit les ténèbres se précipiter vers eux. Il voulut prévenir le dragon, mais reçut en retour une masse de pensées affolées. La lumière diminuait ; le couloir se volatilisait autour d'eux. Dans quelques secondes, ils seraient engloutis par le vide de l'espace interdimensionnel.

Quelques secondes, c'étaient bien plus qu'il ne leur en fallait. Ils déboulèrent dans l'espace balaien.

Sha-Kaan vira à la perpendiculaire de la souillure brune. Hirad leva le poing et glapit de joie.

Les Ravens étaient de retour !

Jayash vit les bords de la fissure onduler, puis les éclairs disparaître dans ses profondeurs. Des ténèbres jaillirent trois dragons, qui piquèrent aussitôt vers le sol. Mais ce fut à peine s'il les remarqua. Parce que le trou, dans le ciel, venait de se déchirer sur toute sa longueur, le brun auquel il s'était habitué tournant au noir. Les bords se replièrent sur eux-mêmes à une telle vitesse que l'œil humain ne pouvait les suivre. Puis le centre parut fondre sur le sol comme un gigantesque poing composé de vide.

Jayash sentit une bourrasque faire claquer sa cape, soulever des tourbillons de poussière sur la grand-place et propulser ses cheveux devant son visage.

— Par tous les dieux, souffla-t-il.

Les ténèbres enveloppèrent le sol.

Hirad baissa les yeux sur Parve. Le centre de la fissure, projeté en avant, faisait pleuvoir sur la cité l'inimaginable pouvoir de l'espace interdimensionnel. Tel un monstre noir dévorant Balaia, il rugissait entre les bâtiments et s'engouffrait en hurlant dans les espaces découverts.

Puis, aussi vite qu'elles étaient apparues, les ténèbres se comprimèrent et s'évanouirent avec une détonation qui résonna aux oreilles des Ravens pendant des jours.

Parve avait été littéralement balayée. À peine s'il restait quelques pierres pour témoigner qu'une ville se dressait là autrefois. À perte de vue, tout n'était plus que roche noircie et désolation.

— Merde alors ! chuchota Hirad.

— La justice, enfin ! jubila Ilkar.

— Pas pour l'équipe chargée de surveiller l'ombre, rappela le barbare.

Il se concentra sur Sha-Kaan, qui volait à toute allure vers les monts Noirépine.

— Nous nous dirigeons vers le manoir de Septern, dit-il en réponse à la question muette de son Dragonen. On se bat là-bas. Vos ennemis ne doivent pas détruire ce site. Il est trop précieux pour les Kaans.

Darrick abattit un guerrier ennemi d'un coup d'épée et sentit la vibration de l'impact remonter le long de ses bras. Il bondit par-dessus le cadavre de sa victime. Les sorts de ses mages tombaient moins fréquemment sur les Ouestiens sans défense, mais ils n'avaient rien perdu de leur intensité. À présent, le général était en vue des attaquants du manoir.

— Tous avec moi ! cria-t-il.

Le sol trembla sous ses pieds et il tomba à genoux. Levant les yeux à l'instant où se produisait la deuxième secousse, il vit la plupart des combattants perdre l'équilibre et s'étaler. Les Protecteurs se relevèrent d'un bond, mais les Ouestiens qui les affrontaient s'éloignèrent à quatre pattes.

Les murs du manoir s'écroulaient.

Une troisième secousse ébranla le sol. Toute la structure vacilla. Ses briques tombèrent vers l'intérieur, comme aspirées par une faille. Un geyser de poussière vola vers le ciel. Il fut rattrapé par une colonne de ténèbres qui l'engloutit puis battit en retraite dans les entrailles de la terre.

Alors, les bords du précipice se refermèrent.

Le manoir avait disparu.

Quelques vivats montèrent des rangs ouestiens, peu à peu repris en chœur par une multitude de voix. Les guerriers se donnèrent de joyeuses accolades et des chants de victoire sortirent d'un millier de gorges.

Darrick leva une main. Ses hommes s'arrêtèrent. En silence, il regarda les Protecteurs rengainer leurs armes et se baisser pour ramasser les masques de leurs morts. Les voyant se déplacer parmi les cadavres, les Ouestiens reculèrent pour les laisser passer. Ils avaient peut-être senti la solennité de l'instant. Ou ils se réjouissaient de ne plus avoir à affronter ces redoutables adversaires.

Lentement, les chants de victoire se turent et les Ouestiens se rassemblèrent d'un côté du champ de bataille désormais désert. Ce n'était pas encore terminé. Darrick et son armée leur faisaient toujours face, et ils ne semblaient pas décidés à s'en aller.

Les deux camps s'observèrent un bon moment avant qu'un homme seul fende les rangs des Ouestiens pour se planter devant eux.

— Général Darrick ! lança-t-il.

— Seigneur Tessaya, le salua Darrick de l'autre côté de la bande de terre nue, large d'une centaine de mètres, qui séparait leurs armées.

Les survivants de la seconde ligne ouestienne avaient pris leurs jambes à leur cou depuis longtemps pour rejoindre leurs frères. Du coup, les Balaiens de l'est n'étaient plus encerclés... Mais toujours en infériorité numérique.

— Nous devrions peut-être rouvrir les négociations, et évoquer les termes de votre reddition.

— Pas question ! répliqua Darrick. (Derrière lui, ses hommes acquiescèrent vigoureusement.) Après tout, vous ne m'avez pas cru la dernière fois, et je me considère comme un homme de parole. (Il fit un geste vers l'ouest, où la fissure ne dominait plus le ciel au-dessus des monts Noirépine.) Les Ravens essayaient de nous sauver tous. Que je sois damné si je les laisse revenir dans un monde que vous gouvernerez !

— Des paroles très courageuses de la part d'un homme dans votre situation, dit Tessaya. Vous n'êtes pas en position d'exiger, car vos meilleurs combattants ont renoncé. (Il désigna les Protecteurs, qui contemplaient le ciel.) Et comment voulez-vous que les Ravens reviennent ? Le portail qui conduisait à la dimension de vos alliés est désormais scellé.

Un bruit étrange monta dans le lointain. Un son que Darrick avait déjà entendu. Mais cette fois, il aurait parié qu'il ne signalait pas l'approche d'un ennemi.

— Il y a toujours un moyen, seigneur Tessaya.

Les Protecteurs n'avaient pas bougé, les yeux toujours tournés vers le ciel. Trois points minuscules apparurent à l'horizon. Très haut dans les airs, ils se déplaçaient à une vitesse incroyable.

— D'ailleurs, je crois que les voilà.

— Ça ne fait aucune différence, dit Tessaya. Rejoignez-moi au milieu du terrain, et nous parlerons des termes de votre reddition. Refusez, et je vous tuerai jusqu'au dernier.

— Les Ravens ne feront peut-être aucune différence. Mais je soupçonne qu'il n'en ira pas de même avec leurs amis. (Darrick se tourna vers un capitaine.) Par les dieux, j'espère ne pas me tromper, souffla-t-il. Ce sont des dragons. Priez pour que les Ravens soient avec eux. Sinon, il ne nous reste plus que quelques minutes à vivre.

Il marcha vers Tessaya.

Dans la zone neutre qui séparait leurs armées, les deux hommes s'immobilisèrent l'un en face de l'autre et inclinèrent la tête pour se saluer.

— La situation est plutôt complexe, pas vrai ? lança Tessaya.

— Pas particulièrement, répondit Darrick. Vos armées ont envahi nos terres. Nous vous avons repoussés, et maintenant, vous voulez négocier une reddition pour adoucir ce qui serait autrement un chemin semé d'embûches.

Tessaya croisa les bras. Darrick vit que ses fourrures et ses mains étaient couvertes de sang séché.

— Une vision des choses intéressante... Mais après avoir contraint à la reddition la pitoyable bande que vous avez envoyée dans ma forêt hier, je sais que vous êtes en position d'infériorité, et que vous n'avez plus aucune carte à jouer. Moi, j'ai des otages, et je n'hésiterai pas à les massacrer.

Darrick regarda sur sa droite. Les trois points grossissaient. Il n'aurait plus besoin de bluffer très longtemps.

— Très bien, dit-il en baissant la tête. Énoncez vos conditions, que je sache ce que vous tenez pour une reddition honorable.

Tessaya gloussa. Une brise légère ébouriffa ses cheveux et la pluie s'arrêta soudain.

Il écarta les mains.

— Même le ciel veut entendre mes paroles ! J'estime que les combats ont assez duré. Que tous les hommes qui se tiennent derrière vous posent leurs armes à terre et aillent se livrer à mes capitaines. Ils seront retenus ici jusqu'à ce que nous leur ayons trouvé un endroit où travailler. Quant à vous, vous accompagnerez mon armée victorieuse jusqu'à Korina, où vous négocierez la reddition de la ville en mon nom. Tous vos soldats seront bien traités. Enfin...

Une vague de consternation déferla sur les rangs ouestiens comme sur ceux des Balaiens de l'est. Tessaya fronça les sourcils et se retourna.

À présent, c'était au tour de Darrick d'afficher un air satisfait !

— Désolé, seigneur, mais ces conditions sont inacceptables, déclara-t-il.

Son cœur battait la chamade. Une nouvelle fois, il pria pour que les dragons qui approchaient soient les bons.

— Vous n'êtes pas en mesure de..., commença Tessaya.

— Silence ! cria Darrick avec tant de puissance que son interlocuteur frémit. Vous avez douté de ma parole, Ouestien, et vous allez le regretter. Vous m'avez demandé d'où les Ravens pourraient venir. Regardez le ciel, sur votre gauche. Vous y trouverez la réponse.

Il tendit un index. Tessaya tourna la tête presque malgré lui. Darrick le vit pâlir et ouvrir la bouche sans pouvoir parler. Autour d'eux, la consternation se transforma en terreur. Dans les deux camps, les hommes prirent leurs jambes à leur cou et s'éparpillèrent. Les officiers de Darrick hurlaient pour rétablir le calme et ceux de Tessaya couraient avec leurs subordonnés.

À son crédit, le seigneur ouestien ne tenta pas de s'enfuir, se contentant de reculer vers l'endroit où ses guerriers se tenaient quelques instants plus tôt.

Darrick leva enfin les yeux vers les dragons qui plongeaient sur eux.

Deux petites silhouettes multicolores se détachaient sur leurs cous.

Le général éclata de rire.

Les Ouestiens avaient décoché des flèches, fait mine de lancer des charges et provoqué leurs adversaires en mettant en doute leur courage. Mais la cavalerie des quatre Collèges, conduite par les barons Noirépine et Gresse, n'avait pas bronché, sachant qu'elle pourrait détaler et distancer ses poursuivants en cas de besoin.

Finalement, comme Noirépine s'y attendait, la curiosité du commandant ouestien avait eu le dessus. Il s'était avancé seul, brandissant un drapeau de trêve rouge et blanc. Les deux barons avaient enfourché leurs chevaux pour se porter à sa rencontre.

La conversation avait été brève.

— Je suis Adesellere. Vos noms ?

— Barons Gresse et Noirépine.

— Où est le reste de vos forces ?

Alors, Gresse avait compris le raisonnement de son ami et saisi pourquoi les Ouestiens ne s'étaient pas contentés de charger pour forcer la cavalerie à s'enfuir.

— Voyons..., avait répondu Noirépine en langage tribal. Il se peut qu'ils soient postés autour de ce camp, et qu'ils attendent votre attaque pour sortir de leur cachette et vous tailler en pièces. Ou qu'ils soient partis à la faveur de l'obscurité pour combattre votre armée au manoir de Septern.

« Pour le découvrir, il y a deux solutions. La première, c'est marcher sur nous. Si nous sommes seuls, nous vous échapperons. Si nous ne le sommes pas, vous mourrez. La seconde est de vous mettre en route pour le manoir, que vous devriez atteindre avant la tombée de la nuit. Que choisissez-vous ? Moi, je sais ce que je ferais à votre place.

Derrière eux, les toiles de tente claquaient au vent et la pluie tombait toujours.

Adesellere avait balayé le camp du regard. Bien que parfaitement silencieux, il pouvait être un piège mortel pour ses hommes.

— Vous ne ralentirez pas éternellement la marche des Ouestiens, avait-il enfin déclaré.

Puis il s'était détourné et avait emmené ses guerriers loin du champ de bataille.

Une demi-heure plus tard, Noirépine et ses cavaliers n'avaient toujours pas remis pied à terre. Quelques éclaireurs vinrent annoncer que leurs ennemis avançaient bel et bien vers l'est à une allure rapide.

— Mes amis, il est temps que nous allions chercher nos blessés, dit Noirépine, très satisfait. Ils seront beaucoup mieux installés ici.

Il fit pivoter sa monture, et ses hommes l'imitèrent.

Alors, des cris retentirent. Trois silhouettes monstrueuses venaient de jaillir de l'ombre qui obscurcissait le ciel au-dessus des monts Noirépine, et avançaient vers eux à toute vitesse. Gresse pensa interroger un elfe, mais il se ravisa. Au fond, il n'avait pas besoin d'entendre confirmer ses pires craintes.

— Pied à terre ! Pied à terre ! rugit un capitaine alors que les chevaux, sentant un danger inconnu mais terrible, tentaient d'échapper au contrôle des cavaliers.

Les hommes obéirent immédiatement. Une fois libres, les animaux détalèrent sans demander leur reste.

— Par les dieux, souffla Gresse, la gorge nouée.

Son corps était baigné de sueur, et il avait du mal à respirer. Il ne pouvait pas bouger. À en juger par son immobilité, Noirépine non plus.

Les dragons se rapprochèrent, l'or de leurs écailles étincelant dans le ciel sombre et gorgé de pluie. De plus en plus bas… L'un d'eux lança un aboiement et redressa son vol juste avant de s'écraser sur eux. Il les survola à faible altitude, rasant le sommet de leurs tentes. Gresse fit demi-tour pour les suivre du regard et faillit perdre l'équilibre. Il aurait juré avoir entendu un rire humain.

Frissonnant, il vit les monstres disparaître derrière les collines et se retourna vers Noirépine. Tout sourire, son ami lui donna une tape sur l'épaule.

— C'était quoi ?

— Ne me dites pas que vous perdez déjà la vue !

— Oh, pour les voir, je les ai vus, grogna Gresse. Il aurait fallu être aveugle pour les manquer. J'ai failli faire dans mon pantalon.

Noirépine éclata de rire.

— Je ne parle pas des dragons, mais de leurs cavaliers. Mon cher Gresse, nous avons réussi. C'était les Ravens.

— Les… ?

Le vieux baron sonda l'horizon, mais les dragons avaient disparu.

— Seigneurs ? appela le capitaine de la cavalerie.

Il avait retiré son heaume, et son visage était livide. Noirépine vit qu'il tenait un coffret de bois sculpté.

— Oui ?

— Je pensais qu'un petit remontant nous ferait du bien. (Il ouvrit le coffret et en sortit un flacon d'eau-de-vie de Noirépine plus quatre verres.) Je le gardais pour une occasion spéciale… Parions que je n'en trouverai pas de meilleure !

— Mon cher garçon, dit Gresse, qui sentit sa tête tourner comme s'il avait déjà trop bu, vous venez de rendre très heureux un pauvre vieillard.

Hirad voyait les deux armées face-à-face, mais pas les ruines du manoir. Sha-Kaan piqua. Le barbare frissonna en se sentant glisser le long de son cou.

Il aperçut l'endroit où le dragon comptait atterrir. Au sol, les hommes s'éparpillèrent malgré les rappels à l'ordre de leurs officiers.

Le dragon redressa le cou, bascula vers l'arrière et freina avec ses pattes postérieures.

Hirad dégaina une dague et trancha la corde de son harnais, pressé de sentir de nouveau l'herbe sous ses pieds, même si elle était imbibée de sang. Dès que le Grand Kaan inclina le cou, le barbare se laissa glisser à terre. Mais ses jambes cédèrent sous lui. Des mains se tendirent pour le retenir alors que les muscles de ses cuisses et de ses mollets exigeaient un repos bien mérité.

Se retournant, il aperçut Darrick.

Les deux hommes s'étreignirent chaleureusement et se flanquèrent de grandes claques dans le dos.

— Toujours vivant, hein ? fit le barbare quand ils se séparèrent enfin.

— Toujours vivant ! affirma Darrick. Mais obligé de remettre à plus tard les célébrations. Il y a une armée ouestienne de l'autre côté de ce dragon.

Hirad rit jusqu'à ce que des larmes inondent ses joues.

— Désolé, dit-il en s'essuyant les yeux. Quelle drôle d'expression. (Il se reprit.) Mon ami, la guerre est terminée. Il faut négocier le retrait des forces ouestiennes à l'est des monts Noirépine. Si leurs chefs refusent, je peux organiser une petite démonstration pour eux. Vous voyez ce que je veux dire ?

Darrick sourit.

— Je vais voir ce que je peux faire…

Il s'éloigna en direction de l'armée ennemie.

Hirad revint vers les Ravens, qui s'étaient rassemblés près de Sha-Kaan pour regarder Darrick parler avec Tessaya.

Le barbare posa une main sur la tête du dragon.

— Merci, Grand Kaan.

Sha-Kaan ouvrit un œil et le lorgna, l'air morose.

— Tes amis et toi, vous avez sauvé ma couvée. C'est moi qui devrais vous remercier.

— Alors, pourquoi tirez-vous cette tête ? Vous n'avez pas l'air heureux du tout.

— Nous avons perdu le manoir. C'est regrettable, car il abritait un portail qui a disparu aussi sûrement que la fissure. J'ignore où nous en trouverons un autre.

— Je ne comprends pas.

— Il veut dire que Nos-Kaan, Hyn-Kaan et lui sont coincés ici, expliqua Erienne. En tout cas, pour le moment…

— Mais vous pouvez les renvoyer chez eux, n'est-ce pas ? demanda le barbare. Bientôt ?

Les trois mages secouèrent la tête.

— Je ne sais pas, avoua Ilkar.

Hirad fit face à Sha-Kaan.

— Vous saviez que ça risquait de se produire ? C'est pour ça que vous êtes venu ici. Pour voir si le portail de Septern fonctionnait toujours !

— Bien entendu, dit Sha-Kaan. Mais que vaut la vie de trois dragons comparée à celle d'une couvée entière ? Un bien petit sacrifice...

Hirad ne sut pas que répondre.

— Nous trouverons un moyen, promit-il. Après tout, nous sommes les Ravens.

— Ton arrogance ne connaît donc pas de borne ? demanda Denser, les yeux brillants.

— Aucune !

Hirad regarda autour de lui. Darrick négociait avec Tessaya, qui hochait la tête mécaniquement en étudiant le trio de Kaans posés devant lui. L'Inconnu serrait la main de tous les Protecteurs survivants. Denser et Erienne se blottissaient l'un contre l'autre, le visage illuminé par leur amour. Sha-Kaan étudiait son nouveau foyer avec un sentiment de victoire, de tristesse... et d'espoir.

Ilkar, les bras croisés, souriait et secouait la tête comme s'il n'arrivait pas à en croire ses yeux.

Ils avaient réussi. Les Ravens ! Une fois encore triomphants !

Hirad devait admettre qu'il en était le premier surpris.

Seul Thraun manquait à l'appel. Le guerrier blond s'était esquivé en silence aussitôt après leur atterrissage. Il avait besoin d'être seul. Hirad comprenait. Il reviendrait quand il serait prêt.

Des cris d'alarme retentirent et des doigts se tendirent vers le campement ouestien démoli.

Le barbare tourna la tête.

— Laissez ce loup ! ordonna-t-il. Il ne vous fera pas de mal.

Thraun le rejoignit et s'immobilisa à ses pieds.

Hirad s'accroupit pour lui caresser la tête.

— Je n'aurais pas osé si tu avais été sous ta forme humaine, plaisanta-t-il. (Un sourire mélancolique flotta sur ses lèvres.) Oh, Thraun, pourquoi as-tu fait ça ?

Le loup le regarda solennellement, ses yeux jaunes embués. Puis il renifla l'air et lâcha un grognement amical qui résonna jusque dans le cœur du barbare.

Un instant, il crut qu'il allait pleurer.

— J'ignore si tu peux me comprendre, Thraun, mais souviens-toi de ça, dit-il d'une voix voilée par l'émotion. (Le reste du monde disparut autour de lui quand il plongea son regard dans celui du métamorphe.) Raven tu survivras toujours et nous ne t'oublierons pas. Que les dieux sourient à ton âme. Où que tu ailles, quoi que tu affrontes maintenant et à jamais, puisses-tu finir par trouver le repos !

Il sentit une main sur son épaule.

C'était Ilkar. L'elfe ne dit rien, se contentant de le réconforter par sa présence.

Thraun avança, lécha gentiment le visage d'Hirad, puis s'éloigna en trottinant.

Dans la même collection

LA PREMIÈRE LEÇON DU SORCIER

L'Epée de Vérité - Livre Premier

Terry Goodkind

Jusqu'à ce que Richard Cypher sauve cette belle inconnue des griffes de ses poursuivants, il vivait paisiblement dans la forêt. Elle ne consent à lui dire que son nom : Kahlan. Mais lui sait déjà, au premier regard, qu'il ne pourra plus la quitter. Car désormais, le danger rôde en Hartland. Des créatures monstrueuses suivent les pas de l'étrangère. Seul Zedd, son ami le vieil ermite, peut lui venir en aide… en bouleversant son destin. Richard devra porter l'Épée de Vérité et s'opposer aux forces de Darken Rahl, le mage dictateur.

Ainsi commence une extraordinaire quête à travers les ténèbres. Au nom de l'amour. A n'importe quel prix.

Terry Goodkind est le nouveau prodige de la Fantasy américaine. En quelques mois, son cycle de L'Epée de Vérité *est devenu un best-seller international, vendu à des millions d'exemplaires. Pour la première fois depuis Terry Brooks, un auteur a de nouveau réussi l'exploit de réunir tous les publics sous sa bannière. Traîtrise, aventure, intrigue, amour, tous les ingrédients sont réunis dans ce cycle pour en faire la plus grande fresque de Fantasy depuis Tolkien.*

« *Ce roman va tout balayer sur son passage, comme le firent ceux de Tolkien dans les années 60.* » Marion Zimmer Bradley, auteure des *Dames du lac.*

Dans la même collection

L'ULTIME SENTINELLE

David Gemmell

Deux soleils rutilent dans le ciel.
Des ombres jumelles planent sur la ville.
Le portail entre le passé et le présent s'est ouvert, et des forces démoniaques d'une effroyable puissance ont été lâchées. Pour refermer le portail, il faut trouver l'Epée de Dieu. Tout ce qu'on sait est qu'elle brille dans les nuages au-dessus de la Cité de la Bête, une ville gouvernée par la Reine Sombre.
Un seul homme peut se dresser devant le portail du temps : Jon Shannow, l'Ultime Sentinelle. Les chasseurs surgis de son passé qui veulent sa mort ne sont que le premier obstacle sur sa route. Car Shannow ne sait pas que ses actes pourraient pervertir le temps lui-même... et proclamer la fin de tous les mondes.

Jon Shannow est le personnage préféré des fans de Gemmell dans le monde, avec Druss la Légende et Waylander.
Ce roman est la suite de L'Homme de Jérusalem *et s'inscrit dans un cycle de 5 volumes lisibles indépendamment, dont le titre général est* Les Pierres de Sang.

Dans la même collection

LE CHACAL DE NAR

Des Tyrans et des Rois
Livre Premier

John Marco

Le prince Richius est surnommé « le Chacal » par ses ennemis, mais il n'est qu'un guerrier malgré lui, au service de l'empereur, jeté dans un combat pour les terres de Lucel-Lor, région frontalière déchirée par les conflits. Et bien que les machines de guerre de l'empire soient mortelles, quand le chef d'une secte fanatique balaie tout sur le champ de bataille grâce à une puissante magie, les forces de Richius sont terrassées. Il rentre chez lui vaincu... mais l'empereur n'accepte pas cette défaite. Bien vite, une nouvelle chance est donnée à Richius d'opposer la science de l'empire à la magie dévastatrice de l'ennemi, et cette fois il se bat pour bien davantage que le caprice dément d'un dirigeant. Cette fois, Richius est obsédé par sa propre quête : où il hésitait à aller pour un empereur cupide, il se jette la tête la première, par amour... dans les griffes du plus terrible ennemi qu'il ait jamais rencontré.

John Marco est né à New-York et a exercé un bon nombre de métiers avant de se consacrer à l'écriture. Le Chacal de Nar *est son premier roman, et a rencontré le succès dés sa sortie. Il ouvre une trilogie qui mêle très habilement grandes batailles rangées, intrigues politiques, amours contrariées, religion et fanatisme au sein d'un univers riche. C'est une épopée dans la lignée de la saga de George R. R. Martin (*Le Trône de fer*).*

Mars 2003

Dans la même collection

LES MYSTÈRES DE ST-PÉTERSBOURG

Christian Vilà

Un rituel magique est à l'origine de la Révolution d'octobre...

Pour Éfim Stoïkov, jeune chaman sibérien, tout commence à Barabinsk, son village natal. Une vieille femme à l'agonie lui confie la garde d'une mystérieuse créature qui lui ouvre la voie vers le Pays Violet, le monde des esprits. Ayant survécu aux premières épreuves de l'apprentissage chamanique, il émigre vers Saint-Pétersbourg.

Dans la capitale tsariste, où la police dispose d'alliés surnaturels, où complots politiques et combats de sorciers font rage dans les bordels et les palais, Éfim achève son initiation et subit le joug des terrifiantes Reines-Sorcières, qui se livrent une guerre secrète dans les coulisses de l'Histoire. Sa route va croiser celle de Raspoutine, qui lui a été désigné pour ennemi. Mais derrière le moine maudit se cache un Ennemi plus redoutable encore : le Prince des Nocents, souverain occulte de la cité. Pour vaincre, Éfim devra franchir les Seuils Violets qui palpitent dans l'horizon du monde des esprits, et où affluent les âmes des soldats morts dans les combats de la première guerre mondiale. En ces lieux singuliers vont se jouer son destin... et celui du siècle.

Né en 1950 et vivant à Paris, auteur d'une vingtaine de livres et de nombreuses nouvelles, Christian Vilà est aussi scénariste de télévision et de bandes dessinées. Avec Les mystères de Saint-Pétersbourg, *son quatorzième roman, il réalise une extravagante synthèse qui associe les rituels chamaniques et sorciers à l'histoire réelle – et allie la Fantasy moderne à la fresque picaresque, en un étrange roman initiatique, qui évoque Tim Powers et Clive Barker.*

Dans la même collection

L'EPEE DE SHANNARA

Shannara - Livre Premier

Terry Brooks

Il y a longtemps, un Mal ancestral a détruit le monde. Mais Shea Ohmsford ignore tout de ces légendes. Il vit paisiblement avec son frère aîné et son père, aubergiste de Val Ombragé. Or, le Mal n'a pas été détruit, il s'est endormi, et aujourd'hui l'heure de son réveil a sonné. Les Ténèbres vont recouvrir une fois de plus le monde. La seule arme contre les hordes maléfiques est la légendaire Epée de Shannara. Mais celle-ci ne peut être portée que par un héritier de Shannara. Et comme Shea le découvrira bientôt, il est le dernier de cette lignée… le seul espoir d'un monde comdamné.

Terry Brooks a écrit L'Epée de Shannara *en 1977. Il est le premier héritier de Tolkien, et revendique l'influence d'Alexandre Dumas. Ses romans ont tous été des best-sellers, et* Shannara *son plus grand cycle (10 volumes à ce jour). On lui doit également différentes novellisations dont* Star Wars : Episode I. *Bragelonne vous propose de découvrir l'un des cinq cycles majeurs de la Fantasy contemporaine, sans qui Eddings et Jordan n'auraient pas connu un tel succès, et dans son intégralité ! Les trois premiers volumes furent déjà publiés en France par J'ai lu, nous vous proposons ici une nouvelle traduction.*

« Merveilleux ! Un régal de tous les instants. »

Frank Herbert (auteur de *Dune*)

Dans la même collection

LES TROIS LUNES DE TANJOR

1. Le Peuple turquoise
2. La Flamme d'Harabec
3. La Mort d'Ayesha

Ange

Quand survient le naufrage,
Arekh est attaché à son banc avec les autres galériens. Persuadé que la fin est venue, il se résigne à périr, mais l'intervention inexplicable d'une jeune inconnue le libère, avec trois autres de ces compagnons.
L'inconnue, Marikani, n'avait aucune raison de le sauver. Pourtant, elle l'a fait, et Arekh va maintenant devoir réapprendre à vivre, et trouver sa place dans un monde régi par un réseau complexe et cruel de dieux, de rois, de règles, de présages, de coutumes... Un monde dont la structure repose depuis toujours sur un esclavage décrété par les cieux.
Le premier acte non égoiste de la vie d'Arekh sera d'aider Marikani, dernière descendante des rois-sorciers d'Arethas, à retrouver son trône. Et nos actes nous changent parfois plus que nous le croyons...

Cette trilogie de Fantasy à grand spectacle est l'histoire de la fin d'un âge... Ou comment la rencontre d'un ancien galérien et d'une jeune reine, pris dans le tourbillon de l'histoire et de la guerre, va changer pour toujours la destinée d'une civilisation.

*Ecrivant avec un même plaisir des romans et des bandes dessinées à succès (*Les héritiers, Reflets d'écume, Les crocs d'ébène, Némésis, Bloodline, La geste des chevaliers dragons*), quand ils ne traduisent pas ceux des autres, Ange est un auteur complet. On le serait à moins, surtout quand comme lui, on a quatre bras, deux cœurs, quatre yeux et pour l'instant, une seule paire de lunettes.*

Dans la même collection

ORCS

1. La Compagnie de la foudre
2. La Légion du tonnerre
3. Les Guerriers de la tempête

Stan Nicholls

Regardez-moi ! Regardez l'orc !

Je lis dans vos yeux de la peur et de la haine. Vous me considérez comme un monstre, un prédateur des ténèbres, un démon dont vous parlez pour effrayer vos enfants.

Une créature à traquer et à abattre comme une bête.

Le moment est venu de prêter l'oreille à la bête. Et de savoir qu'elle vit aussi en vous. Vous me craignez, mais je mérite votre respect.

Maras-Dantia était notre royaume, celui des nains, des elfes et des autres races aînées, longtemps avant que votre espèce ne vienne le saccager. Longtemps avant que vous ne dévoriez notre magie et ne violiez l'âme de notre monde.

Ecoutez mon histoire. Regardez couler mon sang et remerciez les dieux. Remerciez-les que ce soit moi et pas vous qui aie manié l'épée. Remerciez les orcs nés pour se battre et destinés à ramener la paix !

Depuis près de trente ans, Stan Nicholls est l'une des principales figures anglaises de la SF et de la Fantasy. Lecteur, anthologiste, journaliste, critique, il a même été le premier manager de la mythique librairie londonienne Forbidden Planet. *Stan a écrit des romans aussi bien pour les adultes que pour les enfants.* Orcs *est sa première trilogie de Fantasy et a été un succès dès sa sortie...*

« De l'action dans tous les sens avec une couche d'humour noir... Orcs *est un roman bien rythmé et réaliste. »*

David Gemmell

« Achetez-le aujourd'hui ou vous supplierez demain ! »

Tad Williams

Dans la même collection

LA TRILOGIE DU MAÎTRE DU TEMPS

1. L'Initié
2. Le Paria
3. Le Maître

Louise Cooper

Les sept dieux de l'Ordre ont régné sans partage durant une éternité, servis par les Adeptes du Cercle dans leur sombre forteresse du Nord.

Mais dans les rangs du Cercle, Tarod, le plus énigmatique et le plus redoutable des sorciers, commence à ressentir une attirance mystérieuse pour les choses obscures, qui menace ses convictions et fait même vaciller sa santé mentale.

Surgissant des abymes du Temps, un adversaire ancien et mortel risque de plonger le monde dans la folie et le chaos. Sa puissance rivalise avec les dieux eux-mêmes.

Le cœur et l'esprit de Tarod sont du côté de l'Ordre. Mais son âme, c'est une autre histoire...

Louise Cooper, née en 1952, a comblé les lecteurs de Fantasy de tous âges depuis 1973 avec plus de 50 romans. Elle est surtout renommée pour sa trilogie du Maître du Temps, *son best-seller. Passsionnée de folklore et de musique, elle vit en Cornouailles avec son compagnon et ses chats.*

«L'une de nos meilleures auteures de Fantasy épique... Le combat entre l'Ordre et le Chaos n'a jamais été aussi bien raconté que dans la magnifique trilogie de Louise Cooper. Elle a une compréhension aiguë de l'ambiguïté humaine, un don pour la narration et une imagination merveilleusement originale.» Michael Moorcock

«La trilogie du Maître du Temps est sûrement l'un des cycles les plus fascinants jamais écrits.» Dragon Magazine USA

• • • SAGIM • CANALE • • •

Achevé d'imprimer en février 2003
à Courtry (77181)

Imprimé en France

Dépôt légal : février 2003
N° d'impression : 6351